Para Reyes
Con todo el cariño
te va encantar un
abrazo de Merche

Sevilla 20 de abril 2011

María la Brava

Pilar Eyre

María la Brava

La madre del rey.
Una vida apasionante de amor,
deber, tragedia y sacrificio

la esfera de los libros

Primera edición: octubre de 2010

Avenida de Alfonso XIII, 1, bajos
28002 Madrid
Tel.: 91 296 02 00 • Fax: 91 296 02 06
www.esferalibros.com

Fotografías de interior: Agencia EFE, agencia COVER, EuropaPress, archivo *El Mundo* y archivo particular
ISBN: 978-84-9734-231-5
Depósito legal: M. 38.292-2010
Fotocomposición: J. A. Diseño Editorial, S.L.
Fotomecánica: Unidad Editorial
Imposición y filmación: Preimpresión 2000
Impresión: Rigorma
Encuadernación: Méndez
Impreso en España-*Printed in Spain*

Índice

Para Rafael Borrás,
cuyo mundo no es de este reino.
Con mi gratitud más profunda por tu amistad
y por todo lo que me has enseñado.

Capítulo 1

ROMA

12 de octubre de 1935

El vestido de novia le apretaba en la cintura y le quedaba demasiado largo, hacía mucho calor, el ramo goteaba y le mojaba las mangas, anchas a la manera medieval. El enorme *bouquet* de boda estaba compuesto por unos simples gladiolos, arramilleteados sin ninguna gracia, que había tenido que ir a comprar la vizcondesa de Rocamora en el último momento. Justo antes de salir del Grand Hotel, donde María había ido a recoger a su futuro suegro Alfonso XIII, el rey destronado, su hermana Esperanza se había dado cuenta y le había gritado:

—María, ¡el ramo!

En la floristería Venice, justo al lado del hotel, Angelita Rocamora sólo había podido comprar lo más barato, en su pequeño bolso de gala no llevaba dinero y se lo había tenido que pedir al conserje del hotel, que le había tendido las propinas recaudadas esa mañana, 12 de octubre de 1935, mascullando:

—¡Estos españoles!

El corto trayecto entre el hotel y la basílica de Nuestra Señora de los Ángeles se le hizo eterno. María tenía ganas de llegar de una vez, pero al mismo tiempo hubiera deseado no llegar nunca. En lugar de dar el brazo a su padre, el infante don Carlos de Borbón Dos Sicilias, se lo daba al tío rey, como María llamaba a Alfonso XIII desde niña. Por tercera vez ese año, 1935, don Alfonso se ponía el chaqué que le había hecho su sastre de Saville Row, porque en enero se había casado su hija mayor, Beatriz, y en marzo Jaime, el hijo sordomudo. A través de la tela ligera de su traje, María podía sentir el brazo del ex rey delgado como un palo de bandera. Todo él era puro hueso.

Sobre el albor almidonado de una de las camisas que le confeccionaba Sulka, en la rue de Rivoli, don Alfonso lucía simplemente el collar del Toisón de Oro.

Su padre se lo había dicho con esa forma suya suave pero inflexible:

—María, en toda ceremonia que esté Su Majestad, él ocupa el lugar preeminente, aunque sea la boda de la hija de uno. Te llevará él a la iglesia.

María lo había acatado sin protestas, de la misma forma que si su padre le hubiera dicho: «Hija, debemos estirarnos en el suelo y Su Majestad bailará un zapateado encima nuestro», cosa de la que era muy capaz, ella también hubiera asentido. Desde que había nacido la habían educado para servir al rey y a la patria. Ahora, cuatro años y seis meses después de haber abandonado su país, sus amigos y su fortuna para seguir a su rey al exilio, tan sólo le quedaba hacer ofrenda de su vida. Y no en el campo de batalla sino en el tálamo nupcial, dando continuidad a la estirpe borbónica proporcionándole nuevos y, a poder ser, saludables vástagos.

Uno dos, uno dos. Debía caminar, se lo había dicho su madre, la severa infanta Luisa de Orleans y Borbón, sin mirarse la punta de los pies. El empedrado de la viale delle Terme di Diocleciano la hacía tambalearse encima de los tacones de sus zapatos nuevos forrados de satin. Se los había hecho también Roger Worth, con la misma tela del vestido, muy sencillo, con cuello cerrado y un drapeado en la cintura que trataba, en vano, de hacerla parecer más esbelta. El velo era de guipur y llevaba una diadema de flores de tela imitando azahar que no la favorecía. Todo se había hecho deprisa y corriendo; ni siquiera había podido ir a Alberto, su peluquero. Había sido su hermana Dolores, la mayor, la que le había lavado la noche anterior su corta melenita color castaño y la había hecho dormir con una redecilla y una pinza dentada para que le quedara una onda sobre la frente. También fue Dolores la que le dio un único toque de maquillaje: abéñula en las pestañas, para que contrastasen con sus ojos intensamente azules.

De joyas, llevaba únicamente unas perlas en las orejas y su anillo de pedida con un rubí enorme en cabujón. En su neceser Angelita había guardado para el viaje de novios los dos clips de brillantes y rubíes, el collar corto de chatones, el de perlas gordas y la valiosa corona de la reina Cristina, de Cartier, con doble fila de catorce perlas, que le había obsequiado el día anterior el rey, que también le había comprado en Chaumet, en la plaza Vendôme, una pulsera de brillantes con una M en rubíes que había elegido ella misma.[1]

El tío rey le había dicho:

—Escoge una joya porque tengo que hacer un obsequio.

Ella había sospechado que tal vez era para alguna amistad «particular» cuyo nombre empezara por M, ¡todo el mundo estaba al tanto de las debilidades del rey, aunque todo se le perdonaba! Pero al salir de la joyería don Alfonso le había tendido el paquete y le había dicho sencillamente:

—Toma, María, es para ti.

Ella, que era ingenua pero nada tonta, se dio cuenta de que el rey quería hacerse perdonar la indelicadeza de exigirle que se casara con su hijo en régimen de separación de bienes. Según le había dicho su padre, era necesario, ya que el rey estaba muy escarmentado con las constantes peticiones de dinero que le hacía su mujer, la reina Victoria Eugenia, de la que vivía oficialmente separado desde hacía cuatro años.

El cortejo entró al fin en la piazza dell'Essedra. El rey, con una sonrisa algo ausente en sus labios habsburgo, iba quizás pensando en cómo hubiera sido esta ceremonia si no los hubieran «botado» de España, como decía él mismo con trágico casticismo, el 14 de abril de 1931, tras ganar las elecciones las candidaturas republicanas. Claro que entonces la novia sería una princesa de alguna rica y poderosa familia reinante. Claro que el príncipe heredero quizás continuaría siendo el hijo primogénito, don Alfonsito, al que no le hubiera dado por casarse con todas las cubanas que se ponían a tiro, cuanto más plebeyas mejor.

Pero María, ajena a estas disquisiciones tan deprimentes, sólo ponía atención a no tropezar con el ruedo de su falda, cuyo dobladillo se iba deshilachando poco a poco. Estaba sofocada y sentía en la nuca la mirada hiriente de su cuñada Emanuela de Dampierre, a la que Jaime, el hermano mayor de su marido, hacía sistemáticamente desgraciada a pesar de que sólo llevaban siete meses casados. Emanuela, años después, comentaría llena de inquina:[2]

—María ¡era tan fea!

Eran unas palabras dictadas por el rencor, ya que no hay nada que cause más envidia a los espíritus mediocres que la sospecha de que algún ser humano puede alcanzar la felicidad en este valle de lágrimas. Aunque tampoco eran ciertos los panegíricos que le dedicaban a María los escritores de cámara,[3] «hermosura serena, óvalo perfecto de su cara de rosa y nácar», «dulce majestad augusta y solemne belleza melancólica y soñadora», «arrogante belleza», «rostro angelical», sí lo es que lucía una sonrisa radiante y sus ojos, de un bello color azul trasparente, reflejaban esa cualidad tan rara de encontrar que se llama bondad. En ese día, cúspide de su vida, se sentía halagada y al mismo tiempo temerosa del papel que habría de corresponderle en la historia de España.

Para recordárselo, diez mil españoles, según unos, mil, según otros, convocados por el segundo marqués de Luca de Tena a través de su periódico, el ultramonárquico *ABC*, habían acudido desde España. Las crónicas de ese día escritas por los periodistas adictos nos dicen que una enorme multitud de jóvenes había invadido Roma portando el traje típico de cada una de las provincias españolas y que cantaban y bailaban al paso de María y el rey aires regionales, jotas, sevillanas, sardanas, muñeiras, hasta un sobrio aurresku, haciendo retemblar las piedras venerables de los palacios próceres de la Roma imperial que lloraban por la España moribunda en brazos traidores y marxistas (Bonmatí *dixit*). Aunque conocemos al menos el nombre de uno de los jóvenes que iban ataviados con traje regional, en este caso de labrador valenciano, que era Rafael Ros, un hijo del marqués de Torrefranca, la autora de este libro no pone la mano en el fuego por la autenticidad de estas multitudes, estas danzas, estos cantos, y tampoco por el llanto de las piedras, venerables o no. Lo que sí es cierto es que se oyeron algunos gritos aislados:

—¡Viva el rey, viva el príncipe de Asturias, viva María!

Y los más osados se atrevieron con un:

—¡Viva la reina!

Y todos sabían que no se referían a doña Victoria Eugenia, que se había negado a asistir a la boda de su hijo porque, según explicaba don Alfonso a su camarilla[4] frotando el índice con el pulgar como cualquier chavalillo de Lavapiés:

—La pava real quería más parné.

Lo cierto es que aquella reina inglesa altiva y desgraciada le daba un poco de miedo a María, y casi se alegraba de que no hubiera acudido. No consta que enviara regalo alguno, que se hubiera unido a los que habían recibido de la nobleza española, cuya modestia estaba justificada, ya que todos estaban diseminados por Europa y muchos totalmente arruinados desde que en su país se había proclamado la República. De España se había recibido un regalo colectivo en el que también había participado el general Franco con trescientas pesetas.[5]

El cortejo nupcial rodeó la fuente sobre taza de cobre de la piazza dell'Essedra y cruzó los jardincillos que prologan el templo hasta la extraña portada pseudo medieval que da paso al interior de la basílica de Santa María de los Ángeles.

Las atronadoras notas, no muy bien interpretadas, de la *Marcha Real* pusieron un brillo de añoranza en todas las miradas.

El templo estaba lleno. Cuatrocientos invitados sentados por orden alfabético. El brillo charolado de las chisteras contrastaba con el aleteo de blondas y mantillas sobre peinetas de carey. La duquesa de la Victoria, Torres de Mendoza y el íntimo amigo del rey, Fofó de Castel Rodrigo, habían organizado la ceremonia con todo detalle tomando como modelo las bodas que se habían celebrado en la corte española siguiendo el rígido protocolo austríaco, lo cual, dado el clima convulso que gobernaba Europa, la desorganización legendaria de los italianos y la falta de coordinación de los españoles, que ya llevaban dos días de fiesta en Roma bebiendo litros del popular cóctel Alfonso XIII a base de dubonet, angostura y ginebra, no dejaba de ser un propósito absurdo e irrealizable.

A pesar de que don Alfonso, con su proverbial tacañería, se quejaba de haber tenido que pagar tres bodas en un año, lo cierto es que fueron los magnánimos y millonarios marqueses de Pelayo[6] los que corrieron con casi todos los gastos.

Mussolini no había aceptado la invitación del ex rey de España y al mismo tiempo había advertido de que quedaban prohibidos los uniformes y las condecoraciones para no provocar al Gobierno de la República española. Excepto los príncipes de Piamonte, herederos de los reyes de Italia, los invitados pertenecían a la nobleza de segunda fila. Orleans, Braganza, Borbón Parma, Baviera, ninguno de ellos permanecía «en activo», pero al fin y al cabo los Borbones también estaban exiliados y cada vez se veía más lejano su hipotético retorno al trono de España.

A don Alfonso le gustaba sorprender a las visitas abriendo los brazos con desaliento:

—Soy un rey en paro… ¡Estoy pasado de moda!

Juan, ya en el altar, observaba a su novia con expresión tan malhumorada que María dio un traspiés y se habría caído al suelo de bruces si no la hubiera sujetado con fuerza don Alfonso. La pobre muchacha temblaba ante ese ceño fruncido, que, sin embargo, nada tenía que ver con ella, sino con el malestar que aquejaba al novio. Una molesta infección, «el microbio», según le había diagnosticado su médico el doctor Aldo Castellani, le producía constantes diarreas, y no sabía si podría aguantar sin aliviarse la ceremonia entera.

María se agarraba con desespero al rey, que se desasió con firmeza y le dio un pequeño empellón para que se acercara a su hijo. María miró a don Alfonso y vio sus ojos de exiliado, en los que leyó el dulce apelativo de su infancia:

—María la Brava, valor para este largo camino que te espera, no va a ser fácil...

Los ojos se le llenaron de lágrimas al despedirse de aquel rey triste que se encaminaba a pasos agigantados hacia la muerte, ¡no estaba hecho para vivir lejos de España!

Pero Alfonso XIII era el pasado. Juan y ella representaban el futuro.

Con la cabeza baja, se soltó del brazo del rey y se colocó al lado de aquel desconocido con el que iba a compartir cincuenta y siete años de vida.

¿Estaba enamorada de él?

¡Qué más daba! Aquí no se trataba de amor, sino de deber.

Nadie se lo había preguntado. Ni ella misma.

Nadie se lo había preguntado a Juan tampoco. En realidad, puestos a escoger, él prefería a Esperanza, la hermana pequeña, que era más «mona». Pero el rey había obligado a las dos hermanas a pasar un test de fertilidad con un reputado ginecólogo romano,[7] quien había dictaminado:

—La más fértil es María.

Dócilmente, todos los implicados habían aceptado su destino.

Juan iba también de chaqué, con la placa de príncipe de Asturias en la solapa y el Toisón de Oro al cuello. Engallando la cabeza, ambos se dispusieron a escuchar al arzobispo de Florencia, don Elías de Costa, que dio comienzo a la larguísima ceremonia. Interminables cantos y rezos en latín, italiano y algunas palabras en castellano antes de la pregunta ritual:

—Juan, ¿quieres por esposa a María de las Mercedes...?

Juan le pidió permiso a su padre y sólo después contestó:

—Sí, quiero.

La madre de María, la infanta Luisa de Orleans, vestida de solemnes encajes negros, y su padre, el infante don Carlos, de frac, sus testigos, su medio hermano Alfonso y su hermano Carlos, Jaime, el hijo sordomudo, Emanuela, ya en estado y luciendo el aire amargado que la iba a acompañar toda su vida, y el infante Fernando de Baviera, siempre tan pálido que Juan y sus hermanos le llamaban «el tío muerto», cabeceaban por el cansancio, el calor, el olor de centenares de cirios, los perfumes de las señoras y el aroma a naftalina que desprendían las ropas de gala. Ris ras, el rasgueo de los abanicos ponía su diapasón monótono en una ceremonia que parecía no terminar nunca.

En primera fila la adusta infanta Beatriz, también embarazada, exhibía ufana a su imponente marido, que sobresalía entre todos los invitados, Alejandro Torlonia, el Principone, como lo llamaban con burla, de Civitella Cesi, cuya sangre no era demasiado azul por ser su madre norteamericana, pero que era, sin embargo, descomunalmente rico. La simpática Crista, la segunda infantita, como la definía *Blanco y Negro*, una gigantona de veinticinco años rubia como su madre, sonreía entusiasmada, ¡quizás ahora, ya casado su hermano y asegurada la dinastía, también podría casarse ella! Claro que no podía decirse que los pretendientes hicieran cola ante su puerta, porque sobre las chicas Borbón planeaba la sombra de la hemofilia, que ya se había llevado por delante a Gonzalín, el menor de los hermanos, hacía tan sólo un año. Mientras, Alfonso, el mayor, vagaba por el mundo paseando su figura doliente de enfermo irrecuperable bajo el nombre de conde de Covadonga.

Tampoco había querido venir a la boda.

En estos momentos estaba en Miami con su mujer, Edelmira Sampedro, a la que llamaban en familia la Puchunga. Ambos estaban planeando dedicarse al cine, ya que al parecer el desventurado príncipe había tenido alguna oferta.

Un poco más atrás, la princesa María, la hija menor del rey de Italia, sonreía desdeñosamente vestida de negro de arriba abajo a causa del reciente fallecimiento de su tía, la dulce reina Astrid de Bélgica, y luciendo sus joyas más sencillas para demostrar que no le daba importancia a esta boda. Juan había intentado casarse con ella, pero María lo había rechazado, ¡pobre infeliz!, ¡ignoraba que ella misma iba a exiliarse y a convertirse en género de saldo en el mercado matrimonial!

También, mezclados entre la multitud, varias damas —y no tan damas— que habían tenido amistad íntima con el rey, y algunos políticos de derechas encabezados por José Calvo Sotelo, líder del partido monárquico Renovación Española, a los que el rey miraba severamente. Le habían dicho que éstos querían que abdicara en su hijo, considerándolo un estorbo al que había que arrumbar para conseguir en España la restauración borbónica.

Don Alfonso les había comunicado señalando a Juan con el dedo pulgar:

—A éste y a mí no nos separa ni Dios.

También estaba un puñado de periodistas, entre los que destacaba el enviado especial de *ABC* Eugenio Montes, quien esa noche dictó su crónica: «a Zurbarán le hubiera gustado esa elegante armonía de matices... el hijo se acerca poco a poco a su Augusto Padre, en la mano derecha del monarca queda, temblorosa y silenciosa, la gratitud de un beso». El artículo saldrá marcado con el sello de «Pasado por la censura».

Terminó la ceremonia, y Juan y María, del brazo, dieron media vuelta y enfilaron el pasillo convertidos en marido y mujer. Sus pensamientos debían ser los propios de todos los novios en este trance. Seguramente Juan, que se encontraba cada vez peor, en su lenguaje típicamente borbónico, se diría:

—A ver cuándo acaba este coñazo.

Y María se prepararía para acometer, con temor e ignorancia, el gran misterio de la noche de bodas.

El ginecólogo consultado había sido muy claro:

—Lo que se espera de Su Alteza es que tenga muchos hijos para dar muchos descendientes a la dinastía.

Más o menos lo que diría más tarde Juan a sus amigos con desgarrada crudeza:[8]

—Los miembros de las familias reales somos sementales de buena raza y nuestra primera obligación es perpetuar la especie procreando una y otra vez sin cambiar de vaca, como los toros bravos…

Sí, ya, María lo tenía muy claro, procrear, vale, pero ¿cuál era el trámite necesario para que esta procreación se produjera? Era este trámite el que seguramente la llenaba de pavor, después de saber los horrores que se contaban de la noche de bodas de Emanuela y Jaime. ¡Ella incluso tuvo que llamar a su madre por teléfono para que fuera a rescatarla!

Y cuando María y sus hermanas preguntaban aterradas y fascinadas a tía Eulalia:

—Y su madre, ¿qué dijo?

La tremenda infanta Eulalia prorrumpía en una risotada satisfecha:

—¡Por supuesto, que se aguantara!

La pareja se introdujo en el Bentley que les acababa de regalar el duque de la Torre para dirigirse al Vaticano. El papa Pío XI, al que llamaban el pontífice alpinista porque le gustaba escalar montañas, que se había negado a casarlos, condescendía ahora a regalarles unos rosarios y a recibirlos, aunque apenas si les dirigió un par de frases de compromiso. María estuvo a punto de caerse de nuevo, ya que tenía que cargar con el ramo, la cola, los nervios, ponerse de rodillas y besar al mismo tiempo la zapatilla del Papa, según el extravagante ritual que imperaba en aquellos años. Pío XI, distraída o expresamente, tenía los pies totalmente ocultos por el bajo de su sotana, y María, atrozmente genuflexa, tuvo que huronear a la desesperada intentado encontrar el pie papal. Cuando ya tocaba con la nariz la alfombra, Juan consiguió sujetarla y alzarla mientras la vizcondesa de Rocamora le arreglaba el velo y la diadema que con tanto trajín habían quedado algo desbaratados.

La audiencia tuvo un tono apresurado e incómodo, pero qué más daba, porque «había kodak», y ésta, en aquellos tiempos en que la palabra márketing todavía no se había inventado, era un buen golpe publicitario para aquella pareja obligada a recrear trabajosamente, en un medio hostil, la pompa y la majestad de una boda real.

En la foto, realizada en la antecámara, no aparece el Papa, pero sí algunos servidores palatinos, un par de guardias suizos y los inevitables Rocamora: ella, Angelita, tocada con un bonete de terciopelo y tres largos collares de perlas muy de moda en los años treinta, y él, Juan Luis Roca de Togores, de frac. Juan sostiene los guantes blancos y la chistera en la misma mano mientras María sigue cargando con el peso descomunal de su inmenso ramo de novia. En esa foto me sorprenden dos cosas: la falta de química, por utilizar unas palabras actuales, entre la pareja, y el detalle simpático de las orejas de Juan, que obvian los que lo describen como «ejemplo acabado de escultura griega, digno perfil de moneda antigua».

Pero el día aún no se había terminado. Todavía quedaba el banquete en el hall del Grand Hotel, en el que no había suficientes cubiertos para todos los invitados y tuvieron que habilitarse unas sillas contra la pared para guardar turno y sentarse por tandas.

José María Pemán, diputado monárquico, leyó unas cuartillas con su verbo lleno de florilegios y su cerrado acento andaluz:

—Nosotros, un puñado de españoles, ante el ara sacra de Roma, lucharemos incansablemente hasta devolver a España su himno, su bandera y su rey.

A lo que contestó un ditirámbico don Alfonso no queriendo ser menos:

—Como jefe de familia, os agradezco el calor que habéis creado cerca del príncipe y os agradezco como rey esta nueva aportación de la hidalguía de la raza a las personas seculares de los príncipes de Asturias...

Pero ya las personas seculares, vestidas de calle, subían a su Bentley para recorrer los veinte kilómetros que separaban Roma de Frascati, al lado de Castelgandolfo, un delicioso pueblecillo famoso por su vino blanco y por ser el clásico destino de luna de miel de los italianos.

Hotel familiar, aunque, eso sí, la habitación tenía baño.

Esa noche se consumó el matrimonio. Entre un hombre joven, pero ya de larga experiencia haciendo honor a su sangre Borbón, incluso algunos autores apuntan que había adquirido el famoso «microbio» en su frecuente contacto con mujeres (aunque otros, más aduladores, dijeron que había llegado virgen al matrimonio, «lo que tiene mucho mérito perteneciendo a la raza latina»), y la muchacha saludable y, sobre todo, fértil, la mejor de las candidatas posibles.

Que hubo consumación lo sabemos porque el propio Juan se lo contó años después a su hijo un día en que éste hacía ascos y pretextaba un resfriado para no tener que acudir a un acto en apoyo de aquél:

—El día en que me casé estaba hecho una mierda, pero aguanté hasta el discurso de Pemán sin desmayarme. ¡Tuve que joderme y por la noche cumplir, a pesar de todo, con tu madre![9]

Como en todos los matrimonios, los que dicta el amor o los que designa la obligación, su futuro era un misterio para ellos, pero visto aquel instante en perspectiva no puede una evitar un estremecimiento: aquel lecho nupcial de aquel hotel de provincias se asemeja demasiado a la piedra del altar en la que Abel sacrificó el cordero más dulce de su rebaño.

Capítulo 2

MADRID

1910

El 23 de diciembre de 1910, hace ahora cien años, el viento del norte acuchillaba el madrileño paseo de la Castellana casi esquina a Colón barriendo hojas secas y haciendo volar gorras y faldas, pero en el suntuoso palacio de Villamejor, que ocupaba el número 3, nadie prestaba atención a las inclemencias del tiempo. Las calderas de la calefacción, recién estrenada, funcionaban al máximo y en las habitaciones del piso principal se habían encendido chimeneas y estufas a las tres de la mañana, cuando le habían empezado a Luisa de Orleans los dolores de parto. Olía a eucaliptus y yodoformo.

El doctor Gutiérrez, el ginecólogo de doña Victoria Eugenia al que el rey había ennoblecido con el título de conde de San Diego, le indicaba a la comadrona Juana Villegas:

—Sujétela usted; es muy grande pero no hará falta usar los hierros.

Y ella mascullaba entre dientes:

—Bah, para decir eso no hacía falta que hubiera aquí ningún médico ni ningún conde.

Los criados corrían por los pasillos con enormes baldes de agua hirviendo, mientras Soledad Pérez, de profesión ama de leche, recién llegada de Caranceja, Santander, donde había dejado a un hijo póstumo de un tal García cuya profesión no reseñan las crónicas, esperaba tranquilamente a que diera comienzo su delicada misión.[1]

Al fin, a las siete y diez de la mañana, el vagido de un recién nacido, de sonido tan agudo como la tiza sobre la pizarra, dividió el presente en dos: el mundo antes de María, el mundo después de María, porque gracias a aquella niña la historia de España habría de escribirse de otra manera.

La madre, tan hundida en los mullidos almohadones que sólo sobresalía el caballete aristado de su nariz aguileña, murmuraba oraciones o maldiciones, no estaba muy claro, porque lo hacía en francés, ya que Luisa de Orleans había nacido, en 1882, en Cannes. Sus padres, los condes de París, vivían allí exiliados, aunque su madre era española, una Montpensier nacida en el Alcázar de Sevilla, hermana de la popular María de las Mercedes, la malograda esposa del anterior rey, Alfonso XII. Cuando el hijo de éste y de la reina Cristina, Alfonso XIII, buscó novia entre las nobles europeas, la joven Luisa fue una de las candidatas, incluso su foto salió en *ABC* junto a la de las princesas inglesas, primas entre sí, Bee y Ena, las otras postulantes.

Fue seguramente ahí donde la vio el cuñado del rey, Carlos de Borbón Dos Sicilias, al que en familia llamaban Nino. El pobre Nino también había sufrido lo suyo: acababa de quedarse viudo de otra María de las Mercedes, a la que llamaban Polla, hermana de don Alfonso, que había muerto a los veinticuatro años después de dar a luz su tercer hijo, una niña, el segundo de los cuales había fallecido de corta edad. Quizás Nino se sintió impresionado por el llamativo contraste entre los cabellos oscuros y los ojos claros de Luisa, único atractivo de la muchacha, que, eso sí, «tenía una facha colosal», como recordaría su hija muchos años más tarde.[2]

Algunos malpensados, siempre dispuestos a injuriar, difundieron la especie de que, además del contraste entre los ojos y el cabello y la facha colosal, también resultaban atractivos los abundantes caudales de la familia de Luisa.

Pero don Alfonso eligió a Ena y, cuando todos pensaban que la desdeñada Luisa no se casaría nunca porque ya tenía veinticinco años, Nino se había decidido a pedir su mano y fue aceptado con gran alborozo. El bueno de Nino era el perfecto cortesano, tan discreto que muchos lo tomaban por imbécil, cosa que no era en absoluto.[3] Pero su papel como consejero de aquel rey tan caprichoso e infantil era muy peliagudo, ya que su sustento y el de sus hijos dependía de su puesto en la corte, por lo que optó por no dar jamás su opinión sobre tema alguno. No tenía fortuna propia, ya que en su casa eran doce hermanos, pero era muy guapo, atlético, con unos atractivos bigotazos rubios, y su sangre era tan pura como la de Luisa: sus padres, los condes de Caserta, eran los titulares de la corona de las Dos Sicilias y, al no existir ya este reino, vivían también exiliados en Cannes, aunque Nino había nacido, en 1870, en Suiza. Habían podido comprar la amplia pero poco pretenciosa Villa Marie-Thérèse, en el camino de Antibes, frente al Mediterráneo, cuando les tocó un premio en un décimo de la lotería francesa.[4]

Ajena al galimatías de sangres nobles que se remontaban a la Edad Media que corría por sus pequeñas venas, María no dejaba de protestar a grito pelado por las perrerías que le estaban haciendo las comadronas: la lavaron con agua fría para fortalecer sus miembros, fajaron su cuerpecito con gasas apretadas cogidas con imperdibles, y la vistieron de encajes y volantes hasta parecer un lechón disfrazado.

Luisa, exhausta, agradeció que se llevaran a la niña de la habitación para entregársela al ama de leche. El padre, que entraba en aquel momento ya que había pasado la noche en palacio ultimando los preparativos del banquete para dos mil personas que se iba a celebrar con motivo del santo de la reina, apartó un momento los encajes que ocultaban el rostro de su nueva hija. María, molesta, frunció «esa boca jugosa, esos labios gordezuelos de las infantas de Sánchez Coello y las reinas de Velásquez», según definió su biógrafo oficial, Javier González de Vega, y abrió por primera vez sus ojos.

Nino se acercó al lecho de Luisa y con gesto preocupado, porque se acordaba de que su primera mujer había muerto de parto, le pasó la mano por la frente:

—¿Qué tal, Luisa? ¿Ha sido muy largo esta vez?

El rostro de su mujer se iluminó, como cada vez que veía a su apuesto marido, y ella, que normalmente era seca y altiva, dulcificada por el yodoformo musitó:

—Con Carlitos fue peor y con Dolores mejor.

Nino protestó:

—No seas quejica, que la niña está muy bien…

—¿Ha sido niña, entonces?

—Sí, ya tenemos cinco hijos —y precisó—, bueno, los tres nuestros y Alfonso e Isabelita, los dos que tuve con Polla que en paz descanse…

Luisa suspiró:

—Sí, claro, Bebito y Bela —y aún tuvo fuerzas para añadir—: Ya sabes que yo los quiero igual que si fueran míos… para mí los cinco son lo mismo.

Nino, que era un hombre sensible, se emocionó, pero fingió enfadarse:

—Bueno, bueno, descansa, que yo tengo que ir a palacio a informar a Sus Majestades.

Luisa cerró dócilmente los ojos, pero aún los abrió un momento para preguntar:

—¿Es guapa?

—Tiene los ojos del mismo azul que tú.

Y la mujer enamorada murmuró ya entre sueños:

—Pues yo hubiera preferido que se pareciera a ti.

Unos días después, los tres coches de gala, a los que llamaban «de París», unas filigranas realizadas por ebanistas ingleses que parecía imposible que pudieran rodar sin desportillarse sobre el duro y maltrecho empedrado madrileño, recogieron a la recién nacida, a sus padres, a sus hermanos y a la multitud de ayas y niñeras que los cuidaban, además de las damas de Luisa y los ayudantes de Carlos, para conducirlos por Recoletos y la Puerta del Sol, al Palacio Real. Allí, en el salón Gasparini adornado con dalias y alhelíes blancos, sus padrinos, la reina madre Cristina y su tío Rainiero en representación de su hermano Genaro de Borbón Dos Sicilias, que había tenido que quedarse en cama con un ataque de gota, acercaron a la recién nacida a la pila de Santo Domingo de Guzmán, mientras el obispo de Sion le echaba sobre la cabeza agua del río Jordán y la bautizaba con los nombres de María de las Mercedes Cristina Genara Victoria de Todos los Santos.

En familia siempre la han llamado María.

Idéntico ritual se ha seguido en el bautizo de las infantas Leonor y Sofía de Borbón Ortiz.

María lloraba tanto y con tanto desespero que el rey exclamó:

—¡Ésta será María la Brava!

Todos, como buenos cortesanos, rieron estrepitosamente, excepto la reina Victoria Eugenia, que después de un aborto que había estado a punto de matarla se encontraba de nuevo embarazada y padecía una dolorosísima flebitis que no le permitía permanecer de pie. Además, estaba profundamente disgustada con su marido pues le habían contado que éste había asistido a la coronación de su primo George en Inglaterra acompañado de una amante francesa a la que ahora tenía instalada en Madrid en el palacio de Santoña.

Había querido quedarse en sus habitaciones, pero el rey y su suegra no se lo habían permitido, y la habían obligado a ponerse una mantilla blanca, una de las prendas que más odiaba, y a asistir a la ceremonia, lo que se reveló como un gran error: su actitud malhumorada, sus labios apretados y su indiferencia a todo lo que ocurría enfriaba el ambiente, en el que todos se sentían incómodos a pesar de los esfuerzos del rey por gastarles bromas a los niños, los de su cuñado y sus tres hijos, Alfonsito, Jaime y Beatriz.[5]

También se metió con Nino, que iba vestido con un correcto uniforme de gala de general de división, mientras él llevaba su deslumbrante uniforme de gala de Lanceros y toda «la chatarra»:

—Mecachis en la mar, eres el tío más guapo de Madrid, ¡me vas a quitar todas las novias!

El rostro de la reina permaneció dolorosamente impávido mientras todos reían, pero esta vez con algo de embarazo.

Todavía mojada la cabecita de la niña, la reina pidió permiso al rey para retirarse, y él se lo concedió con un gesto exasperado.

Y luego don Alfonso había mirado a su ex cuñado y a su mujer y les había dicho con envidia:

—¡Qué cabrones sois! ¡Qué felices se os ve siempre!

Quizás aquí Luisa tuvo un momento de humana satisfacción al recordar que el rey había preferido casarse con la princesa inglesa antes que con ella, y se dijo, en francés, algo que podría traducirse por «¡pues ahora a chincharse tocan!».

La reina madre Cristina no había perdido detalle, porque era muy inteligente y observadora, pero para ella su hijo, su Bubi adorado, estaba por encima de toda crítica.

Como siempre que estaban con la Familia Real, Nino y Luisa sólo se relajaron cuando volvieron a subir a los coches para regresar a casa y pudieron encender un cigarrillo. Se dijeron todo con la mirada, puesto que no querían hablar delante del personal de servicio. A pesar de que ambos sabían que el culpable de la desgraciada vida conyugal de los reyes era Alfonso, les era muy difícil solidarizarse con una mujer flemática y distante que además criticaba todo lo español. Lo curioso es que la misma impresión causaba Luisa, a la que definían como fría y sofisticada. Su misma hija María afirmaría con cierta aprensión muchos años después:[6]

—Mamá era muy estricta, severa, y no nos pasaba ni una.

Pero si había dos bandos, el del rey y el de la reina, ellos siempre estarían en el primero, ¡si les había dado a todos el tratamiento de infantes, aunque no les correspondía! ¡Si incluso les había dejado el dinero para que compraran el palacio de Villamejor! ¡Si tenía un *charme* retrechero que no podía aguantarse! Y la verdad es que todo se reducía a lo mismo: Nino no tenía un duro y necesitaba su cargo en la corte para vivir.

Aleccionada por su marido, Luisa se las arreglaba para fingir que no se daba cuenta de las tribulaciones domésticas del matrimonio real y sólo hablaba con la reina de banalidades. Así, doña Victoria Eugenia la consideraba limitada, desprovista de humor y muy tediosa. En una carta íntima escrita a su prima Bee muchos años después, ya en el exilio, explica: «Han venido a verme Nino y Luisa... si antes eran aburridos, ¡ahora han llegado al máximo!».[7] Contra lo que nos han querido explicar algunos cronistas, nunca hubo auténtica amistad entre doña Victoria Eugenia y Luisa de Orleans y siempre se miraron con prevención. Luisa no pudo olvidar nunca que el rey la había rechazado por Ena, y la desdichada reina no acostumbraba a confiarse a nadie. Además no podía evitar sentir envidia de Luisa, que tenía un hijo tras otro sin dificultad ninguna y, sobre todo, completamente sanos.

Sí, algunas tardes quedaban para montar juntas en la Casa de Campo, Luisa asistía a todas las recepciones de la corte y los jueves también jugaba al bridge en palacio mientras Nino jugaba al polo con Su Majestad en el club Puerta de Hierro, pero lo cierto es que en ninguna biografía de la reina de España se la menciona, y tampoco aparece en el abundante material gráfico de la Familia Real que existe de aquella época.

La niña se quedó adormecida con el traqueteo del coche, lo que hizo decir a su nodriza:

—A Su Alteza le va a gustar mucho el viaje y el movimiento.

Y fue cierto, porque en una ocasión en que le preguntaron a María que en cuántas casas había vivido, contestó:

—Uf, no lo sé, quizá treinta.

Del palacio de Villamejor, muy caro de mantener, se fueron a un palacete en la calle Zurbano, y de ahí a un caserón en la calle Lista esquina Núñez de Balboa, enorme, ya que debía albergar no solamente a una familia tan numerosa como la suya, porque Luisa había tenido una nueva hija, Esperanza, sino a los cincuenta servidores que los atendían.

Mientras les acondicionaban la casa, pasaron unas semanas en el Palacio Real, en el ala Génova. Los niños se quejaban;

—Mamá, ¡qué frío hace en palacio! ¿Pero no son ricos los reyes? ¿No son más ricos que nosotros?

La reina Cristina, que era la que se negaba a poner calefacción, se reía de la blandura de las nuevas generaciones, ¡ella había dado a luz a sus hijos con carámbanos colgando del techo!

Aunque luego María recordaría aquellos años de infancia con benevolencia y agradecía la educación severa que le habían dado sus padres, lo cierto es que los hermanos tenían muy poca relación con ellos. Luisa les exigía que le hablaran en francés, lo que dificultaba la comunicación, debían besarle la mano, se levantaban cuando entraba en una habitación y nunca debían dirigirse a ella si ella no les preguntaba primero. Y ¡ni hablar de estrecharlos entre sus brazos! ¿Arruinarse el vestido? ¿Llenarse de babas? ¡Eso era cosa de gitanos!

Incluso los besos en las manos estaban reglamentados. Si los niños eran demasiado efusivos, la madre los reprendía:

—No hace falta dar un lametón, con hacer el ademán es suficiente.

Luisa atendía a su cuidado personal. Ella, como la reina, se vestía en Worth, y las pruebas de trajes y la elección de las telas llenaban gran parte de su tiempo, porque tenía muchas obligaciones; *La Época* de vez en cuando se hacía eco de ellas:[8] inaugurar una tómbola de beneficencia, repartir unos premios hípicos, asistir a funciones de gala, misas solemnes, las capillas públicas de palacio o presidir algún acto del Congreso Eucarístico.

Por las noches, a través de alguna puerta entreabierta, María veía a veces a su madre vestida de gala apagando el último cigarrillo en el cenicero que le tendía un criado y poniéndose los guantes de cabritilla mientras el brillo fugitivo de sus joyas fulguraba a la luz de las lámparas. Siempre con prisas, casi siempre sola porque su marido estaba al lado del rey, cruzaba el vestíbulo y desaparecía devorada por la oscuridad de la noche dejando un rastro de *La Rose Jacqueminot* de Coty, su perfume favorito.

Por supuesto, no atendía a ninguna tarea doméstica, ni siquiera debía tomar decisiones al respecto ni hablar con los criados porque para eso estaba el ama de llaves, María de Llanos, o su dama particular, la marquesa del Águila Real.

Nino, por su parte, quizás hubiera estado más próximo a sus hijos porque era más blando, pero ¡si el pobre vivía más en palacio que en su propia casa! Tenía que atender las necesidades más nimias del rey, desde escuchar a parientes latosos a recibir en audiencia a personas sin importancia o viajar a provincias remotas para departir con alcaldes que daban unos discursos pesadísimos en dialectos incomprensibles.

También el rey lo requería para tareas más personales, como cubrir sus ausencias galantes delante de su madre, como contaba él a Luisa con tristeza:

—¡La opinión de su mujer ha dejado de importarle!

Si alguna vez el sacrificado Nino conseguía quedarse a dormir en casa, lo venían a buscar en mitad de la noche porque el rey lo necesitaba. María se despertó muchas veces con las carreras de los criados en los pasillos y el traqueteo de los coches sobre el empedrado.

María y sus hermanos convivían con amas, niñeras y nurses, y cuando se hacían mayores, con institutrices y preceptores extranjeros que eran miembros empobrecidos de la pequeña nobleza de sus países, tan ignorantes como los aristócratas españoles, sin nada que enseñar aparte de su idioma nativo. Eran los últimos vástagos de familias con mucha prosapia en los apellidos pero pobres de solemnidad y no tenían ninguna habilidad para ganarse la vida, por lo que aceptaban con humildad la tiranía que les imponían sus pequeños amos. Miss Watson de Walde, miss Cole, mademoiselle Duval-Rochefort, fraulein Von Sweitzer, perpetuamente constipadas, de pecho hundido y aspecto famélico, susceptibles hasta límites enfermizos, porque ellas no eran criadas sino señoritas de compañía, y querían ser tratadas como tales.

Madame Ravinel, que había sido aya de Luisa, asustada del temperamento de los principitos, pretextó su edad avanzada y mala salud para retirarse a un convento, y más tarde, Irene Rubín de Celis, mitad chilena, mitad jerezana,[9] intentó poner algo de orden en aquel batallón de inútiles, pero María y sus hermanos ya habían aprendido las mañas suficientes para continuar haciendo su real gana.

Lo que sí consiguió fue que María, que era zurda, dejase de utilizar la mano izquierda atándosela a la espalda. Un método hoy considerado muy pernicioso para el desarrollo de los niños que también se siguió con el ahora rey de España, que heredó esta peculiaridad de su madre. Sin embargo la pronunciación algo gangosa de la «erre» no pudieron corregírsela nunca.

Había misa diaria en latín con el joven capellán don José Sebastián de Bandarán, que también les enseñaba las oraciones, y debían hacer eso tan vago que entonces se llamaba «buenas obras», pero lo cierto es que toda la vida de los pequeños Borbón Orleans se desenvolvía en un clima de adulación extrema, totalmente ficticio, sin nada que ver con la realidad de la calle. Los servidores y los visitantes ocasionales les trataban de Alteza y les hacían reverencias, debían plegarse a sus caprichos y obedecerlos como si fueran adultos, si no se iban a la calle, y en la calle, en las primeras décadas del siglo, hacía frío y había mucha pobreza.

Sólo alternaban con sus primos Álvaro, Alonso y Ataúlfo de Orleans, hijos del tío Ali, primo de Nino, y de tía Bee, prima de la reina, y también con los principitos Baviera. María a veces se escapaba e iba a pegar la cara a la verja que daba a la calle para ver a aquellos niños vestidos con blusones de rayadillo que empujaban enormes carretones cargados de verduras, o repartían periódicos, o vendían pieles de conejo, y a veces había suerte y era un rebaño entero de corderos el que pasaba por la calle Lista conducido por niños casi tan pequeños como ella que daban unos silbidos espeluznantes y a los que obedecían ciegamente corderos y perros de pastor, y eran como generales conduciendo sus tropas. La pequeña María quería extender los brazos a través de las verjas como hacen los chimpancés en el zoo para tocarlos, para ver si los niños eran de verdad, hasta que venía una niñera a chafarle la guitarra:

—Tenga la bondad Su Alteza de entrar en la casa.

Y María rezongaba en francés que Su Alteza tenía la bondad de darle una patada en el culo.

Pero María y sus hermanos también tenían una obligación, una penosa obligación de la que hubiera abdicado con gusto: los jueves y los domingos debían ir al Palacio Real para jugar con los hijos de los reyes. Carlitos era un poco más pequeño que Alfonsito, el príncipe de Asturias, pero abultaba el doble, Dolores estaba entre Jaime y Beatriz, y María era de la edad de Crista. Esperanza, que nació cuatro año después que María, estaba entre Gonzalín y el pequeño Juan, que había venido al mundo el 13 de junio de 1913, pero al que nadie hacía mucho caso, aunque María les había oído decir a sus padres en voz baja cuando volvían a casa después de su bautizo:

—Juan es el único sano.

Llegaba a palacio toda «la jarca» de los Borbón Orleans gritando, brincando, arrastrando los juguetes por el suelo, incluidas las muñecas que a María no le gustaban nada y a las que cogía por el pelo y pegaba con ellas a los más pequeños. A Bebito y a Bela, sus medio hermanos, los reclamaba enseguida la reina Cristina, que los quería mucho porque eran los hijos de su añorada Polla. Los invitaba aparte, los llevaba a sus habitaciones y les daba lionesas y merengues de la pastelería La Suiza, y para divertirlos, aquella reina tan severa que tenía atemorizada a la corte, que la apodaba no sin cachondeo Doña Virtudes, se sacaba los zapatos y se persignaba con los dedos de los pies y hacía trucos de magia.

Mientras, María, aunque a ella lo que le gustaba era jugar «a lo bruto» con los chicos, hacía bailar el diábolo con Crista y le enseñaba a tirarse por las barandillas y a cortarle la cola a las lagartijas, pero esto tenía que mantenerse en secreto, porque la reina decía que era una crueldad tan grande como la fiesta de los toros.

María le había oído comentar a su madre con desprecio:

—Figuraos, ¡meterse con la fiesta de los toros!

Carlitos y Dolores montaban un tren en miniatura que unos fabricantes catalanes habían enviado como regalo por Navidad y Esperanza correteaba detrás de los perros de la reina.

Pero Alfonsito, el príncipe de Asturias, no podía participar en los juegos de sus amigos porque era hemofílico y el más pequeño golpe podía matarlo causándole una imparable hemorragia interna, ¡su sangre no se coagulaba! Los contemplaba totalmente vendado y en brazos de su preceptor,[10] sólo podía sonreír con envidia y tristeza, y poco a poco esta envidia y esta tristeza iba impregnándolos a todos, haciendo que jugar ya no fuese tan divertido. Gonzalín, el menor de sus hermanos, tampoco podía dejar el coche camilla en el que permanecía todo el día, porque también era hemofílico.

Pero esto no era todo, ya que Isabel Llorens, la señorita de Jaime, lo tenía todo el rato de cara a la pared para que se concentrase y le hacía repetir interminablemente las cinco vocales al infante que había nacido sordo profundo y, según algunos autores,[11] con sus facultades mentales disminuidas:

—Aaaa eeee iiiii oooo uuuuuu —se oía el áspero sonido intermitente del sordomudo como el rugido extraño de un animal mitológico.

Cuando inadvertidamente los veía algún miembro del personal inferior, de cocinas o de lavandería, se apresuraba a apartarse y a persignarse, porque creían que aquellos príncipes tan mermados de salud echaban el mal de ojo.

¡Sobre todo desde que corría el rumor por Madrid de que se secuestraba a niños y se les extraía la sangre para dársela al príncipe de Asturias!

Al fin el tumulto era tal que Esperancita y Juan se ponían a llorar. Bela, que ya se había reunido con ellos, reía sin poder aguantarse. Nadie quería los sándwiches de queso, que iban a parar al suelo para gran contento de *Pinky* y *Rusty*, los terriers de la reina. Había empujones, alguna rodilla sangrando —la de Alfonsito no porque podía morirse— y al final se los tenían que llevar las niñeras porque querían pegarse los hermanos Borbón Orleans entre ellos, más que nada para entretenerse.

Cuando daban la orden de marcha, María ya iba en cabeza galopando sobre una yegua imaginaria al frente de un ejército, imaginario también, al que arreaba con silbidos como el niño pastor.

A veces, ya con los abrigos puestos, aparecía el rey, siempre sonriente, con el cigarrillo colgando del labio, alto, delgado, chispeante, e inventaba juegos para que no se fueran, intentaba boxear con Bebito o con Carlos, se daba golpecitos con el dorso del pulgar en la nariz y se ponía en posición y decía:

—Venga, pegad. ¡En guardia! ¡María la Brava!

Se sacaba la chaqueta, se arremangaba la camisa y les enseñaba los bíceps, hacía mover «la bola» de uno y otro brazo, y los niños se quedaban con la boca abierta y pedían permiso para tocar aquellos bultos movedizos que parecían tener vida propia.

También les hacía desfilar con espadones de madera y cantar *Los voluntarios*:

ta-ta-ta
ta-ta-ta-tataraaa

Porque es un himno que no tiene letra, pero era el que más les gustaba de todos.

Y la reina,[12] si aparecía en este punto, porque siempre se las arreglaba para espiar lo que hacía su díscolo marido, protestaba:

—Por Dios, Alfonso, ¿las chicas también? Una cosa tan poco femenina...

La tía Ena, como María la llamaba con cierta timidez, iba a veces con los niños de picnic a La Zarzuela, entonces un pabellón de caza muy destartalado, pero con un campo bellísimo. Los principitos iban en pequeños ómnibus, llevaban arcos y tirachinas, se metían en el lago con toneles como si fueran patines y hacían carreras de burro. Con cuatro palos habían delimitado un campo y jugaban a la pelota. Las damas chicas extendían sobre el suelo manteles, tarteras, sándwiches, termos de café y naranjada y hasta un barrilito de cerveza y botellas de Poully fresco para los mayores. Y la tía Ena, que se movía apoyándose en un bastón, fumaba sus largos cigarrillos egipcios y conversaba larga y profundamente con su prima Bee, que era inglesa y antipática, y a la que su marido, el tío Ali, también era infiel.

María era la más atrevida de todos, pero a veces, mientras estaba subiendo al árbol más alto, sentía sobre ella, con esa perspicacia que sólo tienen los niños y los locos, la mirada rencorosa de la reina, aunque por fuera sonriese y comentase con aparente campechanía:

—¡Pero esta niña es un chicazo!

Cuando María fue aprendiendo inglés, empezó a comprender el sentido de aquellas conversaciones tan sesudas entre doña Victoria Eugenia y su prima: se repetían mucho las palabras *blood* y *fuck*. Sin embargo, la palabra puta la decían en español.

Cuando por la noche llegaba a su casa siempre protestaba y decía que no quería volver. Su padre le respondía con severidad que ir a jugar a palacio con los príncipes era un honor y además una obligación y encima una obra de caridad porque estaban enfermos, y María, claro, pensaba que si nos poníamos en este plan, no tenía más remedio que callarse.

Al final, los padres, viendo que el ejército de institutrices que tenían en casa no bastaba para someter a aquel terremoto, la metieron en el colegio que las Madres Irlandesas tenían en la calle López de Hoyos, muy cerca de su casa. Este colegio, que pertenecía a la congregación religiosa próxima a los jesuitas fundada por Mary Ward en el siglo XVII, estaba destinado a las niñas nobles «que debían tener la gloria de Dios como fin en sus vidas». Seguía el modelo de los *public school* ingleses, requería uniforme y la mayor parte del día lo dedicaban a las devociones religiosas, obras de caridad y a enseñar lo que entonces se llamaba «urbanidad». Por supuesto que nadie pensó que María pudiera ir al colegio para estudiar en serio:

—¡Líbreme Dios de las mujeres sabihondas! —Decía el rey, y Nino, siempre el perfecto cortesano, lo coreaba con sus risas y todavía iba más allá para halagar al rey, del que se decía que no había leído un libro en su vida.

—¡Con permiso de Su Majestad, yo reviviría la hoguera y la inquisición para ellas! ¡Si hasta quieren votar!

E incluso su madre, Luisa, que presumía de haber leído a los clásicos, se burlaba de la afición de la reina por los libros modernos y opinaba con suficiencia que:

—Las mujeres que saben mucho se casan poco.

Así que María, en el colegio, en el que las otras alumnas e incluso las monjas y profesoras le daban el tratamiento de Alteza, recibía clases de caligrafía, incluso le enseñaron a escribir alemán con letra gótica. La letra picuda que tuvo toda su vida era, como nos recuerda el periodista Antonio Burgos, «un recuerdo de las Irlandesas». Pero no le recomendaron más libros que los de oraciones, todo lo demás se consideraba pecaminoso.

También le daban clases de costura y de bordado, así que empezó a regalarles a sus padres, a sus hermanos y hasta al rey y la reina decenas de pañuelos con sus iniciales bordadas.

La reina, que tenía fiebre del heno, le pedía:

—María, los bordados que no sean muy abultados porque me hieren la nariz.

Dibujaba con gracia cabezas de esculturas romanas y griegas y hasta le hizo un retrato a un mendigo con largas barbas que posaba a cambio de un frasco de vino, y aprendió a tocar en el piano el *Vals de las olas*.

Incluso hizo de actriz en las obrillas que ensayaban en el colegio y le tocó representar a una de las princesas malas de *Cenicienta*, pero le daba tanta pena ésta que se apeaba de su papel para besarla y regalarle las joyas de latón y papel de plata que llevaba, lo que hacía que cayese el telón y el teatro se viniera abajo con las risas de los padres y hermanos que presenciaban la obra, más que nada porque la gracia la había hecho una infanta.

De los otros alumnos que con tanto cuidado habían preparado sus papeles y que lloraban desconsolados porque no habían podido recitarlos, las crónicas no nos explican nada.

Hay una foto de Kaulak de esta época. En ella aparece la familia al completo: Luisa va elegantemente vestida con un traje de gasa de plumetis y lleva el pelo recogido en rizos estilo emperatriz Josefina. Está de pie entre sus dos hijastros, Bebito y Bela, a los que coge majestuosamente por los hombros. Nino, que era más bajo que su mujer, con uno de esos cuellos altos que había puesto de moda el rey, clava su mirada bondadosa en el fotógrafo. Sus cuatro hijos posan de forma impecable, pero por debajo de su flequillo nos sorprende la mirada traviesa y la sonrisa pícara de una María engañosamente modosa. En un sofá de rejilla se ve sentada a la condesa de París, que acudía regularmente a Madrid en auxilio de la economía en precario de su hija. Los únicos, precisamente, que no necesitaban su ayuda eran los dos hijos mayores de Nino, ya que disponían de la cuantiosa herencia de su fallecida madre.

María recuerda que sólo se les compraba un juguete al año en la casa Madel y que únicamente tenían dos trajes, uno para diario y el otro de vestir para acudir a palacio. Allí Crista, que se educaba, como sus hermanos, en casa, le preguntaba con curiosidad:

—¿Cómo es esto de ir al colegio? ¿Hablas con niñas que no son grandes de España? ¿Ni nobles?

Y así era, porque María se hizo amiga de las gemelas Murga, Laura y Blanca,[13] con las que tuvo relación toda su vida, aunque éstas siempre se dirigieran a ella besándole la mano y tratándola de Alteza, pero, como decía con cierta coquetería doña María ya de mayor:

—Para ser amigas íntimas no hace falta tutearse, ¿no?

Aquella monotonía dorada sólo se interrumpía en verano, cuando acudían en julio a una casa en el Sardinero que les cedían los abnegados monárquicos Ángel y Emilia Pérez para que Nino pudiera seguir sirviendo a los reyes, que veraneaban en Santander. En la playa, todos los días, en medio de una nube de nurses e institutrices, dos arrapiezos mofletudos en traje de baño, tostados por el sol y el aire de mar, corrían persiguiéndose entre risas. En una crónica de *Nuevo Mundo* se ponía ya en marcha la abrumadora maquinaria de elogios que solía acunar a los cachorros de la realeza, «don Juan tenía un aire de reposo y serenidad... sus ojos castaños exhibían una promesa de sencillez, franqueza y virilidad». El pequeño, Gonzalín, se asustaba con las olas y Juan no dudaba en lanzarse al océano y nadar mar adentro con brazadas vigorosas para rescatarlo de los fondos marinos... El periodista no duda en atribuirle dotes sobrehumanas al niño de nueve años y también habilidades acuáticas que nunca poseyó, ya que don Juan, como buen marinero, nunca aprendió a nadar.

También se describe a doña Beatriz y doña Cristina como «promesas gentilísimas de mujeres y nenas que atraían todas las miradas». Del príncipe de Asturias se remarcaba su figura pálida de príncipe enfermo, precozmente triste, y a don Jaime se le percibía abrumado por las sombras dramáticas de su mudez y su sordera...[14] Es penoso constatar que la abnegada disposición de los cuatro hijos de Nino y Luisa, que debían entretener día y noche a los principitos, poniendo los deseos de éstos siempre por delante de los suyos propios, no merece ni una línea de los cronistas sociales de aquellos tiempos.

Sólo descansaban de esta cruel esclavitud en agosto y septiembre, cuando iban a la inmensa finca que su abuela materna, la condesa de París, tenía en Villamanrique de la Condesa, el único lugar en el que podían decir que eran realmente libres.

Allí nadaban, montaban a caballo y cazaban lagartos y pajarillos. María y su hermano Carlitos se inventaron un idioma propio y se morían de risa contándose auténticas barbaridades que sólo ellos entendían. Recibían la visita de sus primos Alonso, Álvaro y Ataúlfo, los hijos de tía Bee y tío Ali, que tenían casa en Sanlúcar de Barrameda y les llevaban de regalo coquinas, langostinos y caracoles que las institutrices pretendían hacerles comer con tenedor y cuchillo porque decían que:

—Lo único que se puede tocar con las manos es el pan y las cerezas.

Después, cuando los hermanos regresaban a Madrid, mucho más altos y robustos, bronceados, llenos de rasguños, oliendo a retama y a romero —y a tabaco, que María le hurtaba a su madre—, con las rodillas con costras y las narices peladas, e iban a palacio, el contraste con los pálidos y enfermizos hijos de los reyes era tan doloroso que la reina no soportaba verlos.

Fue, quizás, por esta razón por la que el rey, en 1921, decidió alejar a Nino de la corte nombrándolo capitán general de Sevilla, aunque la excusa oficial fue que, habiendo estallado la guerra de África, convenía que alguien de tanta experiencia como Nino estuviera cerca del lugar de los hechos. Y también que, habiendo fallecido la condesa de París y habiendo dejado en herencia su finca de Villamanrique de la Condesa a su hija y a Nino, tenían que estar cerca para gestionarla.

Quizás los dos motivos eran ciertos, pero lo que es seguro es que cuando partieron el suspiro de alivio de doña Victoria Eugenia se oyó hasta en el palacio de la calle Lista que, por cierto, Nino consiguió vender por veinte mil duros a Juan March, el último pirata del Mediterráneo.

Cuando se fueron, en el Hispano que Nino se compró con el dinero de la cuantiosa herencia de su suegra, María sacó la cabeza por la ventanilla para despedirse en todos los idiomas que conocía del paisaje de su infancia, López de Hoyos, Puerta del Sol, Recoletos, la Castellana y la Gran Vía, que ese año cumplía once años, como ella:

—Adiós, *good bye, au revoir, auf wiedersehen...*

Se puso a llover y María intentó atrapar las gotas con la lengua, hasta que su padre la cogió por una trenza y la hizo sentar.

No sabía que tardaría sesenta años en volver a vivir en Madrid.

Capítulo 3

SEVILLA

1921

—Para mí, Sevilla es ¡todo!

Esta definición extasiada evocaba para doña María, años después, lo que había significado Sevilla para ella:[1] la luminosidad, el aroma de la flor del naranjo, el trotecillo alegre de los caballos, la cinta de luz centelleante del Guadalquivir y las piedras dorándose como panes recién hechos al fuego del ocaso.

Un deslumbramiento que ya no se le iba a pasar nunca.

Cuando, todavía en Madrid, Nino fue a palacio a despedirse del rey, éste entró en tromba en el gabinete privado del patio de Armería dando sus largas zancadas características, al compás de las cuales avanzaba el busto hacia delante, balanceándose como un marinero elegante acostumbrado a pisar sólo superficies que se mueven.

Cada vez que veo caminar a doña Pilar de Borbón, su nieta, recuerdo esa forma de moverse que tan bien describe El Caballero Audaz en sus libros.

Don Alfonso, sintiéndose vagamente culpable ante su ex cuñado, aunque en realidad el cargo era un ascenso, le tendió la mano con un juego de muñeca brusco hacia abajo para impedir que Nino se la besara y después lo abrazó intentando bromear:

—Ya ves tú, Nino, ¡te doy el único cargo militar que también tiene una mujer!

Y la reina Cristina, que estaba presente, trató de detener las risas escandalosas de los dos hombres con un gesto horrorizado, ya que aquella «mujer» era nada más y nada menos que la Virgen del Pilar. Durante los célebres Sitios de Zaragoza contra los franceses, se había considerado a la Pilarica un combatiente más, pero al parecer esto no era suficiente para la Augusta y Santísima Madre del Señor, como ya se explicaba en la célebre copla:

La Virgen del Pilar dice
que no quiere ser francesa,
que quiere ser capitana
de la tropa aragonesa.

Y un siglo después, en 1908, se le había concedido su deseo. El ministro de Guerra, a petición de Sus Majestades —aunque es altamente improbable que Victoria Eugenia, recién llegada de Inglaterra y de la austera religión protestante, hubiera oído hablar nunca de la Pilarica—, había nombrado a la popular Virgen capitana generala, con derecho a ostentar sobre su manto el fajín y las insignias de su grado. También cobraba cada año, religiosamente, y nunca mejor empleado el vocablo, su paga correspondiente.

—Y dale un abrazo de mi parte al general Primo de Rivera. Ya sabes que él está de gobernador militar en Cádiz y ahora es mi hombre de confianza.

Doña Cristina aprovechó que no estaba la reina para intervenir en la conversación:

—Este Primo es el segundo marqués de Estèlla, ¿no, Bubi? Me han contado que trata al Ejército con mano dura, a ver si resuelve de una vez lo de Marruecos.

—Mano dura es lo que le falta a este país y no la pejiguera esa de las Cortes y la Constitución.

Y madre e hijo suspiraron a sus anchas, y Nino asintió fervorosamente porque no estaba presente la reina que, como decía el marqués de Viana, «es una liberalota como la copa de un pino, como todos los hijos de la Gran Bretaña».

Doña Victoria Eugenia había pretextado un concierto de ópera en «su» hospital de San José y Santa Adela para entretener a los heridos de África a fin de no estar presente en la despedida de Nino. El rey, que odiaba la música, se mofaba:

—No se van corriendo porque sus mutilaciones se lo impiden.

Aunque doña Cristina se apresuraba a rectificar el mal efecto que podía causar el comentario de su hijo:

—Yo he traído al tenor Kirchhoff y a la señora Dhamen para que le canten el «Visi d'Arte» de *Tosca* a esos pobres muchachos.

Y el rey, que no quería herir a su madre, le hacía una carantoña que doña Cristina recibía con el semblante arrebolado de una adolescente.

Doña Cristina, erguida en su estricto traje oscuro como de costumbre, no podía disimular su tristeza ante la marcha del que había sido marido de su malograda hija y padre, si no cariñoso, sí atento, de sus nietos. Su dama, la condesa de Puñoenrostro, llevaba unos regalos para los hijos de Nino y Luisa. Había encargado en Alemania para Dolores, María y Esperanza unas gigantescas muñecas Simon & Halbig con pelo de verdad, miembros articulados, las mejillas pintadas de rosa y trajes de corte primorosamente realizados en gasa por la costurera real, y para Carlitos muñecos Konig & Wernicke con uniformes prusianos, incluido el casco de acero.

Para sus nietos no llevaba nada, porque, como dijo de manera casi suplicante a su antiguo yerno:

—Nino, a Bebito y a Bela los dejarás conmigo, ¿verdad?

Nino aceptó, sonriendo, y sonriendo todavía salió del gabinete. Don Alfonso no pudo menos que exclamar ante su madre con incredulidad:

—¡Nino y sus cabronadas! ¡Cualquiera diría que está contento de alejarse de la corte!

Y era cierto. A Nino no le gustaban las intrigas palaciegas que las desavenencias conyugales del rey propiciaban, él, marido modélico o quizás hombre frío, veía con desagrado la promiscuidad sexual del rey —aunque antes se hubiera dejado cortar la lengua que hacer ningún comentario al respecto— y, además y como suele ocurrir, la considerable fortuna que había heredado de su suegra, la condesa de París, había aumentado su seguridad en sí mismo y su afán de independencia.

Antes de otorgar testamento, la condesa de París había reunido a sus hijos a su alrededor: la mayor, Amelia, era viuda del que fue rey de Portugal, Helena estaba casada con el príncipe italiano Filiberto de Saboya e Isabel con el duque de Guisa, los tres riquísimos, aunque este último no tardaría en arruinarse. Y les había comentado fríamente, sin admitir réplica:

—Quiero que sepáis que Luisa va a ser la más beneficiada porque es la que más lo necesita.

En aquellos momentos se dijo que este «beneficio» alcanzaba los veinte millones de pesetas, una cantidad importantísima.

Precisamente el primer hogar que tuvieron en Sevilla, mientras les acondicionaban el edificio de Capitanía, fue el Alcázar, donde había nacido la condesa de París. En la actualidad hay una placa que recuerda este hecho.

La sociedad sevillana acogió con alborozo a aquella pareja cosmopolita y sofisticada que tan próxima estaba al rey. Los Osuna, Medinaceli, Medina Sidonia, los Domecq, los Medina, los Salvatierra, Motilla, Peñaflor, los marqueses de los Ríos, incluso Sol Santoña, que pasaba largas temporadas en el palacio de Dueñas donde organizaba reuniones variopintas alternando con picadores y poetas, previeron una revitalización de la vida social, y se programaron fiestas y banquetes de bienvenida. *La Época* da cuenta de uno de ellos: «En el salón de los leones fenicios de los condes de Aguiar, el señor Parladé, pintor laureado, ha ofrecido la representación de un entremés de los hermanos Quintero en honor de la infanta doña Luisa, quien admiró la colección de miniaturas del conde y los cuadros de Velázquez…».

Pero lo cierto es que pronto llegó cierta decepción, Luisa era tan seria que resultaba apabullante y Nino era tan juicioso que aburría y pasaba desapercibido. Al lado de la gracia sin igual de las sevillanas, de ese gracejo que compartían amas y señoras y del ambiente festivo que imperaba en la sociedad andaluza, el matrimonio no despertó en principio demasiadas simpatías. Hay que decir que Luisa hizo lo posible para integrarse, se encargó un traje de sevillana e intentó aficionarse al flamenco, incluso dio clases con el maestro Otero, aunque al decir de las aristócratas andaluzas daba mucho miedo porque cuando movía los brazos parecía un general prusiano arengando a sus tropas.

Luisa, ataviada de volantes y con claveles en el pelo, gustaba de pasar por española, pero le ocurría lo mismo que a su abuelo Montpensier, como nos cuenta Ricardo Mateos. Vestido a la andaluza y tocado con sombrero cordobés, parecía lo que en realidad era: un francés disfrazado.

La familia pasó tanto frío en el Alcázar que hasta les salieron sabañones, y eso que en cada habitación había un brasero de carbón que requería ser alimentado cada hora.[2] Pero los amplios jardines se convirtieron en selva para los hermanos, la diversión de los cuatro era subirse a los muros y hacer equilibrios sobre ellos. María trepaba como un monito por un árbol exótico que habían traído los marineros que venían de América después de haber descubierto países y aniquilado a su población indígena y se quedaba entre sus ramas comiendo su fruto, la pacana, que le gustaba muchísimo.

Siempre la descubrían porque tiraba las cáscaras de las nueces al pie del árbol, hasta que formaban una montaña considerable.

Tiempo después, el cuidador del Alcázar, Rafael Manzano, le enviaba un saquito todos los años a su exilio de Estoril para que recordara su infancia sevillana.

En Sevilla también había monjas Irlandesas, en la Calleja de la Cuesta, y allí ingresaron a Dolores, a María y hasta a la pequeña Esperanza, mientras Carlitos se educaba en casa. Bebito se quedó en Madrid al lado de su abuela, doña Cristina, al fin y al cabo en la línea de sucesión iba detrás de los hijos de los reyes ya que había sido el primer hijo varón de la hermana mayor del rey y, dado lo precario de la salud de los infantes, no era descabellado pensar que quizás algún día podía sentarse en el trono.

Cuando tuvo lugar el atentado de Mateo Morral en la boda de los reyes, en el caso de que don Alfonso hubiera muerto, lo hubiera sucedido Bebito. Por tal motivo algunos desalmados llegaron a insinuar que don Carlos podía estar detrás del misterioso hecho. Segismundo Moret, jefe de Gobierno, se lo comentó al ministro Juan de la Cierva, quien contestó indignado:

—¡Don Carlos es un caballero perfecto y leal! ¡Nadie puede dudar de su rectitud!

Años después reconoció que:

—Confieso que nunca he podido olvidar estas malévolas insinuaciones.[3]

Por su parte, Bela también fue requerida por la reina Cristina, se iba a poner de largo y a Su Majestad le hacía ilusión preparar la celebración personalmente.

Es curioso constatar que a estos dos infantes, que convivieron con los reyes y con sus hijos en el palacio de Oriente durante muchos años, no les mencionan jamás ni los periódicos ni ninguna de las biografías que se han publicado de aquel periodo, cuando protocolariamente ocupaban el tercer lugar en el escalafón cortesano.

La figura oronda de Bebito ocupaba un lugar preeminente en las fotografías oficiales, pero casi ningún pie de foto lo identifica.

La Capitanía General sevillana estaba en la plaza de la Gavidia, de allí, siguiendo el callejón del Padre Tarín, se llegaba hasta el colegio, y muchos sevillanos se asomaban a las rejas o bajaban a la calle para ver pasar a las tres hermanas con idénticas trenzas con lazos, con idénticas carteras a la espalda y con idénticos uniformes que les golpeaban las piernas al correr, y las mujeres les gritaban:

—¡Vivan las infantitas!

Aunque en realidad el único que tenía derecho al título era su padre, por haber estado casado con la infanta Polla, el beneficio de tal denominación alcanzaba a toda su familia.

Aquella pequeña caminata se convirtió en un auténtico calvario para la niñera principal, Petra Rambaud, porque María y Dolores, a la que en familia llamaban Dola, que odiaban a muerte el colegio, aprovechaban la más mínima ocasión para escaparse. Con el sándwich de la merienda en el bolsillo, se escabullían por cualquier callejuela y se pasaban el día vagando por el barrio de Santa Cruz hablando con gitanos y menestrales, o intentaban subirse a una carretela para que las llevase a Villamanrique, su paraíso soñado, que estaba a cuarenta kilómetros de Sevilla y a donde sólo iban en verano.[4] Las niñeras, sin autoridad, no se atrevían a regañarlas para que no las riñeran a ellas, hasta que alguien las descubría en el mercado de abastos comiendo una manzana que les habían regalado, con la cara llena de churretes, el uniforme del colegio roto y las medias caídas, y decía:

—¿Pero estas niñas no son las hijas del capitán general?

Y alguien las identificaba:

—¡Son las infantitas!

Y las llevaban los guardias custodiadas hasta casa, con la consiguiente vergüenza para los padres.

Dola y María esperaban temblando la reprimenda, que podría incluso venir en forma de cinturonazo, pero más que eso les dolía la expresión fría de su madre. Al final, la que siempre pagaba el pato era María, porque Dola, más taimada, se limitaba a señalarla con el dedo lloriqueando:

—¡Yo no quería! ¡Ha sido ella!

Al final, fueron las mismas monjas las que propusieron la solución: dejarlas internas en el colegio, sin salir en absoluto. Los padres, aunque vivían apenas a cien metros, sólo podían ir a verlas un par de horas los domingos por las tardes y eso si se habían portado bien, si no, se tenían que quedar castigadas cosiendo mantas para los pobres o bordando tapetes a punto de cruz que luego se subastaban en las tómbolas benéficas, ya que tales ocupaciones, además de un poco de música y ciertas lecciones de pintura con el maestro González Santosa, cubrían todo su tiempo. Las monjas no supieron despertar el amor de las chicas por los libros o por la cultura, una carencia que arrastrarían toda la vida.

A veces Dola y María se sentían tan desesperadas que se ponían papel secante con colonia en los zapatos para que les subiera la fiebre o se frotaban con ortigas para fingir que habían cogido la escarlatina, pero su médico el doctor Galnares descubría la superchería y las reintegraba a las habitaciones oscuras y al régimen del miedo.

El internado era tan rígido como la prisión de mujeres que socorría su madre, que ya se había lanzado de cabeza a las obras de beneficencia olvidando las veleidades flamenquiles, aunque en alguna ocasión, por la vaquería, pudieron escaparse. Dos veces las cogieron camino de su añorado Villamanrique.

A esta biógrafa le asombra que, a pesar de todo, cuando doña María recuerda aquella época diga con nostalgia:

—Los diez años que pasé en Sevilla fueron los mejores de mi existencia.

Quizás lo que se añora realmente no es aquella vida sino el volver a tener quince años.

Porque las hermanas iban creciendo y haciéndose mujeres. Las tres eran muy altas, les llevaban una cabeza a las chicas de su edad e incluso sobrepasaban a la mayoría de los chicos, aunque no llegaban a la estatura de su tía Amelia, la que había estado casada con el rey de Portugal, que medía cerca de dos metros. Por mimetismo borbónico, caminaban también con algo de torpeza. Dola y María eran morenas y Esperanza rubia, pero las tres tenían narices aguileñas, lo que entonces se consideraba un signo de distinción. Las dos mayores tenían labios gruesos y mejillas redondeadas, mientras Esperanza tenía la expresión más dulce y se la consideraba la belleza de la familia.

Las tres hermanas se convirtieron en fanáticas admiradoras de todo lo andaluz. Aprendieron a montar a caballo en el picadero de Corona, y se paseaban por el Real de la Feria los cuatro hermanos con los padres, solemnemente, con empaque majestuoso que echó por tierra el comentario de una gitana gritando a su paso:

—Mira, ahí van los capitanes generales con toda su piara.

María lloraba en la Semana Santa al paso de la Esperanza de Triana, y aprendió, primera lección de andalucismo, a ponerse la peineta, muy clavada en el pelo, y después la mantilla. La cosa debía tener su truco ya que, como decía doña María de mayor, «puede ser muy favorecedora o quedar como dos cipreses colgando a un lado y a otro».

También se aficionó a las corridas de toros, una pasión que ya no la abandonaría nunca. Iban a la Maestranza, y aunque el capitán general tenía un lujoso palco donde podían comer langostinos y beber zumo de uva fresquito, a ella le gustaba bajar hasta la barrera con su peineta y su mantilla para ver al lado de ganaderos y periodistas a su torero favorito, Antonio Posada, que a veces le susurraba al pasar:

—Ole las infantas guapas.

A escondidas fumaba cigarros que le hurtaba a su madre y bebía de la bota de vino de su hermano.

Esta afición taurina, que compartía toda su familia, le alejaba aún más de la tía Ena, que consideraba la fiesta de los toros un ritual propio de pueblos salvajes y atrasados. María, a la que gustaban mucho los perros y los caballos, intentaba justificarse:

—Sí, los caballos sufrían, no llevaban petos y todos morían destripados, pero no sé, a mí no me parecían caballos de verdad.

Hasta al Rocío, entonces una romería muy popular y sencilla, se aficionaron. Villamanrique está a sólo diecinueve kilómetros de la aldea del Rocío e iban en carreta o a caballo, con las varas de romero en la mano que luego dejaban a los pies de la Virgen.

Toda la familia se volvió muy devota de la Virgen del Rocío, hasta el punto de que su tía, la nueva condesa de París, encargó una talla de la imagen para llevársela con ella, hizo que el modisto Jacques Fath le diseñara un fastuoso traje en brocado y la colocó en una iglesia en el barrio de las prostitutas de la ciudad del Sena, que también se volvieron tan devotas que hasta en Semana Santa se empeñaban en sacarla en procesión, imitando los usos españoles.

La condesa de París estaba contenta, pero se quejaba:

—Por lo menos que la paseen vestidas decentemente y sin insinuarse a los hombres mientras la llevan en andas. ¡Es lo mínimo que puede pedirse!

Las hermanas volvían del Rocío hasta Villamanrique caminando, con el pelo enharinado de polvo y el rostro quemado por el sol, dando tragos a un vinito tan fresco que hacía que les picara la nariz y las hacía reír mientras cantaban:

Padre nuestro que estás en los cielos,
Padre nuestro que en la tierra estás,
te pedimos que seas el consuelo
del alma que brota en nuestro arenal
y que el sol salga todos los días
para con los trigos, para nuestro pan.

Por el camino rociero a veces las acompañaba la familia del general Primo de Rivera, que ahora era presidente de Gobierno, porque, con la aprobación entusiasta del rey, había dado un golpe de Estado y había disuelto las Cortes el 13 de septiembre de 1923. Como Nino, el general se había quedado viudo muy joven, después de que su mujer, Casilda Sáez de Heredia, le hubiera dado seis hijos. Aunque Miguel, Fernando y Pilar eran algo mayores que María y sus hermanos, se hicieron amigos, pero con ellos no hablaban de política, que no les interesaba, sino del terrible crimen del expreso de Andalucía. Pilar, que era muy novelera, les contaba engarfiando los dedos:

—Los mataron con un destornillador, por la espalda, mirad, así...

Y les hacía cosquillas en el pescuezo y todos corrían agradablemente aterrados tirando por el suelo varas y romero.

En verano empezaron a ir a la playa de Chipiona, entonces un lugar solitario con el agua limpísima. Alquilaban un castillito que había frente al mar, montaban a caballo por la orilla y de vez en cuando descabalgaban, se sacaban la ropa de amazona pues debajo llevaban los trajes de baño y se metían en el agua. Allí, además de los Primo de Rivera, veraneaban los también jerezanos Ivisson, que eran dieciséis hermanos. Una de ellos, Tola, fue amiga de María toda su vida y, más tarde, una visitante asidua de Estoril. Iban por la playa con todas las niñeras y las nurses, decenas de personas, cada familia con sombreros de distinto color para distinguirse, y María y Tola cogían los peces que la marea baja había depositado en la arena y asustaban con ellos a las señoritas y a los niños pequeños agitándolos delante de su cara y gritando:

—¡Somos los asesinos del expreso de Andalucía!

María, a veces, cambiaba su sombrero por uno de los niños Ivisson para poder dormir con ellos en su casa en unas literas húmedas que olían a sal, a verano, a muchas risas.

¡Qué sombría parecía ahora su anterior vida de Madrid! ¡Mejor no acordarse de los príncipes enfermos, de la estirada tía Ena con su expresión de sufrimiento perpetuo, de la severidad de doña Cristina y del frío que hacía en las habitaciones! Al único que echaba a faltar María era al tío rey con la ancha sonrisa que daba a su rostro el aire de un *clown* tristón que ríe por no llorar.

Y que la llamara María la Brava.

Pronto empezaron a hablar el castellano con cerrado acento andaluz, y Luisa, horrorizada, decidió que les faltaba el toque cosmopolita que ella y su marido, que habían vivido en multitud de países durante su juventud, podían lucir.

—Estas niñas tienen que ir a París. Nuestros parientes las atenderán.

Se decidió que fueran los tres meses de verano. Las acompañó Irene Rubín de Celis, su señorita de compañía, y se alojaron en el colegio de la Asunción, en la rue Lubeck, que dirigía la madre Lóriga, que era hermana del conde del Grove, quien había sido preceptor del príncipe de Asturias, y al que tan bien iban a conocer las hermanas más tarde y en tristes circunstancias. Cayetana Alba, que pocos años después también asistiría a este colegio como interna, cuenta que:[5]

—Fueron dos años horribles, horribles, los que pasé allí. Guardo nítidamente el recuerdo de aquellas monjas, que iban vestidas de paisano y que eran de una severidad extrema; a mí me recordaban una novela de Dickens. Son dos años que, si pudiera, borraría de mi vida, no aprendí nada.

Es curioso, porque sólo apelando al recuerdo de Cayetana podemos ver la auténtica naturaleza de aquel colegio, porque todos los comentarios de María en los que alude a su paso por él son positivos. Lo que da fe de su buen carácter o de su falta de memoria o de la manía de algunos biógrafos de edulcorar todo lo que tenga que ver con la Familia Real.

Y también es de lamentar que, sin querer quitar a nadie su mérito, de aquella época, tan sólo haya una fuente (Javier González de Vega) en la que basarnos.

Lo que sí es cierto es que para María y su hermana lo de aprender no tenía mucha importancia y que a la severidad de las monjas estaban acostumbradas. En realidad su principal objetivo era alternar con la alta sociedad parisina. Y esto lo tenían bastante fácil. Porque, aunque hasta entonces habían llevado una vida gris en la lejana y salvaje España, y tampoco eran tan elegantes ni tan guapas como las auténticas parisinas —aquí se dieron cuenta de que vestían muy mal—, eran Orleans y estaban emparentadas con las tres familias que más contaban en el *gratin*, según expresión de Marcel Proust, que en esos años estaba publicando su monumental *En busca del tiempo perdido*. A pesar de haber recibido el prestigioso premio Goncourt, no es probable que María, que no era aficionada a las letras, lo conociera, si no, seguramente se hubiera sorprendido al ver en las expresiones y comportamiento de Swann, Odette, el baron de Charlus o Verdurin rasgos de sus tíos: los Orleans Braganza vivían en el Bois de Boulogne, su casa podría ser la de los Verdurin: «sofá surgido del sueño entre los sillones nuevos y muy reales, unas sillas pequeñas tapizadas de rosa... profusión de ramos de flores y de cajas de bombones...». Daban reu-niones elegantes y se ofrecían exquisitos conciertos de música porque la tía Elsie, que era checa, tocaba el piano maravillosamente. Esperanza se metía debajo de la mesa con Pedriño, el menor de los cinco hijos, y Carlitos con la pequeña, Teresa, a la que llamaban Teté, y se hartaban de madalenas en un bucle inconscientemente literario, hasta que se ponían enfermos y les tenían que dar una purga de caballo.

Los tíos polacos eran los Zamoyski y los Czartoryski. Estos últimos eran multimillonarios, vivían en el hotel Lambert, en L'Île-de-France, que era toda suya. El palacio era fabuloso, lleno de obras de arte; para pintar los frescos de las paredes un batallón de artesanos había tardado cinco años. Perteneció a la familia Czartoryski hasta 1978, en que fue vendido al barón Rothschild. En el momento de redactar estas líneas, se está haciendo un profundo estudio por parte de ingenieros, geólogos y arquitectos para dar permiso a la instalación de dos ascensores, ya que la casa se ha dividido en carísimos apartamentos de alquiler.

Los Czartoryski hasta tenían un santo que velaba por ellos, el primo Augusto, un carmelita que había muerto tuberculoso y que había hecho muchos milagros. María, para no ser menos, les decía que ellos también tenían una santa en propiedad, sor Ángela de la Cruz, que era una monja muy viejecita que siempre había protegido a la familia.

Los Czartoryski le preguntaban, celosos de esta competencia santoral:

—Pero, a ver, ¿hace milagros?

Y María rebuscaba en su memoria y como no quería mentir concluía:

—No, pero está a punto de hacer uno.

Alguno haría, porque el Papa la beatificó en el año 1982 en San Pedro, donde estaba en primera fila María rezando, y quizás por dentro, con cierta chulería, les diría a sus primos:

—¿Qué? ¿Tenemos beata o no tenemos?

En el 2003 el papa Juan Pablo II, devoto de sor Ángela, la hizo santa.

Los otros polacos, los Zamoyski, también eran riquísimos, y tan pronto permanecían en el poder en su país como estaban exiliados. Tenían dos hijos de la edad de María y Dola, que en realidad eran sus tíos, porque eran primos de Nino. El mayor, Juan, se quedó prendado de Bela en una ocasión en que ésta fue a visitar a sus hermanastras a París. María, más tarde, recordaría que los Orleans, los Zamoyski y los Czartoryski estaban tan mezclados que en las lápidas del cementerio de Cannes sus apellidos se repetían en todas las combinaciones posibles.

Aunque los trajes con volantes y mangas abullonadas que les escogía Irene Rubin de Celis eran cursis y anticuados en medio de aquel paisaje de pechos planos, talles bajos y líneas muy lánguidas, una vez superada su cortedad inicial las chicas españolas eran simpáticas y, si no eran muy guapas, sí tenían personalidad. Su conversación al principio desconcertaba por ser algo brusca y con tono poco femenino, con el agravante de que, como buenas españolas, hablaban a gritos. Además, María concretamente manifestaba unas ideas tan pedestres que hacían dudar de su inteligencia. Pero de repente emitía un juicio tan agudo y acertado y con una franqueza tan desarmante sobre cualquier persona o cosa que todos estallaban, inevitablemente, en carcajadas.

Su tío Czartoryski, que presumía de ser un buen psicólogo, decía:

—Esta niña tiene mucho sentido común.

Y su mujer Elsie, que iba de intelectual, apostillaba:

—Sí. María sería la única que se atrevería a decirle al rey: ¡Vas desnudo!

Y aquí María se ponía colorada sólo de imaginar al tío rey desnudo, por mucho que en la prensa francesa hubieran salido unas fotos de Su Majestad bañándose «sin ropa», como decía púdicamente el aya, en un arroyo de las Hurdes junto al doctor Marañón.

Fotos que María y sus primos miraban a escondidas mientras se fumaban las colillas que robaban de los ceniceros y apuraban los restos que los invitados habían dejado en las copas.

El último día de verano iban a las Galeries Lafayette a comprar regalos para su familia y regresaban a Sevilla intentando recuperar rápidamente el acento andaluz.

Cuando Dola tenía dieciocho años y diecisiete María se pusieron de largo en casa de los marqueses de Tablantes, Ricardo y

Blanca, cuyas hijas Carmen y Gracia Solís iban también a las monjas Irlandesas.

La pareja de baile de María fue Rafael Medina, únicamente porque era el más alto de todos los chicos presentes. Aunque era un buen partido, ya estaba medio ennoviado con Mimí Medinaceli, con la que terminaría casándose.

Rafael y Mimí eran los abuelos de los hoy populares Luis y Rafa Medina, hijos de Naty Abascal.

Cuando María se quejaba a su madre:

—Mamá ¡soy demasiado alta para que me saquen a bailar!

Luisa le contestaba:

—Tonta, aquí no se trata de sacar a bailar sino de casarse… Acuérdate de tu tía, que mide dos metros y se casó con el rey de Portugal, que nunca bailó con ella porque le llegaba por el hombro…

Pero, ay, lo cierto es que aquellas niñas iban dejando de ser niñas y no se oteaba ningún pretendiente *comme il faut* en el horizonte. Los chicos a los que más veían eran sus primos Orleans, los hijos de tío Ali y tía Bee, que se llevaban muy bien con Carlitos, con el que compartían la afición por lo que hoy denominamos «bricolaje».

Carlitos, para deslumbrar a sus importantes primos, que eran infantes por los dos lados y bisnietos de la reina Victoria de Inglaterra, decidió un día construir, con la única ayuda del mecánico de casa Juan Martínez, un coche con piezas sueltas que compraban en las chatarrerías.[6] Con gran asombro de su familia, una tarde les comunicó que el vehículo ya estaba acabado y que se iba a ir a Villamanrique. Le pidió a María, la más intrépida de los hermanos, que lo acompañara de copiloto, y cuando María ya estaba subida en el coche con gorro, velo y gafas, Bela salió de casa y la sacó de un empellón:

—Baja, María, yo soy la hermana mayor, es a mí a quien corresponde participar en esta gesta histórica.

Porque además de mandona era algo redicha.

Toda la familia fue por sus propios medios a Villamanrique a esperar a los dos valientes, después de estrellar una botella de champán contra el morro del coche que más que automóvil parecía cafetera, y al que Carlitos, orgullosamente, había llamado *Solrac* (por si alguien no se ha percatado, es Carlos al revés). En Villamanrique prepararon guirnaldas y se colocó a los colonos en el patio agitando banderas. Manuela Ternero, la viuda del ganadero Félix Urcola, que se había convertido en la dama de Luisa, repartió pitos y trompetas entre la chiquillería para que se formase un alboroto considerable.

Se oyó llegar cuesta abajo rat tttttar ttttat (doña María imitaba el ruido del coche con mucha gracia) el vehículo de tracción motora, como entonces se llamaban. Se tiraron cohetes y serpentinas. Como el auto no hacía intención de pararse, un grupo de gañanes lo detuvo con la pura fuerza de sus brazos.

¡Tragedia!

La «copiloto», la pobre Bela, estaba exánime y de color verde. La llevaron en volandas, acudió el médico, la hicieron vomitar a base de ipecacuana, la acostaron...

Al parecer, un tubo se atrancaba y había que soplar para que llegase la gasolina, y como Bela era la copiloto...

El doctor Galnares dijo que por lo menos había tragado un litro.

Pero los guapos primos Orleans no tenían ninguna intención de atarse a María o a Dola. Álvaro y Alonso eran unos petimetres muy pagados de sí mismos, unos jovencitos espigados vestidos con tan extrema elegancia que resultaban afectados,[7] que, adiestrados por su ambiciosa madre, habían puesto sus ojos en las infantas reales, Álvaro en Beatriz y Alonso en Crista, que también eran primas suyas.

¡Bee iba a resarcirse de que Alfonso hubiera preferido a Ena antes que a ella! ¡Y que ella, en vez de casarse con el rey de España, hubiera tenido que contentarse tan sólo con su primo Ali!

Las infantas perdieron la cabeza por aquellos dos figurines que salían en las revistas de sociedad siempre con traje de cheviot y un arma bajo el brazo o vestidos de pilotos a punto de subir en una avioneta, y se empeñaron en acompañar a sus padres cuando fueron de visita a Sevilla a supervisar las obras de la Exposición Iberoamericana que se estaba preparando porque así se encontrarían con ellos. Aunque el proyecto se arrastraba desde hacía décadas, había sido la voluntad personal del general Primo de Rivera el que le había dado el impulso definitivo.

Los reyes decidieron ir a condecorarlo a su casa de Jerez y, a instancias de las infantitas, les rogaron a tío Ali y tía Bee, que estaban en Sanlúcar, que fueran con sus hijos. También asistió Nino en su calidad de capitán general y su familia. Pasearon por la ciudad, que estaba adornada con colchas adamascadas, y hasta las casas más modestas exhibían flores, palmas y enredaderas. Las chicas se asomaban a los balcones vestidas de gitanas y gritaban:

—¡Vivan los reyes!

Y también los apuestos infantes Orleans se llevaban algún requiebro:

—No hace *farta* ser tan guapo *pa* salir a la *caye.*

La comitiva la formaban decenas de personas. A pesar de todo, la tía Ma, como la llamaban sus sobrinos, María Primo de Rivera, la hermana del general, que hacía las funciones de anfitriona en una casa sin dueña, lo dispuso todo de tal manera que no hubo apreturas.

Claro, que tuvieron que comer en cuatro pisos distintos.

El general les contaba a los reyes que:

—Mi hermana quería traer unos flamencos, pero yo le he dicho que eso es una ordinariez aquí y en Pompeya.

El rey le puso a Primo en el cuello el collar de Isabel la Católica por los servicios prestados —no iba a tardar ni un año en echarlo a patadas del poder—, y después, sin hacer caso de las letras que habían pintado con alquitrán en la fachada de la casa algunos elementos anarquistas, PEB, se subió ágilmente al pequeño Citroën de la reina y se puso a conducir, como siempre, alocadamente.

María le preguntó a su hermano:

—Carlitos, ¿qué quiere decir PEB?

Su hermano le contestó con suficiencia:

—Primo Es Borracho.

Fueron a visitar las bodegas González Byass. Los embelesados cronistas destacaron que las «infantitas», en lugar de observar el interesante proceso de elaboración de los vinos de Jerez, intercambiaban miradas lánguidas con sus primos Orleans.[8]

María, acostumbrada a los usos de la corte desde pequeña, se limitó a quedarse en un segundo plano, permitiendo que las que brillasen fuesen las hijas de los reyes.

Su padre se lo había advertido muchas veces:

—Hija, cuando estén «ellos», nosotros debemos pasar lo más desapercibidos posible.

¡Pobre María! ¡No tenía que esforzarse! Las crónicas de sociedad de los periódicos locales ni siquiera mencionaron su nombre.

Bueno, sí, al final hemos colocado a Bela con el conde Jazz Zamoyski. Bela tiene mucho carácter.

—¡Es una Habsburgo de los pies a la cabeza! —Decía su abuela con orgullo.

Y tampoco era muy agraciada, porque, con el carácter, había heredado también el perfil Hasburgo. Pero era muy rica, porque poseía la inmensa fortuna que le había dejado su madre, la tan llorada Polla, y sería la principal beneficiaria del legado de su abuela doña Cristina, lo que la convertiría en un partido más apetecible que sus hermanastras.

Como el noviazgo con el conde Zamoyski, que en realidad era su tío, se había fraguado fuera de Sevilla, Luisa se decía que para que sus hijas se casasen habría que ponerlas en circulación. Y no porque a ella no le gustase Sevilla, ¡se había entregado en cuerpo y alma a la ciudad y esa pasión no la iba a abandonar nunca! Pero para casarse era más interesante Madrid, y decidió que sus hijas pasasen cada vez más tiempo en esa ciudad y que empezasen a acudir a las reuniones familiares que se celebraban en toda Europa.

Repetía siempre con entusiasmo:

—¡De las bodas siempre salen bodas!

Así que aceptaron la invitación al enlace de la hija de su hermana, la extravagante duquesa de Guisa, que vivía enclaustrada en su fabuloso palacio de Larache. Francisca, sin embargo, se casaría en la propiedad familiar de Palermo con Cristóbal, el hijo menor del rey de Grecia, que ya era viudo de una norteamericana millonaria que, según se comentaba, era la que mantenía a los reyes de ese país, que, al decir de Alfonso:

—¡No tienen ni un duro!

Era una buena boda, ya que los duques de Guisa se habían semi-arruinado y apenas habían podido dotar a su hija. El novio, a pesar de tener que seguir apechugando con los gastos de su familia y de la corte, era un viudo riquísimo.

Luisa estaba emocionada. Podría enseñar «el género» delante de las principales familias reales europeas. Se pidieron figurines a París, pero al final para María escogió un traje de tafetán que no la favorecía y que la hacía mayor. Parece mentira que, siendo tan elegante Luisa, nunca acertase con los atuendos de sus hijas.

Pero de todas formas dio lo mismo, porque, en cuanto llegaron a Palermo, recibieron un telegrama desde Madrid. La reina María Cristina acababa de fallecer en su habitación de palacio de un ataque al corazón en los brazos de su criada, la fiel Martina.

Era el 6 de febrero de 1929.

Tomaron el barco hasta Barcelona y desde allí el expreso hasta Madrid, aunque la intrépida María sugirió ir en aeroplano, ya que acababa de inaugurarse la línea Madrid-Barcelona. En la estación de Chamartín las recibieron Nino, Bela y Bebito, que estaban destrozados.

Pero peor estaba Alfonso. El rey entró en una depresión brutal a causa de la muerte de su madre, de la que, según algunos estudiosos, ya no se recuperaría nunca.

Decían que con sus propias manos había cortado las flores de los jardines de Sabatini del Palacio Real para hacer un ramo que depositó a los pies de su madre con la leyenda «de tu Bubi».

La familia se sumergió en una hemorragia de luto que sólo se rompería tres veces.

La primera, el 9 de marzo. Para ese día estaba programada la boda de Bela con el conde Zamoyski, Jazz de Kanty. El rey decidió no retrasarla e incluso autorizó el levantamiento del color negro, aunque al final se redujo a la familia estricta, cuarenta y cinco personas, la mayoría procedentes de Cannes. Fue la última boda que se celebró en palacio y dio pie a una fotografía histórica. Toda la Familia Real, ellas con tiaras y mantillas blancas, ellos con uniformes militares, exhibiendo esa característica común a las fotos antiguas: ninguno sonríe.

En el rincón más desairado, apenas podemos ver a María, eso que es hermana de la novia por parte de padre. Está semioculta por la infantita Crista, que nos impide ver el atuendo que lucía la protagonista de este libro, aunque lo cierto es que no nos perdemos nada. La reina Victoria Eugenia había decretado que, para evitar rivalidades, las damas de la corte usaran para la vida diaria una especie de uniforme de lamé, con las mangas ajubonadas y la cola recogida con una V de brillantes en la cintura, gris para ellas, plata para las infantas y majestuosamente dorado el suyo.

Se ignora por qué María se puso este vestido para la boda de su media hermana, cuando el resto de las invitadas iban lujosamente ataviadas. La reina, por ejemplo, aunque muy envejecida para sus cuarenta y tres años, lucía espléndida en su traje de gasa con el cuerpo ricamente bordado, con su corona Lemonier compuesta de 212 perlas y 2.000 brillantes que había pertenecido a Eugenia de Montijo y su manto de corte de armiño. A su lado, Luisa lleva con orgullo, encima de su traje y abrigo de brocado, la medalla del Mérito Militar que le acababan de conceder por su labor con los heridos de la guerra de África en el hospital de la Cruz Roja de Sevilla. También una diadema que, según me cuenta un experto, se parece mucho, si no es la misma, a la que luce en la actualidad su nieta la infanta doña Margarita.

La novia no quiso ponerse ninguna de las valiosas joyas que le había legado su madre y la reina Cristina. Según la venenosa Bee, estaba muy fea, llorosa y sin pintar,[9] lo que contrastaba con la apostura del novio, que era alto y con aspecto de deportista, aunque su expresión no denotaba demasiada inteligencia. El rey, que era el padrino y estaba sentado al lado de Bela, parecía haber disminuido de tamaño y tenía los ojos tristes.

El banquete fue sencillo: consomé Deslignac, *potage a la crème de riz, filets de sole, aiguillette de boeuf a la Waleska*, con vinos de jerez, rioja y champán Pommery. Hubo también pudin de bodas, una moda que trajo Victoria Eugenia de Inglaterra y que se usó por primera vez en su casamiento.

Después de cortarlo con una espada, los novios desaparecieron a bordo del fabuloso Hispano, regalo del rey, para pasar la noche de bodas en Villamanrique, aunque el baile, sin ellos, duró hasta las dos de la madrugada.

Esperanza, que ya tenía dieciséis años, estuvo toda la noche sentada junto al príncipe de Asturias que, a causa de sus huesos debilitados, no podía bailar y apenas caminar. El pobre infeliz caía perdidamente enamorado de las escasas muchachas con las que tenía contacto, porque su enfermedad exacerbaba sus sentidos y le provocaba ardores pasionales muy difíciles de controlar, así, antes de medianoche, ya le estaba declarando su amor eterno a Esperanza:[10]

—Te quiero apasionadamente. Tú dime cómo se va a tu habitación y lo demás déjalo de mi cuenta.

Esperanza lo escuchaba boquiabierta y tenía ganas de contestarle lo mismo que le respondió Eugenia de Montijo a Napoleón III cuando le hizo la misma pregunta:

—¡Por la capilla, *Sire*!

Porque estaba leyendo la vida de la que fue emperatriz de los franceses y había declamado, en la soledad de su habitación, frente al espejo, muchas veces esta frase que ahora por fin podía pronunciar. Cuando ya cerraba los ojos y levantaba el dedo índice como la actriz Eugenia Zúffoli en *El secreto del doctor*, llegó el conde del Grove con un forzudo criado que levantó en brazos al príncipe, leve como una pluma, que, con rosetones de fiebre en las mejillas y los ojos brillantes de malsana excitación, aún cogía la mano de aquella muchacha a la que conocía desde niño y le besaba la punta de los dedos mirándola fijamente a los ojos, como él también había visto hacer en las películas.

Esperanza, sofocada por la emoción, se recogió unas faldas que siempre le hacían demasiado largas y corrió a contárselo a su madre. Luisa, prudentemente, le dijo a su hija sin reparar en sus pucheros de decepción:

—No se te ocurra decírselo a nadie ni hacerte ilusiones.

Pero ella sí que empezó a hacérselas, ¡su hija nada más y nada menos que princesa de Asturias! ¡Y reina!

Y ella, también desdeñada en su momento por el rey, se hacía la misma reflexión que Bee. ¡No pudo casarse con el rey, pero su hija puede ser reina!

Bien, todos sabían que el príncipe de Asturias no tenía buena salud. Mejor dicho, como recalcó el doctor Petinto:

—No la tiene ni buena ni mala. Simplemente no tiene salud.

Pero el rey también fue hijo póstumo de un tuberculoso, nadie daba ni un duro por una vida que pendía de un hilo, y ahí está, fortalecido por el deporte y las comidas copiosas, con cuarenta y cuatro años y sentado en el trono de una de las naciones más poderosas del mundo.

Y habiendo tenido nada más y nada menos que seis hijos, sin contar los naturales.

La segunda ocasión en que se levantó el luto por doña Cristina fue para inaugurar la Exposición Iberoamericana de Sevilla, el 9 de mayo, que abrió la ciudad al mundo, ya que una veintena de países montaron sus pabellones en los que mostraban todos los medios de los que disponía el hombre para satisfacer las necesidades de la civilización.

En la plaza de España, frente a cincuenta mil personas, bajo el sonido ensordecedor de las campanas de la Giralda, los sones de la *Marcha Real* y decenas de aviones que surcaban los cielos, se situaron los reyes, sus hijos, Luisa, Nino y Dola y María. La reina llevaba un vestido «color flor de romero» y Luisa iba de blanco, ambas con los sombreros *cloche* que entonces estaban de moda y que apenas dejaban ver los ojos.[11] Como advirtieron los periódicos de Madrid, las fotos se pudieron publicar al día siguiente porque los carretes «fueron trasladados en avión».

La Exposición estaba ubicada en el parque María Luisa, que había sido donado a la ciudad por la abuela de María, y para recorrer todos los pabellones la Familia Real se subió al «tren liliput» y hasta el rey, vestido de gala, se reía y hacía tuuut tuuuut imitando la bocina mientras la reina, sofocada, ponía expresión ofendida por tanta llaneza, y es que el aire le llevaba aroma de fritanga, que era lo que más odiaba del mundo. El rey levantaba la nariz como *Peluzón*, el perro sin raza que el príncipe de Asturias había recogido en Carabanchel y decía:

—Detened esta máquina, que huelo a churros.

Y, como describían los periódicos al día siguiente, «las reales personas se acercaron al puesto de churros y degustaron una muestra de la repostería local». En la foto vemos a Luisa y a la reina, enguantadas hasta los codos, cogiendo un «calentito», como los llaman en Sevilla, con la punta de los dedos, lo cual no dejaba de ser una heroicidad, ya que doña Victoria Eugenia le había comentado a su madre en una carta que esto de comer churros era como masticar *papier-mâché*.

Pero, como cuando tenía que dar a luz un príncipe tras otro, o soportar las infidelidades de su marido, tenía que aguantarse porque eran ¡gajes del oficio!

A María, sin embargo, le encantaban, y era capaz de hacer desaparecer ella sola un cucurucho entero con el consiguiente enfado de sus hermanos. Sesenta y tres años después, en 1992, cuando se volvió a celebrar la Exposición Universal en Sevilla, allí estaba doña María, en el mismo lugar, no sé si comiendo los mismos «calentitos», pero con idéntico brillo en los ojos.

Como decía ella, extasiada:

—¡En mi Sevillita!

Por la noche se inauguró el elegante hotel Alfonso XIII, con un banquete en el comedor principal, que era tan grande que tenía once enormes lámparas de cristal de bohemia colgando del techo y se cerraba con una inmensa cancela de hierro forjado digna de una catedral. Por primera vez el conde Jazz Zamoyski fue invitado como marido de Bela. Las infantitas maniobraron para ponerse al lado de Álvaro y Alonso, y María, como siempre, tuvo que ocupar la silla del extremo, esa que nadie quiere.

La reina mantuvo una expresión hierática durante toda la cena. Había comenzado a llevar faja, una prenda casi ortopédica que compraba en París, en Madame Lucile, y ésta podría ser la razón de la incomodidad que traslucía su semblante.

Aunque esta biógrafa aventura otra hipótesis.

Por la tarde había pasado por Capitanía General y le había disgustado encontrar colgado de un sitio principal un retrato a la acuarela de Pastora Imperio,[12] de quien se decía que tenía amistad íntima con el rey. Y no había quedado satisfecha con la explicación de Luisa:

—Lo ha hecho mi sobrino, el rey de Portugal, que es muy aficionado a la pintura.

La reina debió sentirse tan herida que lo recuerda, ya anciana, ante el magnetofón de Marino Gómez Santos.

El luto volvió a levantarse pocos días después, el 19 de mayo de 1929. María acompañó al tío rey y a la tía Ena, como dama de las infantitas, a la inauguración de otra Exposición, esta vez Internacional, en Barcelona. En las fotos tomadas en esa jornada, María aparece en el balcón del recién inaugurado Paseo Nacional, frente a una multitud de 300.000 personas. María nunca olvidará la expresión de Su Augusta Majestad el tío rey cuando dijo:

—Queda inaugurada la Exposición de Barcelona.

Fue el momento culminante de una monarquía que parecía que no se iba a terminar nunca. Ululaban las sirenas del palacio a la vez que las de los barcos atracados en el puerto y se oían las salvas desde el castillo de Montjuic. Sonaba la *Marcha Real* mientras las fuentes diseñadas por Buïgas se iluminaban en un espectáculo único y prodigioso. Las tripulaciones extranjeras gritaban en distintos idiomas al paso de sus tropas por la avenida Cristina, y el público les vitoreaba. Se soltaron millares de palomas que oscurecieron el cielo como queriendo rendir un homenaje a la monarquía española. María vio al tío rey y a la tía Ena, emocionados, enjugarse una lágrima.

Claro está que la armonía de la pareja real no era más que apariencia, ya que precisamente esos días no se dirigían la palabra porque el tío rey acababa de tener su cuarto hijo ilegítimo, Leandro, con la actriz Carmen Ruiz Moragas, con la que ya tenía una hija, María Teresa.

Y también la apariencia de serenidad del pueblo español era tan sólo eso, apariencia. Había 125.000 obreros en huelga y se sucedían los atentados de uno y otro signo. Ya nadie quería a El Cametes (el Piernecitas), que es como llamaban en Cataluña al rey, ni a su «Mussolini» Primo de Rivera. Ni siquiera la derecha, que veía cómo las arcas del Estado se vaciaban rápidamente en una nación que no tenía la capacidad de reacción de los países industrializados. Cada semana cientos de trabajadores se afiliaban a las organizaciones anarquistas.

Claro que a María los temas políticos no le interesaban. A su madre le decían que iban a ver una película patriótica española, *La Bodega*, con Conchita Piquer, pero en realidad Crista y ella asistieron emocionadísimas, en el cine Fémina, mezcladas con el público normal, en su mayoría obreras y modistillas, a la proyección de *La mujer ligera*, de Greta Garbo y John Gilbert, porque la anunciaban como «la última cinta en que verá usted juntos a los famosos amantes de la pantalla». Después, las dos amigas, que se habían zafado de sus damas de compañía, se fueron calle abajo hablando del perfil de John Gilbert, aunque Crista, que a todo le encontraba pegas, opinaba:

—Yo le he visto una pequeña colina de grasa en la papada.

A lo que protestaba María:

—A mí me han parecido los dos guapísimos y su historia preciosa —para concluir con su exclamación favorita—. ¡Claro, que no son de verdad!

Como dos obreritas, se cogieron del brazo y entraron en los almacenes El Águila, en las Ramblas, hechos a la manera de las Galeries Lafayette parisinas. Se quedaron deslumbradas delante de los mostradores de bisutería. Cuando estaban a punto de comprar unos collares con brillantes gordos como huevos de paloma, apareció la terrible duquesa de la Victoria, que era la dama de las infantitas, y les recriminó:

—De todos los sitios adonde se podían haber escapado Sus Altezas, han venido a parar al peor.

María esa noche, en su habitación del palacio de Pedralbes que los nobles catalanes habían regalado al rey, le preguntó a su doncella por qué los almacenes El Águila eran el peor sitio de Barcelona. Josefa, que era de Lepe, le contestó:

—Pues porque la dueña de El Águila es la augusta querida de Su Majestad el rey.

Y se quedó tan pancha, porque, habiendo colocado aquel augusta al buen tuntún, se creía redimida de toda acusación de cotilleo.

María también fue a Montserrat con el tío rey, que quería hacer entrega a la Moreneta del traje que su querida madre, la reina Cristina, se había puesto por única vez el día en que él subió al trono.

Con esa inconsecuencia tan propia de los pueblos, miles de catalanes, abarrotando la explanada del monasterio, aclamaron a los reyes de forma tan exaltada que los guardias tuvieron que reprimir a la multitud que quería acercarse para estrecharles la mano. Se oían los gritos entusiastas:

—¡El Cametes!

El rey, que era algo duro de oído, se ponía la mano detrás de la oreja y después se giraba hacia algún ministro para que le tradujesen aquello de El Cametes. Luego, sin saber si enfadarse o no, optaba por sonreír, lo que le valía una nueva ovación.

—¡El Cametes *riu*! ¡El Cametes *riu*!

Aquella frase ensanchaba más y más la enorme boca real hasta hacerle parecer un *clown* del Circo Price y el alboroto que se formaba era insoportable.

Detrás venía el resto de la familia. La figura doliente del príncipe de Asturias apoyándose en el bastón sólo provocaba un tímido:

—*Pobret! És el malalt!* (¡Pobre! ¡Es el enfermo!).

Con la reina aumentaba el griterío:

—¡La reina guapa! —Y el clamor subía de tono hasta alcanzar el histerismo—. ¡Las infantitas! ¡Las infantitas!

Pocos se imaginaban —o quizás sí, porque a esas alturas ya casi nadie se hacía ilusiones— que estos catalanes, que esos sevillanos que los habían recibido con aplausos y vítores, habrían de celebrar exactamente un año y once meses después, con mucho más jolgorio si cabe, la caída de la monarquía y la proclamación de la República.

El rey, harto de ceremonias oficiales, por la noche se fue a escondidas a una juerga flamenca en la que la gran Carmen Amaya[13] le dio la bienvenida y le dedicó un baile:

—Va por *uzté, zeñó* rey.

Cuando se enteró María, pensó que a ella también le hubiera gustado flamenquear un poco.

Vuelta a Madrid y al luto.

María rememoró posteriormente[14] con humor:

—¡Otra vez todas como tinteros!

Esperancita acudió gozosa a la quinta de El Pardo, donde vivía recluido el príncipe de Asturias, quien se apresuró a contarle que ahora estaba perdidamente enamorado de Ileana, una princesa rumana, sobrina de tía Bee, que estaba de visita en España, y que la fogosidad que le producía no lo dejaba ni dormir ni comer, con la consiguiente preocupación de los médicos.

Lo que no sabía el príncipe de Asturias es que su propio padre iba detrás de esta bellísima princesa de ojos verdes, que acabaría huyendo despavorida de un país en el que todos los hombres parecen afectados por una satiriasis monstruosa.

Esperanza se lo contó a su madre llorando. Luisa vio desmoronarse sus sueños de futuro, pero, como siempre, nadie advirtió su desilusión porque se mantuvo imperturbable.

Aunque Esperanza, en el fondo, no le preocupaba. Era guapa y espabilada y no tardaría en encontrar marido. Pero primero tocaba casar a las mayores.

Luisa fomentaba su relación con las infantitas e iba a todas partes con ellas. Crista era simpática y graciosa como su padre, aunque físicamente se parecía a la tía Ena, y Beatriz era adusta y desdeñosa como su madre, aunque morena como el rey. A pesar de los ditirambos que le dedicaban los cronistas monárquicos, «dos blancos rostros rosados, bellísimos...», «prócer estatura de garbo majestuoso, delicioso arquetipo ungido de gracia femenina... el ideal de la más exquisita gentileza», y de las invocaciones a su «rebosante salud llena de la belleza de amazona moderna fortalecida por los deportes», su «sana plenitud» y también «la inmarcesible gracia juvenil de las dos infantas fuertes y finas al mismo tiempo»,[15] lo cierto es que ninguna de las dos era una belleza, además de que la sombra de la hemofilia planeaba siniestramente sobre ellas.

En una copa de vino español que dio la legación de Rumanía para inaugurar la nueva sede en un palacete de la calle Serrano, presidida por el príncipe Bibesco, las cuatro muchachas estaban tomando un refresco entre risas oteando el panorama de los chicos que, vestidos perfectamente de esmoquin, con el pelo engominado, un cigarrillo en una mano y una copa en la otra, fanfarroneaban sin atreverse a acercarse.

Al final, uno de ellos se destacó del conjunto y con ademanes chulescos se aproximó al grupo femenino que fingía no verlo y hablaba con píos pajariles, las miró insistentemente, después las fue repasando de una en una con impertinencia y al final se dirigió a Dola y María[16] y les preguntó sin ambages, poniendo de relieve un cantarín acento mexicano:

—Vosotras, ¿quiénes sois? ¿Las enfermas o las sanas?

Las infantas se pusieron a llorar. María estuvo a punto de saltar al cuello del descarado para pegarle, pero se le adelantó Miguel Primo de Rivera, el hijo del general, que se lo llevó a rastras cogiéndole del pescuezo como a un conejo, mientras el mexicano se quejaba:

—Ayayay, pero pinche güey, si sólo quería saber cuál de ellas tiene eso de la sangre porque mi papá es médico...

Las cuatro muchachas se convirtieron en inseparables, se envolvían el pelo en papillotes imitando a Mary Pickford, aprendían a caminar con libros en la cabeza y leían a escondidas las novelitas procaces de Víctor Ripalda que llevaban títulos tan sugestivos como *El tocador*, subtitulado *Aventuras de una viciosilla*. Las cuatro se compraron unos muñecos que se llamaban «morfinómanos»[17] porque adaptaban posturas desmadejadas cuando los dejaban en algún sofá y los llevaban con ellas a todas partes.

Con la muerte de doña Cristina se habían suavizado las formas en palacio, se daban menos misas y los martes y los domingos por la noche había sesión de cinematógrafo, en la que toda la familia se moría de risa con las aventuras de Charlot o se pasaba algún *western*. Después, en el resopón, hacían sonar la gramola e iban los chicos Orleans y sus primos Baviera con algún invitado extranjero que se alojaba en su casa. Don Alfonso, cuando los veía entrar, decía:

—Ya están aquí los pollos.

Y él desaparecía rumbo a cierto hotelito en la avenida del Valle.

Dola y María iban con Beatriz y Crista también al hipódromo y al tiro pichón, a montar al club Puerta de Hierro y a las funciones del teatro Real o del teatro Alkázar a ver las comedias de Fernando Díaz de Mendoza, muy elegantes porque por algo era marqués de Fontanar y grande de España. Incluso podían ir al teatro de la Zarzuela, pero tenían que abandonarlo a mitad de la obra porque, a partir del segundo acto, entraban las esposas «no oficiales», como se decía con pudibundez en sociedad para mencionar a las «queridas», incluidas las del rey o las del tío Ali. Por las tardes, había visitas al modisto Crippa o a Monsieur Manolo, que tenía la virtud de copiar los figurines de París con maestría, se saludaba al joyero Ansorena, que siempre tenía una atención para tan augustas visitantes, y quizás se terminaba la tarde tomando un helado en los Italianos.

Su vida se deslizaba por rieles engrasados por una nube de damas y criados que sólo tenían una misión: hacerles la existencia lo más agradable posible. Dola y María tenían una dama exclusivamente para ellas: Manuela Ternero, que incluso daba vuelta al dial cuando tenían que llamar por teléfono.

Petra Rambaud seguía a su lado y se ocupaba de que no faltara nada a su atuendo personal.

La reina únicamente les exigía que, semanalmente, se enfundaran en sus uniformes de enfermeras hechos a medida en Paquin y acudieran a Cuatro Caminos, al San José y Santa Adela, que es como oficialmente se llamaba el hospital de la Cruz Roja. María era la que más destreza mostraba en el cuidado de los enfermos, no le importaba lavarlos o ponerles lavativas.

El director del hospital, el doctor Nogueras, encargó a una enfermera profesional que les enseñara a dar los primeros auxilios. Lo de la respiración boca a boca les provocaba sofocones de risa, aunque todas estaban de acuerdo en que si fuera John Gilbert el desmayado no tendrían inconveniente alguno en practicarlo.

Cuando los enfermos querían besar sus manos como muestra de agradecimiento y ellas intentaban ponerse guantes de caucho para que no les contagiasen alguna enfermedad, la reina les advertía con severidad:

—Ni se os ocurra, ¡no podéis darles a besar un trozo de goma!

Un día, mientras estaban en el hospital, oyeron a la tremenda duquesa de la Victoria, a la que llamaban El Dragón, graznar por los pasillos:

—¡Infantitas! ¡Infantitas!

Dola y María se giraron, y la duquesa les dijo con cierta altanería:

—Las infantitas son doña Beatriz y doña Cristina.

Y después masculló sin mirarlas:

—Vosotras sois las hijas del capitán general de Barcelona.

Así se enteraron del nuevo nombramiento de su padre.

Era un ascenso, ya que Barcelona era la segunda ciudad de España, y el nombramiento lo había firmado el general Berenguer, que era ahora presidente del Gobierno. Eso sí, provisional, como le gustaba remarcar al rey, harto de dictaduras militares, ya que se pretendía convocar elecciones y restablecer el funcionamiento de las Cortes.

Barcelona esperaba a la familia del rey con ilusión. Nadie sabía muy bien el parentesco de Nino y sus hijos con las reales personas, unos decían que eran primos y otros tíos y sobrinos, pocos recordaban ya a la pobre Polla. En bando oficial, publicado por los periódicos, se les daba la bienvenida, comunicando a los catalanes que el cargo de capitán general «al estar defendido por un pariente tan próximo del rey, será como un virrey, nuestras gestiones serán más fáciles de defender y nuestras aspiraciones llegarán más fácilmente al trono».

Pero nadie se tomó muy en serio el nombramiento, porque cualquier cosa tenía entonces ya un talante provisional, ya que el viento huracanado de la historia avanzaba arrollándolo todo, incluso a los reyes, aunque ellos eran seguramente los únicos que no se percataban de esta tragedia.

Con diplomacia, la condesa de Barcelona recordaba que siempre se sintió muy a gusto en Cataluña, pero lo cierto es que apenas pudo disfrutar de su estancia en Barcelona. Por motivos de seguridad, ya que en esos días se produjo la sublevación de Jaca que terminó con el fusilamiento de sus cabecillas, los capitanes Galán y García Hernández, y las consiguientes revueltas en todo el país, apenas llegó a vivir en la Ciudad Condal.

Lo único que le quedó de aquellos meses fue la extrañeza al ver que los catalanes la llamaban por su nombre completo, María de las Mercedes, denominación que caló y que le adjudicaban muchas personas que no la conocieron, la prensa, incluso. Doña María se explicaba las razones de este nuevo «bautizo» con el optimismo que la caracterizaba:

—Nunca he entendido por qué me llamaban María de las Mercedes, ¡quizás es que al ser la Merced su patrona los catalanes quisieron homenajearme!

El 8 de abril de 1931 se casaba otro primo. ¡Muy bien! ¡Otra oportunidad de pasear a las niñas! ¡Cuanto más viaje más posibilidades de pescar un buen marido! Hasta tal punto se tenía fe en esta premisa que era costumbre, en las familias aristocráticas de aquellos años, que las jovencitas hicieran lo que llamaban «el gran *tour*» por el extranjero, llevando a su lado a una dama de compañía, visitando todos los palacios reales en los que vivían príncipes casaderos. Tal viaje había hecho la princesa Ena cuando el rey Alfonso dudaba de si hacerla su mujer, aunque en su caso lo había maquinado para dar celos al renuente pretendiente.

Otra vez en Palermo, en el magnífico palacio que los Orleans conservaban allí. Se casó Henri, otro hijo de la duquesa de Guisa, con su prima Isabel Orleans Braganza, a cuya casa en el Bois tanto habían ido a jugar María y sus hermanas durante sus estancias veraniegas en París. María era prima de los dos contrayentes.

La tía Elsie tocó el piano y todos se lo pasaron en grande, pero Luisa se dio cuenta de que, mientras sus sobrinas se iban casando una tras otra, sus hijas continuaban sin ningún pretendiente en perspectiva. Se había acostumbrado a contestar a los que se interesaban por su porvenir:

—Son muy independientes... Son chicas modernas...

Conservaba la sonrisa de suficiencia que la caracterizaba, mientras por dentro le ardía un bosque entero.

Regresaron y no fueron a Barcelona, sino a Sevilla. Resulta difícil comprender la irresponsabilidad de aquel capitán general que prefería disfrutar de la Feria de Sevilla que atender su puesto y las responsabilidades propias de su cargo, en un momento tan delicado y esencial para el devenir de la historia y el futuro de la monarquía de la que, al fin y al cabo, dependía su sustento. Berenguer, el general que había sustituido a Miguel Primo de Rivera, había decidido convocar elecciones para el día 12 de abril y se preveían disturbios en toda España.

Pero el ex cuñado del rey, el capitán general de Cataluña, una de las regiones más conflictivas donde el movimiento anarquista era más pujante, y su familia se dedicaban con pasmosa inconsciencia al habitual ritual de la Feria: comprar abonos para los toros, sacar los trajes de gitana y colgarlos en alto para que se desarrugaran, organizar la intendencia en Villa Pepita, la casa que habían comprado en la avenida de la Palmera puesto que no podían ya disponer de alojamiento oficial en Sevilla... Alquilar caseta, cursar invitaciones, preparar los coches, empenachar los caballos, las mantillas, las peinetas, cuidar de que las bodegas estuvieran abastecidas... Además a Luisa la hermandad de El Rocío la nombró camarera mayor, y este honor la emocionó más que cualquier título nobiliario, ya que comprendió que al fin los sevillanos la habían aceptado como andaluza de corazón. Así se enraizaba la familia con esa tierra que, con palabras de Rafael Atienza, tiene una prodigiosa capacidad de absorción.

Claro que por su parte el rey, haciendo caso omiso de las elecciones que iban a lanzarlo al destierro de por vida, decidió hacer un viajecito privado a Londres acompañado de una dama, que no era la reina, por supuesto, alojándose ambos en el hotel Claridge's a la vista de todo el mundo.

Y sí. Llegó el día fatal. El 12 de abril se celebraron las elecciones. Y ganaron las candidaturas republicanas.

España se había acostado monárquica y se levantó republicana.

¿Cómo explicar la frivolidad, rayana en la demencia, de la que hacen gala Nino y sus familiares? ¿Creían que iban a ganar los monárquicos? ¿Pensaban que el partido del rey era el más nutrido de todos? O quizás todo se debía a la tradicional irresponsabilidad de las clases aristocráticas, capaces de bailar sobre un mundo en ruinas o de tocar la cítara mientras arde Roma.

Tomaban tranquilamente café en el comedor, sólo se oía el ruido de las cucharillas golpeando contra las tazas.

Ese día[18] habían comido criadillas de tierra.

El viento hacía mover las cortinas de muselina sobre los balcones abiertos como bostezos. Nino estaba en el despacho, seguramente dormitando. Se oyó el teléfono y apareció, demudado, en la puerta, como no creyendo lo que acababa de oír:

—El rey ha dimitido. Y se ha ido. Así... sencillamente, se ha ido.

¿Cómo? ¿Huido? Se retiraron las sillas bruscamente, una cayó al suelo, en los pasillos se oyeron las carreras de las criadas, que se iban sin cerrar la puerta.

Risas en las escaleras.

Se buscan detalles, confirmaciones, sí, el rey ha embarcado por Cartagena rumbo a Marsella, ha dejado a la reina y a los infantes en el Palacio Real sitiado por las turbas que gritaban:

¡Viruta, viruta,
la reina es una puta!

La reina y los infantes y tan sólo cuatro damas indefensas han tenido que atravesar solos una España en armas que odia a los reyes.

España odia a los reyes.

Nino se llevó las manos a la cara, con incredulidad:

—¿Odiarnos? ¡Si nos querían! ¡Nos aclamaban en Barcelona y tiraban flores a nuestro paso y palomas! ¡Intentaban besar los uniformes de mis hijas cuando iban a los hospitales!

El príncipe de Asturias iba en brazos de sus preceptores porque no podía levantarse a consecuencia de su hemofilia, pero ha podido llevarse el perro *Peluzón*, el único ser vivo que lo quiere realmente. El vagón de tren lucía las armas reales en las portezuelas y era una bomba ambulante, en cualquier estación podían detenerlo y pasar a fusil a la familia entera, como habían hecho en Ekaterimburgo con la familia imperial rusa...

Tímidas voces de indignación se alzaron por primera vez contra el rey:

—Pero ¿por qué? ¿Cómo pudo hacerlo? ¿No tiene corazón? Odian más a la reina que a él... y los infantes enfermos, y las infantitas...

Hasta que Nino dio un puñetazo en la mesa. Era genéticamente imposible que pusiera en duda la actitud de su rey, dejaría de ser él mismo si lo hiciera, traicionaría su sangre y su biografía. ¡Su vida entera, y la de ninguno de sus antepasados, hoy convertidos en polvo, tendría sentido! Con el último resto de firmeza que le quedaba dijo:

—¡Callad todos! Sus razones tendrá... Os prohíbo que aquí se emita ni un solo juicio contra el rey. ¡Lo ha hecho por patriotismo!

El patriotismo es un ungüento milagroso que sirve para todo.

Su mujer se acercó a él y le dijo en voz baja, sin que nadie lo oyese:

—Está bien que lo defiendas, Nino, sé que lo haces por él.

Y el hombre cerró los ojos mientras dijo:

—No, Luisa, te equivocas —y se golpeó el pecho—. ¡Lo hago por mí!

Todos callaron.

Pero después de este arranque de energía, el hombre dudó, dio muestras de una debilidad de carácter que quizás siempre había tenido, pero que jamás hasta ahora había puesto en evidencia.

—Yo creo que no hace falta que nos vayamos, nosotros no hemos hecho nada.

Pero su mujer, sin hacerle caso, empezó a hacer las maletas; en esta casa que sólo usaban en vacaciones apenas tenía nada. Nino dudaba aún, derrumbado en una silla, viejo ya, de pronto viejo, viejo para siempre. Berenguer le llamó por teléfono:

—No puedo garantizar su seguridad, infante. Váyase. Su familia también.

Los monárquicos estaban en peligro, y si eran familiares del rey, todavía más. Y todavía peor si ostentaban un cargo militar.

Los armadores Ybarra pidieron ser recibidos:

—Ponemos nuestro buque el *Cabo Razo* a su servicio para que los saque de Sevilla. Pero váyanse lo antes posible, no lleven nada, lo importante es salvar la vida. Mañana a lo mejor ya es tarde.

Sevilla se iba, se iban los días de flores de naranjo y de pacanas, se iba la infancia y la juventud cubierta del polvo de oro de los sueños, se iba el recuerdo de los primeros amores, las monjas severas, los callejones, ¡Villamanrique! Adiós, adiós, ya no salían niñas de la casa, eran mujeres con la luz triste del destierro en las pupilas.

Por el camino hasta el Guadalquivir, iban silenciosos como muertos. A través de las ventanillas de los coches veían a grupos de hombres que, con mono y alpargatas, tiraban sus gorras al aire. Y muchos se abrazaban. Algunos lloraban. Había niños que agitaban banderitas tricolores y un oficinista con traje y corbata tocaba con su armónica una melodía frenética e irreconocible.

Un rostro de mujer se acercó al cristal, intentaba mirar dentro del coche; hasta ayer mismo, hasta hacía media hora, iba con su cofia de camarera y les estaba sirviendo el café sobre una bandeja. Ahora llevaba un pañuelo rojinegro al cuello. Agitó el puño y gritó:

—¡Viva la República!

Llovía, y sus amigos los despidieron en medio de un silencio sobrecogedor en el que los paraguas entristecían aún más el ambiente como siniestros murciélagos invertidos.

El capitán y la marinería se negaron a rendir honores y se volvieron ostensiblemente de espaldas cuando subieron al buque. Comunicaron con altivez:

—¡Ahora somos oficiales de la República!

Nino, Luisa y sus cuatro hijos se abrazaron para huir de esa mano de hielo que los atenazaba.

Desembarcaron en Gibraltar. Nino tanteó con el pie la pasarela, dudaba, estuvo a punto de caer. El capitán, de pronto y mirando para otro lado, le entregó la bandera española que hasta entonces había ondeado en el barco y que iba a ser sustituida por la enseña republicana. En ese momento de emoción intensa, Carlos de Borbón y Dos Sicilias, que había nacido extranjero pero se había hecho español a fuerza de dolor, esfuerzo y, también, por qué no, de dicha, hundió el rostro en el trozo de tela derrotado y lo besó, en unos instantes que se hicieron eternos. Y ahora sí que se cuadró la tripulación entera, porque se iba al exilio un infante de España.

De Gibraltar acababa de salir Juan, el hijo de los reyes, que estaba estudiando en la Escuela Naval de San Fernando. Era el único de los infantes que estaba fuera de palacio. Había recibido órdenes de embarcar inmediatamente.

Juan y la familia de Nino no llegaron a verse, aunque siguieron el mismo itinerario, de Gibraltar a Marsella. Pero mientras Juan iba primero a París y después a Inglaterra para entrar en la Marina inglesa, María y los suyos recalaron un par de meses en Cannes, en la Villa Marie Thérèse de sus abuelos Caserta, y en el mes de junio se fueron a París.

Primera dificultad: ¿dónde alojarse?

Fueron las chicas las que lo sugirieron:

—Podríamos ir al colegio de la madre Lóriga.

Desde que salió de Sevilla, María, que hasta entonces se había dormido siempre con una sonrisa en los labios, despertaba con el rostro mojado de lágrimas.

Nunca pudo recordar sus sueños.

Capítulo 4

PARÍS

1931

—En el exilio, no solamente no se muere uno ¡sino que hasta se engorda!

Estas palabras,[1] aparentemente cínicas pero cargadas de amargura, pronunciadas en el *hall vitré* del hotel Meurice por Alfonso XIII, el ex rey *playboy*, como lo llamaban los periódicos franceses, se podían aplicar también a María y los suyos.

Sí, salieron tristes de España. ¡Pero el dolor no dura siempre!

En una época en que las comunicaciones eran un infierno, las familias reales europeas, casi todas emparentadas entre sí a partir del tronco común de la reina Victoria de Inglaterra, se movían todo el año con la naturalidad de las tópicas y errantes golondrinas. La caza en los palacios de Hungría, el sastre de Saville Row, los modistos parisinos, Cartier en la plaza Vendôme, la ropa interior de Madame Lucile; si hay que cortar el pelo —«los moños ya no están de moda»— sólo puede hacerlo Antoine... Todo eran excusas perfectas para abandonar unos países tristes y depauperados.

Y no olvidemos los balnearios donde se cuidaban las próstatas más ricas de Europa, los casinos que engullían las fortunas de monarcas que reinaban sobre naciones que se morían de hambre, ¡y las multitudinarias celebraciones familiares!

El resultado es que, siendo sofisticados ciudadanos del mundo y hablando varios idiomas, el desterrado don Alfonso y su familia podían sentirse en todas partes como en casa porque llevaban el veneno de la trashumancia inoculado en las venas. Una gran diferencia con nuestra actual Familia Real, y no hablemos ya de la generación que viene, llena de valores, quizás, pero carentes de la pátina de cosmopolitismo y cultura que presta el conocimiento de países y lenguas.

Aunque María lo haya negado siempre con cierta incomodidad, lo cierto es que su familia, a su llegada a París,[2] estaba bastante escasa de recursos. Como describía un cronista de la época, «estaban apocados por la escasez de metales preciosos».

El rey lo repetía como si fuera algo cómico:

—¡Nino las pasa caninas!

Y con el índice y el dedo medio hacía el signo universal de la hambruna sobre su nariz borbónica.

Bebito decidió irse a vivir con su hermana Bela y Jazz Zamoyski, que ya tenían un hijo, también Carlitos, a su palacio de Stara Lubovna, en Checoslovaquia. Cuando llegó allí se dio cuenta de la mala boda que había hecho su hermana: no solamente el palacio era una destartalada construcción llena de goteras en la que hacía un frío impresionante, sino que Jazz tenía muy mal carácter y, como buen polaco, disfrutaba provocando escenas dramáticas que aterrorizaban a su mujer y al pobre Bebito.

El resto de la familia, en París, primero alquiló unas habitaciones en la modesta residencia de las asuncionistas, en la rue Lubeck, las siniestras monjas que aterrorizaron la infancia de Cayetana Alba. Las chicas, María, Dola y Esperanza, en un lado, y los padres con Carlitos en el otro. La escasez económica era, claro está, relativa, ya que María y sus hermanas siguieron con su aya Petra Rambaud, que era medio francesa y medio española, con la dama de su madre, señora Urcola, y con Irene de Celis, quien atendía a su atuendo personal y a su higiene.

¿Su higiene?

Extrañará este cometido si lo vemos con mentalidad actual y no sabremos deducir muy bien en qué consistía este cuidado higiénico, pero sí está documentado, por ejemplo, que el ayuda de cámara de don Alfonso no solamente le bañaba todas las mañanas, sino que incluso le cepillaba los dientes.[3]

Lo cierto era que las damas trataban de que el ambiente no se emplebeyecera y llamaban la atención cuando el tratamiento que se daba a María no era el de Alteza. Solían explicar a los extraños:

—La familia es muy indulgente con los que no son de su rango, ¡si vieran los tratamientos que les daban en Andalucía! Ahora, si un grande de España se equivoca, entonces no perdonan, ¡no les pasan ni una!

Eran unas reglas de conducta que imperaban para toda la familia. Se contaba que el mismo rey, a pesar de su aparente y engañosa llaneza, cuando alguien le preguntó:

—¿Qué? ¿Cómo están las chicas? ¿Se acostumbran a vivir fuera de España?

Había contestado con sequedad:

—Las chicas no sé cómo están, pero las infantas se encuentran de puta madre.

Por su parte, Carlitos seguía con su preceptor, y Luisa y Nino tenían doncellas, ayuda de cámara y mecánico, aunque carecían de coche. Sí, seguía a su servicio Juan Martínez, el «socio» de Carlitos en aquel lance heroico del *Solrac* que estuvo a punto de matar a la pobre Bela.

Pero los años dorados se habían terminado para ellos. La estancia en la residencia de la madre Lóriga se les hacía demasiada onerosa, y se vieron obligados a alquilar un pisito en la rue Millaret du Bois. En el recibidor instalaron la enorme bandera que les había entregado el capitán del *Cabo Razo*.

Las tres muchachas se lanzaron a la calle con avidez de monjas exclaustradas. Aunque en un principio la única diversión que podían permitirse era visitar los museos, ¡eran gratis! Pero tenían que hacer cola como personas normales pues el pueblo francés no las reconocía. Carlitos, tan habilidoso con las manos y sin posibilidad de emprender nuevas aventuras mecánicas, prefirió matricularse en la universidad para iniciar sus estudios de ingeniero. En casa se dedicaba a hacer escultura y modelar los bustos de sus hermanas y sus padres.

Algunas de estas figuras, que demuestran gran talento, siguieron a María en todos sus desplazamientos y hoy una de ellas se encuentra en el despacho de Su Majestad en el Palacio de La Zarzuela.

Aunque después los cronistas monárquicos contaron que María había realizado en el Louvre una completa carrera artística, donde había alcanzado un doctorado en la técnica del miniado, y, en un paroxismo de éxtasis, detallaban estrambóticamente que con su trabajo recreaba el ideal de belleza femenina de la nobleza del Siglo de Oro español, cabellos rubios (oro) piel blanca (plata) labios rojos (rojo, obviamente) y el esmalte azul de los pigmentos que utilizaba, «lo que acababa de componer un hermoso perfil de medalla viva»,[4] lo cierto es que se trató de una formación totalmente *amateur* diseñada para llenar los ratos libres de las señoritas de buena familia en tanto no llegaba el príncipe, tan azul como el esmalte, que debía llevarlas a lomos de su caballo rumbo a un destino mejor.

Ella misma, tan falta de pretensiones, aludió a estos supuestos altos estudios en el Louvre explicando modestamente que:

—Como mamá no sabía qué hacer con nosotras, ya que éramos demasiado mayores para ir al colegio, hizo que nos dieran unas clases en el museo del Louvre y también nos llevaban a visitar museos e iglesias.

También se ha afirmado que María hacía unas miniaturas muy simpáticas que luego vendía sin firma para aliviar la economía familiar, aunque ella siempre lo negó.[5]

—Contra lo que han dicho, los papás estaban bien de dinero —aseguró, aunque luego se apresuró a añadir—: Pero si hubiera sido necesario, claro que lo habría hecho.

Su madre también decidió que les dieran unas clases de cocina, porque, según decía con espíritu práctico:

—¡Nunca se sabe lo que puede pasar!

Entretanto, don Alfonso, la reina, las infantas y Jaime estaban en un hotel de medio pelo, el Savoy, en Fontainebleau. Juan había ingresado en la Marina inglesa, Gonzalín, un sabio, estaba estudiando ingeniería en Lovaina y el pobre príncipe de Asturias, el efímero enamorado de Esperanza, permanecía en una clínica de Neuilly con la única compañía de su médico particular, el abnegado doctor Elósegui. La reina y las infantas ocupaban habitaciones sin baño en el primer piso del hotel, tan pequeñas que tenían que dejar los baúles en el pasillo como si fueran viajantes de comercio.

Peluzón estaba confinado en las cuadras, porque no lo dejaban entrar en el hotel por su facha estrafalaria y sus patazas siempre llenas de barro.

La atención que despertaron los primeros días había desaparecido. Como decía el rey con amargura:

—¡Estoy pasado de moda!

Cuando visitaban París, las infantas, acompañadas por la duquesa de la Victoria y por María y sus hermanas, iban al cinematógrafo, a los bulevares, a merendar en las heladerías de la Rive Droite pastelillos y sándwiches sin fin, a comprar a Madellios y a las Galeries Lafayette, donde todo era barato, pero también a Coco Chanel, Worth y Molineux.

Las cuentas llegaron al hotel, y el rey las arrojó al suelo con un rotundo:

—¡Coño! ¡Esto se ha acabado!

Y las obligó a confinarse en el Savoy, donde cada habitación costaba cinco francos diarios. Los nobles fueron despedidos, la mayor parte del servicio también, los criados ingleses de la reina, los mecánicos, se vendieron los coches y únicamente se quedaron con el Hispano, al que rasparon las flores de lis de las portezuelas. Como decía él dando la vuelta a los bolsillos con cómico patetismo:

—¡Soy un rey en paro!

Pero la triste realidad es que el rey, en el exilio, se reveló como un auténtico y genuino tacaño.

Un compañero de correrías de aquellos tiempos le contó a la autora de este libro que, cuando visitaban un prostíbulo, el rey se iba sin pagar, diciéndole:

—Mañana envíales a estas niñas un bolso de cocodrilo.

Ni que decir tiene que ese cocodrilo en concreto aún retoza tranquilamente en su hábitat natural. El amigo del rey era nada más y nada menos que un periodista tan corto de caudales como todos los de su oficio.

Claro que al mismo tiempo que sometía a su familia a un régimen espartano, él se compraba un carísimo Bugatti y conservaba su *suite* en el Meurice para sus aventuras galantes. En realidad disfrutaba de una regular fortunita puesta a buen recaudo en los bancos suizos e ingleses. Según el historiador Guillermo Cortázar, el rey poseía en el extranjero una cantidad de dinero equivalente a dieciséis millones de euros al cambio actual.

Pero para ellos también se habían acabado los tiempos dorados. El interés por Crista y Beatriz también iba descendiendo en la bolsa matrimonial de la nobleza. Los hijos de la ambiciosa Bee, Álvaro y Alonso, habían desaparecido del horizonte amparándose en tontas excusas:

—¡Mis hijos son demasiado jóvenes! —Decía Bee.[6]

Y también:

—¡Se han ofendido porque el rey quiere fijar la fecha de la boda sin contar con ellos!

Y es que, sencillamente, las infantas ya no eran buenos partidos. Ya no pertenecían a una familia reinante, el padre era muy tacaño y seguramente las dotaría muy mal y, sobre todo, estaban enfermas, y si no lo estaban, podrían estarlo sus hijos.

—Tuvimos varios pretendientes, pero luego salían con lo de la hemofilia y desaparecían —explicó Beatriz, con desarmante franqueza, años después.

Y Crista[7] confesaba también:

—En aquellos tiempos yo era bastante mona... pero había un momento en que me preguntaban por la hemofilia... ¡a mí me parecía una falta de todo!

Para Nino, sin embargo, las cosas no habían cambiado, y el servicio a su rey estaba por encima, incluso, de su propia familia. Y obligaba a sus hijas a que acompañaran a las infantas siempre que éstas las requiriesen, lo que hacían cuando no tenían un plan mejor. Debían ir a Fontainebleau a jugar al tenis y, como no tenían coche, cogían varios autobuses, y muchas veces, cuando llegaban al hotel, las infantas se habían ido invitadas a alguna casa del vecindario o no podían salir a jugar porque estaba lloviendo.

Llovía siempre, interminablemente, en Fontainebleau, y todo tenía un aspecto melancólico, las grandes casas con las persianas bajadas, el viento golpeando los postigos mal cerrados y muchos carteles de se alquila y se vende.

Una de las últimas salidas en las que las infantas alternaron con personas de su nivel social fue con los primos de María, los Orleans Braganza, con los que asistieron a la Exposición Colonial de Vincennes. Después habían quedado en la Maison du Chocolat con doña Victoria Eugenia, que iba con su inseparable duquesa de Lécera, y con Luisa. Cuando les contaron, quitándose la palabra unas a otras, que los negros y los chinos estaban metidos en una especie de jaula como si fueran animales del zoo, la reina comentó desdeñosamente, porque era una liberalota como la copa de un pino como todos los hijos de la Gran Bretaña:

—¡Tanta *liberté, égalité, fraternité* para esto!

Las infantas, a su vez, explicaban entre burlas que los Orleans Braganza, a pesar de ser riquísimos, tenían que limpiar la piscina y los coches y hacer de jardineros para ganarse su paga. Habituadas a la forma semifeudal en que se vivía en el Palacio de Oriente, tampoco entendían que María y sus hermanas estuvieran aprendiendo a cocinar.

No se daban cuenta de que los tiempos habían cambiado.

Poco a poco las fueron dejando de lado. Los Czartoryski hicieron una fiesta fabulosa en el hotel Lambert, con cuatro orquestas, fuegos artificiales traídos de la China que iluminaron totalmente la Île-de-France y espectáculos de magia, y no las invitaron, aunque sí fueron María y sus hermanas. Las hijas de don Alfonso también quisieron hacerse socias del hipódromo de Longchamps y se les dijo que tenían que pagar la entrada y la cuota como cualquier ciudadano. Cuando protestaron porque María y sus hermanos sí eran socios de honor, se les contestó:

—¡Los han avalado nada menos que ocho príncipes, que son primos suyos!

Poco a poco, Nino y Luisa fueron apartados del entorno real. Primero fue la reina la que prescindió de la compañía de Luisa, y después fue Nino el que desapareció del lado del rey. Ninguno de los dos figurará ya en ninguna de las actividades puntualmente reseñadas por los periódicos, ni tampoco en ninguno de los actos protocolarios que atañen a la dinastía.

No sabemos por qué ocurrió y sólo podemos aventurar hipótesis. La mía es que en cuanto doña Victoria Eugenia dejó de ser reina, ya no se sintió obligada a tratar con una persona que siempre le había sido antipática y a la que encontraba muy aburrida. Y quizás el rey, ya lanzado de lleno a una vida de libertinaje y disipación, prefirió rodearse de una camarilla más complaciente y divertida.

¡Es tan difícil mantenerse unidos cuando ya no hay obligación de hacerlo!

El exilio dinamitó la aparente armonía de la Familia Real. La reina, en cuanto recibió el dinero procedente de la herencia de un noble al que ni siquiera conocía —vieja costumbre reverdecida ahora con el legado de un ciudadano mallorquín a los príncipes de Asturias— y la República le devolvió sus valiosas joyas, se fue a Inglaterra sin despedirse siquiera de Luisa. A su marido, que lo había sido durante veinticinco años, le dijo:

—¡No quiero ver tu fea cara nunca más!

El rey se dedicó a deambular por París, Roma, la Riviera, Cannes, los cotos de caza europeos, la casas de sus parientes o Deauville, en cuyo casino jugaba al *chemin de fer*, donde la apuesta mínima era de ochenta libras, e Inglaterra, en cuyo exclusivo Club Embassy el *maître* le guardaba la misma mesa del príncipe de Gales, a la izquierda de la puerta.

También fue a Tierra Santa, dos veces a Egipto, donde se alojó en el exquisito hotel Semiramis, y a varios países africanos. Era tanto el movimiento que el ayuda de cámara de Su Majestad, el granadino Paco Moreno, harto de tanto ajetreo, pidió el retiro.

Los hijos se dispersaron. Las infantas pasaban temporadas con su madre en Londres o con su padre, siempre acompañadas por la duquesa de la Victoria. Gonzalín seguía en Lovaina, el príncipe de Asturias arrastraba su triste existencia por varios sanatorios franceses y suizos, siempre enamorándose de la última enfermera o de alguna joven y romántica tuberculosa. Jaime convivía con su ayo, que, falto de otro entretenimiento, lo llevaba a cócteles de señoritas burguesas que luego decían de él:

—El príncipe será mudo pero conoce muy bien el lenguaje de las manos.

Porque el pobre infante era experto en lo que ya entonces se conocía como «meter mano».

Y Juan navegaba, como oficial de la Marina inglesa, a bordo del crucero *Enterprise*, cuyo emblema era «*Spes aspera levat*». (La esperanza hace desaparecer las dificultades).

Tenía dieciocho años, y con el *Enterprise* recorrió las costas de la India Oriental y Occidental, Birmania, las islas de Diego Ramírez, las Mauricio, las Seychelles, Maldivas, el golfo Pérsico, Arabia... En febrero de 1933 se encontró en Trincomalee, en la costa oriental de Ceilán, con su padre, con el que fue de cacería a Mysore, donde fueron huéspedes del maharajá.

De ese día es la foto en la que se ve un tigre en primer plano, y en segundo, padre e hijo posan vestidos de safari. Las posturas son idénticas, el traje, con pantalón corto y salacot incluidos, el mismo, e idénticas son las armas en las que se apoyan. Pero mientras la actitud de Juan es casi desafiante, llena de arrogancia, la de don Alfonso es tímida y como avergonzada; destacan en el rostro bronceado sus grandes y perplejos ojos que miran sin entender un mundo que ya no es el suyo y un futuro tan muerto como la enorme bestia que yace a sus pies.

Detrás, se percibe un grupo de indígenas que son, seguramente, los que han abatido al noble animal, pero ellos no tienen sitio en la «kodak».

Según cuentan los exégetas[8] de Juan, de «los aguafuertes de puertos sucios de humo y de taberna, músicas de acordeón y coplas soeces... de las mujeres de cobre como estatuas vivientes con dientes blanquísimos entre la herida vinosa de sus labios encendidos en el fuego negro de su boca gruesa y carnosa, del enigma de sus religiones, de su arte jeroglífico», de todo aprendió Juan, que se entregó con fruición al estudio de estos capítulos ignorados, «para luego aplicarlos a su patria bien amada...».

Lo cierto es que Juan, al parecer, se dedicó sobre todo al «estudio» de las mujeres de cobre, etcétera, hasta el punto de que adquirió una enfermedad venérea.

Y también, como sus compañeros, se tatuó los brazos con anclas y dragones. Unos dibujos en azul oscuro que le enseñó a la autora de este libro, mucho después, en 1981, en el pequeño puerto de Sitges, donde había llegado a bordo del barco de su médico, el doctor Muiños.

Don Juan rememoró entonces con voz bronca:

—Son un recuerdo de mi juventud marinera.

Y después se sacó sus gafas oscuras para pasar una mano temblorosa por sus ojos casi ciegos.

En este punto estamos en condiciones de aclarar un misterio que atañe a nuestra Familia Real y que, si bien no se ha aireado públicamente, sí es un rumor que ha corrido por redacciones y en distintos cenáculos. Momentáneamente nos tenemos que trasladar al futuro. Años noventa y primera década del siglo XXI. El íntimo amigo del rey don Juan Carlos, Josep Cusí, se parece tanto a él que incluso los escoltas se confunden y se cuadran ante su cabeza canosa y su alta estatura. Se dice que es un hijo secreto de don Juan, hermano, por tanto, del rey de España, que por tal razón le tiene en tan alta estima.

Ahora podemos decir que tal historia no es cierta. Cusí nació en 1934 en Barcelona, donde vivían sus padres. 1934. Precisamente el año en el que Juan estuvo embarcado en Oriente. Como explicábamos más arriba.

Barcelona, Oriente. Ninguna conexión.

Misterio resuelto. Volvamos a aquellos años.

María, Dola y Esperanza se divertían. Preparaban platos en la cocina que nadie quería comer y, como no tenían coche, se pateaban París de arriba abajo y llegaron a conocerlo mejor que Madrid o Sevilla. En las clases del Louvre, María interrumpía a los profesores con preguntas tan ingenuas que no podían enfadarles, y las familias aristócratas las invitaban porque las otras madres no las veían como amenaza para sus hijas. No eran demasiado guapas ni iban muy bien vestidas, de hecho heredaban la ropa las unas de las otras, pero con su *pedigree* impecable siempre quedaban bien en las reuniones.

Además, ellas estaban sanas. No descendían de la reina Victoria, que era la que había transmitido su mal.

También era que a Nino lo quería todo el mundo y las hermanas de Luisa se habían casado muy bien. Además, qué demonios, ¡a cualquiera le podía golpear la fatalidad del exilio! ¡Y es tan fácil hacer el bien cuando no cuesta nada!

La tía Amelia, la hermana gigantona de Luisa, la reina viuda de Portugal que vio morir a su lado a su marido y uno de sus hijos en un atentado y que la emprendió a golpes con los asesinos con el mango de su paraguas, vivía también exiliada en el castillo de Bellevue, en Versalles, vecino al de otro ilustre expatriado, el gran duque Boris de Rusia. María y sus hermanas, también Carlitos cuando tenía fiesta en la universidad, iban muchas veces, en autobús obviamente, a montar a caballo al parque que rodeaba el palacio que realizó el rey Luis XV para madame Pompadour.

Los acompañaban sus primos Orleans Braganza, la mayor, Isabel, con su marido Henri, a cuya boda habían acudido semanas antes de que se proclamara la República. A Carlitos seguía gustándole mucho Teté, y se ponían muy «babosos» sentados juntos y cogiéndose las manos con disimulo. Después iban todos a cenar a su casa del Bois de Boulogne, donde caían rendidos sobre la alfombra adormecidos por la música del piano de la tía Elsie. De repente entraba el tío Pedro, que les decía:

—¡Mañana nos vamos al castillo de Eu! —que era otra propiedad que tenían en Normandía, y apenas les daba tiempo de ir a su casa a hacer el baúl, y ya estaban viajando en un trenecito que atravesaba los inmensos jardines que había diseñado Le Nôtre, el paisajista que había hecho Versalles.

Las dos familias, la de María y los Orleans Braganza, incluso alquilaron un hotelito en Villars, cerca de Ginebra, donde esquiaban y patinaban sobre hielo. Esperanza prefería montar a caballo sobre la nieve y su romántica figura embozada hasta las cejas como una heroína de Tolstói encandilaba a Pedriño, que la miraba con ojos de cordero degollado.

Luisa debía de decirse:

—Bueno, a la pequeña creo que ya la tenemos colocada.

La duquesa de Guisa, la otra hermana de Luisa, también contribuía al bienestar de sus sobrinos invitándolos al Manoir d'Anjou, en Woluwe-Saint-Pierre, en Bélgica, donde vivía cuando no estaba en Larache. Era un castillo de una belleza sobrecogedora, lleno de antigüedades y animales disecados. A Carlitos le encantaba ir, porque el tío Juan tenía la manía de los coches, que albergaba en tres inmensos garajes, y él se metía allí por la mañana y salía al anochecer negro como el carbón.

El parque tenía once hectáreas, con ciervos, estatuas y hasta un campo de golf en el que María aprendió a jugar. Su tío le decía:

—Estás hecha para el deporte, María.

Aunque no era el boato al que estaban acostumbrados en España, en los palacios de sus tíos se llevaba también un tipo de vida suntuoso y elegante. De lo que más se acordará María de mayor, es de que les daban toallas grandes como sábanas, y de que dormían cada uno en una habitación con cuarto de baño, una rareza en aquellos tiempos.

Por la noche cenaban vestidos de etiqueta, y después el tío Juan tocaba el piano tan bajito que todos se aburrían muchísimo.

A veces iban a cenar el rey de Bélgica, Leopoldo, con su mujer, Astrid, cuya legendaria belleza llenaba todas las revistas *pour les femmes* de entonces. Llevaban a los dos hijos que tenían en ese momento, Josefina y Balduino. Eran altos y tristones, como si presintieran que su madre se iba a morir al cabo de dos años.

En uno de estos viajes familiares[9] se produjo un suceso extraordinario digno de figurar en un programa de fenómenos paranormales y que María no pudo explicarse nunca. Era una de sus historias favoritas, que le contaba a sus hijos y a sus nietos, hasta el punto de que el príncipe Felipe le pedía, dándole el apelativo cariñoso con el que la nombraban sus nietos:

—Ía, cuenta «la» cosa tremenda.

Ocurrió en el verano de 1932. María y su familia fueron a ver a Bela a Budapest, donde iba a dar a luz su segunda hija, Cristina, porque allí los hospitales eran mejores que en Checoslovaquia y además su palacio estaba medio desmantelado. Bela se había hecho muy religiosa y se dedicaba a la beneficencia mientras su marido, Jazz Zamoyski, se dedicaba a emprender proyectos tan descabellados como convertir su palacio en un balneario. Las obras se comieron toda su fortuna y él se dedicaba desaforadamente a beber y a hacerle la vida imposible a su abnegada mujer.

Por la noche vociferaba:

—¡Y me trae a toda su familia para terminar de arruinarme!

Para evitar conflictos, Luisa decidió ir de visita al castillo de Orosvzar, donde vivía su prima Estefanía, que había estado casada con el hijo de Sissi, el archiduque Rodolfo, el que se había suicidado en Mayerling con su amante María Vetsera. La tía Estefi se había casado después con el príncipe húngaro Elemer de Longay. María y sus hermanas iban en un coche, y sus padres, con Bebito y Carlitos, en otro. Cuando se abrió la enorme cancela del parque, María exclamó:

—¡Yo ya he estado aquí!

Sus hermanas la miraron primero con burla, pero luego con extrañeza, porque María prosiguió:

—Ahora viene una alameda, después habrá robles, cuando demos la vuelta a este camino, hay un muro y detrás está el castillo.

Cuando llegaron frente a la puerta de entrada, Luisa le preguntó con severidad por qué estaba tan sofocada. María dijo:

—Es que yo he estado aquí antes, mamá, ¡lo conozco todo!

Rieron, ¡nunca, ninguno de ellos, había puesto los pies en el castillo! La tía Estefi, rodeada de sus nietos, se adelantó, los saludó, y María, sin prestarle atención, como si estuviera poseída, continuó:

—Ahora subiremos estas escaleras, luego está un vestíbulo pintado de verde, después viene un salón cuadrado, y un pasillo con muchas puertas y un cuadro de un caballero con armadura, y un bodegón con perdices y ruedas de merluzas...

Luisa trataba de reprender a su hija, pero María iba con los ojos muy abiertos recorriendo las estancias que iba nombrando.

—Pero, María, ¿qué te pasa? Pero si esta niña no es fantasiosa...

Nada, María ni caso, con toda la retahíla de silenciosos parientes detrás asistiendo a aquel prodigio humano, continuaba enumerando:

—Ahora viene el cuartito de los niños, tiene una casa de muñecas y un triciclo, después el cuarto de música con el piano y un arpa, encima del piano hay una foto de los reyes de Bélgica...

Salieron al jardín; la tía, alarmada, ya no se atrevía a preguntar, pero era lo mismo, porque María proseguía, incansable:

—Ahora en el jardín hay un caminillo con forma de aspa y en el cruce una fuente.

Al final, Isabel, la hija de la tía Estefi, la cogió por los hombros, la detuvo, y le preguntó mirándola a los ojos:

—A ver, María, piénsalo bien, ¿qué hay en la fuente?

Y sin dudarlo, como si una voz interna se lo fuera dictando, María contestó:

—En la fuente hay un angelote con un pez entre los brazos que echa agua por la boca.

No tenían muchos recursos, pero es que en verano ¡hacía tanto calor en París! ¡Se aburrían tanto los chicos, Bebito incluido, que había huido de su cuñado y había vuelto a vivir con ellos! Y había que mover a las niñas, ¡enseñarlas! Nino y Luisa alquilaron en La Napoule, a 10 kilómetros de Cannes, una casita al lado de la

Villa Marie Thérèse, de los abuelos Caserta. Nino tenía once hermanos, y éstos, multitud de hijos, casi todos ya casados y con hijos también. Los tres hijos de la tía Pía, que era viuda de un Orleans Braganza —qué raro—, tenían la edad de María y sus hermanos e iban a navegar juntos. Por las noches, agotados, se mecían en las hamacas del jardín acunados por el canto de las cigarras y el olor abrumador de la retama, el espliego y los pinares bajos.

Los «mayores» departían alrededor del café y el coñac, y el humo de los cigarros se elevaba en el aire inmóvil, mientras de vez en cuando se oía el chisporroteo de un mosquito achicharrándose en una bujía.

La pequeña y aburrida corte en el exilio tenía también su propio y delicioso escándalo: el príncipe de Asturias había cambiado la compañía del doctor Elósegui, que había regresado a España, por la de la cubana Edelmira Sampedro. Don Alfonsito no solamente se había enamorado, lo cual no resulta nada extraño, ¡sino que se había casado con ella!

La tía Pía comentó en voz baja:

—Y para fastidiar a Su Majestad, la reina ha acudido a la boda, aunque el rey había prohibido expresamente que asistiera ningún miembro de la familia.

Casado con una plebeya ya no tenía ninguna posibilidad de ceñir la Corona, y así lo reconoció en una carta que le había escrito al rey y que éste hizo pública. La tía María, la mujer del hermano mayor de Nino, de lengua tan viperina como tía Bee, se mofaba:

—¡Como si antes, hemofílico y disminuido, hubiera tenido alguna!

Mientras, el criado que cambiaba las copas y servía más café, quizás se acababa de afiliar al recién creado sindicato comunista y pensaba:

—¡Si se creen éstos que nuestros hermanos españoles van a volver a tener rey van de culo! —Y su corazón revolucionario tal vez le hacía desear—: ¡A la guillotina con todos ellos!

Pero, ajenos a la realidad histórica, aquel grupito de nobles continuaba guardando las esencias de una monarquía que sólo existía en su imaginación. Luisa dedujo que, con la renuncia de don Alfonsito, la Corona recaía en el pobre Jaime. Carlitos, que era un castizo, desde las profundidades de una hamaca en la que fingía dormir, masculló de forma que sólo lo oyeron sus hermanas y sus primos:

—¡Con lo que caemos de Guatemala en Guatepeor!

Los chicos se rieron, y el príncipe Pierre de Polignac, que estaba pasando unos días en la finca del conde de Mora en Roquebrune-Cap-Martin, les dijo que doña Victoria Eugenia, que también era huésped de los Mora, le había contado la encerrona que su marido y tres de sus gentilhombres le habían preparado al pobre Jaime en el hotel Savoy de Fontainebleau para que firmara una carta de renuncia para él y sus descendientes.

—Le han dado el argumento de que un sordomudo como él no puede trasmitir sus órdenes por teléfono en caso de guerra.

Luisa, después de reponerse del shock que había supuesto para ella enterarse de que la ex reina de España estaba alojada en casa del conde de Mora y no se había molestado en venir a verlos, preguntó, alarmada:

—Pero ¿él ha aceptado?

Y la tía María contestó con suficiencia:

—¿Aceptado? ¡Hija mía, si el rey le hubiera dicho que se dejara descuartizar, hubiera accedido gozoso!

Pero ya la abuela Caserta preguntaba con su cerrado acento italiano mezclado con francés:

—Pero, entonces, ¿quién va a ser rey?

Y Nino, que hasta entonces había callado porque estaba dolido, ya que no se le había pedido consejo ni tampoco había podido asistir a los actos de renuncia, les informó de que Juan era el elegido.

Y el puntilloso abuelo Caserta, que, empobrecido, enfermo y viejo, era jefe de la casa Dos Sicilias y no permitía que nadie lo olvidase ni por un instante, preguntó horrorizado:

—¿Juan? ¡Si no ha sido educado para rey! ¡Si está muy mal preparado! Cómo ha podido Alfonso…

Pero Nino, leal a su rey por encima, incluso de su padre, no se atrevió a dar un golpe en la mesa, pero sí advirtió con una dureza sin fisuras:

—En mi presencia jamás se van a poner en duda las decisiones de Su Majestad. Juan será rey.

Y la escéptica condesa Carolina Zamoyski, casada con el tío Raniero, el padrino de María, se rio con su voz aguardentosa mientras le daba una profunda chupada a su veguero cubano que se incendiaba como la boca de un pequeño volcán:

—Sí, será rey, ¡cuando las ranas críen pelo!

María escuchaba con indiferencia. Juan era el hijo de los reyes de España con el que había tenido menos trato, porque era de los pequeños, ¡tenía tres años menos que ella! Aunque casualmente hacía apenas una semana que lo había visto. Estaban pasando unos días en el Manoir d'Anjou de la tía Amelia, y Juan y Gonzalín los habían visitado antes de ir a reunirse en Portschach (Austria) con sus hermanas y su padre, que había alquilado un pequeño bungalow para pasar el verano.

No lo veía desde hacía seis años, por lo menos, y Dola y María le hicieron bromas a Esperanza, porque parecía que a Juan le brillaban los ojos cuando la miraba. A María le sorprendió lo alto que era y el detalle simpático de sus orejas despegadas.

Juan le había contado a Nino que cuando estaba en Bombay con el *Enterprise* había recibido un telegrama de su padre en el que le decía: «Por renuncia de tus hermanos mayores, quedas designado heredero al trono de España. Cumple con tu deber». Y que hasta al cabo de una semana no había contestado aceptando.

Nino había preguntado con severidad:

—Pero ¿por qué esa tardanza? ¡Supongo que estás deseando servir a la dinastía!

A lo que Juan había contestado con cierta turbación:

—Claro, claro, pero es que, tío Nino, ¡tenía tan clara mi vocación marinera!

Nino había mascullado algo relacionado con los deberes ancestrales, el honor y los antepasados, mientras Juan, que al fin y al cabo sólo tenía veinte años, había enrojecido violentamente.

María, rompiendo la regla no escrita de que cuando los hombres hablaban de cosas importantes las mujeres debían callarse, se apresuró a preguntar porque no podía ver sufrir a nadie sin intentar ponerle remedio:

—¿Y a Gonzalín? ¿También le gusta el mar?

El ambiente se distendió, y Juan le dio una palmada a su hermano en el hombro, que, dada su frágil constitución, estuvo a punto de enviarlo al suelo:

—¿Éste? ¡Si es una lumbrera! ¡Como dice papá, no se había visto un caso así en la familia desde Alfonso X el Sabio!

Sobre la Villa Marie Thérèse una luna trasparente se paseaba majestuosa por el cielo azul añil. Luisa, con tono desdeñoso, contó que a ella le había parecido Juan bastante ignorante, y ante un enfurecido «¡Luisa!» de su marido, se había apresurado a añadir que todo podía suplirse con buena voluntad.

Y la princesa Pía, que era muy casamentera, comentó que:

—Parece que el padre quiere casarlo con la princesa María de Italia. Veremos qué dice el rey Víctor Manuel.

A lo que el príncipe Pierre de Polignac, que era bastante cotilla, objetó:

—¿Pero María de Italia no se iba a casar con Luis de Borbón Parma?

Carolina Zamoyski comentó irónicamente:

—¿Luis de Borbón Parma? Pues vaya partidazo, Luis tiene veintidós hermanos y la mitad son retrasados…

A lo que atajó la condesa de Caserta:

—Pero Luis es muy guapo y espabilado, nos vino a ver el otro día con su sobrinita Alicia, que salió en balandro con Bebito y con las chicas.

Y en la oscuridad de la noche Bebito se había puesto colorado, porque a él le había gustado Alicia de Borbón Parma y además odiaba que lo siguieran llamando Bebito.

Y la condesa de Caserta concluía, levantándose y ajustándose el chal, porque ya empezaba a hacer frío:

—Bueno, a saber lo que nos deparará el destino… María de Saboya tiene muchos pretendientes, no es que sea muy mona, pero es rica y pertenece a una familia reinante…

Todos se levantaron mientras se retiraba, y Luisa miró con tristeza a sus tres hijas. Ninguna de ellas había logrado todavía encontrar marido, aunque ya tenían veinticinco años Dola, veinticuatro María y veinte Esperanza. Pero no se desanimaba; los mejores partidos se iban casando, pero siempre quedaría algún segundón de una casa secundaria. Alguno que no fuera tan guapo o tan listo o tan rico como los otros —de nobleza no se habla, porque todos son nobles hasta decir basta—, y allí estarían esperando modestamente su turno las hermanas Borbón Orleans con su sonrisa y su cara de buena persona.

María canturreaba entre sueños la última canción de Cole Porter, que estaba en Cannes actuando en el Palm Beach:

So blow, Gabriel, blow.

Y sus hermanas coreaban:

Go on and blow, Gabriel, blow!

¿Estaba tan contenta María en esta época como comentó después? ¿No se daba cuenta en el fondo de su posición de segundona respecto a sus primas o quizás era una situación a la que ya estaba acostumbrada desde la cuna?

No podemos saberlo, ella nunca se confió a ninguna amiga íntima, o, si lo hizo, la confidencia no ha llegado a nosotros. Yo creo, francamente, que tuvo que tragar mucha bilis, pero que la buena crianza hizo que no se le notara en absoluto.

Lo que sí es cierto es que esta difícil etapa de su juventud, tan delicada porque es la forja en la que se moldea el carácter, no la convirtió en una persona amargada. Como dijo al final de su vida:

—Yo siempre he sido feliz, excepto cuando murió mi hijo.

Fue Luisa la que les enseñó la lujosa participación de boda impresa en papel pergamino:

—El 14 de enero se casa Beatriz con Alejandro Torlonia en Roma.

Petra Ramaud se llevó la mano a la boca con un gesto horrorizado:

—¡Pero si sólo hace tres meses que se ha muerto don Gonzalo!

Y Luisa respondió, molesta:

—Sí, claro, y todos lo sentimos mucho —y recurrió a la frase hecha que disculpa tantos egoísmos—. ¡Pero la vida sigue!

Es cierto, el pobre Gonzalín —¡nunca se vio tanta sapiencia desde Alfonso X el Sabio!— había muerto en Portschach, donde pasaban el verano. Salió precisamente con su hermana Beatriz en coche, se les cruzó un ciclista y, para no atropellarlo, la infanta dio un volantazo e incrustó el coche en un árbol. Gonzalín se quejó de un vago dolor en el pecho. Su hemofilia le causó una hemorragia interna y no se pudo hacer nada para salvarlo. Se fue desangrando por dentro gota a gota.

Con esa agudeza fatal que mostraba tan pocas veces, el rey le confesaría años después a un íntimo amigo suyo:

—¡Se moría la luz de mis ojos y yo era el único en saberlo! Se retorcía como los moribundos de los hospitales de campaña que visitaba durante la guerra de Marruecos.

Murió a medianoche en su camita del bungalow y sus últimas palabras fueron para Juan, el compañero de toda la vida. Le preguntó:

—¿No viene mamá?

Pero mamá estaba en Davos y no llegaría hasta el día siguiente.

Demasiado tarde. El infante fijó sus ojos, ya vidriosos, en su hermano, apoyó la cabeza en su hombro y dejó de existir.

Tenía diecinueve años.

Pero las ruedas dentadas del tiempo no dejan de girar, ¡la vida sigue!, y Beatriz al fin había encontrado marido y no era cuestión de dejarlo escapar. Aunque el gigantesco Torlonia, el Principone, no tenía ninguna intención de huir, ¡no estaba él contento ni nada emparentando con todo un rey! Incluso aunque la infanta llevara oculta en la sangre la supuesta tara de la hemofilia, pues sabía que sin esta merma el rey nunca hubiera dado su consentimiento.

Además, que la arisca Beatriz le había dicho a su padre:

—O me caso con él o me meto a monja.

Porque el Principone lucía un título de dudosa procedencia, príncipe de Civitella-Cesi, y su madre era una norteamericana sin una gota de sangre azul, pero era tan apabullantemente rico que lo llamaban con ironía «el rey de la banca».

Aunque luego, al final, fue más el ruido que las nueces, la fortuna de la norteamericana no se vio por ningún sitio[10] y nadie le había hablado a la pobre infanta de la afición al juego que su flamante novio había adquirido en los años que había pasado en Estados Unidos.

Así que, cuando las flores todavía no se habían secado sobre la sencilla tumba de Porschach en la que yacía Gonzalín y que nadie visitaba, ¡estaba tan lejos!, se anunció a bombo y platillo la primera boda de una hija del ex rey de España. Boda a la que, por cierto, no pensaba acudir el hermano mayor, don Alfonsito, ahora simplemente conde de Covadonga, porque decía que no tenía dinero para viajar, lo que causó considerable alivio a la familia, ya que no hubieran sabido dónde colocar a la pintoresca Puchunga.

El conde de Covadonga escribió[11] a sus hermanas y decretó: «¡Sois unas cochinas!».

Pero la ausencia principal fue la de la reina de España. Doña Victoria Eugenia estaba metida en pleitos con su marido, al que reclamaba una pensión sustanciosa, y exigía una fuerte cantidad de dinero por asistir a la boda de su hija. El rey lo consideró un chantaje y rechazó la propuesta.

En estas querellas familiares, que se ventilaron abiertamente en la prensa de la época, todos los hijos, excepto el mayor, estuvieron al lado de su padre subyugados por su encanto legendario. Crista, años después, rememoraba:

—¡Papá tenía tanto *charme*!

Es fácil deducir que en el caso de Nino y su familia, esta adhesión al rey era inquebrantable: era el jefe de la familia, el cabeza de la dinastía y, además, la reina no había sabido ganarse su cariño.

El Caballero Audaz verbalizó este apoyo poniendo toda su artillería al servicio de su rey y, abandonando su estilo relamido y cursi, se empleó con dureza contra aquella reina a la que los españoles nunca habían querido: «¿Por qué no estará allí la que en días triunfales, y también trágicos, ha sido reina de España? ¡Mujeres de España todas iguales ante el corazón! ¡La pescadera y la marquesa, la dama de la corte y la obrera! Cuando se casa un hijo, la madre no debe faltar a su desposorio, ¡así son las madres de España!». Y hundió hasta el fondo esta daga en el corazón de la que había sido su reina: «Si se volviera a reinstaurar la monarquía, hay alguien que ya no podrá volver porque ha sido desalojada del corazón de todas las madres españolas. Alguien que no podrá retornar a Madrid...». Y dirigiéndose directamente a don Alfonso, le espetó: «¡Ya sabéis quién es, Señor!».

El hermano y la madre no iban a estar, pero, caiga quien caiga, Nino, Luisa y toda «la piara» se emperifollaron con sus mejores galas, sacaron el guardajoyas y repartieron las escasas piezas de valor entre las tres chicas, ¡hay que exhibir el muestrario! Y se fueron a Roma muy cortitos de dinero, pero ricos en ilusiones y esperanzas.

La familia se alojó en el hotel Eden. Dos días antes de la boda hubo un baile en Villa Saboya, la residencia particular de los reyes de Italia, un palacio muy lujoso también conocido como Villa Ada, rodeado de un jardín que hoy es el parque más extenso de Roma. Don Alfonso, Luisa y Nino, unidos de nuevo, aunque de forma efímera, departían con los invitados que habían venido desde España, y más que escuchar, se bebían sus noticias. Los detalles nimios eran los que más les emocionaban.[12] El rey empezó preguntando casi tímidamente:

—¿Y las carreras de caballos de Aranjuez, cómo están?

—Ya no es lo de antes, va muy poca gente conocida —le contestaron—, la República ha matado toda distinción, con la gente muy mezclada y muy pocas señoras.

Todo había sido contaminado por la chusma, el tiro, el golf, sólo salvaban un club nuevo, el de Campo. Su Majestad preguntó con avidez:

—¿Qué club es ese de Campo?

Y el duque de Alba, al que llamaban La Heladora por su carácter estricto, le contestó:

—Una sociedad nueva en el camino de El Pardo muy frecuentada por los jóvenes... Como han puesto piscinas, allí pueden tomar baños de sol casi desnudos... Una vergüenza...

Y el rey, hombre de mundo, trazó un arco desdeñoso con la punta de su cigarrillo:

—Pero ¿todavía andáis allí con esos tiquismiquis?

María estaba con Dola, Esperanza y Crista, que suspiraba:

—Ya me ha dicho papá que hasta que no se casen todos mis hermanos yo tengo que seguir soltera.

Claro que se trataba de un brindis al sol, porque la verdad es que no había ningún pretendiente en perspectiva, pero todas suspiraron con mucho sentimiento.

Se abrió el baile. Las tres chicas intentaban ignorar las miradas angustiadas de su madre. María siempre era de las últimas en salir a bailar, primero iban las guapas, después las más ricas y después las más nobles. Estaba acostumbrada y esperaba observando sin ninguna envidia a las parejas que giraban al son de un anticuado vals golpeando con su zapato el suelo al ritmo de la música, causando un ruido bastante considerable pues calzaba un 40.

De pronto entró en el salón un chico alto, con uniforme. María le dio un codazo a su hermana Esperanza:

—Mira, ¡es Juan!

Él no les hizo caso. Se fue directamente hasta donde estaba la princesa María de Saboya, la hija menor del rey de Italia, una morenita de aspecto melindroso, muy pagada de sí misma, que se daba mucha importancia por ser la única princesa de familia reinante presente en el salón y porque, además, era la anfitriona.

Juan se inclinó delante de ella invitándola a bailar. Y la princesa le contestó con una risita:

—Gracias, pero estoy cansada y hace calor.

Era enero y nadie tenía calor, al contrario, un viento húmedo y huracanado hacía tintinear los cristales de las ventanas.

Juan creyó haber oído mal, empalideció, se sintió como un fantoche con todas sus medallas, incluida la placa de Príncipe de Asturias, y su ostentoso uniforme de gala, pero volvió a repetir con un hilo de voz:

—¿Bailas?

La princesa se negó moviendo únicamente la cabeza y, con un molinete de su abanico, dio media vuelta dejándolo solo, tan avergonzado que quería morirse, en medio de la pista de baile.

Se oyeron risitas. Juan, sintiéndose tan pequeño como un enano de jardín, buscó ansiosamente una cara amiga. María, Dola y

Esperanza se limitaron a mirarlo sonriéndole con los ojos. Juan avanzó hacia ellas, tropezó, se agarró a unas cortinas que estuvieron a punto de desprenderse sobre él, con lo que el ridículo hubiera sido mayúsculo, y se refugió en el pequeño grupo de muchachas como el barco que llega a puerto en medio de una tormenta. Lleno de alivio les dio dos besos tan efusivos a cada una que las chicas se echaron a reír.

Primero bailó con Dola. Después sacó a bailar a María, que le preguntó por sus estudios. Él le habló vagamente de unas clases en Florencia y algunas visitas a los museos. Aunque luego los mismos cronistas que adornaron el currículo de María con títulos y doctorados sin fin explicaron que ¡hasta trece profesores! le dieron clase para formarlo en su difícil aprendizaje para rey, con materias tan áridas como el Derecho Político, el Derecho Administrativo, las Ciencias Morales y Políticas y el Derecho Internacional, lo cierto es que hasta su mismo padre reconocía:

—Juan tiene buen criterio, pero ninguna formación. ¡Es todavía un niño!

María asentía a todo lo que decía Juan. Ella, en el tema de la formación del príncipe, no tenía ni idea, pero lo encontró «muy bien, muy simpático».

Juan se sintió muy cómodo con María, y le gustaron su sonrisa y el color de sus ojos.

Pero el resto de los bailes se los dedicó a Esperanza, mientras Pedriño de Orleans Braganza se mordía los puños de rabia detrás de una columna dórica.

Cuando terminó la fiesta, el nuevo príncipe de Asturias se apresuró a sumergirse en cierto sótano del Trastevere donde decían que estaban las más bellas prostitutas romanas. Fue con su hermano Jaime, después de que éste acompañase a casa a una lánguida Emanuela de Dampierre-Rúspoli, una señorita italiana que don Alfonso le había adjudicado como novia.

Un don Alfonso, por cierto, que también era cliente asiduo de este antro, que incluso ofrecía jóvenes mancebos ataviados como mujeres.

Al día siguiente, el ex rey de España llamó a su hijo al saloncito contiguo a su habitación del Grand Hotel donde se alojaba desde hacía un par de años:

—A ver Juan, la princesa italiana no te ha hecho caso... en Inglaterra no vamos a encontrar a nadie... tienes que casarte —Y el gran libertino añadió sin enrojecer—. Se tienen que acabar esas correrías nocturnas.

¡Y lo decía él, que le había sido infiel a su mujer desde el mismo viaje de novios!

Juan sonrió y ni siquiera intentó disculparse. El padre sacó su pitillera de oro decorada con la cifra A XIII en zafiros, encendió uno de sus cigarrillos Tre Stelle, tosió y prosiguió:

—¿A ti qué te parecen las tres chicas de Nino? Están emparentadas con todo el mundo. No te darán guerra; los padres las han educado muy bien.

Juan asintió, para responder a continuación:

—Lo que tú digas, papá.

—¿Cuál te gusta más?

El príncipe dudó, apenas se había fijado en ellas, al final murmuró:

—No sé, Esperanza, quizás...

El padre, curado ya de todo el romanticismo que lo llevó a casarse con una princesa inglesa pobre, enferma y que no le había hecho feliz, le dijo:[13]

—Mira, mañana que Castellani las examine, vea que están sanas y que les hagan pruebas para demostrar que parirán muchos hijos, ¡figúrate la papeleta si alguna de ellas es estéril! Y te casas con la más fértil.

Juan contestó:

—Muy bien, papá.

Don Alfonso añadió en tono coloquial:

—La dinastía ante todo.

El hijo corroboró:

—Eso.

A continuación el rey convocó a Nino y le comunicó que había decidido que Juan escogiera a la que iba a ser reina de España entre una de sus hijas. Nino, emocionado, no pudo menos que preguntar:

—Es un honor, Alfonso, pero ¿con cuál?

Don Alfonso cogió del hombro a su ex cuñado con gesto confidencial y le hizo dar un paseo por la exigua habitación mientras le decía:

—Mira, Nino, yo creo que lo mejor sería que Aldo Castellani les hiciera unos análisis a las muchachas para ver cuál es la más fértil de las tres... No se trata de mí, ni de Juan, ni de ti... ¡Joder, se trata de la dinastía! ¡Por España! ¡Viva España!

Nino asintió, entusiasmado, ¡hubiera entregado sus hijas gustoso al verdugo por su rey! ¿No iba a permitir que se hicieran un simple análisis?

Se despidieron con mucho viva España y viva el rey.

Luisa no solamente aceptó, sino que se mostró tan entusiasmada como su marido y casi lamentó no vivir en un país en el que se autorizara la poligamia para que fueran sus tres hijas las que se casaran con el hijo del rey. Viendo esa reata camino de la consulta del doctor Castellani, no puede una evitar recordar el cuadro de Millet del pastor conduciendo a su rebaño, tal vez al matadero.

El médico las hizo desnudar, les palpó los pechos, las hizo tumbar en la camilla con las piernas abiertas e introdujo el espéculo en su interior, yendo con cuidado para no romper el himen que garantizaba la doncellez de las muchachas. Finalmente las hizo vestirse y dictaminó, no sabemos con qué base:

—La más fértil es la mediana.

María enrojeció, se desconoce si de contento o de vergüenza. ¿Se sintió feliz al ser ella la elegida? Todo apunta a que sí, porque para eso había sido educada toda la vida, y casarse con el príncipe heredero del trono español era el máximo trofeo.

Además, Juan le había parecido «muy bien, muy simpático».

Ella sabía, porque era bastante lista y tenía mucho sentido común, que las probabilidades de ceñir una Corona eran remotas, pero también que, si la situación hubiera sido otra, no la hubieran escogido a ella para casarse con el príncipe de Asturias. Lo mismo que le hubiera pasado a Torlonia con Beatriz.

Juan, al cabo de unos años, dio en el clavo refiriéndose a un posible matrimonio de conveniencia de su hija Pilar. Cuando se le hizo ver que ella quizás se negaría a la componenda, respondió con asombro:

—¿Quejarse una hija mía? Se sometería dócilmente, porque todas las princesas reales deben estar dispuestas al sacrificio.

Luisa le comunicó a Nino el resultado del análisis y éste a Alfonso, que volvió a llamar a su hijo a su presencia.

—Juan, María es la más fértil, ella es la que te conviene.

Tableteó con los dedos en la mesita en la que estaba su tabaquera y las gafas que había empezado a usar para leer. La pulsera en forma de serpiente con los ojos de rubíes que ciñe su muñeca derecha, que tal vez le ha regalado una amante, golpeaba contra la madera. El rey, pensativo, sonreía al recordar los tiempos felices:

—Cuando era pequeña, yo la llamaba María la Brava, ¡necesitará mucho valor para no tropezar con los escollos que nos va a poner el destino! —Carraspeó, no le gustaban a don Alfonso las expansiones sentimentales ni las frases altisonantes, y puso la voz campanuda que tan bien copiaban sus cortesanos—. Te casarás con ella.

Juan asintió:

—Está bien, papá.

Y eso fue todo.

Capítulo 5

CANNES

1935

El airecillo de Frascati debía ser, seguramente, el más fértil de Europa, pues tanto Beatriz, como Emanuela, como María se quedaron embarazadas en su primera noche de bodas.

Claro que, cuando María, tocada con un sombrerito de medio lado que le sentaba muy mal, y su flamante marido, con traje gris y la gabardina en el brazo, abandonaron la modesta habitación de hotel y se reunieron con el vizconde de Rocamora y Petra Rambaud, que les esperaban en el vestíbulo cargados con los baúles y las maletas, todavía no lo sabían.

Su primer deber cortesano, después de intentar repoblar de frutos el árbol borbónico, bastante anémico en aquellos tiempos, fue viajar a Cannes en tren para visitar a la abuela de María, la condesa de Caserta, ya octogenaria, que se acababa de quedar viuda y no había podido asistir a la boda.

María se postró a los pies de aquella figura enlutada como un paso de Semana Santa y recibió sobre la frente su bendición. Después presidió, ya en pie de igualdad con sus primas, la mesa de la cena en la Villa Marie Thérèse. María no solamente se había casado, sino que lo había hecho con un heredero real, e iba la primera en la dignidad protocolaria, aunque ella se empeñó en que fuera su abuela la que se sentara en la cabecera.

Bebito llegó en su pequeño Ford cuando ya estaban terminando. Iba con su novia Alicia de Borbón Parma, quien lucía en su dedo el espléndido solitario que había pertenecido a la madre de aquél, la ya casi olvidada Polla. Muy contento, comunicó a todos:

—El tío rey me ha prometido que, en cuanto nos casemos, le dará también el título de infanta de España a mi prometida.

Alicia le hizo una reverencia a la hermana de su futuro marido, la primera que María iba a recibir en su vida.

Se sentía como en un sueño.

Llevaba puesto un vestido de seda negro en atención a la muerte de su abuelo, en el escote en pico lucía el broche de brillantes en forma de lazo que le había regalado por la boda la tía Pía y en el dedo un anillo de zafiros, obsequio de la tía Amelia, pero nada resplandecía más que su sonrisa.

Todos encontraron a Juan sereno y aplomado, quizás excesivamente, teniendo en cuenta que sólo tenía veintiún años, ya que, como decía algún cronista, le faltaba la campechana sonrisa típica de los Borbones[1] y el aire negligente y relajado del que hacía gala don Alfonso.

Se mantenía rígidamente embutido, como si fuera de uniforme, en una americana azul marino con un ancla bordada en el bolsillo y una camisa blanca; el fular de seda era el mismo que usaba el rey, de Hermès, y, como dijo luego la condesa de Caserta:

—La verdad es que Juan es más Habsburgo que Borbón.

Lo que nunca se supo es si era un reproche o un piropo.

María le fue contando a su abuela los detalles de la boda:

—¡La guardia palatina nos rindió honores! ¡Mis amigas españolas me han regalado un broche de brillantes con el escudo de Sevilla!

Pero su abuela no estaba para frivolidades. Le habían dicho que Juan había conspirado con un grupo de monárquicos para que su padre abdicara en él, pero, cuando se lo preguntó con severidad, el marido de su nieta se encogió de hombros y lo negó abruptamente:

—¡Es una jodida mentira! A mi padre y a mí no nos separa ni Dios.

María se apresuró a comentar, para desarrugar el ceño de su marido, que era de cólera fácil, y ya que estaban en familia, que durante el banquete de boda Jazz Zamoyski había bebido más de la cuenta. La abuela Caserta movió la cabeza:

—Pobre Bela, este mal hombre acabará arruinándola.

Y Bebito explicaba que a él también intentó sacarle dinero en el bar del hotel para enterrarlo en su proyectado balneario:

—Dice que en el subsuelo están las aguas más curativas de Europa, que es oro líquido.

Y su novia, que venía de una familia muy noble pero muy pobretona, le preguntó, presa de súbita preocupación:

—¿No le habrás dado nada?

Y cuando él contestó que no, un suspiro de alivio recorrió la mesa, sobre la que se desmayaban, vencidas, las servilletas y los cubiertos.

Nadie mencionó la ausencia de la reina de España en la boda de su hijo, aunque claro está que había sido el tema más comentado entre los invitados y familiares.

Al final fue el mismo Juan el que preguntó:

—¿Habéis visto a mi madre?

Y fue la tía Amelia la que contestó:

—Fuimos a la cena que el príncipe Pierre le dio en el hotel de París de Montecarlo.

Y después dejó caer:

—Estaba muy elegante.

En las copas, restos de un Mouton Rothschild de veinte años que hizo suspirar a la condesa de Caserta:

—Era el favorito de mi Alfonso; creo que todavía quedan un par de cajas en la bodega —y luego añadió con algo de inconsecuencia—. ¡Lo que las debe añorar el pobre!

La tía Pía intentó desviar la atención de un tema tan truculento comentando que se alquilaba la casa vecina, la Villa Saint

Blaise, y que el precio era bastante razonable. María se volvió suplicante a su marido juntando las manos sin decir palabra, y Juan, magnánimamente, concedió mientras depositaba la ceniza de su cigarro en el cenicero que le tendía el vizconde de Rocamora:

—Está bien, María, si quieres la alquilamos.

Carraspeando, se vio obligado a añadir:

—Aquí estaremos cerca de España.

Al día siguiente, en el lujoso Tren Azul, viajaron hasta París para encontrarse con el rey, que les esperaba en el vestíbulo del hotel Meurice. Juan, que sin darse cuenta en presencia de su padre caminaba con paso rígido, acompasado, de aire militar, como un oficial de órdenes, y María se inclinaron sobre su mano.

El rey estaba con el periodista cuyo pseudónimo era El Caballero Audaz, José María Carretero, al que dijo señalando al príncipe de Asturias:

—Aquí tienes a mi hijo Juan —después, contemplándolo con arrobo, exclamó—. ¡Creo que vitola no le falta!

María, de cuya «vitola» nadie había hablado, todavía seguía genuflexa en el suelo en una postura tan incómoda que le temblaban las piernas, y el rey se apresuró a levantarla y le dio un pellizco en la mejilla diciéndole:

—Qué buen color tienes; este zoquete me parece que te está dando buena vida.

María se puso como un tomate, y casi no se dio cuenta de que el duque de Torres de Mendoza les tendía una caja. Fue Juan el que la cogió y la abrió: dentro estaban los billetes y el itinerario de su viaje de novios alrededor del mundo. Salían al cabo de dos días desde Cherburgo, a bordo del lujoso barco alemán *Bremen*, el orgullo de los mares. Era el regalo de bodas del rey, el mismo que le había hecho a Jaime y Emanuela, y al Principone y Beatriz, aunque ésta, por ser chica, había visto mermada la duración del viaje: tan sólo quince días.

Juan, por boca de sus cronistas de cámara, declaró más tarde que el viaje no se programó como diversión turística, sino que debía contribuir a su formación como futuro rey de España y que había sido una dura expedición de estudio y trabajo.[2] María, siempre más llana, confesó:

—Dimos la vuelta al mundo, ya que el tío rey nos dijo que convenía hacer ese viaje aprovechando el de novios, porque en la vida nunca se sabe lo que puede pasar luego.

El viaje empezó «a la manera» de María: la primera noche en el *Bremen* estaba programada una cena de gala. El capitán, de pomposo uniforme, puesto en pie, les esperaba en su mesa. Esmoquin, trajes largos, escotes guarecidos de joyas resplandecientes, banderas nazis. Cuando los príncipes de Asturias entraron en el salón, sonaron las trompetas del himno de *Aida* con el que el capitán pretendió homenajearles. Juan, alto y bien plantado, fijó la mirada con altivez en los pasajeros del barco que, excepto algunos lores y algunos condes italianos, si no pertenecían a la alta aristocracia de la sangre, sí lo hacían a la del dinero. Con paso marcial, como sus antepasados entrando en los dominios conquistados, descendió por la escalera alfombrada saludando rígidamente a izquierda y derecha.

Tachán-tattachán chan chan.

María se había puesto ¡hasta corona! Y un traje de encaje azul.[3] Un encaje tan sutil, que se enganchó con un saliente de la barandilla y, en vez de seguir a su marido con paso alado de princesa, rodó como un tonel escaleras abajo arrollándolo todo...

Como suele ocurrir en estos casos, se levantó ágilmente, como si no hubiera pasado nada, aunque se había dado un porrazo considerable, y pidió sin palabras a sor Ángela de la Cruz el milagro de que los pasajeros se hubieran quedado ciegos en el instante de su caída o que, sencillamente, se hundiera el barco con todos dentro. Con un tacón roto, el moño deshecho, la diadema torcida y la semicola del vestido rasgada, deambuló entre las mesas con una sonrisa petrificada en el rostro fingiendo no oír las palabras indignadas de su marido dichas entre dientes:

—María, ¡por Dios! ¿Era necesario?

María recordaría quizás amargamente el piropo que un académico le había dicho en una ocasión a su suegra, la imponente reina Victoria Eugenia de España, cuyo trono esperaba heredar algún día:

—Si las cariátides caminaran, ¡lo harían como usted, Majestad!

Estados Unidos, con sus estudios cinematográficos, sus ríos de asfalto, los anuncios luminosos y restaurantes de *jazz band* les dejará un recuerdo imborrable. En San Francisco fue donde se dio cuenta María de que estaba embarazada.

En California, la prensa anunció a bombo y platillo que los «reyes de Borbón» iban a visitar los estudios de la Metro Goldwin Mayer, donde «hay más estrellas que en el cielo». Una de estas estrellas, Myrna Loy, que era de muy buena familia y la anfitriona perfecta, los invitó a cenar en su casa de Bel Air con Gary Cooper, Clark Gable, Claudette Colbert y un actor inglés que, según María, estaba empezando: Laurence Olivier.

Después comentarían los periodistas que se habían sentido decepcionados porque los «reyes de Borbón» (muchos creían que «Borbón» era un país europeo) no llevaban ni cetro ni corona.

En la fiesta de las estrellas, María aprendió a bailar la rumba y probó por primera vez el whisky, que le gustó mucho.

Como era muy curiosa, se fijó en aquellos relumbrantes cabellos rubio platino, aquellos párpados oscurecidos con pigmentos brillantes, los labios rojo rabioso y unos vestidos de plata tan resplandecientes que parecían hechos de escamas de pescado, y se sentía con su traje chaqueta negro, sus perlas y su camisa blanca como un patito feo, cuando lo cierto era que, al lado del relumbrón vulgar de Hollywood, se la veía muy elegante.

Juan desplegó todos sus encantos delante de aquellas sirenas: encendía los cigarrillos de las damas con galante prontitud, sus besamanos provocaban risitas nerviosas y sus inclinaciones, chillidos de placer y alboroto de papagayos.

Un par de veces desapareció de la vista de María, mientras ésta le preguntaba con curiosidad a Gary Cooper dónde podría comprarse pantalones de amazona para montar como los hombres.

De todas formas, cuando llegó a su habitación, le comentó a su doncella Petra que la ayudaba a desnudarse:

—Petra, tendríamos que modernizarnos.

Fue en Estados Unidos donde María adquirió su gusto por los vestidos de tonos vivos que tanto iban a desesperar a su suegra.

En Toronto se llevaron un disgusto enorme: a María le robaron todas sus joyas en la habitación del hotel. Los periódicos anunciaron a toda plana: «Roban las joyas de la Corona española».

Lo cierto es que se trataba de la pulsera que el tío rey le compró en Chaumet con su inicial en rubíes, dos pulseras de oro que le habían regalado Bebito y Bela, así como unos broches de tréboles de brillantes en chatones que le había dado Juan cuando eran novios, procedentes de la herencia de la reina María Cristina, y un collar de perlas negras de doble vuelta que le había regalado Luisa. Se salvaron las joyas que llevaba puestas ese día, en el que había ido a comer a casa de unos conocidos. Ahí es nada: la sortija del rubí en cabujón de pedida, unos clips de brillantes y rubíes que le habían regalado las damas de la reina Victoria Eugenia, una gruesa pulsera de oro con brillantes engarzados que suele llevar en la actualidad la reina doña Sofía, un collar de triple vuelta de perlas, pendientes con una perla y un brillante y un aparatoso broche de rubíes y topacios amarillos conformando la bandera de España.

En Miami[4] se reunieron con el hermano mayor de Juan, el pobre Alfonso, y con la Puchunga, ahora ambos condes de Covadonga.

Juan y María se compadecieron del mal aspecto del ex príncipe de Asturias, que había estado ingresado durante largo tiempo en el hospital presbiteriano de Nueva York por una llaga en la pierna y, al que, debido a su hemofilia, se le habían practicado once trasfusiones con sangre procedente de personas a las que se había extirpado el bazo, ya que existía la teoría de que la sangre de esos individuos se coagulaba más rápidamente. Al mismo tiempo les asombró su popularidad en Estados Unidos, donde hacía declaraciones escandalosas; su matrimonio pasaba por constantes altibajos y los periodistas tomaban buena cuenta de cada una de estas incidencias. «Cruza el Atlántico para recuperar el amor de su mujer». «Vuelve a Cuba a invernar don Alfonso de Borbón. Dice que está encantado con la vida democrática». «La sensacional pareja se ha hospedado en la casa de ella, la mansión de la calle 8, en el Vedado, que fue residencia de la señora Zayas Bazán, viuda del apóstol Martí». «Nueva York. El príncipe de Asturias y su esposa, doña Edelmira Sampedro, hacen vida democrática en Estados Unidos de riguroso incógnito. Y el heredero de la Corona española ha declarado que:

»—Yo nací príncipe de Asturias y príncipe de Asturias moriré, pero de todas formas no quiero ser rey, porque no me interesa el trono».

Los fotógrafos lo perseguían como si fuera un actor de Hollywood, y, de hecho, estaba a punto de serlo. Alfonso le comentó a su hermano, con una punta de orgullo, ya que era el primer trabajo que se le ofrecía en la vida, que se le había propuesto un papel de príncipe en la película *Thin Ice*, junto a la popular patinadora Sonja Henie. Incluso tenía que dar unas vueltas en patines y hacer algunas cabriolas. Juan consiguió disuadirle de esta idea con el argumento de que podría sufrir un accidente fatal, y el papel terminaría interpretándolo Tyrone Power.

Los príncipes de Asturias se sentían violentos por la envidia que despertaban en los Puchungos, como llamaban a su cuñada y a su hermano, y por las críticas constantes de éste hacia su padre, el rey, por su tacañería:

—¡Sólo me pasa cuarenta libras al mes!

Y los reproches llenos de rencor a su hermana Beatriz:

—¡Ha sido la causa de la muerte de Gonzalín y encima papá le ha hecho la gran boda!

Y también:

—¡Aunque os pese, nunca me podréis quitar ni ser vuestro hermano mayor, ni el hecho de existir!

Asimismo, les llamaron la atención los extraños lugares a los que los llevaban a cenar los condes de Covadonga, salas de fiestas, tugurios de medio pelo... Al parecer, los tronados aristócratas recibían un estipendio por dejarse ver en ciertos locales, y el caché subía si los acompañantes eran los herederos de la Corona de España. María y Juan, más que reírse o enfadarse con ellos, se apiadaron profundamente.[5]

Pero no hay tiempo para entristecerse. Porque hay que ir a Honolulu y luego a Yokohama, Kobe, Kyoto. En el Pacífico les sorprendió una tempestad terrible y estuvieron a punto de naufragar. Juan ayudó al capitán a gobernar el barco desde el puente de mando. Un marinero cayó al mar, y María vio cómo se lo comían los tiburones dejando el agua color sangre... China, Siam, Ceilán, Egipto...

Cuando llegaban a algún lugar importante, Juan trataba de entrevistarse con la autoridad pertinente. María prefería quedarse en el hotel comentando con su franqueza habitual:

—No me apetecían los cumplidos.

En algunos países les ponían el *Himno de Riego* en lugar de la *Marcha Real,* u otras marchas extravagantes, como pasodobles, tangos o música marroquí. En todos compraron recuerdos y regalos. A la reina le llevaron una barquita de jade para su colección de piedras duras, única en Europa.

Cuando murió la reina Victoria Eugenia, los hijos se la repartieron, y la barquita fue a parar de nuevo a María y ahora está en casa de su hija Pilar.

La pareja no disfrutaba de mucha intimidad, ya que iba siempre acompañada por la doncella de María, Petra, de la que no podía prescindir, y por el ayudante de Juan, el vizconde de Rocamora, que figura en medio de la pareja en todas las fotos. Ni Juan ni María sabían ocuparse de los trámites aduaneros, ni de las reservas de hoteles, ni de los horarios, ni organizar las agendas, ni tampoco cuidar la ropa ni, una vez más, de su higiene. Ni sabían, ni lo intentaban siquiera, porque para eso estaban allí sus serviciales ayudantes dispuestos a todo para que ellos no tuvieran que mover ni un solo dedo. María llegaba a su habitación, se sentaba y, mientras hablaba o pensaba en sus cosas, Petra la peinaba, la desvestía, le ponía la ropa de casa, guardaba los vestidos en los armarios, y si era necesario preparaba el baño y la ayudaba a secarse.

Petra y el vizconde controlaban también las decenas de baúles, sombrereras, maletines de cuero fino, neceseres, termos con tapadera de plata y oro y hasta una cama de campaña.

En abril desembarcaron en Marsella, seis meses después de su partida, y fueron a pasar unas semanas a París en el tren de lujo *Côte d'Azur*. Juan quiso sorprender a su mujer con un generoso presente de amor: había encargado copias de todas sus joyas robadas en *chez* Cartier, para que pudiera lucirlas el día 16 en la boda de Bebito, que se casaba al fin con Alicia de Borbón Parma. Se celebró en Viena con gran pompa, en el palacio Albrecht, propiedad de la madre de la novia, la princesa María Anna de Austria, que albergaba una de las mejores colecciones de arte del mundo. Los Baviera, Borbón, Hohenlohe, Teschen alternaban con los Habsburgo, Orleans Braganza, Dos Sicilias, Zamoyski y Czartoryski.

Nada hacía pensar que, apenas diez años después, cambiarían las fronteras y los regímenes y desaparecerían la mayoría de las monarquías reinantes de Europa, así como los archiduques, príncipes y todos los cargos palatinos. Muchos de los que ese día alardeaban de palacios, de títulos rimbombantes, joyas, coches y lacayos, tendrían que emplearse, confiscadas sus tierras y expropiadas sus fortunas, de chófer o de portero en algún *dancing*.

Después, volvieron de nuevo a París, y luego a Londres para reunirse con don Alfonso, con el que estuvieron un mes, alojándose en el hotel Claridge. Cenaban en el carísimo restaurante Quaglino's, en la mesa vecina a la que ocupaba la amante oficial del recién coronado rey Eduardo VIII, la americana Wallis Simpson. Acudieron a una recepción que se le ofreció al recién depuesto emperador de Abisinia, Haile Selassie, cuya invitada principal fue la millonaria Barbara Hutton, la «pobre niña rica». Asistieron al Covent Garden, aunque el rey se aburría soberanamente porque no tenía ningún oído para la música; decían que no reconocía ni siquiera la *Marcha Real* y que en las ceremonias oficiales siempre tenía que ir un ayudante cuya única misión era dar con el codo a Su Majestad cuando sonaba el himno para que se levantase.

María llamó la atención con su embarazo cuando bailó la rumba animadamente con el rey en Embassy o cuando los tres tomaban el aperitivo en el Dorchester. El cóctel preferido de Juan era el Dry Martini «tamaño rey», porque en vez de una copa de ginebra llevaba dos. El de María era el Old Fashioned —en el que no faltaba el recién descubierto whisky, además de naranja y angostura—, y, para no ser menos, también pedía doble ración de whisky mientras todos fumaban un cigarrillo tras otro.

En Londres se reunieron con ellos la vizcondesa de Rocamora, Angelita, que llevaba seis meses sin ver a su marido, el chófer, Luis Zapata, y el criado de Juan. María había aumentado mucho de peso, pero salía, tomaba cócteles, montaba a caballo, fumaba como un carretero y bailaba incansablemente con su marido y con el rey; su ritmo no decaía, hasta el punto de que, años después, contaría[6] que:

—¡Pilar siempre me dice que no sabe cómo tiene bien la cabeza después del tute que me di cuando la estaba esperando!

María, después de haber pasado tantas estrecheces, sabía apreciar las cosas buenas de la existencia.

Su tren de vida contradecía en cierta manera la leyenda de que en esa época los jóvenes príncipes iban muy cortos de dinero.

Por fin, el 8 de julio, Sus Altezas se instalaron en Cannes, en la Villa Saint Blaise.

Volvieron a Cannes porque, según comentaron, estaba cerca de España. En realidad había pocos lugares más alejados de su infortunada patria, empobrecida, crispada y violenta.

Cannes, en el verano de 1936, refulgía en medio de las tribulaciones mundiales como el rubí de su anillo de pedida. En las guías turísticas se la describía como la capital de los monarcas y los millonarios, y era cierto, todos disfrutaban de esta ciudad símbolo del lujo y el refinamiento: Eduardo VIII de Inglaterra, Douglas Fairbanks, Marlene Dietrich o los Citroën se mezclaban con gigolós y bohemios de lujo. La marquesa Casati se paseaba por La Croisette con sus cuatro leopardos atados con una correa de brillantes; Harold Dodge, el heredero automovilístico, pedía su primer cóctel cuando se ponía el sol y el último cuando volvía a salir, y su rival André Citroën perdía expresamente hasta trece millones de francos en la ruleta «por motivos publicitarios». Los magnates intentaban sobornar a los periodistas de cotilleos para que los sacaran en sus columnas con alfombras Aubusson y cuadros de Picasso y los crupieres eran tan ricos que cenaban todas las noches en el restaurante del hotel Martinez, el más caro de la Costa Azul. Maurice de Rothschild nunca se perdía la *saison* en Cannes, adonde llegaba acompañado de un donante de sangre por si su vida corría peligro en algún momento, y Bendor, el segundo duque de Westminster, poseyó durante cinco años el récord del casino de Montecarlo: apostó al negro veintitrés veces seguidas.

La impresionante Victoria Eugenia, la que fuera reina de España, vivía en la casa del conde de Mora, el padre de Marisol, que estaba casada con el primo hermano de Juan, José Eugenio de Baviera, el hijo del «tío muerto». Villa Teba le había sido dejada en herencia por su tía Eugenia de Montijo. Estaba en Roquebrune-Cap-Martin, en la frontera entre Mónaco y Menton, y la ex reina se alojaba rodeada de su numeroso servicio, su propio cocinero, damas de corte y, cómo no, de sus íntimos amigos los duques de Lécera y la duquesa de la Victoria. Recibía con frecuencia al príncipe Pierre de Polignac, padre de Rainiero y abuelo por tanto de Carolina de Mónaco. El príncipe Pierre estaba recién separado de su mujer, una escandalosa Carlota que se había ido a vivir con un notorio ladrón de guante blanco que desvalijaba a millonarias en los hoteles de lujo de la Costa Azul. El príncipe y la ex reina se consolaban mutuamente de su desgraciada vida conyugal.

Decían que donde estaba doña Victoria se comía mejor que en Maxim's. Su cocinero era francés, y le gustaba demostrarlo a sus múltiples invitados. En ocasiones organizaba cenas de hasta cien comensales. La tía Ena se sentía en la Costa Azul como en casa, ya que aquí venía de pequeña, a la otra fantástica propiedad de Eugenia de Montijo, Villa Cyrnos, vecina de Villa Teba.

El que no estaba en la Costa Azul en los años treinta no era nadie. Reyes en ejercicio o exiliados, millonarios, magnates, artistas de cine, cantantes de ópera, bailarines y algún estafador de altos vuelos disfrutaban de este lugar en el que, como en la Metro Goldwyn Mayer que tanto gustó a María, había más estrellas que en el cielo. Un mundo que sólo un cataclismo podría destruir.

María reemprendió la relación con su suegra con bastante temor. Encontraba a los ingleses en general «muy puestos, muy hipócritas»,[7] y a la tía Ena en particular la consideraba, como todos entonces, fría, insensible y mala madre.

La ex reina recibió a su nuera con cierta altivez. Durante muchos años había sido considerada una de las mujeres más elegantes de Europa y su empaque majestuoso había adornado postales y revistas. La simpática torpeza de María y la falta de pretensiones de su arreglo le crispaban los nervios. Años después, en una carta a su prima contaba acerca de ella: «No quiero decirte lo que parecía... vestida de azul fuerte... enormemente gorda...».[8]

También, como a Luisa, la encontraba muy aburrida.

En fin, como la mayoría de las madres, reinas o pescaderas, consideraba a su nuera muy poca cosa para su arrogante hijo.

También era consciente de que en la historia familiar ella era la mala de la película y, reservada como buena inglesa, no trató de defender su causa de mujer constantemente humillada por su marido y por su pueblo.

Únicamente observó delante de María:

—Creo que es de mal gusto hablar de temas personales.

Y también:

—No me gusta contar mis penas a nadie, si ríes, el mundo reirá contigo, si lloras, te quedarás solo.

María tomó buena nota del consejo y supo que si alguna vez tenía problemas no debía acudir a la madre de su marido para que la consolase.

Aunque también es verdad que la tía Ena, que había sido monarca durante veinticinco años, le proporcionó valiosas lecciones acerca de la forma en que había de desenvolverse una reina, ya que era de la opinión de que aunque estuviese en el exilio se debían guardar las mismas formas que en el Palacio Real.

—Si nosotros nos olvidamos de que somos reyes y no vivimos como tales, la gente también se olvidará, y entonces, ¿quién va a reclamarnos?

Le aconsejó que se rodease de damas para sentirse protegida, que en su casa se guardase un protocolo estricto, aun en los momentos de mayor intimidad, y que no descuidase jamás su atavío.

El simple acto de subir a un coche era una muestra viviente de un tratado de buenas maneras. Mientras el chófer sostenía la puerta del Bentley, primero subía la reina, a continuación el príncipe heredero, después María, después Jaime y después Emanuela, que también estaban pasando unos días en la casa del conde de Mora. Habían llegado con su primer hijo, Alfonso, al que la reina prestaba una atención distraída:

—Qué mono es, tan morenito.

Era el segundo nieto de los reyes, ya que Beatriz y su Principone ya habían tenido a su hija Sandra, que tampoco despertó grandes entusiasmos en aquella reina tan poco dada a los afectos familiares.

Sandra tuvo el honor de ser la primera nieta de don Alfonso. Con los años sería madre del popular Alessandro Lecquio.

Doña Victoria miró, sin embargo, con fría aprobación la silueta de María, que estaba a punto de dar a luz, añadiendo:

—Por lo demás, veo que has cumplido con tu primer deber y no tengo nada que decir.

Por primera vez desde su casamiento, los príncipes de Asturias pusieron casa. Muebles que les dejó la condesa de Caserta, dos vitrinas de caoba y cristal llenas de objetos, figuritas, cacharros de la Compañía de las Indias con las armas reales de Francia regalo de Luisa, fotografías familiares y regalos de boda, como el tapiz donde campeaban el toisón y la corona real, procedente de la casa ducal de Sotomayor y que les seguiría a todas las casas que tuvieron durante su vida, once.

La primera compra que hizo Juan fue una maleta-radiogramola para escuchar las noticias de España, e instaló un teléfono para cualquier emergencia en una mesita baja donde reposaba una caja de plata con bandera roja y gualda en la que guardaba sus inevitables cigarrillos Celtiques, tan fuertes como los españoles.

Y, como gustaba de recordar Juan, «sólo» con el servicio indispensable: Petra Rambaud, Luis, el ayuda de cámara de Juan, con su mujer, que también estaba al servicio de la señora, y su hija, Pepe el mecánico y los vizcondes de Rocamora, ayudante él del príncipe y ella de la princesa. María nunca fue una buena ama de casa. En realidad, ni buena, ni mala, ni regular. Para la intendencia doméstica tenía a los Rocamora, quienes estaban totalmente entregados al cuidado de María y de Juan a pesar de tener ellos también dos hijas, Angelines, después duquesa de Parcent, y Merche, quienes compartían abnegadamente el exilio.

Cuando el vizconde fue nombrado agregado militar en la embajada española de Berlín y su mujer viajaba hasta Alemania para estar con su marido, María no se quedaba desguarnecida, ¡faltaría más! Rápidamente acudía a su lado Clara Carvajal, la mujer del naviero Ignacio Aznar, quien se ponía al frente de todas las responsabilidades de orden interno.

No cuento a los numerosos consejeros de la pareja, desde su primo José Eugenio de Baviera, hasta el conde de Rodezno, pasando por el entregado Vegas Latapié, quien lo había dejado todo para instalarse al lado de los herederos de la Corona española. Aunque su cometido era dar consejos políticos, lo cierto es que muchas veces también resolvían problemas domésticos, desde contratar a un empleado, contestar una invitación o comprar cigarrillos.

El 14 de julio leía don Juan, como de costumbre, la prensa de la mañana mientras tomaba el desayuno.

Hacía calor, pero los visillos de muselina se agitaban con la leve brisa que venía del amplio jardín mientras en la mesa humeaba la tetera y la mantequilla en forma de caracolillos se derretía rápidamente sobre las tostadas. El primer periódico que cogió fue *Le Figaro* y, frente a él, María, que estaba tejiendo una chaquetita para su hijo, vio que empalidecía. Dejando la labor a un lado, le preguntó:

—¿Qué te pasa?

Juan tiró el periódico al suelo desesperadamente:

—¡Qué quieres que ocurra, la mayor desgracia que podía pasar en España!

—Pero ¿qué es?

—Que esa canalla ha asesinado a Calvo Sotelo. ¡Pobre España! ¡Pobre Calvo!

Calvo Sotelo había sido uno de los pocos españoles notables que habían acudido a su boda en Roma y había ocupado un lugar privilegiado al lado del altar mayor.

Un Juan furioso y enardecido levantó el puño como queriendo pegar a todos los republicanos de uno en uno y bramó:

—¡Aquí, María, no hay más solución que echarse a la calle y acabar a tiros con todos ellos![9]

María, impresionada, se dobló sobre sí misma con un dolor agudo, pero Juan no le prestó atención, ¡la patria estaba en peligro!

Utilizó su flamante teléfono para pedir una conferencia con el último embajador del rey en Francia, Quiñones de León, que estaba en París, para confirmar la noticia.[10] Luego telefoneó a su padre. Porque, a pesar de que las crónicas nos describen a un don Alfonso transido de dolor por la suerte de su país, la verdad era que estaba de cacería en Checoslovaquia. Pero, antes, se había dirigido probablemente a la frontera que separa el País Vasco de Francia, y al otro lado del paso había visto por última vez a los hijos naturales que había tenido con la actriz Carmen Ruiz Moragas, Leandro y María Teresa. La madre de los chicos acababa de morir y el rey les quería entregar un obsequio, y dar algunas instrucciones a la persona que los cuidaba.[11]

El mismo 18 de julio Juan y María se enteraron de que Franco había decidido sublevarse contra la República. Había empezado la Guerra Civil.

Inmediatamente, el vizconde de Rocamora decidió incorporarse a las filas nacionales. Una semana después fue el hermano de María, Carlitos, quien abandonó sus esculturas, a su novia Teté de Orleans Braganza y su trabajo de ingeniero para ir a España a luchar al lado de Franco. Antes fue a la Villa Saint Blaise. A Juan no se atrevió a decirle nada, pero a su hermana le comentó:

—Porque estás así, si no te pediría que fueras también a España. Dola y Esperanza van a San Sebastián, a echar una mano como enfermeras. —Con gesto preocupado, añadió—: Bebito se resiste, ¡dice que Alicia está embarazada! ¡Como si eso fuera una disculpa!

Se levantó y besó tiernamente a su hermana, que le preguntó:

—¿Qué te ha dicho papá?

—Que, si es necesario, muera con honor en el campo de batalla. —Y el guasón de Carlitos se echó a reír—: Yo le he contestado, hombre, papá, si lo que quieres es darme ánimos...

Aunque, según los biógrafos monárquicos, Juan también estaba ansioso por entrar en España y luchar como uno más al lado de Franco, se lo impedían su mujer y sus allegados. Así siguió, día y noche, ardiendo en patriotismo, las noticias que le llegaban a través de la radio.

Al parecer, fue el conde de Rodezno el que le dijo al consejero de Juan, Vegas Latapié:

—¿Qué hace el príncipe de Asturias que no está luchando en esta guerra como un español más?

—¡No te permito que dudes de su patriotismo! ¡Está todo el día pegado a la radio siguiendo los acontecimientos!

—Qué radio ni qué ocho cuartos. Su obligación es incorporarse lo antes posible al frente.

Juan lo consultó con su madre, quien le dijo que naturalmente su deber era estar en España, y también con su padre, que seguía cazando en Checoslovaquia, y que le contestó que se incorporase a la filas nacionales de inmediato.

Vegas Latapié le dio todo tipo de garantías con respecto a su integridad, y le aseguró que las autoridades franquistas lo devolverían inmediatamente a la frontera:

—Franco lo ha prometido.

O sea que la decisión de Juan no fue tan heroica como se nos ha hecho creer, ya que sabía muy bien cuando entró en España que nunca llegaría al frente y que su augusta persona no sufriría ningún peligro.

Formaron un grupo con su primo José Eugenio de Baviera, Vegas, el conde de los Andes y Juan Carlos Güell y decidieron entrar a España, por Irún, el día 29 de julio. Se lo comunicó a María, que le pidió que demorase su partida, ya que estaba a punto de dar a luz. Según Bonmatí de Codecido, Juan le contestó con gesto severo y autoritario:

—¿Pero es que va a estar España en trance de salvarse o perecer para siempre y yo voy a permanecer aquí con mis veintidós años mientras los españoles de toda clase, condición y edad están dando su sangre, sus vidas y sus haciendas? Mi deber es mezclar mi sangre con la de ellos.

Transcribo este párrafo con las debidas reservas, ya que es muy extraño que un ser normal se exprese de una forma tan declamatoria en la intimidad de su hogar. También pongo en duda que María se echara a llorar, creo más bien que diría una frase típica de ella:

—¡Son gajes del oficio!

Cuando Juan fue a despedirse de su madre, a Cap-Martin, con un gabán de *sport* con cuello de nutria, la maleta en la mano y en el pecho los escapularios y medallas que le había colgado su mujer, recibió un telefonazo de sus amigos comunicándole que habían retrasado el viaje un día más porque Paco Andes todavía no había llegado. Juan regresó a la Villa Saint Blaise, y María, que estaba leyendo tranquilamente la revista *Vogue* y que ya lo hacía luchando heroicamente contra el enemigo, con el susto se puso inmediatamente de parto.

El alumbramiento duró nada más y nada menos que ocho horas, pero, como dijo luego siempre con gracejo María una vez más:

—Éstos son también gajes del oficio.

A las dos del mediodía del día 30 de julio de 1936 nació el primer vástago de María y Juan, una niña «hermosísima, grandota y gorda, bien nutrida con casi cuatro kilos y un pelo rubio y rizoso lindísimo». Nótense las alusiones a su buena salud, para desvanecer toda sospecha de hemofilia, aunque el hecho de que no fuera varón rebajó mucho la alegría familiar.

La infanta María del Pilar de Borbón entró en este mundo llorando y dando muestras del talante que iba a demostrar toda su vida: fuerte, independiente, llena de carácter y valor. Nació lejos del fragor y la lucha que castigaban el país en el que su abuelo reinó. Sus padres, alrededor de la cuna de madera y encajes en la que la habían depositado, pensaron en el futuro que le esperaba: quizás Juan, más quimérico, imaginó para ella una infancia de princesa de cuento de hadas, como la suya y la de sus hermanos, tras regresar a España de la mano de Franco aclamados por la multitud. María, siempre más prudente, se conformaba con que la niña tuviera buena salud.

Al día siguiente Juan se despidió de nuevo de su mujer e improvisó otro parlamento haciendo estas valientes reflexiones (la autora expresa las mismas reservas de párrafos anteriores):

—María, tú amas a España sobre todas las cosas y te avergonzarías como yo si cuando está muriendo lo mejor de su raza por salvarla yo permaneciera aquí cobarde e indignantemente retenido por los afectos del hogar... cuando se ha nacido príncipe de una nación como España, el primer deber es morir por su felicidad para ser digno de sus súbditos. Y yo voy a cumplir gustosísimo, lleno de entusiasmo y de afán por dar ejemplo.

Abrazó a su hija, trazó la señal de la cruz en la frente de su mujer y besó respetuosamente la mano de su madre y de Luisa, que fumaban incansablemente mientras comentaban los parecidos de Pilar. Luisa opinaba:

—Se parece a María cuando era pequeña.

Y la tía Ena lanzaba una larga bocanada de su cigarrillo egipcio sobre la cuna y decía:

—No, por Dios, se parece a Beatriz cuando era pequeña.

«Gustosísimo, lleno de entusiasmo y de afán por dar ejemplo» abría la marcha el aparatoso Bentley de Juan, conducido por su chófer, y tras él iban los coches de sus amigos haciendo sonar *La Cucaracha* con el claxon. Llegaron a Biarritz a las once de la noche, y allí comieron en casa de Andrés Soriano, un multimillonario filipino de ascendencia española, dueño de la cerveza San Miguel, que se había hecho falangista.

El viaje iba a hacerse de incógnito, pero como se trataba de que Juan fuera expulsado de España antes de que su apreciada persona sufriera algún daño, el grupo no se esforzó en pasar desapercibido. Juan buscó el alias más previsible, Juan López, mientras su primo José Eugenio de Baviera se hizo llamar, cómo no, José Martínez. Desde que cruzaron la frontera dieron vivas a España, al rey y a Franco, a grito pelado, a través de las abiertas ventanillas de los coches. Su primera parada fue en Pamplona, en el hotel La Perla, donde se presentaron grupos de monárquicos a besarle la mano. Ahí se vistió «de forma discreta», con boina roja, mono azul con flechas y brazalete con los colores nacionales, y de esta guisa fue a Burgos, donde se puso a pasear por sus calles mientras los monárquicos lo saludaban, rodilla en tierra, con los consabidos:

—¡Viva España! ¡Arriba España!

Le hicieron fotografías, tuvo que firmar autógrafos como un astro de Hollywood, comieron en casa de un súbdito fiel, Besga, y después Juan fue «de incógnito» a la catedral de Burgos, rodeado de unas treinta personas, para implorar al Altísimo la salvación de España.

Continuó el grupo camino de Madrid entre gritos de delirante entusiasmo, y sufrieron una avería cerca de Somosierra, pero no se arredraron, y entre cantos y gritos patrióticos, algunos se habían aprendido el *Cara al sol*, llegaron al parador de Aranda, donde en medio de gran alboroto encargaron una copiosa cena. Ahí los esperaba un capitán de la Guardia Civil, que había recibido órdenes directas de Mola para devolverlos a la frontera. Aun así, con gran gentileza, permitió que terminaran el pantagruélico banquete.

Desanduvieron el camino, y volvieron a cruzar la frontera. Juan López, o Juan de Borbón, sólo había estado en España veinticuatro horas, y no había corrido más peligro que el de tener un accidente de coche debido al mal estado de las carreteras. María casi no había tenido tiempo de echarlo de menos, ya que había estado durmiendo casi todo el día porque después del embarazo le había quedado una gran pesadez. La reina la había visitado y, mientras le tendía majestuosamente unos *marrons glacés*, le había dicho:

—María, mientras los hombres están en la guerra, las mujeres los tenemos que esperar rezando día y noche.

Pero, como se justificó más tarde, al haber sido tan corta la guerra de su marido, no le había dado tiempo a ponerse a rezar día y noche. María se llevó una gran sorpresa cuando lo vio cruzar el umbral de la casa (él, según Bonmatí, aprovechó para echarle otro discurso patriótico que no creo necesario reseñar), pero aun así le preguntó severamente:

—¿Te has comportado con honor, Juan?

Permanecieron todo el mes de agosto en Cannes. La vizcondesa de Rocamora le encontró una nodriza a Pilar que cumplía su cometido de tal manera que la infantita se puso a crecer de una manera desmesurada y en pocos días las ropitas que le habían tejido ya no le servían. La bautizaron con el nombre de Pilar, la patrona de España, en Cannes, en la iglesia des Pins, la misma en la que fueron bautizados sus abuelos y sus bisabuelos maternos. Sus padrinos fueron el tío rey y la condesa de Caserta. No se conocen testimonios gráficos de ese momento, ya que la ceremonia fue muy sencilla, y el rey, que seguía en Checoslovaquia, actuó por delegación porque no quería coincidir con su mujer, que sí asistió.

A don Alfonso tampoco le placía el ambiente «populachero» que empezaba a imperar en Francia, donde, en el mes de abril, como había sucedido en España en febrero, había ganado las elecciones el Frente Popular. Su anfitriona, la princesa viuda de Metternich, era española, Isabel de Silva, hija de la dama de su mujer, la duquesa de San Carlos, y a su alrededor se movía una pequeña corte, divertida y variada, que gustaba mucho a Su Majestad, al que seguían tratando como un rey.

En un par de ocasiones fue a verlo Bela, la hija de su hermana y de Nino. Los cuantiosos dineros de la difunta Polla se habían perdido horadando el suelo de su propiedad para buscar un agua milagrosa que quizás sólo existía en la mente perturbada por el alcohol de su marido. Bela, en ocasiones, aparecía con moretones que trataba de ocultar con maquillaje.

Juan, en Cannes, se dedicaba al *dolce far niente*. Un poco de vela, bridge, información de la guerra de España a través de la radio, golf, cenas con amigos... María estaba feliz con su hija; sus cuñadas Beatriz y Emanuela también estaban pasando el verano en Cannes y comparaban la estatura de sus tres vástagos midiéndolos con un palo. Hacía punto, disfrutaba del aire libre debajo de los enormes parasoles de rayas azules y blancas en la playa de La Croisette, salía con sus hermanas Dola y Esperanza, todavía solteras, en balandro, y se divertía acompañando a su marido a Ciro's o al restaurante del Carlton, cuyo plato estrella en esa época era la *mousse d'homard a la darryanne*. Iban con ellos José Eugenio de Baviera y Marisol Mora, de la que María se había hecho muy amiga, su hija mayor, Cristina, tenía la edad de Pilar.

Naturalmente, antes de salir rezaban utilizando el rosario de oro y perlas que les había regalado el Papa por su boda. Lo hacían acompañados por la servidumbre.

Sin embargo, aquella existencia plácida se vio enturbiada por un hecho insólito hasta entonces. El Frente Popular francés instauró un fenómeno nuevo: las *congés payés,* las vacaciones pagadas para los trabajadores. Y el mes de agosto, la aristocrática Costa Azul, paraíso de millonarios, estrellas de cine, escritores de éxito, vagabundos de lujo, truhanes de guante blanco y reyes destronados, se llenó de obreros que veían por primera vez el mar. Se abrieron pensiones baratas, y la gente alquilaba habitaciones en sus casas a estos nuevos veraneantes, que admiraban con la boca abierta el boato en el que se movían los habituales de Cannes, Niza y Montecarlo.

Cuando se enteraron de que en la Villa Saint Blaise vivían los herederos de la Corona española, en solidaridad con sus hermanos vecinos que estaban luchando en una guerra cruel y sangrienta, decidieron manifestarse todos los días frente a la casa. Y no sólo eso, sino que, cuando Juan, impecablemente vestido de *yatchmen*, acompañado de su mujer, con traje de tenis blanco y zapatillas de deporte, se subía a su coche en el que les esperaba, uniformado de la cabeza a los pies, su chófer, rodeaban el auto al grito de:

—*Salaud*! ¡Fascistas!

Y eran capaces de estarse toda la noche a la puerta de la casa cantando *La Marsellesa* y *La Internacional.*

Juan, que se inflamaba rápidamente, se lio un día a mamporros con los manifestantes y el chófer tuvo que rescatarlo.

Las autoridades no solamente no los protegieron, sino que les dieron a entender que su presencia no era grata. Así, Juan y María decidieron abandonar el país y pensaron que lo mejor era regresar a Italia, donde vivían el tío rey y sus hermanos.

Don Alfonso se lo había dicho de forma castiza:

—Podéis venir porque en Italia nos tratan *a tó meter.*

Las relaciones entre don Alfonso y Mussolini, el dictador italiano, eran tan buenas que incluso el rey de España había intercedido delante del Duce, con una llamada particular desde Checoslovaquia entre perdiz y perdiz, para que facilitase la salida de aviones de bombardeo y cazas con destino a las filas nacionales. Tras la petición del rey, Mussolini sólo tardó cuatro horas en autorizar el despegue de los aviones que Mola pedía con insistencia.[12]

El Duce también dispensó a la Familia Real española de pagar impuestos sobre su fortuna.

El 2 de septiembre de 1936, después de que los Rocamora empaquetaran todos sus enseres, Juan, María, su hijita Pilar y las nueve personas que componían su servicio dejaron la Villa Saint Blaise, ligada desde entonces para siempre a su familia, ya que en ella había nacido su primer vástago.

La infantita emprendía el primer viaje de su vida, en un destierro que no se interrumpiría hasta treinta años después.

A partir de entonces Juan y María iban a dedicarse a la tarea ambigua y exasperante de ser herederos de un trono que ni siquiera existía. Él no tenía muy claro cuál iba a ser su ocupación, no así María, quien respondió sencillamente, sin los adornos rimbombantes que los cronistas solían poner en su boca, a un periodista que le preguntó sus planes de futuro:

—Pues estar con Juan y ayudarle en sus cosas.

Capítulo 6

ROMA

1936

La alegre y colorida corte trashumante de Juan y María salió de Cannes en varios coches, el Bentley en cabeza. Cuando llegaron cerca de Milán, Juan le dijo a su mujer:

—¿Y si nos quedáramos unos días aquí?

María asintió, tan conforme como siempre.

¡Nadie les esperaba en ningún sitio!

El multimillonario marqués de Castel Rodrigo y duque de Nochera, Fofó, íntimo amigo del tío rey, les ofreció inmediatamente las doscientas estancias de su fabuloso palacio Villa Montebello, en Cernusco Merate, adornadas con cuadros de Velázquez, armaduras, lámparas de *baccarat* y camas del siglo XVI, ¡total, sólo iban a ser un par de días! Nada más llegar, mientras los Rocamora atendían con su habitual diligencia a la instalación, y Petra y las nodrizas —ahora tenían dos— cuidaban de la pequeña Pilar, Sveva, que era princesa de Colonna además de mujer de Fofó, los llevó al golf, donde María le dio la primera clase a su marido. El barman del club pronto aprendió a mezclar los ingredientes de sus cócteles favoritos, así después de una dura jornada deportiva podían relajarse hundidos en los mullidos sillones del bar acunados por la música habitual: murmullo de voces, el chasquido de los encendedores y las pitilleras abriéndose y cerrándose interminablemente y el vaivén tropical de la coctelera agitándose.

También descubrieron con entusiasmo los pintorescos restaurantes de la zona. En Il Sole di Ranco solían tomar arroz y en la Osteria del Ponte aprendieron todas las formas posibles de degustar la deliciosa y carísima trufa blanca del Piamonte, que allí se llamaba Tartufo.

A los pocos días se reunió con ellos don Alfonso, que paseaba su soberano aburrimiento por toda Europa a bordo de su Bugatti, acompañado por el buenazo de Jaime y la melancólica y de nuevo embarazada Emanuela junto a su hijo Alfonso, al que el rey no hacía mucho caso.

De vez en cuando preguntaba vagamente:

—¿A quién se parece este niño?

Los acompañaba la consabida multitud de niñeras, damas y gentilhombres. Entre todos sumaban una treintena de personas que se distribuyeron por todo el palacio sin dejar de encargar al servicio comidas a deshoras y todo tipo de atenciones.

Era típico el gesto del rey levantando el dedo indicando a Torres de Mendoza:

—¿No es la hora de poner unos whiskys y alguna puñetita?

Y María se apresuraba a sentarse a su lado, esperando también su whisky y sus «puñetitas», ya que en su juventud tenía un apetito descomunal.

Todo esto era una carga excesiva incluso para la saneada economía de Fofó, quien, echando mano de la sutileza de sus antepasados florentinos, sugirió a sus regios invitados que:

—¡Estarían más cómodos en el hotel! ¡No lo digo por mí! ¡Qué mayor honor que alojar a la Familia Real española! ¡Sveva se quedará muy triste!

Con lo que, captada la indirecta, el grupo de ilustres vagabundos decidió alquilar una planta completa en el hotel Excelsior Gallia en la plaza del duque de Aosta, ya que, según sus exegetas, Juan no podía interrumpir su preparación para rey. ¿Que en qué consistía esta preparación? Pues ni más ni menos que en visitar museos con dos docenas de profesores y «estudiar en su cuarto».[1]

Por las noches cenaban en el espléndido comedor estilo *art nouveau* del hotel con su amigo el príncipe Pablo de Hohenzollern, que tenía una finca en las afueras de Milán, o con compatriotas de paso a los que Juan desconcertaba explicándoles, con esa inconsecuencia tan típicamente borbónica, que:

—No hay nada peor que ver españoles viviendo a todo tren en el extranjero, a salvo de cualquier peligro, pudiendo luchar en la patria contra la República.

No dejaba de añadir, dándole mil vueltas al coñac Courvoisier en la gigantesca copa balón en la que se lo servían:

—Todos sabéis que a mí me han negado esa suprema posibilidad, ¡pensar que la patria está en peligro y que yo no puedo ir a ayudarla!

María asentía también entre suspiros, con idéntica copa entre las manos, y Jaime hacía un ademán terrorífico y exclamaba con su pavorosa voz gutural:

—¡Yo los abriría en canal a todos ellos!

Pero la verdad es que no hay motivo de queja, porque la aristocracia inmediatamente cerró filas como un solo hombre al lado de Franco y estaba pagando un alto tributo en sangre. El ejemplo más estremecedor y generoso lo dio el duque de Sotomayor, que hizo ofrenda de cinco de sus diez hijos. Mataron en combate primero a uno de ellos, Carlos, y luego a Pedro. Luis Martínez de Irujo, el menor de los chicos, voluntario en la Marina con diecisiete años, sobreviviría, como sus otros dos hermanos, y se casaría diez años después con Cayetana Alba.

Por cierto, que La Heladora, el duque de Alba, vio destruido su palacio, el de Liria, por los bombardeos. Afortunadamente, el duque estaba en San Sebastián, Cayetana en Sevilla y los cuadros y tapices en los sótanos del Banco de España. El único que murió fue *Tammy*, el poni de la duquesita.

Muchos años después, Cayetana evocaba delante de mí aquel momento:

—Papá me llamó y me dijo, Tana, ya no tenemos casa.

También la familia del valenciano conde de Laconi quedó diezmada: la FAI primero lo mató a él y después fusilaron a sus dos hijos, Enrique y Casilda, ninguno de los cuales había cumplido veinte años. Los marqueses de Tremolar, fusilados ambos, el de Benicarló también, y al anciano y enfermo conde viudo de Plegamans lo sacaron de la cama para pegarle un tiro en el jardín de su casa. También mataron a Rafael Ros, hijo del marqués de Torrefranca, sí, el que había ido a la boda de Juan y María vestido de labrador valenciano, y a Juan Noguera Yanguas, marqués de Cáceres, cuya viuda se iba a convertir en dama de María, acompañándola hasta el final.[2]

Los dos hermanos Miralles, Carlos y Manolo, miembros del Círculo Monárquico, murieron en el frente. Y Manolo Gamazo, Juan Valderrey, el marqués de Santa Amelia, un Beltrán de Lis, el vizconde de Pontón, Tristán Fernán Núñez, el conde de Barajas, los dos hijos del marqués de Alfarrás, los cuatro de los marqueses de Dou, el marqués de Villa Antonia, el conde de Ovedos, que fue paseado por la FAI, el conde de la Vallesa de Mandor... A José María Sentmenat lo asesinaron en los fosos del castillo de Montjuic. Hasta la maliciosa Bee tuvo su cuota de espanto: el bello Alonso, el novio frustrado de Crista, cayó con su avión en el frente de Madrid, cerca de Talavera de la Reina.

Como trágico contrapunto a la jubilosa canción de los cócteles y las pelotas de golf deslizándose por la *pelouse* del campo, la letanía del horror prosiguió día tras día, mes tras mes, de norte a sur y de este a oeste, en un aspa llena de locura y salvajismo. Cinco Ibarras fueron fusilados en el buque prisión *Cabo Quilates* y otros dos en el *Altuna Mendi*, fondeados en el puerto de Bilbao. Los milicianos y los gudaris les hicieron subir y les mataron delante de la multitud. En *Cabo Quilates* mataron a Fernando de Ibarra y a su padre, el marqués de Arriluce. Dejaba un huérfano, Fernando, y una viuda de treinta y siete años, Amalia López-Dóriga, Amalín, que, como la marquesa viuda de Cáceres, poco después se convertiría en la mejor amiga de María, su dama secretaria y acompañante inseparable hasta su muerte.

Hay más. Madrugada del 28 de noviembre de 1936. El dramaturgo Pedro Muñoz Seca fue asesinado en Paracuellos por monárquico y enemigo de la República. Según cuenta su nieto, Alfonso Ussía, al llegar al lugar de ejecución, fumó, tiró el cigarrillo y dijo:

—Cuanto antes.

Murió gritando: «¡Viva España y viva el rey!». Los tres hermanos Zubiri fueron asesinados en Las Arenas y la mujer de uno de ellos, la hija de Pedro Garnica, el que más tarde habría de ser presidente del Banco Español de Crédito, que estaba embarazada, también. Los dos Gómez-Acebo, cuyo sobrino, Luis, contraería matrimonio con la recién nacida infantita Pilar, fueron fusilados sin juicio. Los primos Juan Ignacio y Javier Luca de Tena. El primero de ellos, director de *ABC*, casado, nueve hijos, cuarenta años, participó en las batallas del Jarama y Teruel y ganó una cruz por méritos de guerra. Javier, capitán de la Legión, murió en el frente.[3]

El catalán vizconde de Bosch Labrús, íntimo amigo del rey, fue asesinado en la carretera de la Rabassada el 2 de julio de 1936, simplemente por formar parte de la aristocracia.

Su hijo Pedro, tan amigo de Juan y María que también asistió a su boda, fue detenido el mismo día en que mataron a su padre y pasó toda la guerra condenado a muerte en la prisión Modelo de Barcelona, compartiendo celda con el padre de la autora de este libro, también condenado a muerte en la misma causa, y con el compositor Rafael Lasso de la Vega, marqués de Villanova. El 30 de enero de 1939, el heredero del vizcondado de Bosch Labrús fue asesinado en El Collell (Gerona), inolvidable escenario de *Soldados de Salamina*, de Javier Cercas.

Al entrar las tropas de Franco en Barcelona, el director de la cárcel tuvo un gesto que le honró para siempre en la memoria de las tres mil personas que se hacinaban en las pequeñas celdas de la Modelo: entregó la llave a los presos antes de huir, y mi padre pudo reunirse con sus padres y sus siete hermanos. El mayor de los varones, falangista destacado, abogado y condenado a muerte también, estuvo escondido durante dos años en una buhardilla, ¡pasó tanto miedo que el sudor atravesaba el colchón, el suelo y caía al piso de abajo! El pequeño, de apenas quince años, estuvo en la *cheka* de Vallmatjor. Incluso mi abuelo, entonces juez y más tarde magistrado del Tribunal Supremo, pasó unas semanas en la prisión Modelo de Barcelona.

Me contaron mis tías que el día en que pudieron reunirse los ocho hermanos, lo cual constituía un hecho insólito en cualquier familia al acabar la guerra, acudieron a una misa en acción de gracias que se celebraba en la plaza de Cataluña. Estaban con un juez amigo de mi abuelo que tenía un hijo pequeño al que habían puesto de nombre José Antonio. El chaval se perdió y la madre, angustiada, le llamó gritando:

—¡José Antonio!

Toda la plaza se puso en pie, miles de personas extendieron la mano con el saludo fascista y rugieron como un solo hombre:

—¡Presente!

Pero en el recuento macabro de las bajas faltaba lo más doloroso.

¡Carlitos!

El alegre Carlitos, su risa, todas las bromas a sus hermanas, Carlitos, el artista, el ingeniero, sucio de grasa negra de la mañana a la noche. ¡El fabuloso inventor del *Solrac*, el único coche que funcionaba con piezas sacadas de la basura!

La sonrisa amplia de Carlitos, sus veintiocho años de vida, su futuro entero, los hijos que habría de tener con Teté, todo se quedó en el frente de Elgoibar.

Tirado en el suelo.[4]

> *[...] la carne*
> *que abrigaron la madre y las hermanas*
> *para llenar de hormigas una boca*
> *que bebió dulce leche y tibios besos.*

Los seres humanos intentamos conjurar el dolor adornando la muerte con absurdos e innecesarios heroísmos.

—Fue a coger agua para sus hombres...

—Le prestó su casco a un soldado raso...

—Fue a salvar a un compañero herido...

Quizás todo fue cierto. O nada. El caso es que lo mataron. Se murió, cerca de Eibar, el día 27 de septiembre de 1936.

A María, desde que había tenido a Pilar, le dolían las muelas. ¡Con cada hijo perdía un diente! Había ido al dentista, a Como, y estaba en la extraordinaria biblioteca de Villa Montebello, tan tranquila, con un pañuelo atado en su mandíbula, sin importarle que Sveva se riera cariñosamente de ella.

—Su Alteza parece un conejo de Pascua.

Entró Juan tocándose el bolsillo y le indicó:

—Tengo que decirte algo.

Y María supo que en el bolsillo llevaba un telegrama, y dijo con voz *normal*:

—Se ha muerto Carlitos.

En medio de aquella estancia lujosa llena de valiosos libros encuadernados en piel roja con las armas de los Castel Rodrigo y paredes cubiertas de tablas medievales, en medio de aquellas personas elegantemente vestidas que se llevaban las tazas de té de porcelana de Sajonia hasta los labios, María cayó lentamente de rodillas al suelo, hundió la cabeza entre las manos y se puso a llorar.

Dos días después le llegaron al hotel dos cartas fantasmales.[5] En una de ellas Carlitos bromeaba sobre lo sucio que estaba, aunque al final se le escapaba un tembloroso «estamos vivos de milagro». La otra era de su íntimo amigo, el conde de Yebes, el hijo de Romanones, con tan sólo una foto: en ella Carlitos, mal afeitado, ojeroso y envuelto en un inmenso capote, la miraba sonriendo, joven ya para siempre.

Dola y Esperanza se habían ido a San Sebastián, a atender a los heridos que llegaban del frente. En una ciudad abierta, en la que se movían militares de permiso que no sabían si iban a perder la vida la semana siguiente, corresponsales de guerra, diplomáticos alemanes e italianos y personajes de dudosa reputación, Dola y Esperanza vivían con una libertad que nunca habían conocido, sin que nadie controlase ni sus compañías ni sus horarios. Sus altas figuras, vestidas de enfermeras, se hicieron populares en las terrazas de los bares, donde iban para tomarse un refresco y reponer fuerzas, y es que la guerra es muy triste, es cierto, ¡pero también, cuando eres joven, tan emocionante!

Las fueron a ver sus amigos de París Augusto Czartoryski y Pedriño Orleans Braganza, que tantos años llevaba enamorado de Esperanza, y Ataúlfo y Álvaro, los dos hijos sobrevivientes de Bee, que estaban en aviación. Les presentaron a su amiga Pip Scott Ellis,[6] que más tarde se casaría con José Luis de Vilallonga. Pip lucía una femenina pistolita con cachas de nácar en la cintura y una petaca de whisky que repartía con sus amigos en alegre camaradería. Su destartalada ambulancia, más que vehículo de socorro se asemejaba a casa de citas. Llevaba licores, una guitarra y una colchoneta.

La muerte de Carlitos fue un golpe terrible para sus hermanas, pero decidieron no abandonar su trabajo en los hospitales. Para hacer compañía a sus padres, que estaban en Suiza visitándose con el médico, fueron María y Juan desde Milán y también Bebito con su mujer, Alicia de Borbón Parma, y su hija recién nacida, Teresa. Bebito se había roto la pierna en un accidente de coche e iba enyesado y con muletas. Nino lo miraba ceñudo y contrariado mascullando:

—Vaya rotura más inoportuna, ¡tu hermano muerto y tú sin poderte incorporar!

Lo cual da cuenta del patriotismo de Nino o de su falta de sensibilidad. Lo cierto fue que Bebito no participó en la guerra en ningún momento, lo que le valió en la familia cierta fama de cobardica que ya no se disiparía nunca.

Por fin, el 28 de noviembre de 1936 «los Asturias» hicieron su entrada triunfal en Roma. Los Rocamora ya habían preparado el terreno y tenían todo dispuesto en el hotel Eden, donde iban a alojarse, en lugar de hacerlo en el Grand Hotel, donde estaba el tío rey con Jaime, Emanuela y su hijo Alfonso. Los baúles estaban en las habitaciones, la ropa colgada en los armarios, los objetos de tocador dispuestos en el cuarto de baño, hasta los cepillos de dientes en sus vasos, así una despreocupada María pudo cruzar la puerta giratoria del vestíbulo únicamente con su bolso al brazo.

En realidad cogieron varias *suites*, por las que pagaban el equivalente a seiscientos euros diarios, ya que se trataba de un hotel bastante lujoso. María y Juan tenían incluso un comedorcito donde comer a solas y un salón gris con los muebles tapizados en rojo. De esa época es la leyenda de que los criados accedieron a estar un año sin cobrar por la falta de liquidez de los príncipes de Asturias. También en esos días Juan le dijo a su mujer:

—Voy a escribir a Franco pidiéndole permiso para embarcarme como marinero en el crucero *Baleares*.

Así lo hizo, con una sonrojante misiva en la que el hijo del rey de España se disculpaba humildemente con «ese tenientillo», como lo llamaba la reina Victoria Eugenia: «Yo no sé, mi General, si al escribirle así infrinjo las normas protocolarias con que es normal dirigirse a un jefe del Estado...».

Es fácil prever la respuesta del Caudillo a la petición del príncipe «de servir a España al lado de mis compañeros»: una rotunda negativa.

Pero el paripé ya estaba hecho.

Por la noche se reunían en el saloncito y los hombres de la familia seguían con emoción las noticias sobre España y el avance de la guerra a través de la radiogramola que Juan había traído de Cannes. El rey se sentaba pegado al aparato, las piernas separadas, una mano en la rodilla y la otra sosteniendo la boquilla de corcho y pluma que cambiaba todos los días, porque le habían dicho que así el tabaco no dañaría sus pulmones de pretuberculoso. Juan desmenuzaba en su pipa Dungis los gruesos cigarrillos Celtiques, mientras gritaba de vez en cuando:

—¡Viva España!

Grito que coreaba el Principone de Torlonia con un trémolo de barítono que hacía estremecer las paredes:

—¡Que vivaaa!

Y Jaime intentaba leer los labios de su padre y de su hermano fumando incansablemente sus cigarrillos Tre Stelle[7] y gruñendo a destiempo:

—¡Viva España!

María, Beatriz y Emanuela estaban en el sofá y tenían cada una un cenicero en el que depositaban el cigarrillo mientras hacían punto y comentaban en voz baja y horrorizada la posible boda de Eduardo VII con la dos veces divorciada Wallis Simpson, sin olvidarse de gritar de vez en cuando:

—¡Viva España!

Antes de acostarla, Petra traía a la niña, para que su madre le trazara una cruz sobre su frente.

¡Pobres pulmones los de aquella criaturita viviendo en aquella atmósfera tan cargada de humo!

Aparte de estos momentos de fervor patriótico, la vida en Roma se deslizaba por los carriles previstos, unos carriles inmutables sobre los que rodarán ya el resto de sus existencias. Paseaban a caballo por los bellos jardines de la ciudad, como el de Villa Borghese, o iban a la Villa Pamphilia, propiedad de la familia del mismo nombre. Hoy es uno de los parques más importantes de Roma.

Juan y María jugaban al bridge y al póquer en el bar del Grand Hotel con el rey, Fofó y Sveva, los marqueses de Castel Rodrigo, además de una aristócrata muy pintoresca, Totora Núñez de Prado, que los divertía con sus continuas bromas y chascarrillos, el marqués de Torres de Mendoza, los condes de los Andes y de Aybar, César González Ruano y algún miembro de la embajada. El ingenioso Agustín de Foxá, conde de Foxá, llevaba una temporada ejerciendo las labores de embajador y se alojaba en el Grand Hotel, donde intentó que don Alfonso leyera su espléndido *De corte a cheka*. Pero don Alfonso volvía una y otra vez a su salida de España, preguntándose si tomó la decisión correcta, qué habría pasado si se hubiera quedado…

Foxá le preguntó:

—¿Y por qué no se quedó, Su Majestad?

Y don Alfonso le explicó todo aquello de no querer derramar ni una sola gota de sangre española…

A lo que Foxá respondió:

—Ah, así ya lo entiendo… Ahí estuvo su fallo. En España, para que te respeten, has de hacer correr, no gotas, sino grifos, qué digo grifos, ríos, cataratas, mares, océanos de sangre…

Veía a los *boy scouts* italianos frente al hotel haciendo instrucción a la manera de las Camisas Negras, con su instructor al frente, y comentaba con su voz chillona:

—Mira, un gilipollas vestido de niño mandando a un grupo de niños vestidos de gilipollas.

Al final el propio Mussolini lo expulsó de Italia, y la Familia Real española se quedó aliviada, pero también mucho más aburrida.

A veces María, Juan y don Alfonso paseaban en el *yacht* del multimillonario argentino MacKinley, fondeado en el puerto de Ostia. Juan y María también iban a jugar todas las tardes al club de golf Acquasanta durante tres horas, donde frecuentaban al conde Galeazzo Ciano y a su mujer, Edda, la hija de Mussolini.

Edda era muy llamativa, fumaba en una larga boquilla y se hacía acompañar por el sofisticado conde Emilio Pucci, más tarde diseñador de moda. Se decía que eran amantes y que tal circunstancia era del conocimiento de Galeazzo, a quien no le importaba porque el suyo era un «matrimonio abierto».

Juan a veces reprendía a su mujer, porque al lado de la elegancia exhibicionista de Edda, iba vestida de forma descuidada y pasada de moda. Incluso una vez un chaparrón la pilló mientras jugaba, y su entrada en el club, mojada de arriba abajo, con los zapatos hechos palanganas y el sombrero empapado sobre su cabeza como una lechuga mustia, levantó un murmullo de asombro de la esnob concurrencia.

Juan no pudo evitar decirle:

—¡Si te viera mamá!

María se limitó a reír. Como decía Emanuela, ¡no tenía ningún sentido del ridículo!

Juan se perdía a veces por el bosquecillo del club y tardaba varias horas en regresar. Parece que su «carrera académica» había concluido después del atracón de cultura y museos que se dio en Milán.

María también quedaba para jugar por su cuenta con Beatriz, la hermana de Juan, y con su cuñada Emanuela, aunque nunca llegó a haber confianza entre ellas.

—Beatriz y yo quisimos ayudarla y que nos contara sus problemas, pero ella se cerraba en banda... Era como encontrarte con un muro... Todo salió fatal... —Rememoraba María años después.

Aunque lo cierto es que no hacía falta que nadie explicara los problemas de Emanuela, pues de ellos estaba al tanto toda

Roma: Jaime se gastaba el dinero de la familia en los prostíbulos más sórdidos de la ciudad, incluso llegó a llevar a alguna puta a casa delante del niño y del servicio. Hasta que cogió una enfermedad venérea y Emanuela y su hijo tuvieron que darse una tanda de inyecciones Wasserman ante el temor de haberse contagiado.

La realidad era que María y Beatriz fingían no enterarse para no tener que tomar partido. Ambas, además, consideraban que el deber de toda princesa era sufrir en silencio, como les había enseñado doña Victoria Eugenia mientras fue reina. Lo hacía Beatriz, aunque su marido únicamente le era infiel con el juego, y lo hacía María, ya que Juan, como cuando era soltero, continuaba sumergiéndose en las voluptuosas noches romanas.

Sus gustos en cuanto a mujeres carecían de refinamiento, porque, como le confesó años después a José Luis de Vilallonga con cierta melancolía:

—A mí las que me gustan son las profesionales... Aunque salen muy caras.

Emanuela cogió un odio africano a sus cuñadas. Se sentía terriblemente sola, y empezó a rumorearse que había entablado una amistad muy íntima con el agente de Cambio y Bolsa y *playboy* Tonino «Il Bello» Sozzani, con el que se veía a escondidas. En lugar de tratar de justificarla, sus cuñadas e incluso su suegra la criticaron con ferocidad.

Don Juan volvió esporádicamente a sus estudios y tomó algunas clases sobre la historia de Cataluña con el padre de Laureano López-Rodó, archivero, también exiliado en Roma.

En el momento de redactar estas líneas, por una carambola del destino, el hijo de Juan, el rey de España, acaba de ser intervenido de un tumor benigno en el pulmón por un nieto de este archivero, el doctor Laureano Molins López-Rodó.

La Navidad la pasaron de mudanza. El Principone, que ya empezaba a resentirse de la falta de dinero, decidió alquilar a trozos su descomunal palacio de Torlonia, al lado de la plaza España. Quedaba libre la segunda planta, y allí se trasladaron Juan, María, Pilar y toda la servidumbre. Como de costumbre, María no movió un dedo, ya que de todo se ocupó Angelita, la vizcondesa de Rocamora.

De tan buen talante como siempre, la protagonista de nuestro libro se limitó a comentar:

—Todo está quedando muy bien, Angelita, qué lista eres.

Era un palacio amplio, aunque bastante desvencijado. Un día llegó inesperadamente don Alfonso a ver a sus hijos y se encontró a María y Juan muertos de risa, metidos en cama, con paraguas y vestidos con impermeables. Nunca quedó claro si es que estaban así porque las señoras que tenían alquilado el apartamento de arriba se habían dejado los grifos abiertos.

En invierno se helaban y en verano se achicharraban de calor. En el mes de julio María no aguantaba más porque ¡le dolían las muelas! ¡Estaba embarazada! Contentísimo, el rey se congratuló por haberla llevado al médico que había certificado su fertilidad:

—Acertó aquel cabronazo.

Y los invitó a Bordighera, la exquisita ciudad balnearia a la que llamaban la capital de las palmeras de la Riviera que puso de moda la reina Victoria de Inglaterra. Se instalaron unos días en casa de su amiga, la duquesa de Leeds, en la Villa Selva Dolce, que tenía el jardín más grande de la costa italiana: ciento cincuenta mil metros cuadrados. La Familia Real italiana también estaba allí, así como la mayoría de aristócratas y millonarios que veraneaban en la Costa Azul, desde los condes de París hasta los Rothschild. Francia se había vuelto también insegura para ellos.

El verano se presentaba delicioso. Golf, playa, balandros, bridge, copas y cenas. La infantita Pilar se metió por primera vez en el agua.

Claro que no llegaban muy buenas noticias desde el otro lado del charco. La Puchunga se había cansado de aguantar a su marido y se había divorciado. Alfonsito había caído en las redes de otra cubana, una despampanante modelo, hija de un dentista, que se llamaba Marta Rocafort.

Un íntimo amigo del padre escribió una carta explicándole que el príncipe había caído víctima «del furor sediento de su anormalidad física y de sus morbosos delirios eróticos».[8] Don Alfonso se echó las manos a la cabeza, pero María intentó tranquilizarlo:

—Tío rey, no te preocupes, a lo mejor es buena chica... y lo cuida.

Dola y Esperanza dejaron San Sebastián. Bueno, ser heroína estaba muy bien, pero ahora tocaba el turno de casarse. Dola, la mayor, ya tenía veintiocho años, y como la independencia le había dado una seguridad en sí misma que antes no tenía, le dijo a Augusto Czartoryski:

—O nos casamos o lo dejamos.

Como Augusto vio que iba en serio, fijaron la fecha para el 12 de agosto, en Lausana. Acudió la nobleza europea en pleno, incluidos tres reyes: el de España, el de Portugal y el de Bulgaria, aunque, eso sí, los tres en el exilio.

Dola le entregó el ramo de novia a su hermana Esperanza, que ese día le estaba dando celos a su eterno pretendiente, Pedriño de Orleans Braganza, con Manfredo de Borbón,[9] duque de Hernani, que era primo lejano suyo y que mucho más tarde habría de traer graves quebraderos de cabeza a la Familia Real.

Pedro se enfadó y al día siguiente se embarcó rumbo a Brasil. Esperanza hizo ver que no le importaba.

Dola y Augusto no hicieron viaje de novios, se limitaron a desplazarse hasta el fabuloso palacio de Sieniawa, en Cracovia, donde iban a vivir. Había en él tantas obras de arte que un experto dictaminó que podían llenarse dieciséis museos con ellas.

María se lo contaba entusiasmada a su marido:

—¡Los arreos de sus caballos árabes son de oro!

¡Pobres Dola y Augusto! ¡Qué ajenos estaban a las desgracias tremendas que iban a jalonar sus vidas!

¡Su destino iba a ser el más triste de las tres hermanas!

Al finalizar las celebraciones, Nino y Luisa se reunieron con María y Juan y les comunicaron que, hartos de errar por el mundo, volvían a Sevilla, ganada ya para la causa nacional. Que no pensaban vivir de momento en Villamanrique, ya que les habían dicho que estaba destrozada, sino que se alojarían en un palacete que habían comprado en la avenida de la Palmera al que pusieron por nombre Virgen de los Reyes. Y un Nino al que el exilio, la muerte de su hijo y los quebrantos vividos habían convertido en un anciano achacoso a pesar de tener sólo sesenta y nueve años les dijo con tristeza:

—También vendrán Esperanza, claro, y Bela y Jazz con sus tres hijos, está embarazada de nuevo... Ya sabéis que están completamente arruinados, todo se fue en la locura aquella del balneario... no tienen ni para dar de comer a los niños.

Y Luisa admitía, borrada ya toda la arrogancia de su rostro y de su porte:

—¡Qué mala boda ha hecho esta chica! ¡Quién nos iba a decir que íbamos a acabar así!

Aguzaron el oído. Por el pasillo del hotel oyeron arrastrarse las desacompasadas muletas de Bebito, y sus padres volcaron en él todas sus frustraciones:

—¡Y tú sin poder ir al frente!

Sí, sí, todo era muy triste, pero a María y Juan ya los reclamaba don Alfonso, ¡tocaba pasar septiembre en Venecia! La ciudad de los canales rebosaba extranjeros elegantes que volvían a encontrarse en esa noria sin fin de la alta sociedad.

A su regreso a Roma, María, ya casi a punto de dar a luz, se trasladó con su familia a su nuevo hogar, un edificio racionalista del estilo que imperaba en aquella época tanto en Alemania como en Italia, en el viale Parioli. Cuando terminaron la mudanza, estaba tan contenta que, para celebrarlo, decidió preparar una paella valenciana, y así, con blanco mandil de cocina y un cucharón en la mano, abrió a un visitante que, oh casualidad, era periodista.[10]

Y monárquico.

—¡A Juan le gusta tanto todo lo español!

Nunca averiguaremos si la anécdota es cierta, o simplemente, un adorno *pour la galerie*. Lo que sí sabemos es que, a diferencia de su suegra, María durante su exilio nunca fue un ama de casa excesivamente meticulosa, aunque tampoco tuvo necesidad, ya que estuvo siempre rodeada de personas que la suplían en estos menesteres, y, siguiendo el consejo de la reina de España, se había procurado una pequeña corte para sentirse más protegida. Una corte que no protestaba si los vasos no estaban muy limpios o si había polvo sobre los muebles, pero que no permitía que se relajase la estricta etiqueta austriaca que había imperado en el Palacio Real. Tanto María como Juan besaban la mano a sus padres, y el primer gesto que aprendió la infantita Pilar fue este besamanos. El tratamiento que la pareja recibía, hasta de sus más allegados, era el de Vuestra Alteza.

Cuando el uno aludía al otro, nunca decía «mi mujer» o «mi marido» sino «el príncipe» y «la princesa». Exactamente el mismo protocolo que siguen hoy día los príncipes de Asturias.

La casa del viale Parioli, en los bajos una peluquería y una droguería, tenía tres apartamentos con puertas de entrada independientes. En el primero, con el rótulo «S.A.R. el príncipe don Juan de España», estaba la vivienda. El comedor, muy amplio, con el tapiz de los Sotomayor, después venía el saloncito de María, de color rosa, y al lado el despacho de Juan, con un gran tresillo color café con leche, un retrato suyo hecho por Sangroniz, una mesita baja llena de periódicos y revistas y las mismas dos repisas de caoba que tenían en Cannes llenas de objetos coleccionados por la princesa, regalos de plata del bautismo de Pilar, abanicos, figuritas de marfil traídas de su viaje de novios, un busto de María en mármol de Carrara realizado por Carlitos y varias miniaturas elaboradas por María en su época de París.

El lugar central del despacho lo ocupaba, cómo no, la radiogramola, protagonista de todas las reuniones, donde seguían «cazando» las emisoras que hablaban de las victorias del Caudillo. Era fácil que la tranquilidad doméstica se rompiese con el grito espeluznante de Queipo de Llano surgiendo de las entrañas del aparato:

—¡En pie, alféreces provisionales de hoy, cadáveres de mañana!

La segunda puerta daba a las dependencias del servicio, y por la tercera se iba casi directamente a un amplio saloncito de paredes amarillo oro en el que había un diminuto silloncito alto, de niña, una gran mesa de blancura impoluta, varias sillas, infinidad de juguetes desparramados y, sobre todo, muñecas que descansaban en posturas extrañas, ¡y eso que Pilar prefería jugar con espadas y pistolas!

En un rincón, bajo un sencillo crucifijo, había una cuna que esperaba al nuevo hijo.

Juan Carlos, al que en familia siempre, incluso en la actualidad, llaman Juanito, nació el 5 de enero de 1938, a la una y cuarto de la tarde, en la clínica angloamericana de Roma. María estaba el día anterior en el cine con el tío rey cuando se puso de parto. Extrañamente, en vez de llevarla al hospital, el rey la dejó en su casa del viale Parioli, adonde fue a buscarla su cuñada Beatriz, que la condujo a la clínica. Juan estaba en una cacería «para hombres solos» a doscientos kilómetros de Roma.

Hacía una noche horrible, con tormenta, mientras María daba a luz a su hijo. No fue hasta la mañana cuando Angelines, la hija mayor de la vizcondesa de Rocamora, envió un telegrama a Juan en el que decía «*bambolo nato*», lo que puede traducirse como «ha nacido el muñeco» y no como «ha nacido el niño». Posteriormente, Juan explicó:

—Rompí una ballesta, pero llegué a tiempo de ver nacer a mi hijo.

Lo cual quedaba muy bien, pero era mentira, ya que, por razones desconocidas pero fáciles de imaginar, llegó con varias horas de retraso, y su padre, que estaba enfadado por la tardanza, le gastó la broma de recibirlo en la puerta de la clínica con el hijo de la secretaria de la embajada china. Solemnemente se lo entregó diciéndole:

—Alteza, he aquí al príncipe de Asturias.

Don Juan después dijo que casi hubiera preferido al chino, ya que su hijo era ochomesino. Las enfermeras lo recordaban muy feo, con los ojos saltones. Aunque, como explicaba María más tarde:

—Pronto se arregló.

La alegría de la familia y de los pocos monárquicos que había en Roma en aquellos momentos fue inmensa, porque había nacido un varón y así el futuro de la dinastía estaba asegurado. El rey le regaló a María, como agradecimiento por haberle dado un heredero, un broche con una esmeralda enorme que había sido de su tía, la popular Chata, y que hacía juego con unos pendientes y una sortija.

A Juanito lo bautizó el cardenal Pacelli, que más tarde sería Pío XII, ya que, por un problema del endemoniado protocolo al que tan adictos eran los reyes destronados, don Alfonso se había enfadado con el papa Pío XI, que era el que hubiera debido bautizar al heredero de la Corona española.

La ceremonia se celebró en una pequeña capilla de la Orden de Malta, situada en la Via Condotti. María no asistió, ya que no era costumbre que las madres fueran al bautizo de sus propios hijos, aunque se recuperó inmediatamente del alumbramiento, porque, como decía ella misma:

—Tenía una salud de caballo.

Los padrinos fueron la reina Victoria Eugenia y Nino, que, como ya vivía en Sevilla y además estaba de luto porque había muerto la condesa de Caserta, su madre, no pudo ir. Fue representado por Jaime.

Cuando Juan le dijo que iba a pedirle a su madre que fuera la madrina, María se tuvo que tragar las lágrimas. La reina presumía de liberal y, para fastidiar a su marido y de paso a aquella nuera que tan poco le gustaba (y de la que estaba algo celosa), se burlaba de las victorias de Franco. Mientras fumaba perezosamente un cigarrillo egipcio y deslumbraba con su soberbia *parure* de aguamarinas de Brasil al público menestral que llenaba el Palazzo del Freddo, donde llevaba a sus nietos mayores a tomar un helado, le decía a María:

—Ese tenientillo consigue victorias gracias a la ayuda de Hitler y Mussolini, porque los españoles son indisciplinados y salvajes hasta para luchar.

María recordaba a su llorado Carlitos y tenía que cogerse a los brazos de la silla para no estamparle a su suegra en toda la cara el helado tricolor con bengalas y banderines llamado *Il Colosso* por su tamaño descomunal.

Después, doña Victoria Eugenia, ajena a las miradas que sus pieles y sus sombreros de plumas tornasoladas provocaban, arrugaba la nariz al mirar a Pilar, Sandra y Alfonso que correteaban por todo el local dando la lata a todo el mundo:

—Qué maleducados están estos críos... María, le dejas hacer lo que le da la gana a Pilar... A los niños no hay que verlos ni que oírlos. —Ante los gritos de Pilar, que era la más mandona de los tres, se estremecía—: Se nota que llevan sangre española.

Es curioso, porque la misma situación se había dado en la Primera Guerra Mundial entre Victoria Eugenia y su propia suegra, la reina Cristina. Cuando los alemanes ganaban una batalla, en palacio la reina lo celebraba brindando con champán. Ena, que tenía a dos hermanos luchando contra el káiser, se cogía al sofá con tanta fuerza que dejaba en los brazos de brocado un rastro de sangre.[11]

Pero a la tía Ena, en aquella época, en realidad le preocupaba poco la política. El amor que había sentido hacia su díscolo marido se había convertido en obsesión: pensaba que con los años terminaría volviéndose hacia ella, y se decidió a perseguirlo sin ningún tipo de recato, lo que haría decir a la desdeñosa Emanuela:[12]

—No tenía dignidad...

La reina incluso acudía a fiestas en las que sabía que estaba el rey aunque no hubiera sido invitada, lo que provocaba situaciones muy tensas. Emanuela proseguía desgranando sin piedad el calvario de aquella pobre mujer enamorada:

—Si él se enteraba de que estaba ella, no iba... Si la veía, se ponía a gritarle y a insultarle delante de todo el mundo...

Era cierto, el aborrecimiento del rey hacia la mujer que había castigado a la familia con la tara de la hemofilia no había hecho más que crecer y no soportaba tenerla cerca, aunque en algún momento de debilidad le confiara a su íntimo amigo Cortés Cavanillas:

—Está tan encantadora... Nunca la había visto así...

Pero la reina, que también sabía actuar con astucia cuando convenía, adivinaba que el rey no iba a perderse el bautizo del heredero del heredero, así que aceptó ser madrina del hijo de Juan y María. Y se presentó en la pequeña capilla con sus mejores galas, abrigo negro con cuello de martas cibelinas, sombrero con una enhiesta pluma y bolso de mano de cocodrilo negro con sus iniciales en brillantes, como las del broche que llevaban sus damas de corte cuando estaban de guardia: una V y una E. Lucía su célebre collar de perlas rusas grandes, iguales, de oriente purísimo, que luego, a su muerte, se dividió en cuatro y fueron repartidas entre María, sus hijas Margarita y Pilar y la reina doña Sofía.

Llevaba también pendientes a juego y un broche con un zafiro sujetando la pluma del sombrero.

Había ganado mucho peso y aparentaba más años de los que tenía, borrada ya su legendaria belleza.

El rey se mantuvo lo más lejos posible de su mujer. Campúa, que luego sería el fotógrafo oficial de Franco, se las vio y se las deseó para poder tomar una imagen en la que aparecieran juntos. Finalmente, don Alfonso accedió a posar con el resto de la familia, notablemente incómodo.

Allí, a la sencilla capilla, fueron un puñado de españoles, haciéndose los fuertes pero con el corazón en la garganta, a ver el bautizo del que un día habría de ser rey de España. Todo tenía un aire suave de oro puesto al servicio de la vieja cortesía. El banquete se dio en el Grand Hotel, y hubo muchas damas y caballeros, con no pocos reverendos, misioneros, postuladores de San Juan y profesores de la universidad gregoriana, junto a una lucida representación diplomática y algún compañero de juerga de don Alfonso, como Fofó o el espléndido periodista César González Ruano.

El aviador Juan Antonio Ansaldo envió un telegrama entusiasta: «Enhorabuena por nacimiento futuro Emperador de Occidente».

María se compró un cochecito para gemelos, que apenas podía arrastrar, para llevar a sus dos hijos, y la vizcondesa de Rocamora buscó una nueva nodriza. Juanito llamaba la atención por lo guapo que era, y en esta ocasión, las instantáneas dan fe; la gente los paraba por la calle pretendiendo fotografiarlo. Incluso llegaron a pedirle que hiciera de modelo de anuncios de alimentos para niños, lo que hizo reír a María, aunque no era ningún despropósito, ya que la tía Ena, siendo reina, había promocionado la célebre crema Ponds, y la simpática Crista una loción para aclarar el cabello rubio, la Camomila Intea. Donaron a la Cruz Roja el dinero que recibieron. Que se sepa, de todas formas, Juanito nunca posó con fines comerciales.

Pilar padecía el típico síndrome de princesa destronada. Años después, comentó:

—Era una lata que de ser la más mimada y la favorita de mis padres pasase a ser la segunda por el simple hecho de tener un hermano más pequeño que yo pero que iba a ser rey.[13]

Los cronistas se arrobaban ante este infantito, cómo no, fuerte, robusto, sano, con los ojos azules y las carnes firmemente apretadas y que pataleaba con vigor en su cuna recibiendo el ardiente sol romano. Mientras, Pilar se vengaba de su hermano rompiendo sus juguetes.

Cinco meses después del nacimiento de Juanito, María, con admirable dedicación a su papel de suministrar continuadores a la dinastía, se encontraba de nuevo en estado.

Teruel, ciudad mártir, cambió tres veces de manos. En Madrid y en Barcelona había suciedad, hambre y oscuridad, la vida no valía nada, hundieron el *Baleares* en el que quería embarcarse Juan y murieron casi mil tripulantes. La sangre regaba el Ebro en la batalla más atroz.

España era una rosa de fuego.

Pero el que fue su rey, en el verano de 1938 decidió alquilar una coquetona villa rodeada de pinos en la playa de Fregene, a diez kilómetros de Roma, donde solía veranear la nobleza romana. Hay una foto muy reveladora de ese verano. Está con Juanito y Alfonso, los hijos de Juan y Jaime respectivamente. La agencia que la distribuyó, tituló «El rey Alfonso XIII de España con el infantito Juan Carlos y otro de sus nietos».

¡Pobre Alfonso! ¡Tan sólo otro de sus nietos!

Emanuela lo comentó rencorosamente, no así Jaime, para quien su padre más que padre era Dios. Tenía tantos deseos de agradarle que en la alta noche, después de haber tomado unas copas, iba a despertar al consejero de don Alfonso, Pedro Sainz Rodríguez, para explicarle, con esa precisión de los beodos, que:

—Yo creo que debería renunciar de nuevo a la Corona de España para que papá esté «más» contento.

Con las maletas hechas, el 6 de septiembre, a punto de salir para la *saison* en Venecia, recibieron la noticia terrible de que su hermano Alfonsito, conde de Covadonga, acababa de fallecer.

La muerte, como su vida desperdiciada, estuvo teñida de escándalo. El príncipe, divorciado de su segunda mujer, Marta Rocafort, se había enamorado de una vendedora de cigarrillos de un conocido *night club* de Miami llamada Mildred Gaydon, alias La Alegre. Saliendo con ella de un cabaré de madrugada, después de haber ingerido alcohol y opio, su coche chocó contra un poste de teléfonos. El príncipe se dio un golpe en el pecho que le provocó, como a Gonzalín en Austria, una hemorragia interna. Murió en el hospital y sus últimas palabras fueron:

—¡Mamá, mamá!

Fue enterrado en el Graceland Memorial Park, y a su sepelio sólo asistieron tres personas. La Alegre, a despecho de su nombre, no pudo concurrir porque estaba demasiado triste. Un empleado consular hizo grabar en la lápida de mármol que cubría su tumba: «His Royal Highness Prince Alfonso de Borbón y Battenberg. May 10, 1907-Sep 6, 1938. R.I.P.».

Hubo monárquicos que comentaron con cruel satisfacción, ya que la muerte allanaba el camino de Juan al trono, «el fallecimiento de Alfonso Covadonga es una circunstancia favorable».[14]

Y también, como ocurre siempre en estos casos de hijos descarriados, a la consabida fórmula Descanse en Paz, otros añadieron:

—¡Y la familia también!

La guerra se terminaba, pero las esperanzas del rey y de su hijo se iban quebrando una a una en el tosco pedrusco de la triste realidad política de España. El rey se convirtió en un desventurado señor anciano, sus ojos vivaces se apagaron y necesitaba de la ayuda de unas gafas para leer.

Dejó de teñirse el pelo y su cabeza se llenó de canas. También empezó a utilizar dentadura postiza.

Pasaba mucho tiempo con María. Su sonrisa constante, la sencillez de su trato y la forma en que le escuchaba le parecían conmovedoras. María se cogía de su brazo y se dejaba piropear por su incorregible suegro que, a pesar de la edad y de sus achaques, según Emanuela, una vez hasta le tocó el culo en el ascensor.

—¡Es que papá era irresistible! —Recordaba, ya mayor, su hija Crista.

Cada vez estaba más claro que Franco no pensaba restaurar la monarquía. En cada ocasión en que el Caudillo obtenía una victoria, le ponía un telegrama al rey. Cuando tomó Madrid, en la etapa final, sólo hubo silencio. No volvió a comunicarse con el que había sido su rey, y don Alfonso mascullaba delante de María a la hora sagrada del aperitivo:

—Coño, el gallego me la ha jugado.

Juan, a pesar de todo y en un intento patético de congraciarse con el Caudillo, le escribió un telegrama que hoy día nos produce ese sentimiento tan difícil de definir pero que solemos llamar vergüenza ajena: «Uno mi voz nuevamente a la de tantos españoles para felicitar entusiasta y emocionadamente a V. E. por la liberación capital de España. La sangre generosa derramada por su mejor juventud será prenda segura del glorioso porvenir de España, Una, Grande y Libre. ¡Arriba España! Juan de Borbón».

Aunque posteriormente se nos ha hecho creer que Juan abominaba de todo fascismo, lo cierto es que dio su aprobación al libro de Bonmatí, una biografía suya autorizada, que finalizaba así: «El príncipe don Juan de España, como un soldado más de las Falanges gloriosas de la Reconquista, está en el puesto al que lo destinó el mando, disciplinado y firme, Cara al Sol del amanecer del Nuevo Imperio español, dispuesto siempre, con el brazo extendido y al grito de ¡viva España! y ¡arriba España! a ejecutar las órdenes que le dé el Caudillo de su gloriosa gesta en nombre de Dios, de la Raza y de la Historia».

Lo más probable es que se tratara del último intento, desesperado e infructuoso, de recuperar el trono.

El 6 de marzo de 1939 nació el tercero de los hijos de Juan y de María, Margarita. La llamaron la princesa de la paz, ya que coincidió con el triunfo de Franco en la guerra que había azotado su patria durante tres años. Aunque nació en el exilio, la familia quiso creer que, como sus otros hijos, crecería en España. Vio la primera luz, como Juanito, en la clínica angloamericana, y María recordaba a aquel bebé, años después, como:

—Guapísima, rubia y gordita.

Sus padrinos de bautizo fueron Esperanza, que añoraba a Pedriño de Orleans Braganza, ¡no le había salido nada mejor en la empobrecida España!, y Jaime. Pero Esperanza no podía salir de Sevilla, por lo que fue representada por Dola, que estaba pasando una temporada en Roma con su marido Augusto Czartoryski. Ellos todavía no tenían hijos.

Margarita, a la que en familia siempre han llamado Margot, era una niña preciosa. Al servicio habitual de la casa se añadió una nueva ama de cría y una niñera checa, una puericultora muy buena, aunque muy severa. Cuando la niña tenía dos meses, la niñera advirtió que no realizaba la actividad propia de los niños de esta edad: mirarse las manos continuamente. Extrañada, se lo comentó a María, que fue a la cuna e hizo aletear sus dedos por delante de la cara, diciéndole:

—Mira, mira.

Fue un momento aterrador e interminable: la niña permaneció con los ojos inmóviles, aunque, eso sí, sonriendo como hacía siempre. Trajeron objetos de colores vivos, los muñecos de Pilar, un collar de perlas, la pitillera del padre, la gruesa llave del portón... Nada. La niña no veía. Sólo cuando agitaron un pañuelo de color rojo muy vivo, sus ojos se animaron algo. María se dio cuenta de que era ciega, aunque de una forma vaga distinguía los colores muy brillantes.

El disgusto fue terrible. La llevaron a un oftalmólogo joven de Roma, el primero de una larga lista. Les dijo que aquello era incurable, la niña no tenía retina y no se había inventado ningún tejido que pudiera sustituir al de la retina humana. María se hundió, pero no se dio por vencida. Durante los cuatro primeros años de Margarita, visitaron a una docena de médicos de todo el mundo.

María dejó a un lado su dulzura y su docilidad y mostró su verdadero carácter: corazón de hierro, profundas convicciones y una determinación a prueba de bombas. Se negó a compadecerse de su hija[15] y, desde que se dio cuenta de su minusvalía, se comportó con ella como si fuera una niña normal.

—Mira, es tu sonajero —le decía con severidad, poniéndoselo en la mano.

Todas las noches se acercaba a su cuna:

—Mira, es de noche, ya no hay ruido.

María se mostraba inflexible, sacando un carácter que hasta entonces nadie le había conocido. Por desacostumbrado, el cambio impresionaba. Incluso se enfadaba:

—¡Para Margot, el ruido es el día, la noche es silencio! La razón de Margot depende de una disciplina de hierro a la que todos debemos someternos.

Se contrató a una niñera que había recibido una formación especial para ciegos. Se llamaba Celina y debía cuidar de que ningún objeto se desplazara en el universo de la infantita. Margot tenía violentas crisis de furia:

—¡Tengo miedo, está oscuro! ¡Mami! —Gritaba en pleno día.

En esas ocasiones, los ojos de María, azules como el mar, se volvían verdes y amarillos. Con un gesto imperioso se aposentaba en la puerta de la habitación de Margot impidiendo que su padre o las niñeras la cogieran en brazos.

—¡Tiene que acostumbrarse! ¡Va a estar así toda su vida!

Hicieron venir al doctor Arruga desde Barcelona, y éste les confirmó el diagnóstico, no había nada que hacer:

—Su Alteza es y será ciega siempre.

El año 1940 fue duro para todos. España luchaba contra el hambre, el odio entre hermanos y la ruina, ¡no tenía tiempo de pensar en los que fueron sus reyes! Había otras necesidades. Comer, vivir, sobrevivir en suma.

La guerra española había terminado, pero comenzaba el conflicto más devastador de la historia, lo que más tarde conoceríamos como Segunda Guerra Mundial. A pesar de que en las biografías posteriores se nos muestra un Alfonso XIII aliadófilo y enemigo de Hitler, la verdad es que sus simpatías estuvieron del lado de los tudescos y siempre creyó en la victoria de éstos.[16] No así doña Victoria Eugenia, quien no se recataba de dar su opinión contra el Führer en público.

Europa estaba sumida en el caos, la bota alemana humillaba a todos los países que no podían defenderse. Italia, que en el año 1936 había firmado un pacto con Alemania, el eje Berlín-Roma, sufría asimismo las consecuencias de la guerra. Las restricciones golpeaban también a todo el país. La infanta Pilar evocaría más tarde:[17]

—Mi memoria de aquel tiempo va asociada al ruido de las sirenas y los bombardeos con la luz apagada y la estela de los reflectores.

Juan y María no bajaban nunca a los refugios preparados al efecto. Los espaguetis y el pan se volvían cada día más negros, no había azúcar y cuando querían premiar a los niños les daban un pequeño trozo de chocolate que les sabía a gloria.

De todas formas, como era habitual en aquella época, los niños apenas veían a los padres; la cruz en la frente antes de dormir y el buenos días de punta en blanco. Eran las *nannies* las que se ocupaban de ellos, los llevaban a los parques públicos con sus primos Alfonso y Sandra Torlonia, que eran de la edad de Pilar, y Gonzalo Segovia y Marco Torlonia, que eran de la edad de Juanito.

De vez en cuando María los metía en el Bentley y los llevaba a Villa Polisena, la casa de la infanta Mafalda, hija de los reyes de Italia, de quien se había hecho muy amiga y cuya hija pequeña, Isabel, tenía la edad de Pilar.

Mafalda vivía en medio de un fasto casi medieval que asombraba a María, los criados incluso besaban el suelo que pisaba la princesa. Nadie podía imaginar que Mafalda, tan sólo cuatro años después, sufriría una muerte horrible bajo las bombas en el campo de concentración de Buchenwald, donde la envió Hitler. Murió, pero antes los médicos del campo le tuvieron que amputar las piernas a lo vivo. Mientras la cortaban a trozos, rezaba y cantaba óperas.

Don Alfonso, perdida ya toda esperanza de volver al trono, se convirtió en un hombre viejo y enfermo. El médico llamó a Crista y le dijo que debían prohibirle fumar y beber. María evitaba fumar delante de él, y cada vez que don Alfonso cogía un cigarrillo, le decía:

—Por Dios, tío rey, no fumes.

A lo que él contestaba:

—Bah. Para las ganas que tengo yo de vivir…

Todavía en 1940 hacía frecuentes viajes a Ginebra a ver a la hija que había tenido con la institutriz de los niños, Juana Alfonsa Milán. Los dos que tuvo con Carmen Ruiz Moragas, Leandro y María Teresa, residían en Madrid y estaban a cubierto de las necesidades materiales gracias a un depósito en un banco suizo administrado por el conde de los Andes. El rey no volvió a verlos. En cuanto al primer hijo ilegítimo, que tuvo cuando todavía era soltero, Roger, cuya madre era la bellísima y descocada francesa Mélanie de Vilmorin, pasaba por hijo legal del millonario marido de ella y el rey nunca lo atendió afectivamente, ni desde el punto de vista económico.

María sabía de esta familia «paralela», era un tema del que hablaba libremente con su marido y sus cuñadas, aunque evitaba hacerlo, como es natural, delante de la tía Ena, que había sufrido horriblemente con las infidelidades de su marido. Una tía Ena que fue a Roma para hacerse la encontradiza con él, incluso llegó a comprar entradas de cine y se las hizo llegar, sumisamente, al hotel por medio de un botones.

El rey ni se molestó en contestarle.

La que fuera reina de España también se había convertido en toda Europa en una persona non grata. En Londres la hacían sentir incómoda; al fin y al cabo había sido reina de un país donde ahora gobernaba un aliado de Hitler, y en Roma, por sus ideas liberales, se le indicó que su presencia no era bien acogida.

Su marido no hizo nada por defenderla, y la reina terminó, desengañada y con la sensación de ser una molestia para todo el mundo, por irse a vivir a Lausana, al hotel Royal.

La única nota alegre del año fue la boda de Crista el 10 de junio de 1940. Aun así, fue una alegría amortiguada. La pobre infanta había esperado hasta los veintinueve años para casarse, hasta que la descendencia en los tres hijos de su hermano Juan, el heredero, estuviera asegurada, y hasta que su padre dejó de viajar y de solicitar su compañía.

Crista tenía mucha complicidad con el rey y con María y un mismo sentido del humor, se reían mucho los tres juntos, pero en el fondo era una mujer atormentada por la posibilidad de trasmitir la hemofilia a sus hijos, lo que la llevaba a consultar a médicos de todo pelaje e incluso curanderos. Un médico de Londres le aseguró que si tenía un bebé hemofílico se le podía salvar si se le cambiaba íntegramente la sangre con trasfusiones masivas. Crista se creyó esta patraña y le dijo a su padre que se encontraba ya dispuesta para el matrimonio.

Pero, a estas alturas, en plena guerra mundial y sin ninguna posibilidad de volver a su patria como princesa real, la oferta matrimonial para la infanta española, a la que su padre tampoco quería dotar, se limitó a un viudo mayor, con tres hijos, al que llamaban con cierto cachondeo «el rey del vermut», que le había presentado su hermano Jaime. A su padre le dijo:

—Papá, he conocido a un hombre que me chifla y pienso casarme con él.

—¿A qué se dedica?

—Es el dueño de Cinzano.

—Ah, menos mal, así no tendré que alimentarlo.

Crista prosiguió:

—Papá, pero... está casado...

Don Alfonso casi se cae de la silla:

—¿Cómo? ¿Qué? ¡Casado!

La infanta rectificó:

—Ay, quiero decir que es viudo...

Y el padre se tranquilizó:

—Ah, bueno, vaya susto, gorda... Tráelo cuando quieras.

Se llamaba Enrique Marone Cinzano, de origen humilde, pero, claro está, multimillonario. Acuciada por las prisas, y para paliar de alguna manera esta unión tan desigual, la infanta fue a ver a la reina Helena de Italia y le pidió un título para su novio. Aquélla, que la quería mucho, accedió encantada:

—Lo podríamos hacer... ¡conde de Cinzano!

La infanta volvió a pedir que la concesión oficial se hiciera lo antes posible, y antes de un mes fue publicado en el lugar correspondiente el nombramiento. El título dio lugar a muchos chistes, ya que es como si actualmente se crease el de marqués de la Coca-Cola. Claro que, poco después, Franco nombró a Pedro Barrie de la Maza conde de Fenosa, que venía a ser lo mismo, ya que se trataba de las siglas de su importante compañía hidroeléctrica.

A la boda asistieron únicamente dieciocho personas, incluida la tía Ena, que hizo una última intentona de reconciliarse con el rey, quien no le dirigió la palabra en toda la ceremonia.

Durante la misa María le dirigía miradas reveladoras al tío rey, ¡tenía tantas ganas de decirle que estaba de nuevo embarazada!

El último viaje del rey a Suiza fue en otoño de 1940. Regresó y se metió en el hotel, de donde ya no quiso salir.

Ese fondo de tristeza que siempre tuvo se había acentuado, estaba enfermo de añoranza y desengaño. Sólo se animaba cuando veía la silueta redondeada de su nuera. Le preguntaba con cariño:

—Esta vez, ¿qué será, chiquituca? ¿Niño o niña?

Pero, inexplicablemente, o no, en este embarazo María había perdido toda su alegría; cuando volvía a casa por las noches se sentía cansada y triste. La tensión que le provocaba la situación de Margot, al final, le pasó factura. Le parecía imposible dar vida a otra vida cuando la de ella le pesaba tanto. Juan volvía tarde oliendo a perfumes desconocidos. Añoraba a sus padres y a sus hermanas.

A Carlitos.

Una noche empezó a sangrar, y fueron los Rocamora los que la llevaron al hospital.

Sufrió un aborto. Perdió a su hijo.

Los médicos le dijeron que no se preocupara, que vendrían más. Cuando se levantó, fue enseguida al Grand Hotel. El rey se puso de pie, la hizo sentar, y cuando Torres de Mendoza le sugirió pedir un té para Su Alteza, don Alfonso hizo un gesto de desprecio:

—¡Quita té! ¡Bastantes hemos tragado todos estos años! ¡Camarero, champán!

Les llevaron una botella de Veuve Clicquot, que se tomaron entre los dos. El rey hizo reír a su nuera contándole cómo en Inglaterra, cuando iba a ver a los parientes de su mujer, tiraba el té en los tiestos, con lo que las plantas se mustiaban sin que nadie entendiese por qué. Y explicaba todo tipo de perrerías de aquellos ingleses tan raros tan raros que hasta Paco, el criado, le decía:

—Majestad, no, si Inglaterra no está mal, ¡pero está llena de estos extranjeros tan mochales!

Todos los días María iba a verlo con sus hijos; el rey prefería jugar con ellos que hablar de política, que ya no le interesaba y de la que ya no formaba parte.

Despotricaba:

—La política es una mierda.

María le advertía sin contestarle para que no se pusiera nervioso:

—No los cojas, tío rey, que pesan mucho.

Pero sus nietos no le cansaban. Le entristecía que Margot fuera cieguita; quizás atribuía esta tara a la sangre enferma de su mujer.

Le gustaba tenerla en brazos.

La infanta Pilar lo recuerda perfectamente, sobre todo su voz y sus larguísimas piernas con pantalones grises, y que les contaba historias y hablaba de España, y que a menudo parecía estar muy triste. Al pequeño Juanito le llevaba su niñera Ucsa, y el rey le acariciaba la cabeza. Todos los nietos, ¡ya tenía ocho!, cuando lo veían le besaban la mano.

Después, las *nannies* se llevaban a los niños y como Crista se había ido a vivir a Turín se quedaba a solas con María. Le pasaba la mano por la cara y le decía con aquella voz que todos sus cortesanos imitaban y que ahora tenía el tono agónico de los premuertos:

—María la Brava.

Si aparecía por allí Juan, lo echaba:

—Vete, cenutrio, no te necesitamos.

Cenaban juntos. Ninguno de los dos tenía mucha hambre, y picoteaban una pechuga de pollo o una ensalada. Eso sí, cada noche se hacían servir una botella de champán de Veuve Clicquot y brindaban:

—¡Por el porvenir!

Pero todo tenía ya el sabor crepuscular de la ceniza.

El rey estaba condenado.

En enero del año 1941 empezó a fatigarse cada vez más, el pulso le marchaba a saltos, faltaban palpitaciones. En su habitación impersonal se sentaba al lado de la ventana y no abría la boca.

Había puesto sus asuntos en regla. Un año antes había abdicado en su hijo Juan en un documento redactado en Suiza y ya había hecho testamento. Con sorna, le había comentado a su hijo:

—Coño, como comprenderás, después de esto sólo me queda morirme.

Luego ya no podía estar ni en una silla ni en la cama. Pasó dieciocho días sentado en un sillón ortopédico que le regaló el embajador de Perú, en la habitación número 32 del Grand Hotel. María desenroscó las bombillas y puso velas porque la luz fuerte le molestaba. Se turnaban dos monjas del Instituto de la Siervas de María, sor Teresa y sor Inés, y los médicos Frugone, Colazza y Pudu. El padre jesuita Ulpiano López lo confesaba a diario. A veces pasaba a la habitación Totora o algún amigo. Por la noche lo velaba la duquesa de la Victoria, que había sido enfermera.

Cuando el rey veía a María, le preguntaba:

—¿Han llamado desde Madrid?

El rostro consternado de su nuera le revelaba la verdad, y se volvía de cara a la pared y no pronunciaba una palabra más en todo el día.

Su familia solía estar en la antecámara; incluso alguna vez fueron los nietos mayores, Pilar, Alfonso y Sandra. La reina llegó desde Lausana y se alojó en el vecino hotel Excelsior. El rey no quiso verla nunca; sólo recobraba las fuerzas para gritar cuando ella pretendía pasar a su habitación:

—¡Fuera, fuera!

Alfonso y Gonzalín lo observaban desde la mesa de noche con esa grave pesadumbre que sólo tienen las fotos de los muertos.

Y volvía a preguntar:

—María, ¿ha llegado algo… de España?

No quiso ver a su mujer. No tuvo noticias de Franco. Todo olía a despedida y a desprecio.

Murió el rey de España el 28 de febrero, a las once cuarenta de la mañana, gimiendo en la última convulsión de la muerte:

—¡Dios mío!

Se abrieron las puertas de la habitación con un golpe de viento misterioso que hizo temblar las llamas de las velas y tintinear los cristales de las lámparas. Su última mirada fue para sus nueras: fijó los ojos en Emanuela como pidiéndole perdón, y después, al mirar a María la Brava, pasó por sus labios una leve sonrisa que la muerte congeló en mueca aterradora.

Doña Victoria Eugenia se abrió paso, se acercó a su hijo Juan, se arrodilló en el suelo y le besó la mano.

Después María vio que, en medio de un silencio impresionante, Jaime, Emanuela, Beatriz, Torlonia, monjas, duquesas y gentilhombres, y hasta el chófer Sambeat y Paco, el criado, le besaban la mano a su marido e hincaban la rodilla en tierra, y en esos momentos se dio cuenta, sobrecogida, que ya no iba a ser más María la Brava para nadie.

Algo bueno trajo la muerte del tío rey. Esa noche, y las siguientes, Juan se refugió entre los brazos de su mujer, el único puerto que le parecía seguro.

La infantita Pilar y los nietos mayores advirtieron confusamente que se había acabado una época. Todos los niños enviaron al entierro una corona con los colores de España y una leyenda: «Para el abuelito».

Apenas un mes después de la muerte del rey fue bombardeado el café de París de Montecarlo, donde habían inventado en su honor el «cóctel Alfonso XIII», matando a ochenta y cuatro personas, incluido el barman.

Nueve meses después, el 14 de octubre de 1941, les nació a Juan y María su cuarto y último hijo, al que pusieron Alfonso, como el abuelo fallecido. Sus padrinos fueron el tío Ali, el marido de la tía Bee, y Crista, que llegó desde Turín.

Emanuela tuvo que decir la suya:

—Es tan feo como su madre.

María y Juan pasaron de Alteza a Majestad, porque ya no eran príncipes de Asturias, puesto que este título pertenecía al heredero de la Corona, es decir, a Juanito. Decidieron utilizar el de condes de Barcelona, ante lo cual, el criado de siempre, Luis Zapata, cogió un berrinche considerable:

—Pues sí que es divertido, ¡éramos príncipes y ahora somos sólo condes!

A María le hizo mucha gracia el comentario.

Se habían disipado las sombras. Juan, inmerso en todas las complicaciones a que había dado lugar la muerte de su padre, parecía que había abandonado sus veleidades festivas y noctámbulas y se comportaba como un marido, si no atento, sí fiel, aunque María no ponía la mano en el fuego por ese cambio, ¡Juan era Borbón y lo sería hasta que se muriese!

La ahora condesa de Barcelona volvía a tener los ojos tan limpiamente azules como el esmalte de las medallas, como le cantaban los poetas cursis. Su alegría natural triunfaba sobre la muerte de su hermano, la del tío rey, la ceguera de Margot y también sobre la incertidumbre de su futuro. Habían decidido irse a vivir a la tranquila y neutral Suiza. El testamento de don Alfonso había alejado todas sus preocupaciones económicas y tenía cuatro hijos sanos. El consejero Pedro Sainz Rodríguez había sido contundente:

—Vuestra Majestad debe dejar Roma... No puede vivir en un país aliado de Hitler, debe vivir en Suiza o en Portugal. Franquito ya nunca lo va a hacer rey, pero si Inglaterra gana la guerra le dará una patada en el culo y se volverán hacia Su Majestad como hacia el sol. ¡Franquito será como una sardina asturiana; no dejarán de él ni las raspas!

Los cronistas embelesados describían la rotunda belleza de los tiernos brotes del viejo árbol heráldico que empezaba con Roberto el Fuerte en los albores del siglo IX. El brote más pequeño, Alfonsito, pronto se reveló como el más espabilado de los hermanos y se apoderó inmediatamente del corazón de su madre.

Como Margarita, reía siempre.

Capítulo 7

LAUSANA

1941

María se miró en el espejo y vio una mujer de treinta y dos años, de ojos rasgados de color azul lavanda y con unas arrugas desde la nariz a la comisura de los labios que antes no existían. Intentó borrárselas con los dedos; se estiró la piel de porcelana que, tercamente, volvió a caer, algo flácida, sobre la mandíbula.

Cogió su barra de labios color «rojo pasión» y se delineó la boca cuidadosamente. Su cutis transparente, sin manchas ni lunares, con esa textura que los expertos llaman «piel de monja», sólo necesitaba un tenue toque de polvos Caron. Petra le tendió los pendientes de perlas gruesas, le abrochó en la nuca el collar de tres vueltas que hacía juego y le prendió sobre su vestido de glasé negro el gran broche de perlas y brillantes que había sido de la reina Mercedes y que le había dejado el tío rey en su testamento. Maquinalmente, María tendió los brazos y Petra le ensartó en la muñeca uno de los brazaletes gemelos de la reina María Cristina, una pulsera con brillantes montados a la rusa que mucho más tarde cedería a su nieta Elena para que la luciera el día de su boda, y el relojito Cartier.

En sus manos gordezuelas llevaba el anillo de pedida, la sortija con la aguamarina tallada con las armas reales y los solitarios también heredados del tío rey.

Petra la persiguió pegando un brinco, ya que su señora era bastante más alta que ella, dándole un último golpe de cepillo en el pelo, brillante, color castaño, ligeramente ondulado y con raya al lado. María se la quitó de encima:

—Deja, deja.

Se puso los guantes y le pidió a su doncella:

—Llévame el visón abajo.

Fuera caía una ligera nevada que cubría el quartier d'Ouchy como un velo de gasa. La Villa Les Rocailles, hoy desaparecida, estaba situada en la rue Roseneck, en lo alto de una colina que en suave pendiente llegaba hasta el lago. En el interior de la casa el ambiente era cálido gracias a los abundantes radiadores, y el perfume delicioso de los ramos de flores que llenaban las estancias se mezclaba con el olor del linimento de los muebles y el aroma del tabaco.

María descendió por la escalera. Juan, vestido con un ajustado esmoquin que trataba en vano de ocultar su prominente barriga, la aguardaba en el saloncito del primer piso fumando un cigarrillo. Esperó el elogio que jamás llegaba y suspiró imperceptiblemente quedándose, como decía ella misma cuando estaba en confianza, «de lo más chafada».

María, sin embargo, sí trató de animarle:

—Hijo mío, con esmoquin tienes una facha colosal.

Su marido se encogió de hombros y preguntó impacientemente:

—Bueno, ¿vienen esos niños o no vienen?

Los cuatro pequeños llegaron con sus batines y pijamas, recién bañados y con olor a colonia, besaron la mano de sus padres y después éstos los besaron en la mejilla.

Cada noche se seguía el mismo ritual. Juan le hizo un gesto significativo a su mujer, que se levantó, fue hacia el gramófono y puso el disco con la *Marcha Real*. Los infantitos se alinearon por orden de edad, se estiraron, se cuadraron, juntaron los talones, miraron al frente y permanecieron firmes frente a sus padres, que también estaban de pie. Desde la mayor, Pilar, tan alta, Juanito, con la mano izquierda en la frente, porque era zurdo como su madre, un defecto que también corrigieron atándole la mano detrás, hasta el pequeñín, Alfonsito, que apenas podía tenerse en pie y se cogía a su hermana Margot, que estaba tan metida en su papel como los otros. Acabado el primer movimiento del himno, la condesa de Barcelona quitó el disco. Los niños se situaron en posición de descanso, el padre hizo un gesto y gritó:

—¡Disuélvanse!

Y se fueron corriendo escaleras arriba entre risas, directos a la cama.[1]

A veces, Juan les obligaba a hacer instrucción, lo mismo que su padre hacía con él y sus hermanos cuando vivían en el Palacio Real de Madrid, desfilando con unas espadas de madera al hombro. La reina Victoria Eugenia, cuando estaba presente, se reía y le decía a su hijo lo mismo que le decía a su marido:

—Por Dios, Juan, ¿las chicas también? Una cosa tan poco femenina…

En el vestíbulo esperaban Petra con el abrigo y el bolso de cocodrilo y los leales vizcondes de Rocamora, ella también con traje largo y él de esmoquin.

María miró el bolso y le dijo a su doncella:

—¿Cocodrilo con pieles? ¿Cómo se te ocurre?

Petra corrió escaleras arriba y le trajo una cartera de raso con el cierre de brillantes, mientras Juan movía impacientemente una pierna.

Luis Zapata mantenía la puerta del Ford abierta. Al fin entraron. El coche, que había pertenecido al tío rey, quien lo había personalizado con el *tablier* de madera clara y los asientos en cuero rojo, se deslizaba lentamente por Ouchy, entre las inmensas casas rodeadas de muros tan altos que sólo dejaban ver las copas de los árboles que poblaban los elegantes jardines.

A su llegada a Lausana, procedentes de Roma, se alojaron primero en el hotel Royal. Aunque ahora nos llame la atención, entonces se consideraba normal que la aristocracia residiera en hoteles, que eran tan confortables como casas particulares, lujosísimos, eso sí, pero acogedoros y con un personal antiguo y lleno de detalles, hasta el punto de que Alfonso XIII comentaba:

—No entiendo cómo alguien puede quejarse de los hoteles, ¡si son mucho mejores que los palacios reales!

Ocuparon casi todo el hotel, ya que estaban, además de Juan, sus hermanos Alejandro Torlonia y Beatriz con sus tres hijos Sandra, Marco y Marino. Olimpia, la pequeña, ya venía en camino. También se alojaban en el Royal, Crista y su «rey del vermut», Enrico Marone Cinzano, que habían huido despavoridos de Turín, donde una bomba había caído muy cerca de su casa. Los acompañaban sus tres hijas, Victoria, Giovanna y María Teresa, ya que nada más casarse se habían puesto a procrear sin descanso. Poco tiempo después tuvieron a Anna.

Y también estaba ¡Jaime!

Jaime solo con sus dos hijos, porque Emanuela se había quedado en Roma, ya que, según ella:

—La Cruz Roja me necesita.

Aunque, según las cuñadas:

—Ya te daré yo Cruz Roja. ¡Está con Il Bello Tonino, lo sabe todo el mundo!

Jaime les leía los labios y ponía un gesto compungido haciéndose la víctima. Pero no tenía por qué, ya que a los dos días, según Emanuela:

—Desapareció, se perdió por Suiza con sus putas.

Pero, claro, al ser hombre ¡y Borbón!, tenía más disculpa.

Sus hijos, los pobres Alfonsito y Gonzalo, a partir de entonces empezaron a depender de la buena voluntad de sus tíos y de su abuela. María, que era tan sensible, intentaba compadecerles, pero, como también era muy intuitiva, presentía que aquellos niños iban a traer muchos problemas.

Estaba tan ensimismada en sus pensamientos que su marido tuvo que apretarle el brazo:

—María, María, ¿qué te pasa?

Se sobresaltó. ¡Ya habían llegado!

Porque lamentablemente la rue de l'Élysée, donde estaba la casa de su formidable suegra, distaba tan sólo diez minutos de la suya. La Vielle Fontaine estaba iluminada y a la puerta se arremolinaban los coches y los chóferes acompañaban a los invitados bajo los paraguas.

Las señoras se recogían las faldas para no mojarse sus zapatitos de satén con la nieve que alfombraba el suelo.

Frente a la casa estaba la pista de patinaje donde iban los principitos, que aún existe hoy en día. También existe la Vielle Fontaine, que ahora es sede de una empresa de valores.

María se ponía también los patines y era la que daba las cabriolas más complicadas. Todavía hace poco había gente que la recordaba, su alta figura trazando ochos de espalda e intentando con torpeza dar un imposible *pas de deux*, con evidente peligro para el resto de los patinadores. Como le gustaba alardear (y era cierto):

—¡Yo no le tengo miedo a nada!

Desde que se había muerto su marido, Ena, la que fue reina de España, brillaba con luz propia.

Como decía Crista:

—Papá era tan encantador que mientras vivió anulaba a mamá.

La suntuosa villa se la había comprado con lo que le dio el joyero Harry Winston por una cruz de esmeralda de 45 quilates tallada en una sola pieza que había sido de Eugenia de Montijo y que fue a parar a manos del multimillonario brasileño Antenor Patiño, el rey del estaño, para regalársela a su mujer.

La casa estaba decorada con mucho gusto, con los paneles pintados a mano que le había regalado el rey de Italia, cuadros de Laszlo, láminas del Madrid del siglo XIX, el único que no le causaba a la reina dolor ya que no lo había conocido, y su célebre colección de jades, la mejor del mundo, que estaba en el Palacio Real y que, en un gesto de buena voluntad, le había devuelto la República, junto a 79 cajones con los que habían llenado varios vagones de tren. Desde un piano Steinway, cuadros de Sorolla —que la reina se apresuró a vender a la National Gallery—, pitilleras de gran valor, los carísimos relojes «misteriosos» de Cartier, el gramófono y discos, ¡hasta un gorro de armiño! Mesitas de té, copas, ropa de cama, manteles, vajillas y un loro articulado de plata con peana de marfil. Todos los objetos estaban distribuidos por la Vieille Fontaine, pero con tan buen tino que, aunque algo abigarrado, el interior tenía un boato que imponía.

Nueve personas de servicio atendían a la tía Ena de forma magnífica, y a la reina le gustaba dar cenas donde su cocinero, al que enviaba periódicamente a refrescar su oficio a los mejores restaurantes de Europa, servía las últimas exquisiteces culinarias. Había dos únicas prohibiciones.

—Aquí no entra ni un garbanzo ni el aceite de oliva.

Y le decía con desprecio a su nuera, en cuya mesa todos los días había tortilla española, paella (aunque no preparada por sus manos) y fabada:

—No sé cómo podéis comer estas porquerías.

El único plato español que le gustaba a la tía Ena era el gazpacho, que servía en verano, en la exquisita porcelana de Sajonia de uso diario.

Aunque, eso sí, sin ajo.

María, Juan y los Rocamora se desembarazaron de los abrigos en el vestíbulo, al pie de la espléndida escalera de roble, digna de un palacio real. La tía Ena, con los brazos desnudos a pesar de que los años no habían pasado en vano por ella, pero majestuosa con su collar de chatones y el broche de Boucheron en forma de lazo con incrustaciones de ónice en el pecho, miró a María de arriba abajo, enarcando una ceja ante la ampulosidad de su figura, que el grosor de la tela de su vestido contribuía a abultar, y la levantó del suelo donde yacía con la consabida reverencia, dándole un beso en la mejilla mientras le comunicaba a su hijo:

—Se ha presentado Carol de Rumanía con la Lupescu.

Juan protestó:

—Mamá, por Dios.

A lo que la reina contestó de forma apresurada:

—Sí, sí, ya sé que no deberíamos recibirla, pero ¿qué querías que hiciera? No podía echarla.

Carol, que había sido rey de Rumanía hasta que abdicó en su hijo, había huido de su país con tres limusinas blindadas, cuadros, joyas por valor de dos millones y medio de dólares y un millón en monedas de oro. Y con la que había sido su amante desde hacía veinte años, una aventurera pelirroja llamada Elena Lupescu.

A pesar de sus palabras de reprobación, Juan se dirigió metiendo barriga y cogiendo de una bandeja un cóctel hacia donde estaba la atractiva rumana, algo marginada, detrás de un gran tiesto con palmera incluida. Elena fumaba con una larga boquilla que sostenía con una mano enguantada hasta el codo, a María le recordaba a Edda Ciano, que vivía también en Suiza, pero escondida en un manicomio porque su marido había traicionado a Mussolini y la buscaban para matarla. Que Edda fuera la hija del Duce daba más dramatismo a la historia.

María se estremeció, y la vizcondesa de Rocamora, creyendo que tenía frío, le puso un chal de seda sobre los hombros.

Pero ya la tía Ena, que con la edad se había vuelto bastante maliciosa, bajaba la voz para hablar de la Lupescu:

—¡Es tan ligera de cascos!

Pero no podía dejar de añadir, como experta en el tema:

—Mira el brazalete que lleva, ¡zafiros padharasha! ¡Son una monada!

Y es que la reina, cuyo español era bastante deficiente, empleaba de forma aleatoria las expresiones coloquiales que le enseñaban sus nietos.

—Si la sociedad continuase *comme il faut* no la hubiera recibido nadie, pero aquí, en el exilio, se es menos exigente. Como decía la condesa de Chevreux: «Si nos ponemos moños, no encontraremos a nadie para alternar».

No olvidemos que Europa estaba en guerra, aunque allí, en ese mundo cosmopolita y refinado, era difícil acordarse.

Las horas iban cayendo lentamente, como gotas de mercurio. La princesa Gortchacow se adornaba con las joyas que había conseguido sacar de Rusia en el dobladillo de su falda durante la revolución bolchevique (se decía que era un muestrario ambulante y que las vendía in situ al mejor postor) y Tanuca, la hija del duque de Alba, iba a saludar a María y le contaba que se había puesto de largo en el palacio de Dueñas en Sevilla. Cuando María le preguntaba que qué le había regalado su padre, Tanuca contestaba:

—Un título, y yo he escogido el de Montoro, ¡porque es sevillano!

Y ambas suspiraban recordando ¡su Sevillita!

Un imposible aroma de azahar y flor de naranjo sobrevoló por un momento la habitación poniendo un velo de añoranza en los ojos de la desterrada.

Aunque a María la verdad es que le gustaba más la conversación de los hombres que la de las mujeres. Con los hombres podía hablar de caballos, de caza, de escopetas de tiro y, si eran españoles, de toros, pero a las mujeres las encontraba:[2]

—Chinches, ñoñas y cotillas.

Lo comentaba tranquilamente delante de las damas. Personas que la conocieron me hablan de la absoluta falta de inhibición de María a la hora de hablar de la gente:

—Era absolutamente franca, incapaz de disimular, lo que creaba situaciones bastante incómodas.

Como me dijo en su momento alguien muy próximo a don Juan:

—Era una suerte que nadie le pusiera un micrófono a doña María, porque era impredecible.

Pero era demasiado tímida para acercarse a los grupos de señores, aunque algunos fueran tan amables como el marqués de Cramayel, un íntimo amigo del tío rey, quien le susurraba siempre cuando la veía con su cerrado acento francés:

—Marrrría la Brrrava…

En sociedad, como dijo luego:

—Me costaba moverme, nunca me ha gustado figurar…

Según nos cuenta su biógrafo Javier González de Vega, María en las cosas importantes era persona de grandes convicciones, pero se sentía muy insegura en los detalles pequeños. Así, tenía que resignarse a hablar de temas domésticos, que le aburrían soberanamente, con la condesa de París, con Marisol de Baviera, la hija del conde de Mora, y con su cuñada Beatriz, que seguía viviendo en el hotel Royal. Crista, sin embargo, se había instalado en Ginebra, donde se quedaría ya durante toda la guerra. Se pusieron a hablar, cómo no, de los hijos y de lo difícil que era dar con niñeras convenientes, menos mal que Angelita había encontrado una española, Mercedes Solano, porque, como contaba María:

—¡Hablan en francés entre ellos! ¡Juan se desespera!

Pero la tía Ena, que estaba en todas, les gritaba desde lejos:

—¡Lo importante es que hablen inglés!

Las señoras llevaban todas sus joyas, que refulgían a la luz de las lámparas de *baccarat*, y los hombres iban con esmoquin. Eran los mismos aristócratas de la Costa Azul o Venecia, con el esplendor algo mermado, pero brillando a pesar de los campos de concentración, los bombardeos sobre las ciudades y los miles de soldados muertos en la flor de la juventud.

María bostezó de esa forma que bosteza la gente educada, contrayendo la mandíbula hasta límites sobrehumanos. Con la miraba buscó a su marido. Fue su cuñada la que le indicó:

—Míralo, está en el porche hablando con la condesa de Chevreux.

A pesar del frío, Juan se apoyaba negligentemente en una columna mientras le encendía el cigarrillo a la rubia condesa, que se abrigaba con una capa de pieles.

A una seña de María, entró, le puso el abrigo sobre los hombros y, mientras se metía en el coche, le comentó desabridamente:

—Mujer, siempre con prisas...

María movió la cabeza sin decir nada. Sabía que a su marido le gustaba la compañía de las mujeres, aunque no era tan atractivo como su padre.

De ella los historiadores nos brindaban elogios algo estrambóticos: «cabeza de huesos bien estructurados, rasgos que serían para un antropólogo una clase de Historia Viva», pero es con Juan con quien echaban el resto. González Ruano lo describía como «físicamente impresionante, claro de color, fuerte, sereno, muy estudioso y afable, tenía deseo de diferenciarse de su padre. Había fumado don Alfonso tabaco egipcio que llevaba en una pitillera de oro más bien pequeña, los cuellos muy altos, a la inglesa, y que sobresalieran mucho los puños. Don Juan fumaba tabaco negro francés, Celtiques, que llevaba en una pitillera muy grande de piel de cerdo y no le asomaban apenas los puños de la camisa por la americana y sus cuellos no eran altos». Y luego le atribuye una característica sorprendente en un Borbón:

—Leía mucho y le interesaba la literatura, que siempre le importó un bledo a don Alfonso.[3]

Luis María Anson, al que pregunté al respecto, me dijo que:

—Es cierto, a don Juan le gustaba mucho leer... Yo calculo que llegó a tener una biblioteca de tres mil libros, todos leídos y consultados.

El Caballero Audaz va todavía más lejos en los elogios a su físico: «arquetipo de la belleza viril, su rostro tenía una pureza de líneas escultóricas, dignas del perfil de una moneda romana».

Aunque hay voces discrepantes. Tenemos a Emanuela para equilibrar la balanza:

—Juan era tonto y no tenía ningún atractivo, era infantil y vanidoso, poco inteligente, bruto y mala persona.

Y por si esto no bastase, decreta:

—Ésta era la opinión de todo el mundo hasta que murió el rey y quedó claro que él iba a ser el sucesor.

Afirmaba que hasta la misma reina doña Victoria Eugenia cambió su actitud hacia él, a pesar de que Juan la trataba siempre con muy poco respeto.[4]

Fue seguramente en casa de la condesa de Chevreux, una sobrina multimillonaria de Fofó y Sveva de Castel Rodrigo, que daba fiestas en las que mezclaba a bohemios con escritores, actores y aristócratas, donde Juan conoció al que fue uno de los dos grandes amores de su vida. Aunque de este episodio hablaremos más adelante.

María, que no sabía imponerse a sus hijos y además necesitaba tiempo libre para dedicarse a sus aficiones, se los «colocaba» a su suegra, porque en la Vieille Fontaine no se atrevían a portarse mal. Al contrario, aprendían modales, a comer, a sentarse, a caminar, la misma rígida etiqueta que había aprendido su abuela, a la que llamaban Gangan, en el palacio de su propia abuela, la reina Victoria de Inglaterra.

—Os voy a enseñar lo mismo que aprendí yo —les decía.

Pilar, como nieta mayor, recibió de Gangan un regalo especial en cuanto llegaron a Lausana: un auténtico estuche de enfermera en pequeño, una primorosa miniatura que contenía jeringuillas, termómetro, algodón, alcohol, todo tipo de linimentos, vendas, esparadrapo, en una caja blanca metálica con una cruz roja. La infanta Pilar la guardará muchos años y este regalo determinará su auténtica vocación: ser enfermera. Su abuela —quizás su padre también, si creemos a González Ruano— le contagió el gusto por la lectura, afición que mantiene todavía y que he podido comprobar hace muy poco tiempo. En la peluquería, donde me encontré a doña Pilar, ¡doy fe de que no levantó la vista ni un momento del libro que estaba leyendo!

También aprendió a hacer reverencias; ensayaba interminablemente:

—El pie izquierdo retrocede sin dejar de mirar fijamente, con la cabeza erguida, a la persona que se saluda.

A no hablar antes de que se dirigieran a ella, a sacar temas de conversación con las distintas personas con las que le tocara sentarse, a caminar derecha, y a no ser tan «bruta», a ser más femenina. Su madre decía entonces con un suspiro de simpatía:

—¡Esta niña ha salido a mí! ¡Es muy cardo borriquero!

—Siéntate bien, camina recta, mientras comas, jamás, fíjate bien, ¡jamás! las manos deben desaparecer debajo de la mesa —eran las frases habituales de la reina.

Las mismas pautas de educación que le daba a la duquesa de Fernandina su bisabuela, la duquesa de Medina Sidonia, dama de la reina de España:[5]

—Nunca vayas a tiendas baratas, que te dan paquetes feos... Prométeme que nunca irás sentada al lado del chófer en un coche, cuando seas mayor, nunca pongas la mano en un picaporte —y Pilar Medina Sidonia reconoce ahora con una ironía no exenta de ternura—: ¡Todo cosas muy prácticas para ir por la vida!

De todas formas, aquella abuela tan querida también daba un poco de miedo. De mayor, Pilar recordará su gran humanidad y su señorío, pero también que tenía una facultad que asustaba:

—¡Era imposible ocultarle nada!

Tenía un método muy especial para sondear a sus nietos. Primero los mimaba, los atiborraba de dulces, les leía cuentos, los hacía reír. Después les tiraba de la lengua, les sonsacaba hasta el más íntimo secreto y luego hacía lo posible por aconsejarles y ayudarles,[6] aunque siempre le costó entender el mundo moderno y era tremendamente rígida con la etiqueta; no perdonaba ningún fallo en este terreno. Una de las cosas más importantes que enseñaba a los niños era la preeminencia:

—Vuestro hermano Juanito va a ser rey, no lo olvidéis nunca.

Y debía ser servido y atendido antes que los otros.

Los jueves, la reina de España se los dedicaba únicamente a él, esos días los otros niños estaban excluidos de la Vieille Fontaine. Los primos mayores se tomaron a mal esta «excomunión», sobre todo el pobre Alfonso de Borbón Dampierre, que estaba solo y encima tenía que cuidar de su hermano. A Pilar también le molestaba, y se quejaba:

—¡Antes de que naciera Juanito yo era la favorita de Gangan!

Pero Margot y Alfonsito lo aceptaron con naturalidad y crecieron con el convencimiento de que su hermano era superior a ellos.

Juanito, además, era un niño fascinante, travieso y enredador, muy poco disciplinado. Ansaldo, que relevó a Bonmatí como elogiador oficial de la familia, lo describía así, sin que falte también la consabida mención a su robustez:

—Rubio, colorado, vendiendo salud y alegre como unas castañuelas, que encarna la figura legendaria de un niño delicioso que un día debe convertirse en príncipe encantador.

A esa edad tan temprana[7] ya revelaba lo que le iban a gustar las mujeres. Marie Claire, la hija de Clara Carvajal e Ignacio Aznar, una niña monísima algo mayor que Juanito, ejercía sobre él una precoz atracción. Dejándonos llevar por la imaginación y apelando al sentido del humor de los protagonistas, podríamos decir que la futura marquesa de Villafuerte, fue su «primer amor».

Precisamente, el niño era tan cautivador que las niñeras lo mimaban, y la profesora de español que le pusieron, Mercedes Solano, tenía que luchar continuamente para que se concentrase en las primeras letras. Lo más difícil para él era pronunciar bien la «erre», tenía ese defecto que había heredado de su madre, aunque, al final, a fuerza de repetirla, se corrigió.

Alfonsito, sin embargo, ganguearía toda su vida. Claro que con él no se habían esforzado tanto, no tendría que demostrar nunca su españolidad, ¡total, nunca iba a ser rey!

María al final decidió llevar a Juanito a la escuela maternal de Rolle, un pueblo distante veinte kilómetros de Les Rocailles, pero también tenían que darle clases particulares en casa. A pesar de eso, se distraía con el vuelo de la tan popular y socorrida mosca.

A María no le preocupaba Pilar, que era muy independiente, ni Juanito, que ya tenía la atención de todos, ni tampoco Alfonsito, tan simpático que sólo tenía que sonreír para que a su padre se le cayese la baba.

No. Era Margot la que centraba todos sus esfuerzos.

Visitó a un oftalmólogo tras otro; todos le dijeron que la ceguera de su hija no tenía solución. Al final decidió celebrar un cónclave en casa con el mejor en esta especialidad, el doctor veronés Vincenzo Pucci, «¡Es un hacha!», decía de él María, y también con un sacerdote amigo.

Los citó en Les Rocailles y esperó su dictamen con impaciencia.

El médico elaboró un informe en el que indicaba que la niña debía crecer como ciega y estudiar en un colegio para invidentes según el método Braille. El sacerdote, sin embargo, observó que:

—Como Margot es tan espabilada y se muere por estar con sus hermanos, lo mejor es que haga la vida de una niña normal y que se críe codo con codo con los demás niños de su edad, sin ningún tipo de cuidado especial. Opino que debe ir a colegios corrientes.

Tanto doña María en sus recuerdos posteriores como don Juan en las conversaciones que tuvo con sus allegados explicaron que habían elegido esta segunda opción porque les había encantado y les había parecido la más sensata:

—La niña se ha criado como uno más, con sus hermanos, participando de sus travesuras y de su desarrollo.

Otra vez, esto no es cierto y se trata de un recuerdo falseado. Según pudo averiguar la autora de este libro,[8] Margot fue, precisamente en Suiza, a un colegio especial, el Instituto de Ciegos (Asile des Aveugles), un grupo de educación para jóvenes invidentes, con talleres y lugares para mujeres y hombres, un hospital oftálmico que funciona como clínica universitaria, además de una biblioteca y una imprenta de caracteres Braille. Estaba en la avenida de France, a cierta distancia de Les Rocailles.

Más detalles. La infanta solía ir caminando con su niñera, que terminaba desesperada porque la niña se subía a todos los árboles y era muy distraída y muy traviesa. En el instituto pudo comprobar que había otros niños que tenían la misma carencia de ella y aprendió a escribir con el método Braille. A veces la iba a recoger su padre y a la vuelta se detenían a rezar en la pequeña iglesia de San Francisco.

En ocasiones Juan ayudaba en misa como monaguillo. Siguió haciéndolo hasta que dejó de utilizarse el latín.

Lo que sí era cierto es que la niña participaba en pie de igualdad en los juegos y travesuras de sus hermanos, y a veces María miraba distraídamente por la ventana y salía corriendo y gritando al jardín: «Margot, baja, baja», horrorizada porque la veía sobre un tejado o en lo alto de un árbol. Se dejaba tomar el pelo con buen humor y, con tal de jugar con sus hermanos, era capaz de aguantar todas las trastadas. Para estar a su altura, se aprendía todos los tacos posibles en todos los idiomas, lo que hacía mucha gracia a su familia, aunque no tenían más remedio que reñirle.

La infanta todavía recurre a este lenguaje popular y desgarrado cuando está en confianza. Hace poco le espetó a un periodista que la siguió a un concierto de rock cuando escuchó su voz preguntándole cómo se lo había pasado:

—¿Cómo me has descubierto? ¡Qué cabrón eres!

Como María, Margot pronto demostró tener una facilidad increíble para las lenguas. Les pusieron una institutriz inglesa para aprender el idioma, miss Jenkins, y ella, a diferencia de sus hermanos, lo hablaba en una semana.

En su vida adulta Margot llegó a dominar casi una docena de idiomas: inglés, francés, italiano, alemán, portugués, danés, sueco, catalán, incluso guaraní, que aprendió con una criada ecuatoriana.

—*Vaicho, vaicho* (feo) —repetía cuando alguien le molestaba.

También, como su madre, tenía el don de la música, y, como ella, tenía gustos tan dispares como Chopin y Wagner; María contrató una profesora de piano, pero la única que aprovechó las lecciones fue Margot. También, a diferencia de su hermana Pilar y de su propia madre, le encantaba jugar con muñecas. María le regaló una de porcelana, con su cuna, su armarito para la ropa y su bañera, y ella lo conservó todo hasta que se lo pasó a su propia hija.

Mientras Alfonsito se convertía en la sombra de Juan, Margot estaba muy unida a María, que rescató el idioma inventado con el que se comunicaba con Carlitos para hablar con ella. ¡Nadie las entendía! Una vez que las oyó un extranjero, les preguntó:

—¿Eso que hablan entre ustedes es vasco?

María se emocionaba, porque le parecía estar hablando con el hermano muerto y que éste no se había ido para siempre.

Llamaba a su hija Guite. Muchas veces se escapaba hasta su camita para besarla en la frente, sólo a ella, y susurrarle:

—Duerme, Guite, el tío Carlitos te está mirando desde el cielo.

Su hija le pedía entre sueños:

—Mami, quédate un ratito más y cuéntame el viaje.

María cogía la sillita de niña de su hija, a la que llamaba «mi trono», y se ponía a contarle de nuevo el viaje de novios.

—Hubo una tormenta, y papi en la cubierta del barco...

Margot adoraba a su madre. Sin embargo, su padre, con su vozarrón y su forma algo brusca de hablar, le daba un poco de miedo.

Los niños iban creciendo; los padres tenían una vida muy ocupada y sus propios problemas y les resultaba imposible atenderlos. María misma lo reconocerá más tarde:

—Antes a los niños no se les hacía demasiado caso, y era mejor así.

Como hacen los gitanos andaluces, una noche de luna llena les cortó las pestañas a Pilar y a Margot para que les crecieran más fuertes, y el día de San Juan también las rapó al cero por la misma razón. Las niñas iban tan contentas por ahí con sus cabecitas de escrofulosas, pero la tía Ena se horrorizó y le dijo a su hijo:

—*But*... María *is so peculiar*...

Eran las niñeras las que se ocupaban de ellos, mademoiselle Modou y mademoiselle Any, y también, como referente familiar tenían a su abuela. A María le llamaba la atención que la tía Ena, que había sido una madre muy fría con sus hijos e incluso con ella, fuera una abuela entregada, cariñosa y con un humor cáustico que encantaba a sus nietos.

—La tía Ena tenía mucha retranca —admitía—. Y detectaba a los cobistas enseguida, ¡no los tragaba, como yo!

La reina Victoria era afectuosa hasta con los hijos de Emanuela y Jaime, de los que, viendo su situación familiar, intentó hacerse con su custodia, aunque al final Juan, previendo complicaciones, la hizo desistir. Emanuela seguía viéndose en Suiza con Sozzani, lo que le enajenaba el apoyo de su familia política, que no tenía en cuenta el comportamiento de Jaime, que apenas iba a ver un par de veces a sus hijos porque, como en Roma, se había hecho asiduo de los mejores prostíbulos del país, muchas veces acompañado de Pedro Sainz Rodríguez, que era un experto en la materia.

Juan disculpaba a su consejero:

—El pobre Sainz es tan feo que, siendo soltero, si no va pagando, ¿con quién se va a acostar?

Y añadía entre dientes:

—¡No va a estar cascándosela todo el día!

Emanuela contrajo una rara enfermedad, mononucleosis. Se justificaba:

—La cogí en el dentista.

El nombre moderno de este mal es «enfermedad del beso», lo que abre otro abanico de posibilidades. Se le complicó con una depresión que la mantenía todo el día en cama con las persianas bajadas. Incapaces tanto ella como su marido de hacerse cargo de sus hijos, pasaron a vivir en el *lodge*, la casita de los invitados de la reina de España, hasta que se curó y decidió separarse de Jaime y reclamar su custodia. Cuando los tribunales se la concedieron, contra todo pronóstico, los metió internos en el colegio Montana de Friburgo y los hermanos nunca más tuvieron un hogar al que volver. Los fines de semana los pasaban con Gangan.

De todas formas, aunque la reina los quería mucho y los compadecía, nunca se apearía de su atención constante al heredero. Incluso a la hora de merendar daba órdenes de que sirvieran antes a Juanito que a sus hermanos o primos, aunque éstos fueran mayores. Es de suponer que de aquella situación arrancó la envidia y rivalidad que albergó Alfonso de Borbón Dampierre hacia su primo toda su vida.[9]

Más tarde, María comentó:

—Todas sus circunstancias nos obligaban a que les tuviéramos lástima, pero Alfonso era un amargado que se dejaba influir por todo el mundo.

Y aquí nos vamos a tropezar con uno de los episodios más peliagudos y delicados de la vida de Juan y María. Se trata de una apasionada historia de amor que vivió el conde de Barcelona y que puso en peligro su matrimonio.

Tenía la misma desaforada pulsión sexual que su padre, su abuelo y su bisabuela. Desde muy joven había conocido el sexo, probablemente gracias a alguna dama de la corte de más edad que él, recordemos que a su padre lo inició a los catorce años una duquesa compinchada con sus gentilhombres. También frecuentando los prostíbulos de Madrid y de Cádiz, donde cursaba sus estudios en la Marina. Más tarde, ya reseñamos que continuó sus «estudios sobre el terreno» junto a sus compañeros de la Marina inglesa en las travesías que realizaron por Oriente.

A su regreso a Europa, se aficionó también a los prostíbulos de Roma de la mano, según contaban, de su propio padre.

Después de casado no consideró que debía interrumpir su actividad. Lo cierto es que, aparte del padre de María, Nino, que según decretaban todos, «¡Es un santo!», no se esperaba que ningún miembro de la Familia Real le fuera fiel a su mujer.

Pero a Juan le faltaba la *finesse* de su padre, quien tenía auténticas enamoradas por todo el mundo que lo perseguían como si fuera un artista de cine.

Emanuela no se cansaba de decirlo:

—Juan era muy bruto, poco delicado... Ignorante, grosero...

Pero sus aventuras no eran nada de lo que María debiera preocuparse. Eran lances pasajeros que no ponían en peligro ni su matrimonio ni mucho menos la continuidad de la dinastía.

Pero, de pronto, este equilibrio que parecía inmutable se vino abajo.

Seguramente Juan la conoció en casa de la condesa de Chevreux, en una de sus habituales fiestas «bohemias». No sabemos quién era en realidad, los escasos historiadores que dan cuenta del episodio se limitan a llamarla Greta la Griega y explican que pertenecía a la alta sociedad. Lo que sí sabemos es que Juan se enamoró de ella locamente, como no lo había estado antes de ninguna mujer.

Se volvió indiscreto y no le importó que la gente o su mujer se enteraran de su aventura. Iban a lugares públicos, viajaba con ella a hoteles de otras ciudades, donde se alojaban españoles que los miraban con asombro... Juan estaba tan ciego que todo lo que no fuera estar con Greta le parecía un infierno.

María lloró y suplicó. Nada. Sin saber qué hacer, incluso recurrió a su suegra, a pesar de que cuando se casó se había prometido a sí misma no contarle jamás sus problemas.

Para su sorpresa, la reina tomó partido por ella. No por compasión, sino porque la actitud escandalosa de Juan ponía en peligro la continuidad de la dinastía, que a aquellas alturas era lo único que le importaba. Habló con él:

—No lo hago por tu mujer, sino por todos nosotros.

No sirvió de nada. Juan la escuchó con expresión ausente, le dio una contestación malhumorada (quizás incluso un empujón que la hizo caer, como cuenta Emanuela) y corrió a refugiarse en los brazos de Greta.

Fueron unos tiempos muy difíciles para María. Juan no la trataba con brutalidad, sino con indiferencia; no iba a comer, muchas veces tampoco a dormir, no hacía caso a los niños, no entraba en su despacho, y cuando estaba en casa todo le molestaba. Si sonaba el teléfono, se abalanzaba sobre él y hablaba largas horas en voz baja.

Estaba tan obsesionado con Greta que los que lo separaban de ella, su mujer, su madre, sus hijos, sus consejeros, le parecían obstáculos insoportables. Todo le resultaba odioso, el orden doméstico, hasta el olor de su casa… Su calendario estaba marcado por la disponibilidad de Greta, sólo ella le importaba.

María lloraba en los brazos de Angelita Rocamora. No podía comprender cómo su marido, con el que se había casado para siempre, al que había dado cuatro hijos, ponía en peligro todo aquello por lo que habían luchado. No se atrevía a contárselo a sus padres, ¡bastantes problemas tenían ellos! A pesar de su acendrado catolicismo, ya habían tenido que afrontar una separación en la familia: Jazz, totalmente alcoholizado, había abandonado a Bela y sus cuatro hijos por una aristócrata extranjera y no les pasaba ni un duro, por lo que tenían que vivir casi de la caridad de Nino, todavía más escaso de recursos que Luisa, que, aunque no era la madre de Bela, la quería mucho. La herencia de la pobre Polla se había desvanecido en las locuras de Jazz, así como su propia fortuna.

Nino y sus hermanos vendieron el último palacio que les quedaba, el de Roma, y con la parte que le tocó le compró a su hija y a sus nietos una finquita, San José y Santa Elisa, donde Bela vivía convertida en una auténtica campesina, con pañuelo negro en la cabeza, que trabajaba con sus propias manos la tierra e iba a vender la leche por las casas con una humildad que causaba admiración. Aún ahora hay ancianos que la recuerdan.

Su antiguo colegio de las Irlandesas, ése del que tantas veces se escaparon sus hermanas, acogió a sus cuatro hijos y les dio educación sin cobrarle nada. Su hermana Esperanza los iba a buscar y los recogía. Casualmente el tercero, José Zamoyski de Borbón, conde Saryusz, acaba de morir (23 de mayo de 2010) mientras escribía este capítulo del libro.

José tenía setenta y cinco años y murió de un ataque al corazón cuando estaba a punto de iniciar la romería del Rocío. Estaba llevando personalmente el proceso de beatificación de su madre, Bela, y le sobrevive su hermana Teresa que, bajo el nombre de sor Rocío, es carmelita descalza.

Bebito y Alicia también habían vuelto a España con sus hijos Teresa, Carlos e Inés, pero escogieron Madrid en lugar de Sevilla, y tampoco nadaban en la abundancia. Probablemente fue entonces cuando Alicia decidió poner discretamente en venta parte de los fabulosos zafiros de la reina María Cristina que había recibido por su boda. Quizás con su importe pudieron comprar la finca La Toledana, en Ciudad Real, de cuya producción agrícola sigue viviendo hoy la familia.

Alicia criaba perros teckel en la finca.

Así que Luisa, viendo el panorama, no podía por menos que recordarle a su marido:

—Menos mal que a Dola y a María les va muy bien.

O sea, se decía María, ¡como para contarles sus desgracias!

Aunque lo más probable es que alguien les pusiera al tanto de las tribulaciones conyugales de su hija y de Juan, ya que la historia de Greta fue la comidilla de la España del exilio y también de la de El Pardo. El siempre casto Franquito no podía entender que el Pretendiente, como él lo llamaba, «para joderme» (don Juan *dixit*), lo arriesgase todo por una mujer. La Generalísima, doña Carmen Polo, exclamaba con burla:

—¡Podrido hasta la médula! ¡Inmoral! ¡Lo mismo que su padre!

María también se acordaba de don Alfonso, pero en otro tono, y suspiraba:

—Si el tío rey viviera…

El rey había estado seguramente muy enamorado de la actriz Carmen Ruiz Moragas, con la que había tenido dos hijos, pero jamás se planteó dejar a su mujer.

El vizconde de Rocamora, avergonzado de su señor por lo que él consideraba una debilidad y horrorizado por las humillaciones por las que tenía que pasar María, amenazó con dejarlo y volverse a España.

Pero Juan se encogió de hombros. ¡Qué le importaba a él! Sólo tenía un deseo y un ansia: Greta.

Su mismo consejero, el complaciente Pedro Sainz Rodríguez, le advirtió de lo peligrosas que eran para el futuro de la monarquía estas relaciones ilícitas:

—Franquito aprovechará para darle una patada en el culo a Su Majestad.

Nada que hacer. A él le resultaba imposible desanudar el lazo que lo unía a su amada.

Acosado por todos los frentes, Juan se franqueó únicamente por carta con su tío Alfonso de Orleans, el marido de la astuta Bee, que acompañó al rey en su primer viaje de exilio y que tantas veces ayudó a éste a ocultar sus aventuras extramatrimoniales. A diferencia de su mujer, el tío Ali era un hombre tolerante y de ideas avanzadas, aunque algo extravagante, no en vano era el hijo de la «díscola» infanta Eulalia, apartada de la vida de la corte por su comportamiento demasiado moderno.

También, a pesar de ser un hombre muy recto en el aspecto político y tremendamente honrado en el terreno personal, según algunas fuentes engañaba a su mujer, aunque se decía que a la tía Bee esto le traía sin cuidado.

Incluso se había comentado que, en los primeros años de matrimonio, había sido el amante de la madre de la aristócrata inglesa Pip Scott-Ellis y que ésta, en realidad, era hija suya.

Juan pensó que era el único que podía entenderlo: le escribió que Greta era el gran amor de su vida, que no pensaba ni abandonarla ni separarse de ella y, ¡lo peor de todo!, que si lo obligaban a elegir, elegiría antes a Greta que a María. También manifestó su intención de divorciarse legalmente de su mujer, todo antes que dejar de ver a la griega.[10]

Por lo dicho podría deducirse que Greta, a diferencia de él, era una mujer libre.

Los niños advirtieron que pasaba algo en casa, pero no comprendían qué podía hacer llorar a mami, aparte de Franco, ese señor tan malo que no dejaba entrar a papá en España. Finalmente, a principios de diciembre de 1943, el mismo Franco envió una comisión desde España, encabezada por el padre dominico Canal, profesor en el Angélico de Roma, como enviado especial del general Juan Vigón, jefe del Estado Mayor, para convencer al Pretendiente de que volviera al buen camino. ¡Se movilizó hasta el mismo Papa, quien envió al sacerdote español Ángel Herrera para apoyar la gestión!

Rojo de furor, Juan los recibió mascullando:

—Prefiero que me llamen maricón a pretendiente.

Pero lo cierto es que empezó a recapacitar cuando se le hizo ver que sería inmediatamente apartado de la sucesión si optaba por el divorcio. Unos ejercicios espirituales en Cuaresma hicieron el resto, y así, los enviados de Franco, los políticos acendradamente católicos y monárquicos Alberto Martín Artajo y Joaquín Ruiz Jiménez, que también se sumaron a las fuerzas de la represión, únicamente sexual esta vez, informaron al Caudillo de que el alegre y simpático don Juan había recapacitado:

—Y ya no son ciertas las noticias sobre las irregularidades de su vida privada, ya que todo ha podido superarse con la ayuda de la religión y las virtudes de su santa esposa.

Vigón le aconsejó a Juan que en el futuro sería mejor que se dedicase a la numismática o la filatelia.[11]

Greta se desvaneció en el olvido. Nunca hemos sabido lo que fue de ella, ni de dónde vino ni adónde fue, misteriosa y turbadora como el ángel exterminador de Luis Buñuel.

Su marcha no supuso que Juan volviera al redil, ya que prosiguió con su vida disipada, pero ya sin tanto dramatismo. Nada que ver con esa existencia sacrificada y austera que se nos ha relatado durante tantos años. En un informe elaborado por la policía secreta suiza, que mantenía a los reyes exiliados en observación, se notificaba que «don Juan suele salir a menudo y vuelve a su casa a las cuatro o cinco de la madrugada muy afectado por el efecto de los numerosos cócteles que ingiere... a veces lo acompaña su mujer, que tiene bastante abandonado el cuidado de su hogar».[12]

Aunque María lo perdonó y sobrellevó con gran dignidad este episodio, seguramente sufrió más de lo que nos cuentan las crónicas. Una cosa es imaginar que tu marido recurre a mujeres de baja estofa para realizar aquellas perversidades que no puede pedirle a su «santa esposa», y otra enterarte de que se ha enamorado y quiere abandonarte.

Su vida prosiguió sin más sobresaltos, pero imagino que esta pasión de Juan fue en su matrimonio como esa grieta de la que habla el escritor Scott Fitzgerald: «como esos platos que se rompen y que vuelven a pegarse, pero que nunca se sacan cuando hay invitados y que ya no sirven para nada». La guerra, devastadora y atroz, borra fronteras, destroza familias, extingue apellidos que nacieron cuando Europa... María, además, tiene su propia guerra en el ámbito doméstico, aunque, dado que no se confió a nadie en este asunto, no podemos añadir más datos concretos.

Empezó a salir mucho, se quedaba poco en casa, quizás para no encontrarse con su marido. «Sale y bebe con sus amigotas», revelaba el informe confidencial de la policía suiza al que hemos hecho alusión un poco más arriba, empleando un lenguaje bastante impropio en un documento oficial. Sus «amigotas» eran la condesa de París, su cuñada Beatriz, Dola, que viajaba a menudo desde sus palacios checos, Marisol de Baviera y Teresa de Orleans Braganza, Teté, la antigua novia de Carlitos.

Pero quizás porque en el exilio se aburre uno mucho si no se cotillea, también a ella la alcanzó la maledicencia. Se murmuró que se veía con un español en un parque público. Emanuela, harta de ser sólo ella la que se llevaba las críticas, la informó de ello:

—Chica, no sé si es verdad y no me importa, pero vete con cuidado, yo sólo te lo digo para que seas más discreta.

Y extrañada, soltaba años después:

—¡Se enfadó conmigo y todavía no sé por qué! ¡Es una desagradecida!

Aquí cabe decir que en este terreno todas las fuentes consultadas me han corroborado que la conducta íntima de María siempre fue intachable.

Juan no recurrió ni a la numismática ni a la filatelia, pero María sí se dedicó a sus manualidades, al deporte, practicaba el tiro y montaba a caballo; era su pasión:

—¡Para mí montar a caballo es la libertad! El olor de los pinos y las jaras, ver desde arriba el paisaje, notar el viento, oír los cascos del caballo sobre la tierra… —Cerraba los ojos María y aspiraba—. ¡Ah, el olor del caballo!

No se cansaba, cabalgaba durante horas por los bosques de Chalet-à-Gobert y Montheron, su único problema era que al ser tan alta, 1,75, le costaba encontrar caballos de su envergadura. Pronto empezó a llevarse al picadero a su hija Pilar, que se convirtió también en una experta amazona. María no quería que montara en ponis, ya que los consideraba peligrosos, y como la niña era también muy alta para su edad le ponía caballos normales, pretendiendo que montase «a la amazona». Pilar se enfurruñaba:

—Yo quiero montar «como los chicos».

Los condes de Barcelona vivían desahogadamente, por mucho que durante años se nos haya hecho creer lo contrario. El testamento de don Alfonso había sido claro: una pensión para su mujer, cifrada en seis mil libras esterlinas, y para Juan el usufructo de un tercio de la suma total de la herencia. Los dos tercios restantes se repartieron entre los cuatro hijos, Jaime, Beatriz, Juan y Cristina. Aunque no se cuantificaba el monto material de su herencia, en aquella época se hablaba de la cantidad de veinte millones de libras, depositada en un banco londinense. En Suiza se ocupaba de las finanzas de la familia el astuto banquero Kern, que había sido el hombre de confianza de don Alfonso encargado de atender a los hijos ilegítimos, Juana Alfonsa Milán y los tenidos con Carmen Ruiz Moragas, quien había fallecido durante la guerra.

También en la herencia deben incluirse las joyas que don Alfonso había ido comprando —en sus últimos seis años de reinado gastó la fabulosa cantidad de 346.000 pesetas en ellas— y las que había heredado de su madre y de su tía. El joyero de la reina María Cristina había sido uno de los más impresionantes de Europa y estaba valorado en unos cuatro millones y medio de pesetas en 1931. Su tía Isabel, La Chata, gran coleccionista de alhajas, también se las dejó íntegramente a don Alfonso, y éste a sus hijos.

Los «Barcelona», como empezaron a llamarlos en sociedad, iban hacia arriba, y los Czartoryski se encaminaban a su debacle completa. Dola, que tan contenta estaba con su multimillonario marido, tuvo que aguantar que en 1943 los comunistas entraran en sus palacios a punta de bayoneta arrasándolo todo. Y los pusieron en la calle, después de haberles requisado el dinero de los bancos y haberles quitado joyas, obras de arte e incluso la comida de las despensas.

A Dola lo que más le dolió fue que mataran a sus perros.

Se echaron a los caminos con el pequeño Adam de cuatro años. Y Dola estaba embarazada de nuevo. Augusto, a su vez, era un hombre de salud delicada, pero ambos tuvieron que huir a través del país y de una Europa en guerra descalzos y comiendo las hierbas que crecían a lo largo de los caminos. Dos veces intentaron fusilarlos, en una ocasión los comunistas y en la otra los nazis («alemanes», decía púdicamente María). Estos últimos los perdonaron porque casualmente el oficial que mandaba el pelotón conocía a Dola del hospital de San Sebastián. Cuando la vio, le dijo:

—¡Pero si tú me curaste la gangrena!

Los comunistas los situaron en el paredón, y cuando ya estaban rezando sus oraciones y despidiéndose con un abrazo, uno de sus verdugos le preguntó a Dola:

—Ciudadana, ¿tú cómo te llamas?

—Dolores.

—Andá, como la Pasionaria.

Y por tan fútil pero oportuna coincidencia, los dejaron marchar.

Después de un año y medio de marcha y penalidades, en el transcurso del cual Dola dio a luz a su hijo Luis, un niño enfermizo y enclenque como símbolo vivo de aquella Europa empobrecida y desgarrada, llegaron exhaustos a Sevilla, al lado de Nino y Luisa, que los acogieron con todo el amor del mundo pero tan escasos de caudales como habían estado siempre.

Con los últimos restos de la fortuna Czartoryski, en otros tiempos fabulosa, compraron una finca en Dos Hermanas e intentaron comenzar de nuevo. Para el pequeño Luis, sin embargo, era demasiado tarde, y se murió cuando tenía un año y un mes de vida. Augusto no pudo reponerse de este inmenso dolor, ni de las penalidades que había pasado, y murió dos meses después; tenía tan sólo treinta y ocho años.

Nino y Luisa se encontraron con una hija lejos de ellos, una viuda y una soltera. Y a cargo de cinco nietos sin padre. María se atormentaba pensando que no podía servirles de ayuda. Y le escribía a su hermana pequeña. «Esperanza, los tienes que animar a todos…». Y para distraerles, les explicaba los sucesos menudos de su vida cotidiana, tratando de paliar de alguna manera la separación física con su familia, a la que no había dejado de añorar ni un solo día.

Según Ricardo Mateos:

—María tenía ese sentido de la familia tan típico de las Dos Sicilias…

Y el historiador junta todos los dedos en un puño, en un gesto tan simple como expresivo.

María les cuenta que los cuatro niños hablan muy mal el español, por ejemplo, y que entre ellos se comunican en francés, por ese motivo han decidido ponerles exclusivamente niñeras españolas y que en casa se hable sólo ese idioma.

Así podrán entender las conversaciones de sus padres con los fieles que vienen de España y poco a poco irán identificando a Franco con «¡ese señor que hace sufrir tanto a papá!», al que la condesa de Barcelona, incapaz de disimular, dirige los mayores improperios.

Sobre todo a partir de 1942, cuando Juan concede sus primeras declaraciones políticas desde la muerte de su padre al *Diario de Ginebra*, manifestaciones que provocan considerable revuelo, ya que de esa manera se distancia públicamente del régimen de Franco. El conde de Barcelona aboga por la estricta neutralidad de España mientras dure la guerra y por una restauración monárquica cuando el pueblo español lo estime oportuno. También promete una justa redistribución de la riqueza y ser rey de una España en la que todos los españoles, definitivamente reconciliados, puedan vivir en paz.

Al «gallego» las palabras de don Juan, según dijo Sainz Rodríguez:

—Le han sentado como una patada en los huevos.

Aunque Franco públicamente dijo con conmiseración:

—No me preocupa la actitud del «Pretendiente», porque los monárquicos en España son cuatro gatos.

Y la verdad es que pocos en España se acordaban de la Familia Real. Aunque sí es cierto que en épocas duras a la gente le gusta soñar. Y así lo comprendió una nueva revista, *¡Hola!*, que poco después empezó a editarse en Barcelona. En su primer año publicó un amplio reportaje sobre la boda de Esperanza.

Sí, al final Esperanza se decidió a aceptar la proposición de Pedro de Orleans Braganza, Pedriño, que viajó a Sevilla para proponerle matrimonio. Él mismo lo contó así,[13] de una forma un tanto misteriosa, en su extraña forma de hablar, en la que mezclaba portugués, francés y andaluz:

—Yo estaba en Brasil. Me llamó un familiar y me dijo en francés: «Tú puedes venir, la vía está libre».

Se casaron el 18 de diciembre de 1944.

En las invitaciones se reprodujo una foto de los novios con la firma de ambos en la que Esperanza lleva unos clips de rubíes en el escote muy parecidos a los de María, y la ceremonia se celebró en el altar mayor de la catedral de Sevilla, donde no se casaba nadie desde Carlos V. Después tan sólo lo han hecho la duquesa de Alba, su hija Eugenia y la infanta Elena con Jaime de Marichalar.

María y Juan no pudieron ir, otra muesca más en el memorial de agravios de María, aunque los novios los disculparon alegando:

—¡Están de luto! El rey sólo hace tres años que ha muerto.

Lo cierto es que no se les había levantado a los familiares directos de Alfonso XIII la prohibición expresa de entrar en España.

Esperanza lucía un traje muy parecido también al que había llevado María. Cuando se le preguntó quién lo había elegido, contestó con franqueza:

—Creo que mi padre y la mujer de Joaquín Aramburu, su ayudante.

A Luisa y a Nino se les ve en las fotos satisfechos, pero muy envejecidos. La revista destaca la presencia de Bebito con Alicia y la de los condes de París. En una época en que Franco arrugaba la nariz ante todo lo que «oliera a infante» y doña Carmen Polo no se cansaba de recordar la inmoralidad de la corte de los Borbones, tenía gran mérito que una revista se atreviera a informar sobre ellos, aunque los periodistas, precisamente por falta de costumbre, tenían muchas dificultades para identificar a los invitados. Así, los imprecisos pies de foto señalaban que en las imágenes aparecían, en general, «egregias personalidades invitadas a la boda».

También el leal *ABC* publicó una foto de los novios en el altar mayor con el título: «Boda de la princesa Esperanza de Borbón y el príncipe Pedro Braganza». Nada se dijo, claro está, del brindis que se hizo a los postres del banquete:

—¡Por los reyes!

Aunque sí se comentó en Lausana, exagerándolo hasta tal punto que parecía que las multitudes en Sevilla se habían alzado como un solo hombre pidiendo el retorno de la monarquía.

Siempre se nos ha contado que en casa de los condes de Barcelona no se permitía hablar mal de Franco por una cuestión de elegancia.

¡Otro recuerdo convenientemente falseado!

Tenemos testimonios fiables de que esto no era así, de que no había día en que no se ridiculizara al dictador, no se comentaran los últimos chismes de la «corte» que Franco había ido tejiendo a su alrededor y no se contaran los chistes que conocía toda España o los últimos bulos que corrían. Se llevaban revistas y periódicos a Lausana que María leía en voz alta con énfasis burlón: «Franco es Napoleón, su santa esposa, Isabel la Católica, y Carmencita un angelito... los tres son paradigma como la familia de Nazaret». Aunque son las noticias que atañen a la hija de Franco las que más gracia hacen en Les Rocailles: «Homenaje a la angelical niña Carmencita Franco... se trata de organizar una junta en cada provincia coordinada por la encantadora señorita Teresa Torres Eleicegui, domiciliada en Santiago de Compostela, rua Nueva 16, a quien se debe la simpatiquísima sugerencia. Cada junta le regalará un traje regional». Carmencita cose canastillas para los niños pobres, teje jerséis para ancianos, da de comer a los indigentes, visita hospitales (de tuberculosos no, porque son contagiosos) y orfelinatos y de todo hay fotos en blanco y negro en las que la vemos con sus flacas piernas de adolescente.

También se pone de largo, casualmente la misma semana en que se casa Esperanza, pero de esto no hay fotos por aquello del agravio comparativo. Sí se menciona púdicamente que después de la fiesta «la señorita Carmen Franco Polo ha tenido el generoso acto de servir personalmente la comida a 300 viejecitos del asilo de ancianos desamparados».[14]

En Lausana se burlan de los ditirambos que le dedican a la «hijísima» los cronistas adeptos al régimen, sin advertir lo parecidos que son a los que los Ansaldos y los Bonmatí de turno dedicaban a la Familia Real y que ya hemos reseñados más arriba. En la revista *Fotos* se narra que la esposa del Caudillo y su hija aguantan sin inmutarse los fuertes aguaceros durante un desfile militar: «¡La mujer y la hija del Caudillo saben mejor que nadie lo que cuesta una victoria!». Y el ideólogo del régimen, Ernesto Giménez Caballero, le contó a la autora de este libro, sin sonrojarse, que Carmencita representaba la raza española en su esencia más perfecta:

—Pelo negro, ojos negros, tez olivácea, ¡podía no ser una hembra real, pero sí era una real hembra!

María no se cortaba a la hora de insultar a Franco aunque hubiera extraños en la casa, mientras Sainz la jaleaba. Y si alguien, tímidamente, se atrevía a argüir:

—Perdone, Su Majestad, pero algún mérito debe tener el Caudillo cuando se mantiene en el poder…

Sainz Rodríguez se apresuraba a tronar:

—Hombre, eso es como si un filósofo estuviera encima de una roca que tuviera una lapa pegada en la base… Si viene una ola y arrastra al filósofo, ¿eso quiere decir que es más tonto que la lapa porque ésta se sujeta mejor?

María, satisfecha, explicaba al apabullado invitado:

—Pedro quiere decir que mantenerse no es ningún mérito.

Y aquí se veía obligado a intervenir Juan, que temía que todos estos comentarios llegasen a oídos del Caudillo:

—Bueno, bueno, aquí no se trata de quién es más listo o más tonto.

A Pilar, que iba con Merche Rocamora, algo mayor que ella, al colegio católico Mont-Olivet, situado en la calle del mismo nombre, le tocó hacer la Primera Comunión en la parroquia del Sagrado Corazón, muy cerca de su casa, el 30 de mayo de 1944, y, como en su bautizo, tampoco hay testimonios gráficos de ese momento, pero, según nos dice alguien que asistió:

—La princesa era tan alta que en lugar de una niña haciendo la Comunión parecía una muchacha el día de su boda.

En cuanto a Juanito, cuando cumplió cinco años decidieron ponerle un preceptor, una persona altamente inadecuada, un hombre severo y malencarado, un ferviente monárquico que se había exiliado voluntariamente en Lausana y que vivía de dar clases de español. No había tiempo de exigir demasiado, ya que en cuanto se regresara a España habría de cambiar el equipo de preceptores que tenía que educar al heredero de la Corona.

Así pues, se limitaron a echar mano del antiguo consejero de Juan, Eugenio Vegas Latapié. Sus ingresos eran tan bajos que, según contaba a sus amigos:

—Debo escoger entre vestir bien o comer.

Y se decidió al fin por la primera opción, porque conviviendo con la Familia Real española no se podía ir mal vestido. Cada día se quedaba a comer y cenar en Les Rocailles o en la Vieille Fontaine, procurando que no se le notase el hambre canina que pasaba.

María, que sabía los apuros en los que se encontraba, hacía que siempre le sirvieran doble.

Era ultraconservador, y ya en aquella época estaba considerado un personaje anacrónico, pero culto y leal. Le cogió un gran cariño a Juanito y le llegó a querer como a un hijo. A veces sacaba a pasear también a la infantita Pilar, pero en cada ocasión decía lo mismo:

—Juro que nunca más.

Una vez los llevó a un salón de té y fueron tan traviesos que estuvieron a punto de expulsarlos. Juanito se lo hacía perdonar todo por lo encantador que era, cosa que no ocurría con Pilar, que, al ser muy tímida y seria, de entrada no caía tan simpática a la gente.

A medida que los niños iban creciendo se hacían patentes las diferencias y semejanzas entre los hermanos. Según comentaban sus padres, Pilar y Alfonsito, el pequeño, se parecían a Juan. Eran serios, responsables, de apariencia campechana, pero muy rígidos en el fondo, no daban confianzas a nadie. Aunque, en principio, no resultaban simpáticos, luego se ganaban a la gente por su inteligencia e ingenio. Margarita y Juanito eran más como su madre, alegres y abiertos, decían lo primero que les pasaba por la cabeza y, aunque ninguno de los dos destacaba en aquellos años por su agudeza, eran muy intuitivos.

Todos celebraron con gran alboroto una nueva llegada a la familia: el perro *Rusty*, un grifón que, cuando le decían: «Morir por el rey», se tumbaba en el suelo haciéndose el muerto.

La familia se aficionó al esquí y pasaban todos los fines de semana en Gstaad, donde ocupaban lujosas *suites* en el hotel Palace. Margot también esquiaba cogida a un monitor, bajaba en trineo y jugaba con sus hermanos y primos. Alfonsito aprendió a esquiar al mismo tiempo que a caminar, y Juanito y Pilar no querían profesor, les bastaba con los consejos de su madre, que practicaba ese deporte desde soltera y que se tiraba por todas las pistas, hasta las «negras», las más peligrosas. Más de una vez volvió al hotel llena de moretones, con las frágiles tablas que entonces se utilizaban para esquiar partidas en trozos y casi descalza.

A veces no llegaba hasta que no era noche cerrada y explicaba tranquilamente:

—Me he perdido por la niebla. ¡No me iréis a decir que estabais preocupados! ¡Ya sabéis que no conozco la palabra miedo!

Juan, que no salía nunca a las pistas y se quedaba en el hotel tranquilamente tomando un grog, ponía los ojos en blanco, ¡en ningún momento había estado preocupado por su mujer!, ¡la conocía muy bien! Como le explicaba un día al director del zoológico donde iba con los chicos, quien se había asombrado de que la condesa de Barcelona hubiera querido dar de comer a los elefantes a pesar de la considerable mala leche de éstos:

—¡Es capaz de eso y de mucho más! ¡Es la persona más intrépida que he conocido!

En Gstaad volvieron a ver a los hijos del rey Leopoldo de Bélgica, también exiliado en Suiza, los que tuvo con la fallecida y venerada reina Astrid.

María les contaba a sus hijos:

—Venían a casa de mi tía, la duquesa de Guisa, en el Manoir d'Anjou, cuando yo era soltera... La reina Astrid se mató en un accidente de automóvil, conducía su marido... En el entierro quiso ir caminando detrás del ataúd y sólo decía: ¡éramos tan felices!

A los niños les encantaban estos detalles, y miraban con la boca abierta a los pobres huérfanos, Josefina, luego gran duquesa de Luxemburgo, y Balduino y Alberto, ambos futuros reyes de su país. Todos llevaban unas gruesas gafas con montura de pasta negra.

Claro que, a pesar de su inmenso dolor, el rey Alberto se había vuelto a casar con Liliana de Rhety, con la que la nobleza evitaba tratarse, ya que se decía que era hija de una pescadera (una mentira, pues sus padres tenían una importante compañía pesquera en Flandes), y la Familia Real española no era una excepción, y huían de ella como de la peste.

Liliana de Rhety recordará el desprecio de la Familia Real española toda la vida y, años después, tendrá ocasión de vengarse en la infanta Pilar en circunstancias que se contarán en su momento.

La guerra estaba llegando a su fin y el triunfo de las potencias aliadas era incuestionable. Empieza a reinar un ambiente de euforia en Les Rocailles y en la Vieille Fontaine, pero el único que ve el futuro con clarividencia es Sainz Rodríguez, que le suele decir al conde de Barcelona:

—Franquito cree que no pueden sentarse dos culos en el mismo trono, si no coge la tisis o alguien le pega un tiro, este cabroncete nos entierra a todos.[15]

El 25 de agosto entraron los aliados en París. En la legendaria división blindada Leclerc van integrados los carros de combate *Teruel*, conducido por un miliciano llamado Llorden, y el *Belchite*, por Solana. Les siguen el *Guadalajara*, el *Madrid* y el *Guernica*; las francesas, con boinas y ramos de flores en las manos, trepan por las enormes ruedas y besan a los combatientes españoles en la boca.

Estos supervivientes de dos guerras, que llevan luchando, matando y muriendo desde que eran adolescentes, puño alto vocean enronquecidos, ante cientos de miles de personas que cantan, lloran, agitan banderas y bailan en un impulso incontenible:

—No pasarán, no pasarán, NO PASARÁN...

Ellos, como Juan, creen que Franco ya está derrotado.

También eufórico, el conde de Barcelona se apresura a desenfundar un nuevo manifiesto que da a conocer el 19 de marzo de 1945. En él declara que el régimen de Franco, heredero de los regímenes nazis, es incompatible con la nueva democracia que en España sólo la monarquía puede garantizar.

Naturalmente, Franco acoge este manifiesto, que apenas tiene eco en España, con profundo resentimiento. El odio que se levanta en él contra Juan ya no se disipará jamás. Pero el Caudillo también teme que sus días estén contados y trata de contemporizar.

Visto desde la distancia de estos sesenta años, pienso que ésa fue, seguramente, la ocasión en que Juan estuvo más cerca del trono de toda su vida. Se habló de que Franco incluso iba a proponerle vivir en España, aunque no como rey. Los consejeros del conde de Barcelona, muy crecidos, le pidieron que, de ocurrir esto, rechazara la propuesta, porque, como decía José María Pemán con altanería:

—Un rey sólo puede estar en el trono, en el patíbulo o en el exilio.

Las radiantes democracias surgidas del nuevo orden mundial le prometían su apoyo incuestionable. Sobre todo Inglaterra, donde estaba el primo Georgie, y Estados Unidos, cuyo presidente, Roosevelt, tanto simpatizaba con los republicanos durante la Guerra Civil.

—A su mujer Eleanora le gustan las mujeres, y además es comunista —contaban los enterados con suficiencia en los corrillos que se formaban en La Granja con motivo del 18 de julio.

Hasta la imperturbable Suiza se somete al nuevo orden mundial y, a petición de los aliados, entrega a una aterrorizada Edda Ciano a Italia, que la encarcela en la prisión de Lipari durante dos años.

Es probable que Juan se dijera que el sacrificio de Greta había valido la pena, ¡iba a ser rey!

La vida familiar en la tranquila Suiza no podía detenerse, pero tenía los días contados, todo evidenciaba ya un aire provisional. ¡Muy pronto volverán a Madrid! ¡Y al Palacio Real!

Gangan, claro está, era la única que pensaba seguir residiendo en Suiza. Se estremecía al recordar sus años en «la pestilente España», según expresión de su compatriota Pip Scott-Ellis.

No podía olvidar aquellos versitos infames:

Viruta, viruta,
la reina es una puta.

Pero una cosa era ser la ex reina de un país en el que no había monarquía, y otra ser la madre de un rey en ejercicio. Y repartía a sus nietos frenéticas instrucciones, dibujaba planos del palacio para que supieran moverse por él y les recomendaba:

—Que las niñas no vivan en el ala Génova, que es la más fría.

Los Rocamora hacían innumerables listas con las cosas que debían llevarse, ya que sabían que las tiendas españolas estaban muy desabastecidas. Juan se prometía a sí mismo ser magnánimo y no incurrir en los mismos errores en los que cayó su padre, mientras María, tranquila como siempre, se dedicaba a montar a caballo, a jugar al golf en Marin y a tomar un cóctel al atardecer en el bar Inglés del hotel Beau Rivage, de donde había salido cincuenta años antes la emperatriz Sissi para encontrarse con su asesino.

Pero dos meses después de los acuerdos de Yalta, en los que las grandes potencias se repartieron el mundo, llegó la gran catástrofe que, a mi entender, alejó al conde de Barcelona ya definitivamente del trono de España, aunque en aquellos momentos nadie se diera cuenta.

¡Después de aquello no hubo ni una ocasión, ni una sola ocasión, en que fuera posible que ciñera la Corona!

Muere su gran aval, el progresista presidente Roosevelt, y, después de un largo tiempo de incertidumbre en el que Juan se muere de impaciencia, su sucesor, Truman, cambia de táctica. Ha comprendido que es mejor mantener a Franco como muro de contención del comunismo, porque ahora, destruido el imperio nazi, el gran enemigo es la Unión Soviética. La misma opinión tiene también Churchill, quien acuña la frase «telón de acero» para denominar la frontera que divide a Europa en dos después de la Segunda Guerra Mundial.

Churchill y Truman, Inglaterra y Estados Unidos, terminaron por darle la espalda al conde de Barcelona y dejaron de apoyar sus aspiraciones.

Nunca había estado tan cerca y, después de esto, nunca estará más lejos.

Con feroz sinceridad, se lo tuvo que explicar Sainz Rodríguez:

—Ese cabronazo de Truman le ha dejado a Su Majestad con su real culo al aire.

Y también:

—Hay que irse de Suiza a toda leche, aquí ya no pintamos nada.

En Portugal manda otro dictador, Oliveira Salazar, similar a Franco. Por los escarpados montes suizos parece oírse el eco de una voz de ultratumba, la de don Alfonso:

—¡A *to* meter! ¡Nos tratará a *to* meter!

María, con resignada mansedumbre, se decide a emprender el camino del exilio.

Vale. Portugal. Está más cerca de España.

Se va animando.

En Suiza se queda Greta, la tía Ena y su ceja levantada, el frío, los hijos de Emanuela y Jaime, un gobierno que entrega a Edda Ciano a sus posibles verdugos, las recepciones aburridas, ¡el mar está tan lejos de Suiza!

¡Y Sevilla está tan cerca de Portugal!

Quizás, algún día...

A punto de emprender su viaje, María ya está pletórica, se siente extrañamente animada, llena de energía. Piensa que va a ser muy feliz.

Y es cierto. Todos tenemos un tiempo de felicidad en nuestras vidas, y el de María comenzó el mes de febrero de 1946.

Nosotros, que vivimos en el futuro, sabemos que, maldita sea, sólo tardaría diez años en caer la guadaña de la muerte con su tajo certero sobre su bien más querido.

Capítulo 8

ESTORIL

1946

—«*O futuro rei da Espanha fala cinco idiomas além do dialeto andaluz!*».

Este entusiasta titular apareció al día siguiente de la llegada de los condes de Barcelona a Portugal en la prensa del país, al lado de una foto de un fornido Juan y una pequeña y perversa biografía: «la sangre robusta de Enrique IV corre por sus venas, mezclada con la pálida e inconsciente sangre de Ena de Battenberg, alias Victoria Mountbatten, esa espantosa inglesa que se casó con Alfonso XIII y que trajo consigo una terrible tara: la hemofilia».[1] Dejando aparte qué diablos debe ser eso de sangre inconsciente, seguramente lo que más pudo ofender a la orgullosa ex reina de España fue que le adjudicasen un alias como si se tratase de una vulgar miliciana.

María también salió en alguna foto. Con los años había aprendido a posar con una soltura y un aplomo que antes no tenía. Por mucho que dijeran sus aduladores, seguía sin ser guapa, pero, aunque le pesara a su suegra, había adquirido ese porte que sólo tienen las personas de estirpe real, superando aquella timidez y aquellas miradas huidizas que le daban el aspecto gris y mortecino de un ratoncillo. Como explicó años más tarde su cuñada Crista:

—Cuando María entraba en algún sitio, no había que preguntarse quién era la reina.

Estoril, a cuarenta kilómetros de Lisboa, había sido construida por los banqueros y armadores portugueses para gozar con discreción de todos los placeres que el dinero puede proporcionar. Yates de lujo, villas elegantes con jardines cuidadísimos, casino, cabaré, *dancings*, buenos restaurantes en los que degustar el exquisito marisco portugués, frondosos parques, club de golf, equitación, un circuito internacional de automóviles, un aeródromo, un centro comercial a la manera de los parisinos con peleterías y sucursales de las joyerías más importantes del mundo y estación de término de los grandes ferrocarriles europeos, entre ellos el suntuoso Lusitania Express.

El mar rutilante es azul turquesa, la arena de las playas, dorada y fina, y el clima delicioso. ¿Quién da más?

En este ambiente cosmopolita y refinado, reyes exiliados, millonarios, aventureros que esperaban sus visados para ir al Nuevo Mundo, espías y prostitutas gastaban febrilmente su dinero sin que nadie les preguntase de dónde lo habían sacado, ¡parecía quemarles las manos!

Los condes de Barcelona llegan el 2 de febrero de 1946 al aeropuerto Portela de Sacavém, a las ocho y media de la tarde, en un avión de British Airways. Juan va con abrigo, bufanda y sombrero de fieltro y María con su abrigo de visón y un extraño sombrero también de piel.

Lleva perlas, porque, como le ha enseñado la tía Ena:

—¡Para viajar no se pueden llevar brillantes! ¡Hace puta!

Según se cuenta con profusión en medios monárquicos, Nicolás Franco, hermano del Caudillo y embajador en Portugal, y su mujer, la elegante y aristocrática Isabel Pascual de Pobil, les hacen una profunda reverencia y ponen a su disposición un espléndido coche. Juan se niega a subir y le dice a Nicolás fríamente:

—Los reyes que no ejercemos no tenemos derecho a estas prebendas.

Y se monta en su «modesto» Mercedes.

Esa misma noche, María puede fundirse en un abrazo emocionado con sus padres. Nino y Luisa se habían desplazado allí desde Sevilla.

Trastocando algo los usos protocolarios, esta vez es María la que les besa primero la mano. Se emociona, porque los dedos de su madre huelen al perfume de rosas de Coty y la sumergen en su infancia de María la Brava.

Pero también se estremece de una forma extraña: sus padres, que antes le parecían fornidos y altos, ahora, entre sus brazos acostumbrados al deporte, semejan pajarillos; teme incluso quebrarles algún miembro. Es como si la muerte de Carlitos los hubiera dejado en los puros huesos.

A Luisa también la fotografiaron los periodistas portugueses, porque se trataba de la hermana de la última reina de Portugal, la grandona Amelia.

Dola, viuda desde hacía dos años, también había querido ir a dar la bienvenida a su hermana. La acompañaba su hijo Adam y el jovencísimo preceptor de éste, al que tratan como uno más de la familia.

Las dos hermanas se miran. Dola ya ha perdido totalmente la tersura de su cutis y luce el color granatoso de las personas que viven al aire libre y no se alimentan demasiado bien. Va medianamente vestida, pasada de moda. Pero sonríe con campechanía cuando sorprende la mirada de reproche de su elegante hermana, y le dice con buen humor:

—¡Pues si vieras a Bela! ¡Está horrible! ¡Parece una auténtica campesina!

Vuelven a abrazarse, esta vez entre risas, y hasta la hierática Luisa se acerca a sus dos hijas y les rodea la cintura con los brazos. Nino se atusa los bigotazos y repite muchos «ejem, ejem», lo que quiere decir que está muy emocionado.

Después improvisan una cena con productos españoles: jamoncito, vino Valdepeñas y Málaga, salmorejo, pacanas de los árboles del Alcázar, queso en aceite y uva. Vegas coge su violín y la emprende con una zarabanda endiablada que pone dinamita en los pies y algún *ole* y *ozu* y *arsa* se oyen en la alta noche portuguesa.

El coche lo conducía el chófer Juan Martínez, el «mentor» de Carlitos en la aventura del *Solrac.* Poco a poco se va acercando desde las cocinas dando palmas y de él son los mayores jipíos. Juan Martínez había acompañado el cadáver del pobre Carlitos desde Tolosa, donde descansaba provisionalmente en el panteón de la familia Elósegui, hasta la iglesia de El Salvador, en Sevilla. María ve que lleva al cuello la medalla que los padres le regalaron como agradecimiento.

Le aprieta el brazo con emoción, y Luisa, que está al tanto de todo, le pregunta:

—¿Quieres que se quede? Tu chófer se vuelve a Suiza, ¿no?

María asiente con entusiasmo, porque es cierto que Luis Zapata está a disgusto en Portugal y quiere regresar a Suiza, donde los sueldos son mejores.

Luisa dispone de su personal a la manera feudal, pero no parece que Juan Martínez se rebele, sino que acepta, y se instalará en Portugal unos meses después.

Corre el vino, hay lágrimas y sonrisas, y a María hasta le parece que huele a azahar y a la humedad caliente que sube del río Guadalquivir.

No es España, pero, como dice María:

—¡Se le parece tanto!

Los marqueses de Pelayo, que llevaban años ayudando económicamente a la Familia Real (recordemos que habían sido ellos los que habían pagado su boda en Roma), les prestaron su casa, la Villa Papoila, que los Rocamora, que habían viajado semanas antes que ellos, habían acondicionado perfectamente. Los padres de María, su hermana, su sobrino y el preceptor se alojan en otra casa propiedad también de los generosos marqueses, la Villa Malmequer.

Los Pelayo, Luisa y Eugenio, que habían heredado una fabulosa fortuna amasada en Cuba, se instalaron en el hotel Palacio.

Al día siguiente, después de escuchar misa en la capilla de Aljubarrota,[2] van todos en grupo a cumplir con sus primeras e ineludibles obligaciones: hacerse socios del club de golf.

Juan y María han viajado sin sus hijos, que no han sido autorizados a entrar todavía en Portugal, ya que los condes de Barcelona sólo habían conseguido un permiso de residencia por tres meses. Pilar, Margot y Alfonsito se han quedado en la Vieille Fontaine con Gangan, pero Juanito ya había sido segregado del grupo familiar. Sus padres habían decidido internarlo en enero de ese mismo año en el colegio Saint-Jean, de Friburgo, regido por los marianistas, y el niño se había despedido de sus hermanos llorando. Margot le decía, como una pequeña mamá:

—Llora, llora, Juanito, que te hará bien.

Era un colegio muy duro, y sus profesores pronto advirtieron que Juanito (así quería que le llamaran los otros niños; seguramente ha sido la única vez en su vida que los ajenos a su familia lo han nombrado así) estaba maleducado, malcriado y sumido en la ignorancia total, a pesar de que había tenido a su servicio varios profesores particulares, incluido su preceptor, el ilustrado Eugenio Vegas Latapié, y también había asistido a un selecto colegio privado. El primer día no quiso ir a clase, y tuvieron que llevarlo a empellones desde su habitación.[3]

Por las noches sollozaba:

—Mami, mami.

María no le llamó en los primeros quince días de estancia allí, en parte para que se endureciera, y en parte porque estaba muy ocupada preparando su marcha a Estoril. Luego sus llamadas fueron muy escasas; la verdad es que, a estas alturas de la vida de María, creo que ha quedado claro que, si bien quería mucho a sus hijos, no era de naturaleza expansiva. Particularmente con Juanito, como si presintiera que aquel hijo nunca le iba a pertenecer del todo.

Cuentan que en una ocasión en que fue a verlo al colegio, intentó abrazarlo y el niño la rechazó. Después, cuando estuvieron a solas, Juanito sí que se dejó besar por su madre, explicándole al tiempo:

—Es que antes no he querido que me abrazaras porque había muchos niños mirando.

Y el padre le contestó:

—¡Bien hecho, Juanito!

A pesar de los comentarios de sus aduladores, que hablaban de notas brillantes y de conversaciones dignas de Jesús con los sabios del templo, lo cierto es que Juanito sacaba unas notas mediocres, se sentía desplazado y envidiaba secretamente a su hermano Alfonsito, más feíto pero más listo que él, el favorito de sus padres y que además estaba exento de la pesada carga de ser, en un futuro lejano, rey.

Don Juan Carlos recordará aquella época como muy desgraciada.

—Me sentía muy solo, y mi ingreso en el internado supuso un adiós prematuro a la niñez, a un mundo sin preocupaciones, lleno de calor familiar.[4]

Y es que sólo tenía ocho años.

Al cabo de tres meses, los hermanos fueron autorizados a viajar a Portugal, ya que sus padres habían conseguido por fin un permiso de estancia definitivo. Franco se lo había pedido a Oliveira Salazar, explicándole que el pobre Pretendiente Juan ya no representaba ningún peligro para nadie, pues no contaba apenas con partidarios. La situación internacional estaba clara:

—Ninguna potencia europea, ni siquiera Inglaterra, apoya su candidatura.

Cuando los niños se van, Gangan se entristece, pero también suspira de alivio. Los príncipes se pelean tanto que tiene que soltarles una bofetada de vez en cuando. Pilar, que es la mayor, tiene un carácter algo dominante, lo que hace que sus hermanos al final se echen a llorar. Cuando Juanito se reúne con ellos los fines de semana, lo normal es que estén por el suelo a tortazo limpio. En una ocasión se partió un dedo al darle un puñetazo a su hermana Pilar, que se peleaba como un chico y con la misma fuerza.

En el colegio Saint-Jean de Friburgo es corriente pegar a los alumnos; hasta el mismo preceptor de Juanito, Vegas Latapié, a pesar de que no se apea del Alteza Real ni de la tercera persona en ningún momento (Juanito, en cambio, con esa campechanía tan borbónica, le tutea a pesar de que es un hombre maduro), le suelta una bofetada de vez en cuando. Los alumnos entre ellos son de una ferocidad pasmosa. Juanito tiene que aprender a defenderse de los otros, algunos son mayores y han participado en las guerrillas, incluso van armados.

La reina doña Victoria observa a sus nietos con interés. Pilar es la más seria de los hermanos, pero tiene un carácter muy brusco y algo déspota que la reina intenta corregir. Es muy curiosa, aunque su educación descuidada la ha convertido casi en autodidacta. Es la única que ha heredado su afición por la lectura.

Adolece de un defecto que comparte con sus hermanos: es bastante indisciplinada.

La tía Ena llama por teléfono a su nuera y le cuenta con divertida sorpresa:

—Pilar no es nada presumida y con lo que más disfruta es montando a caballo o aislada en su habitación leyendo un libro.

María sonríe con indulgencia.

Margot es alegre y atolondrada, y le encanta jugar con los dos teckel de su abuela, *Viky* y *Maiti*, y Alfonsito es tan listo, tan despreocupado y tan comunicativo que la reina cree que su futuro será brillante y despejado. La maldición de los Borbones parece no haberse cebado en aquel niño lleno de todas las gracias.

Y además están sanos. Juan es el único de sus hijos que no ha heredado ninguna tara y María no desciende del tronco podrido de la reina Victoria de Inglaterra.

Finalmente, los cuatro hermanos viajan a Estoril, coincidiendo con las vacaciones de Semana Santa. Pilar, Margot y Alfonsito saldrán el 24 de abril de 1946 con la señorita Mercedes Solano, Anne Diky, la doncella de su madre Petra Rambaud, Luis Zapata, el empleado de su padre, y su perro *Damil*, un terrier escocés que vivirá con ellos diez años más. Al aeropuerto los va a despedir su tía Crista, que está embarazada de la que será la última de sus hijas, Anna.

La tía Crista es la favorita de los principitos, como me dice alguien que la conoció muy bien, «era alegre, agradable, ¡muy entradora!».

Como los dos hermanos no pueden viajar juntos, para que el trono no se quede sin herederos en caso de accidente, Juanito sale al día siguiente con Gangan. Hay una foto de ese acontecimiento en la que se ve a la reina notablemente envejecida, con un sombrero desproporcionado y un mustio ramo de flores en la mano, y a Juanito con un abrigo de color gris que le está demasiado grande y la inevitable corbata. No es difícil adivinar que la reina le está diciendo:

—¡Sonríe!

Y eso hace el niño; tiene una sonrisa tímida y aterida. Lleva pantalón corto y parece que hacía un frío considerable.

La reina se quedó en Londres para visitar a su hermano, el marqués de Carisbrooke, y Juanito prosiguió su viaje hasta Lisboa. El último tramo del viaje lo dejaron solo, aunque era la primera vez que iba en avión.

Del aeropuerto los llevan a la casa que ha sustituido a Villa Papoila, que consideran demasiado modesta. Es Villa Bellver, propiedad de los vizcondes de Feijoo, un palacete enorme y lujosísimo, con un gran jardín, piscina, picadero, cuadras para los caballos y una vista impresionante sobre la desembocadura del río Tajo. Los hermanos se vuelven locos. María, suministradora incansable de historias para sus hijos, les cuenta:

—Mirad, subid a la buhardilla... Un espía alemán tenía instalado allí su aparato emisor y daba noticia de los barcos que entraban por la bahía. ¡Todavía están las señales en el suelo!

Y para echarle más emoción al asunto, fabulaba un poco:

—Antes de que lo cogieran, se tiró por la ventana haciendo el saludo nazi.

Los niños se estremecen y sienten un delicioso escalofrío de miedo.

En la puerta de la casa hay un hombre vestido correctamente que aparta la mirada con pudor cuando pasan, fingiendo leer un periódico.[5] Los niños preguntan con curiosidad quién es, y María contesta distraídamente:

—Ah, ¿ése? Es nuestro espía, nos lo ha puesto la policía secreta portuguesa... Es muy correcto, se llama João Costa.

Se quedan con la boca abierta:

—Pero ¿cómo? ¿Un espía? ¿Qué hace?

—Ah, no sé, nos sigue por ahí, toma notas...

Al día siguiente van al club hípico propiedad de Rogelio de Macedo, quien se convierte en su profesor durante toda su estancia en Estoril. Ese mismo día conocen a sus vecinos, los Eraso, Babá Espíritu Santo (la mayor fortuna de Portugal), Maná y Jorge Arnoso, y Chiquinho Pinto Balsemão, todos pertenecientes a familias de la alta sociedad portuguesa. El padre de los Eraso era diplomático. Los niños van construyendo poco a poco su vida en Estoril, ya que ahí residirán más o menos permanentemente hasta que sean adultos.

También los padres van acomodándose a su nueva situación, y, previendo que el tiempo que van a estar allí va a ser largo, empiezan a montar una especie de corte que algunos califican de extravagante para una familia en el exilio. Los nobles españoles rotan en los cargos de gentihombres de servicio y damas de honor, en turnos de quince días, y es que no se puede estar «desguarnecido», como decía la reina Victoria Eugenia. En la lista encontramos los nombres del duque de Alba, el de Aveyro, el de Fernán Núñez, los de Medinaceli —ella, Mimí, había estudiado también en las Asuncionistas de la madre Lóriga—, el catalán Félix de Sentmenat, marqués de Castelldosrius, y un solo «plebeyo», Peru Galíndez. Se trata de un bilbaíno amigo del multimillonario Juan March que se gana ese honor prestándole durante diecisiete años a Juan un barco, *El Saltillo*, de 30 toneladas y 26 metros de eslora, con tripulación y todos los gastos pagados. Su mujer, Mercedes Maíz, también fue dama de María.

Con este barco empiezan a ir ya desde el primer verano a Tánger y a Rapallo, cerca de Santa Margherita Ligure, donde la infanta Crista y su marido, Enrico Marone, tienen una casa. Allí se encuentran a sus primas Victoria, Giovanna, María Teresa y la pequeña Anna.

Crista y María pasean por las calles de Rapallo cogidas del brazo, de la misma forma que lo hacían en su juventud por Barcelona o Madrid, más que cuñadas parecen hermanas y ambas llaman la atención: muy altas, las dos de anchos hombros, muy bronceadas, seguidas por sus perros, que están tan bien educados que no necesitan correa.

Sólo se pelean cuando hablan de cacerías y de toros. Crista riñe a su cuñada:

—¡Cómo te pueden gustar esas salvajadas, María, con lo sensible que tú eres!

Y María contesta en voz tan alta que la gente se gira tratando de entender lo que dicen:

—¡Coño, Crista, no me vengas con cursiladas!

Los viajes a Rapallo se convierten en costumbre y se harán cada año.

Es entonces cuando Amalín López-Dóriga, a cuyo marido mataron durante la guerra en Bilbao en un buque prisión, se convierte en su dama secretaria particular, en su cómplice en ciertos tristes momentos que más tarde detallaremos. Y estará junto a María hasta su muerte.

—Hasta el valle de Josafat. —Gustaba de decir a Ramón Padilla, que era muy leído.

Porque Ramón Padilla, diplomático de carrera, es el que desempeña las funciones de secretario del conde de Barcelona y, para mejor servirle, permanece soltero y se va a vivir a una villa vecina, *Carpe Diem*, e incluso les cede a su cocinera vasca.

Carpe Diem lo utilizaba Juan como test de cultura, y dividía a las personas en dos grupos, aquellos que sabían lo que significaban estos vocablos latinos y los que lo ignoraban. Según me cuenta Anson, ante la pregunta de marras, él se limitó a recitar:

—*Dum loquimur fugerit invida aetas*: *carpe diem quam minimum credula postero.*

Y así, la oda completa de Horacio, que también recitó de memoria delante de mí.

En total son diecisiete personas las que están al servicio de los condes de Barcelona. No hay que olvidar a los consejeros Pedro Sainz Rodríguez y Eugenio Vegas, que se ha trasladado a vivir a Portugal, visitantes diarios de la casa.[6]

También está como secretario Ramón Tornos, asimismo diplomático. Ambos, Padilla y Tornos, han sido nombrados por el Gobierno español, quien se hace cargo de sus salarios, pero mientras Tornos informará puntualmente de todo lo que sucede en Villa Giralda a sus superiores, Padilla se convierte en incondicional de la causa monárquica.

Las anécdotas simpáticas de que Juan despertaba a sus hijos cada mañana a toque de cornetín y que María abría muchas veces personalmente la puerta son totalmente inveraces. La realidad es que, como en Roma y en Lausana, los niños tenían muy poco contacto con sus padres, y que, como en el Palacio Real, se seguía un rígido protocolo. Los padres tendían la mano a sus hijos para que se la besasen y se enseñaba a los recién llegados los tratamientos y las reverencias que correspondían a los que llamaban Sus Majestades, que seguían hasta los más íntimos de la casa.

En broma se comentaba que el confesor de Juan, el padre Claudino, en lugar de los habituales «hijo, cuánto tiempo hace que no te confiesas, etc…», le preguntaba con gran finura:

—¿Quiere decirme Vuestra Majestad cuáles son los pecados que se ha dignado cometer?

Un visitante de aquellos años me ha contado que una de las advertencias que hacían los consejeros era:

—No debe usted hablar hasta que Su Majestad no le pregunte.

Y cuando el visitante, entonces un niño, y sus padres estaban preguntándose quiénes eran Sus Majestades (él sólo conocía los de Oriente, y no me estoy refiriendo al palacio), se abría la puerta y aparecían jovialmente los condes de Barcelona.

También me cuenta esta persona el shock que sufrió al ver a través de la puerta del saloncito donde se celebraban las audiencias:

—Una ristra de calzoncillos, de mayor a menor, secándose al sol.

Lo que cabe atribuir, más que a precariedad económica, a cierta dejadez estética.

Este mismo visitante, que había acudido el año anterior a la casa de doña Victoria en Lausana, opinaba devotamente que:

—¡Tal despropósito hubiera sido impensable en la Vieille Fontaine!

En este año, 2010, casi sesenta después de los hechos que narro, un amigo me ha contado con detalle los usos y costumbres que todavía imperan en la Familia Real, incluso con una recién llegada como Letizia.

Se trata de un joven profesional, no de la nobleza, pero sí acostumbrado al trato con la Casa, que intervino en los preparativos de la boda de los príncipes de Asturias.

—Todos nosotros la tratamos de tú y de Letizia hasta el día mismo de la boda. ¡Fue impresionante! Ese día, cuando departíamos con ella, y a pesar de que todavía no había salido para la iglesia, ya le hacíamos reverencia, la llamábamos Alteza y doña Letizia.

—¿Pero os lo pidió alguien?

A lo que protestó mi amigo, lleno de asombro:

—¡Claro que no! ¡No hacía falta! ¡Nos salió de dentro!

Y cuando yo sugerí que quizás con un «usted» hubiera bastado, mi amigo me contestó con una sonrisa sardónica:

—¿De usted? ¡Puestos a escoger, la Familia Real preferiría el «tú» antes que el «usted»!

Y alguien presente en la conversación, y también muy puesto en estos temas, sonrió socarrón:

—E incluso la guillotina.

Juan decía entonces, modestamente, cuando le preguntaban que a qué se dedicaba:

—¡A España!

Aunque algún consejero de aquella época detallaba:

—De casa al club y del club a casa.

María se dejaba de tanto ditirambo y recordaba sencillamente:

—En Estoril me divertía muchísimo.

Fue en esa época cuando acudió a Villa Giralda una televisión norteamericana a hacerles un reportaje. Mientras Juan buscaba unos papeles en su despacho, el periodista decidió entrevistar a María, quien se sentó encantada en un sillón dispuesta a todo. Juan se apresuró a volver rápidamente del despacho, pues conocía la franqueza de su mujer, pero no pudo impedir que cuando el entrevistador le preguntó:

—¿Qué trabajo realizan ustedes en Estoril?

La condesa de Barcelona contestase alegremente, ante el horror de su marido y los consejeros:

—¡Ninguno!

Un noble catalán, habitual de Estoril, aún ahora suspira:

—¡Es que doña María era más «de verdad» que su marido!

Vestida de amazona de punta en blanco, con falda larga de cuero, iba todas las mañanas a montar durante tres horas por los campos cercanos a Estoril con una yegua llamada *Morea*, la primera que tuvo. Cuando ésta murió, Juanito llevó durante quince días corbata negra como señal de duelo. Poco a poco, con donaciones de los amigos y adquisiciones propias, María se fue creando una cuadra con caballos para toda la familia: *Moreno*, *Bonito*, *Amigo*, *Nole, Maíz*... y, sobre todo, el magnífico *Vive le roi*. Los de Juanito y su hermano se llamaban *Pie de Plata* y *Sevilla*.

Alfonsito se levantaba todos los días gritando:

—¡Hoy quiero ir al *picadego*!

Llegó a montar como un profesional.

Juan no montaba, pero sí jugaba al golf. Por las tardes el matrimonio acudía al club, donde él empezó a perderse con sus partenaires femeninas por los bosquecillos que lo rodean, como ocurría en Lausana. Poco a poco volvió a sus viejas costumbres, aunque no consta que María sufriese. Al menos no nos ha quedado ningún testimonio.[7]

La tía Ena había padecido horriblemente con las infidelidades del rey, ya que tenía a su lado a la duquesa de Lécera, que le daba cumplida cuenta de todas las aventuras de su inconstante marido:

—Don Alfonso está en París con una, lo vieron del bracete de otra en el Claridges, le ha montado casa a una francesa, ¡en Cartier le ha comprado una pulsera a una actriz!

Avivando así el fuego insoportable de sus celos, que amenazaban con devorarla entera. Tal grado de sadismo e indiscreción eran impensables ni en Amalín ni en la vizcondesa de Rocamora, y quizás María no se enteró nunca de las infidelidades de su marido.

Aunque también pudiera ser que, mientras no se presentase una nueva Greta —que se presentó, como contaremos en su momento—, ella no daba importancia a estos «amores contingentes», como los llamaba Jean-Paul Sartre, un filósofo que ese año publicó *Los caminos de la libertad*, una obra que seguramente ningún miembro de la familia llegó a leer.

Ambos, Juan y María, no estaban para filosofías, porque también debían atender sus múltiples compromisos sociales. He aquí cómo el espía João Costa, que tomaba nota puntual de todos sus movimientos, describía una de las jornadas de los condes de Barcelona: «A las 13 horas, don Juan acompañado de su esposa y por Ataúlfo de Orleans fue en su automóvil a Montserrate (Cintra) al palacio de la marquesa de Cadaval... Después tomaron el té en casa del vizconde de Asseca, también en Cintra, regresando a Estoril donde aguardaba el señor Baio, de Bilbao, con el que estuvieron media hora... A las 20.30, acompañado por el conde de San Miguel y Ataúlfo de Orleans, siguieron en su automóvil a Lisboa, al Turf Club, donde estaba preparado un banquete en su honor... en el salón de fumar estuvieron bebiendo en animada conversación... Después regresaron a Estoril con paradas en Caixas, en el bar Vela Azul, donde estuvieron bebiendo más whisky, llegaron a casa en torno a las 2 horas».[8]

Lo curioso es que los informes a veces se duplicaban, porque los reyes de Italia tenían su propio espía, Henrique Viana, que debía informar de las mismas actividades, ya que sus espiados acudían a los mismos sitios. El que dictó Viana decía que: «La reina (se trata de María José de Saboya) va al *dancing* Vela Azul con la marquesa de Cadaval... Esta visita da lugar a un escándalo pues allí la reina se fumó un puro».

En ocasiones María y Juan se iban de cacería al Alentejo, a las fincas Herdade do Pinheiro o Condado de la Palma, o a la Quinta de Perú, de los Espíritu Santo, y estaban varios días fuera, o, si no, viajaban al extranjero. Enseguida estrecharon lazos con las otras familias reales en el exilio, algunas medio emparentadas con ellos. El ex rey Humberto de Saboya se instaló en Villa Italia, en Estalagem de Ferrol, y trató de convencer a Juan para que se dedicase a la numismática, su pasión favorita.

—Es lo mejor para entretenerse. ¡En el exilio se aburre uno tanto!

Era un hombre extravagante, que colgaba limones de plástico de los árboles de su jardín, porque, según decía:

—¡Es tan cansado esperar a que crezcan!

Culto y depresivo, tenía fama de homosexual, incluso Mussolini, que lo odiaba, decía que había tenido una relación particular con el boxeador Primo Carnera.

En lugar de montar a caballo o jugar al golf con sus iguales, Humberto prefería pasear por las colinas del Monte Estoril hasta el amanecer, seguido a corta distancia por su Rolls Royce conducido por su chófer. Entonces, se iba al puerto para hablar con los pescadores que acababan de llegar con su barca. Su figura delgada y bronceada, vestido con una elegante americana con un pañuelo de seda en lugar de corbata, provocaba las sonrisas burlonas del resto de sus «colegas» exiliados. Juan no podía tomárselo en serio.

Su mujer, la bellísima María José que fumaba puros en el Vela Azul, nunca llegó a hacerse amiga de María, ¡era demasiado distante y sofisticada! Pronto se separó de él y se fue a vivir a Suiza con su hija mayor, María Pía, y con Víctor Manuel, un joven antipático y remilgado al que todo el mundo detestaba y del que se decía que en realidad no era hijo de Humberto, sino de su primo Amadeo de Aosta.

Posteriormente se ha escrito en alguna biografía que Humberto fue el amante de la fabulosa cantante de fados Amália Rodrigues y también que tuvo amores con la *socialité* Inés Carmona, con lo que cabe suponer que, más que homosexual, quizás lo que pasaba era que su mujer no le gustaba.[9]

Él, ya anciano, recordaba sus años en Estoril con tristeza:

—Entonces decían que era guapo y estúpido y que sólo servía para agradar a las mujeres.

Las hijas pequeñas, María Gabriela, Ela, una gigantona incluso más alta que Pilar, y Beatriz, a la que llamaban Titi, se quedaron con su padre y se harían muy amigas de los niños Barcelona.

En Estoril también estaban los condes de París, ya con nueve hijos, y la Familia Real portuguesa, y con todos, los condes de Barcelona cenaban a menudo en el restaurante El Pescador, que todavía existe con sus viejas paredes cubiertas con fotos de la Familia Real.

Allí preparan las mejores mariscadas de Portugal. María se decantaba por los santiaguiños y gambas de Cascais, y Juan por el delicioso lenguado rosa, que cuesta cuatro veces más que el lenguado normal. El propietario lo recuerda todavía entrando y pidiendo con su voz estentórea:

—¡*Vinho* Barca Velha! ¡Rápido!

Tinto, en una comida se vaciaban varias botellas. También le gustaban los vinos Ferreirinha y los del Duero. Luego, una copa en el hotel Palacio, donde el barman ya se había aprendido las bebidas favoritas de los condes de Barcelona, el Dry Martini y el Old Fashioned.

Ambos eran buenos bebedores y protestaban siempre porque creían que sus cócteles estaban demasiado aguados. Al final el barman tuvo que coger al camarero y decirle:

—Cuando vengan los reyes de España, tú ponlo todo doble.

Doble whisky y doble ginebra para Sus Majestades, que se tomaban varios cócteles por noche, aunque, eso sí, se apresuraba a declarar el barman:

—Bebían mucho, pero nunca los vi achispados.

Aunque reconocía que:

—En algún momento decíamos de don Juan, al ver lo que trasegaba: ¡ahora ya no puede más!

Pero no consta en acta que llegase a caer al suelo.[10]

Anson niega rotundamente que el alcohol afectase a don Juan. Aun ahora, después de tantos años, los ojos de este príncipe del periodismo se humedecen cuando evoca la voz del que fue su rey:

—Me parece estar oyendo su voz: Ponme un martinito... Un martinito era mojar la copa con Martini, que le gustaba más que el Cinzano de su cuñado, y llenarla de ginebra Beefeater.

Me cuenta además Anson que Juan gustaba también de reunirse con diferentes personalidades de la vida española para pulsar el «estado de la nación», desde Ortega y Gasset hasta Eugenio d'Ors. Precisamente estaba con este último filósofo iconoclasta y solterón irreductible, en el bar English, cuero inmortal, maderas riquísimas, cuadros de la escuela de Turner y camareros patricios, cuando fue a buscarlo María para ir a comer a casa. Seguramente algo nerviosa ante la presencia del prestigioso sabio, se dirigió a él de forma un tanto atropellada para decirle:

—Eugenio, le invito a usted a tomar un cocido en familia.

A lo que contestó el ilustre hijo de Vilanova i la Geltrú, con una inclinación que quitaba acritud a su respuesta y con su cerrado acento catalán:

—Señora, me habéis nombrado precisamente las dos cosas que más odio del mundo: el cocido y la familia.

Claro que, para ciertos asuntos, Juan prefería no llevarse a su mujer. Precisamente el espía João Costa, puesto al tanto por los criados de la casa de la vida que Juan hacía en Lausana, comunicó alarmado a sus superiores que «... mis informantes temen que don Juan recaiga en la vida de libertinaje que llevaba anteriormente, en la cual muchas veces es acompañado por su esposa la princesa María».

Un observador imparcial se dirá en este punto: ¿pero qué birria de libertinaje es éste si va acompañado por su mujer?

João Costa se equivocaba, porque Juan empezó a visitar, con turbios propósitos, el hotel Palacio. En solitario.

En el hotel vivieron varios meses las guapísimas, atractivas y codiciosas hermanas Gabor, Zsa Zsa, Magda y Eva, esperando el visado que debía llevarlas a Estados Unidos, donde las tres harían exitosas carreras en el cine. Las tres hermanas y la madre, tan guapa que se llamaba Jolie, practicaban una especie de prostitución de altos vuelos «vigiladas» por el padre, que se limitaba a rondar el pasillo para pedir dinero a los amigos de sus hijas cuando salían de la habitación:

—Los visados cuestan caros.

Dinero que, naturalmente, después de haberse beneficiado a las hijas, éstos no podían negarle.

Juan se prendó de la ardiente Zsa Zsa, pero la relación terminó cuando la húngara se dio cuenta de que no le iba a sacar al futuro rey de España ni una peseta, ya que el dinero era lo único que le atraía de él, por mucho que el Pretendiente (en esta ocasión en doble sentido) hablara cinco idiomas e incluso el dialecto andaluz. Según cuenta José Luis de Vilallonga, que estaba pasando en el hotel su viaje de novios con la aristócrata inglesa Pip Scott-Ellis, y aún así se acostaba todas las noches con la hermana pequeña, la pizpireta Magda Gabor:[11]

—Don Juan creía que Zsa Zsa iba a ser suya de balde, y ésta creía que algo le iban a dar, aunque fuera una joyita.

Claro que José Luis de Vilallonga estaba algo enfadado con don Juan, y sus comentarios acerca de él destilan un resentimiento muy en el estilo del de Emanuela Dampierre. Y es que se había enterado de que aquél, cuando le habían alabado la elegancia del aristócrata catalán, había respondido:

—Sí, es verdad... se parece mucho al conserje del hotel Meurice de París.

Cosa que a Vilallonga, que tan orgulloso estaba de su facha, le tuvo que sentar como una patada en los huevos, para hablar en puro lenguaje borbónico.

En el momento de entregar este libro a la imprenta, Zsa Zsa Gabor vuelve a a cobrar actualidad, ya que la actriz, de noventa y siete años, se encuentra muy grave. Pocos recuerdan, en las biografías que se están publicando estos días sobre ella, su «romance» con don Juan, aunque sí se habla de su matrimonio con un presunto «príncipe Borbón», título inexistente.

Huyendo de Zsa Zsa y para no tener que apoquinar, el eterno pretendiente a rey tuvo que estar varias semanas sin aparecer por el hotel Palacio, teniendo que dar a su mujer múltiples excusas cuando ella se empeñaba en ir allí a tomar la última copa.

Entonces Juan le sugería terminar la noche en el decadente casino de Estoril «... lleno de fantasmas. Los Cadillacs silenciosos los depositaban sobre la arena, junto a la puerta de entrada, mostraban las pecheras engomadas y las perlas, después jugaban al bacarrá o a la ruleta con sus monedas ya caducadas o con valores de sus fábricas destruidas por los bombardeos, parecía una danza de marionetas... Era irreal, hasta el mar parecía una farsa y las olas vestidos de cola pasados de moda...». Así, con estas palabras que se hicieron célebres pero que disgustaron profundamente a los portugueses, Saint-Exupéry, el autor de *El Principito*, describía el Estoril de la posguerra, al que calificaba de «paraíso triste».

Claro que ni Juan ni María conocerían este texto jamás, y seguramente no hubieran estado de acuerdo con él. Ella, a lo largo de toda su vida, siempre dijo:

—En Estoril pasamos los años más felices.

No se ocupaban de temas molestos, ni de la intendencia, ni de la organización diaria de la casa, ni siquiera de buscar colegio para sus hijos. Para todos estos detalles estaban los abnegados e imprescindibles vizcondes de Rocamora, cuyas hijas eran adiestradas también en el difícil arte de entretener a los cuatro principitos, más pequeños que ellas. De mayores, Pilar y Margot mostraron su asombro agradecido:

—¡Vaya paciencia tenían Angelines y Merche con nosotros, con lo trastos que éramos!

Es legendaria la «eterna ingratitud de los Borbones». Según me cuenta un entendido en este tema, para la Familia Real el auténtico honor está en servirles.

Había dos lugares donde se podía estudiar el bachillerato en español en Portugal. En Lisboa estaba el Instituto Español, dirigido por Eugenio Montes, uno de los ideólogos de la Falange, pero Juan protestó cuando le propusieron que llevara allí a sus hijos:

—Sí, hombre, ¡para que aprendan a saludar brazo en alto!

Después de su mala experiencia, abominaba de todos los fascismos.

Al final, él y María se decidieron por la segunda opción, que les recomendó la mujer de Gil Robles, quien fuera líder del partido de derecha CEDA durante la República. Era un ferviente monárquico también exiliado en Estoril, donde vivía en la espléndida Villa Ramontxu con su mujer Carmen Gil Delgado y sus seis hijos.

Era el colegio Amor de Deus, regentado por las hermanas religiosas de una congregación fundada en Zamora en 1864, que además estaba al lado de casa. María ya se había resignado a volver a enviar a Juanito a Friburgo, pero en el último momento el niño cogió una especie de tifus que su médico el doctor Loureiro atribuyó a una intoxicación.

Fue cuando María opinó tímidamente:

—Entonces, quizás lo mejor es que se quede en Estoril, ¡al menos de momento!

Juan accedió a regañadientes.

Como Juanito odiaba el Saint-Jean, también cabe que fuera lo que hoy llamamos una enfermedad psicosomática.

Así, los dos hermanos empezaron a ir al Amor de Deus. Pero mientras Alfonsito aprendía las lecciones rápidamente, lo que le valió el apodo de Senequita, Juanito necesitaba profesores particulares. Los marqueses de Pelayo, que no sabían ya qué hacer para servir a la Familia Real, les volvieron a dejar la Villa Malmequer y allí montaron una especie de escuela paralela donde un grupo de profesores, que rotaban como en la «corte» de Villa Giralda, comandados por Vegas, se dedicaron a darle clases.

Mientras se tomaban la última copa antes de cenar en el bar del Palacio, Juan le decía a su mujer:

—Yo lo que quiero es que de una puñetera vez les enseñen la erre española.

María no tenía ni que ocuparse de llevar sus hijos a la escuela, ya que para eso estaban las niñeras. El Amor de Deus era un colegio democrático, abierto a todo el mundo, pero los hermanos sólo se relacionaban con niños de la buena sociedad, los inteligentísimos y muy estudiosos hijos de Gil Robles, Javier y Jaime, José Antonio Peche, cuya madre, hermana del fundador de la Falange, también había estado tres años en la cárcel de Alicante durante la guerra, y los Eraso, que siguen siendo tan amigos de la Familia Real que fueron invitados a la boda de don Felipe y doña Letizia, y los nietos del duque de la Torre.

De aquellos tiempos, a María se le quedó una imagen en la retina:[12]

—Una foto encantadora en la que Alfonsito está con un niño negro.

Probablemente el compañero del encorbatado Senequita procedía de la colonia portuguesa de Angola. En la foto ambos fingen leer un libro y posan en una postura muy poco natural; casi se oye la voz de María, que estaba detrás de la cámara, conminando a su hijo:

—¡Pásale la mano por los hombros!

A Pilar la metieron en las Esclavas —Escravas do Sagrado Coração de Jesus—, en Lisboa, adonde acudía a diario con el Mercedes guiado por Juan Martínez, vestidos ambos, chófer y princesa, de estricto uniforme.

María no se preocupaba por ella ni por los chicos; seguía siendo Margot la única que le quitaba el sueño. Como tantos padres en esta situación, se preguntaba cómo ayudar a su hija a hacerse más fuerte para sobrevivir cuando ella faltase.

A María, que era tan valiente para todo, le acobardaba imaginar, no su futuro sin Margot, sino el futuro de Margot sin ella.

La Comunión, lo primero hacer la Comunión como su hermana, en la iglesia de San Antonio, de manos del padre Gonzalo Berasátegui.

Sí, vale, los médicos habían dejado claro que no existía ningún método científico para conseguir que su hija viese la luz, pero ¿y la ayuda divina?

María decidió encomendarse al efecto de la fe y la llevó al santuario de Fátima el 13 de mayo de 1946, día en que se cumplían los treinta años de las apariciones.

Le confió a Amalín:

—¿Por qué no? Quizás Dios obrará un milagro... Otras veces lo ha hecho...

Doscientos mil peregrinos se desplazaron hasta la ciudad de Fátima, a ciento cuarenta kilómetros de Lisboa. Margot y María pudieron entrar, junto a otros ochocientos enfermos, cojos, mancos, heridos de guerra, tuberculosos al borde de la muerte que esperan un milagro, a la misa en la misma Cova de Iria, donde la Virgen se apareció a tres pastorcillos. El periódico *ABC*, bajo el título «La dulce alegría de la fe», da cuenta de este hecho entrañable: «Entre los asistentes han figurado este año muchísimas peregrinaciones extranjeras, no sólo de Europa, sino también de África y América. De nuestro país han venido muchos jóvenes de Acción Católica, asistiendo además una gran parte de la colonia de Lisboa. La condesa de Barcelona acudió también con la menor de sus hijas para implorar a Nuestra Señora de Fátima la gracia de iluminar sus dulces ojitos apagados. La familia de nuestro Generalísimo envió también flores de España al altar de la Virgen, y de Holanda y de Inglaterra llegaron asimismo en avión muchas flores para el mismo altar. En todos los corazones portugueses aletea la misma alegría».[13]

No es extraño que Holanda también implorase la ayuda divina. Marijke, la hija menor de la reina Juliana, también era ciega.

María hizo que su hija se bañase en una de las piscinas milagrosas. Pero, desgraciadamente, a pesar de su fe y de sus rezos, Margot no recuperó la vista.

Fue la pobre niña la que tuvo que consolar a su madre:

—Mami, los otros enfermos estaban peor, lo merecían más que yo, ¡mira, si yo puedo correr! Uy, ¡un árbol! ¡Mira cómo me subo a él!

Se ponía a trepar como un monito, como María cuando era pequeña, con ambas piernas alrededor del tronco, y allí se iban Amalín y Petra a cogerla, y las lágrimas se diluían en risas cuando la traían a rastras y con pataleos gritando:

—Soy Mowgli, mami, soy Mowgli.

Porque Pilar le había leído *El libro de la selva,* y ella a veces quería ser el niño salvaje Mowgli y otras Bagheera, la pantera de los ojos verdes que veía todo.

María la abrazaba —ella se retorcía como una lagartijilla hasta soltarse—, y era desgraciada pero al mismo tiempo se sentía la mujer más feliz del mundo.

Y es que Dios no le había concedido la gracia de la vista a Margot, pero le había dado algo más importante: con su sencillez, su sentido del humor, su espontaneidad y su encanto, se ganaba el corazón de cuantos la conocían, lo que quizás constituye un premio mayor. ¡Si hasta se hizo amiga del espía João Costa! Un día el hombre le confesó:

—Yo, aquí donde me ve Su Alteza —y en este punto João se aturulló porque sintió que había metido la pata y añadió con gran exquisitez—, quiero decir que aquí donde me vería si no fuera ciega, he sido acróbata de circo.

Y le brindaba sus mejores volteretas, actividad que ya se convirtió en una costumbre y que la familia aceptaba con naturalidad.

Incluso María, que, aunque era una señora mayor, tenía cuatro hijos y quizás, si a Franquito le diera la gana, ¡podría llegar a ser reina de España!, lo imitaba discretamente cuando ningún adulto la veía en el jardín de atrás, porque por dentro continuaba siendo María la Brava.

Hay que decir que si bien María se atrevía con todo, como estaba algo sobrada de peso y además tenía una altura considerable, su agilidad se veía mermada, y se caía continuamente o se daba golpes. Su modista, Josefina Carola, recuerda:

—Una vez se había roto un hueso de la pierna y no se había dado ni cuenta... De tirar de la rienda del caballo tenía casi siempre el brazo hinchado y le teníamos que hacer las dos mangas distintas...

En ocasiones tenía los huesos tan machacados que debía probarse la ropa sentada.

Ahora, eso sí, educada por sus padres en la dura escuela del estoicismo real:

—¡No se quejaba nunca!

Con sus faldas-pantalón y sus zapatos planos, María intentaba dar también volteretas, y los chicos hacían cabriolas a su alrededor rememorando las piruetas de los hermanos Brunetti, que eran unos acróbatas italianos que trabajaban en el circo de Ángel Cristo, que iba todos los veranos a acampar a Estoril. Y a María se le ocurrió una vez meterse en una jaula y acariciar a una leona pretendiendo que le diera la patita. La fiera, naturalmente, muy ofendida por esta petición tan pueril, la tiró al suelo con intención de devorarla, hasta que Ángel Cristo la apartó ofreciendo a la augusta visitante todo tipo de excusas.

Cuando se enteró Juan, se puso a reír. Como rio cuando vio a su mujer y a sus hijos haciendo el loco por el jardín. Se llevó el dedo a la sien y dictaminó:

—Estáis como cabras.

Es que María imitaba un redoble de tambor y gritaba:

—Rrrrat rrrtt. ¡Más difícil todavía…!

Y Alfonsito la imitaba gangeando:

—Ggggggt ggggt. ¡Sí, sí, tiemble después de haber *geído*!

Hasta Margot daba volteretas empujada por sus hermanos, pero la cosa empezó a degenerar, porque estaba bastante gordita y Juanito se había empeñado en que si se le diera impulso podría rodar como un tonel, pero por ahí María no pasaba, porque no se fiaba ni un pelo de sus hijos:

—Bueno, basta, nada de *brincadeiras* con Margot.

Porque todos le hacían bromas (*brincadeiras*); le pedían que los acompañara a nadar, a ella, que apenas sabía chapotear, y cuando estaban en la costa le decían:

—A la izquierda, a la izquierda.

Y sólo se detenían cuando ya la niña estaba a punto de despeñarse por los acantilados. La llevaban a pescar y Juanito tiraba del hilito hasta que Margot se ponía a gritar como una posesa:

—¡Han picado, han picado!

Cuando se daba cuenta del engaño, insultaba a sus hermanos con las peores palabrotas del mundo en portugués:

—*Cabrões*…

A María se le escapaba la risa, pero no podía dejar de preguntarse:

—¿Pero dónde aprende esta niña estas barbaridades?

Le encargaba a Alfonsito, el más maduro de sus hijos a pesar de ser el pequeño, que la defendiese. María intuía que Senequita era el más digno de confianza de sus hijos, y así lo entendían también sus amigos; en su colegio era un líder nato. Claro que al fin y al cabo eran niños, y harto de sus gritos, Juan tenía que salir muchas veces de su despacho a pegarles sin reparar en quién llevaba razón: falta leve, un cachete, falta grave, el cinturón.

A María también a veces se le escapaba la mano y, a pesar de la estricta etiqueta que se aplicaba a los hijos, les aconsejaba a los sufridos vecinos que si se portaban mal no dudaran en darles una bofetada.

Ahora, eso sí, sin apearles el título de Alteza.

En una ocasión en que Juanito y Alfonsito jugaban a la pelota y destrozaron los rosales de su vecino Luis Sotomayor, éste los cogió, los puso sobre sus rodillas y les dio varios palmetazos en el trasero. Años después, Sotomayor se encontró al rey don Juan Carlos en un restaurante de Madrid y Su Majestad lo llamó y lo presentó a sus acompañantes diciéndoles:

—Es el único hombre vivo que le ha dado un azote en el culo al rey de España.

Aquella infancia tan intensamente vivida convirtió a la hoy infanta doña Margarita en una persona tolerante y moderna. Hace poco, a la salida de un concierto de rock, una reportera de televisión la abordó y le preguntó con desenfado:

—¿Qué? ¿Ahora le ha dado por el pop rock?

Como la audaz paparazzi era andaluza, el «pop rock» se convirtió en «porro». Pero la infanta, que iba juvenilmente vestida con una camisa tejana, respondió con perfecta naturalidad, ya que, según Carmen Rigalt escribió en *El Mundo,* «ya había cogido carrerilla»:

—¿Porro? ¡Tanto no! ¡Yo me conformo con un par de mojitos!

Al no haber un colegio específico para niños invidentes como en Suiza, María, que se tomaba la educación de su hija como algo personal y no dejaba que ni sus damas ni siquiera su marido opinasen, decidió que fuera una temporada también al Amor de Deus, donde las monjas le daban clases aparte del resto de los alumnos. También la polaca madame Petzenick le enseñó piano e Historia de la Música en casa y, finalmente, también acudió a las Esclavas con su hermana Pilar, pero las dos eran muy malas estudiantes, no terminaron ningún curso completo y se limitaron a seguir una especie de cultura general, con clases de Historia, Literatura y Religión. Tenían una relación difícil con las otras niñas y su madre se desesperaba repitiendo:

—Es que mis chicas, las dos, son muy cardos borriqueros.[14]

A Juanito, sin embargo, se le desarrollaría un fondo de tristeza en esos días que, según dicen los que lo conocían, no le abandonaría nunca, a pesar de que externamente era el más gamberro y bullicioso de los hermanos. De pronto se quedaba callado y con una expresión triste en los ojos; quizás empezaba a oír ya las conversaciones de su padre y sus consejeros y a percibir que iba a ser utilizado como moneda de cambio. Un día los Gil Robles lo llevaron al zoológico y la desolación de los ojos de Juanito les pareció igual que la de los pobres animales encerrados en su jaula, lejos de su hogar.

Ni siquiera el traslado a la nueva casa, Villa Giralda, le ilusionaba tanto como a su madre o sus hermanos. Sabía que no viviría en ella de forma permanente, como dirá luego de mayor en varias ocasiones; todo en su vida tenía un aire provisional.

Juan y María alquilaron primero, y luego compraron, el palacete a los condes de Figairedo por ocho millones de pesetas. Esta casa, que los monárquicos cuando volvían a España definían como modesta, propia de una familia de clase media, constaba de cincuenta y una habitaciones, entre el vestíbulo, los despachos de los secretarios, comedores, salones, las privadas de los condes de Barcelona y sus hijos y la zona de servicio, cuartos de plancha, armarios y despensa. Estaba rodeada de tres mil metros cuadrados de jardín, y se podían dar recepciones en ella hasta para cuatrocientas personas. Había sido la sede social del antiguo club de golf, pero se le hicieron reformas durante casi todo un año, hasta que quedó convertida en un palacete majestuoso y elegante. Villa Giralda. Toda la obra fue dirigida por los Rocamora, que organizaron hasta el más mínimo detalle.

Sólo instalar la chimenea del barco que había llevado a don Alfonso XIII al exilio requirió muchas consultas y cálculos, al final se colocó en un descansillo de la escalera principal.

La mudanza fue muy complicada, ya que Franco les acababa de enviar cuatrocientos kilos de objetos personales que la familia había abandonado en el Palacio Real a su marcha, en 1931.

Juan, María y sus cuatro hijos sólo se instalaron cuando todo estuvo en su sitio, hasta los cepillos de dientes.

Mediante un porche, unos graciosos arcos, varios enrejados, amplias terrazas y tejadillos clásicos, se logró animar las líneas excesivamente sencillas de la primitiva edificación. Tenía dos plantas, un sótano y un pabellón aparte para los garajes de los varios coches que poseían, tres rancheras Ford, el Bentley, el Mercedes y el pequeño Mercury, además del coche para los niños, una réplica perfecta del Bentley que funcionaba con gasolina, obsequio de los monárquicos españoles, y varias motos. También instalaron una especie de taller donde los dos hermanos y también Pilar montaban y desmontaban todo tipo de máquinas, desde cafeteras hasta karts y otros vehículos estrafalarios, que incluso conseguían que funcionaran. Cuando los tenían a punto, llamaban:

—Margot, Margot.

La infanta se subía dócilmente, y lo más probable era que acabara algo chamuscada y oliendo a gasolina, mientras su madre se llevaba las manos a la cabeza. Sus paseos apenas duraban un par de metros; era la conductora más efímera de la historia.

María miraba por encima del estropicio de los cacharros desguazados a Juan Martínez. Sólo con él podía compartir el recuerdo de los experimentos de su hermano Carlitos con el *Solrac*. Chófer uno, princesa la otra, hermanados por ese instante único.

Los niños no comprendían que su madre, de rostro «siempre impasible», como la definía Gil Robles, de repente los cogiera y los abrazara con lágrimas en los ojos.

Mientras se realizaban las obras, la Familia Real vivió en la Casa da Rocha, que había sido propiedad del aviador Ansaldo y de su mujer, Pilarón, también aviadora, ya que tuvieron que abandonar Villa Bellver porque los vizcondes de Feijoo la necesitaban para otro exiliado: «su» rey, el pretendiente portugués Don Duarte.

Precisamente la noche que durmieron por primera vez en la Casa da Rocha tuvo lugar un seísmo que obligó a la familia a salir al jardín. Alfonsito bromeaba y movía los muebles para que Margot creyera que el terremoto era muy fuerte.

Las obras de Villa Giralda costaron tres millones de pesetas. Cuando un amigo le insinuó a Juan que seguramente ese dinero se lo habían dejado los monárquicos, éste contestó:

—Y un jamón. Son tres milloncejos que he pagado yo de mi bolsillo.[15]

El día que se trasladaron a la nueva casa, María se fotografió con un alegre vestido de lunares rojo y blanco que le gustaba mucho, ya que le recordaba a los trajes de faralaes, que le había hecho su modista Josefina Carolo, que tenía su establecimiento en la rua de Vivero. Lleva a Alfonsito a horcajadas sobre su espalda y delante de ella está Margot, también vestida por Josefina. Los tres sonríen y señalan el azulejo que está en la entrada de la casa y que representa la Giralda de Sevilla. *Giralda* se llamaba también el barco que había tenido Alfonso XIII.

Esta fotografía se la envió María a Juanito a Friburgo. Éste escribía a sus hermanos y sus amigos de Estoril cartas larguísimas, llenas de *saudade*.

A su vez María dedicaba una hora por las mañanas a escribirle, contándole desde lo que habían comido el día anterior hasta las visitas que habían tenido.

Y que sus amiguitos habían encontrado un campo despoblado y lo habían preparado para jugar a fútbol en verano. João Costa se empezó a hacer pesado con sus volteretas y cabriolas y ahora ya llevaba a su hijo también, para que se hiciera amigo de los infantitos.

También le explicaba que Alfonsito estaba contento en el Amor de Deus. La enseñanza era tan básica que apenas tenía que esforzarse. Gil Robles, que tenía grandes ambiciones para sus hijos, los llevó al Instituto Español a pesar de las diferencias ideológicas. Pero María y Juan pensaban que el nivel era el adecuado para Alfonsito, que, total, tampoco iba a ser rey. Senequita, desde muy pequeño, dijo que quería ser marino, un lazo más que le unía a su padre.

Pilar únicamente disfrutaba cuando montaba a caballo con María. Iba al colegio con desgana, no era buena estudiante, era muy rebelde y tenía frecuentes encontronazos con las profesoras y otras alumnas. A diferencia de sus hermanos, era muy consciente de su posición y establecía una barrera entre ella y las demás.

—Era poco simpática —decía la amiga de sus hermanos, Tessy Pinto Coelho—. Le era muy difícil establecer relaciones.

Por el contrario, Margot era dulce y alegre, aunque también un poco «cardo borriquero», y hablaba con una franqueza que dejaba algo desconcertados a sus interlocutores.

El hijo mayor de Gil Robles, José María, recuerda:

—La primera vez que te encontrabas con ella, te pasaba la mano por la cara deteniéndose en cada detalle. ¡Era muy chocante! Después ya toda la vida te iba a reconocer por la voz.

María se lo consentía todo. Margot lo sabía y, según recordaba de mayor:

—La verdad es que era un trasto.

Por la calle se detenía a hablar con todo el mundo, para desesperación de sus niñeras, por lo que llegaban tarde siempre al colegio.

—¡La *ceguinha*, la *ceguinha*! —La llamaban en Estoril, aunque ella no era consciente de su defecto.

Pedro Sainz Rodríguez cuenta que un día que iban en taxi, el conductor comentó en voz alta:

—Ay, esta niña es ciega.

Margot se echó a reír:

—Pero ¿no dice este hombre que yo soy ciega? —exclamó—. ¡Jajaja! ¡Ciega! ¡Yo ciega! ¡Jajaja!

Lo encontraba la cosa más absurda del mundo, pues creía que todos veían lo mismo que ella.

Pronto cambió las muñecas por los niños, los hijos de los amigos de sus padres, que tenían que soportar estoicamente que la buena de Margot los tirara al aire, los recogiera y los manejase como si fueran muñecos. Las madres no podían apartar sus ojos angustiados de los juegos de la infantita, sobre todo al ver que, pasase lo que pasase, la plácida María se limitaba a servir el té y a preguntar con el azucarero en alto:

—¿Cuántos terrones? ¿Uno, dos?

A Margot le gustaban tanto los niños que incluso una vez recogió a unos por la calle. Su madre se lo contaba entre risas a sus amigas:

—Un día me llevé una sorpresa tremenda cuando entré en el cuarto de baño y me encontré a dos niños gitanos metidos en la bañera y a Margot echándoles jabón por encima.

Berreaban como energúmenos, y María tuvo que explicarle a su hija que los gitanos no estaban acostumbrados a la limpieza y que no debía hacerlo nunca más.

—No tienen la piel hecha al agua y pueden coger una enfermedad.

Las gitanas madres de los niños, mientras tanto, se habían instalado tranquilamente con todos sus enseres y hatillos en la entrada de Villa Giralda pidiendo limosna y departiendo con el espía João Costa.

No fue la única relación de la familia con los gitanos, muy abundantes en Portugal; los jueves toda la familia solía acudir al mercado gitano de Cacabelos, donde se abastecían de ropa interior. Aún ahora, la infanta Margarita, que tiene un apartamento en Cascais que le regaló su padre cuando vendió Villa Giralda, acude al mercadillo y le compra allí a su hermano el rey don Juan Carlos calzoncillos y calcetines.

También a María le gustaban mucho. Cuando se aposentó definitivamente en Estoril, un grupo de señoras «bien», socias del golf, le preguntaron si quería colaborar con ellas en su labor benéfica a favor de los gitanos.[16]

—Claro que sí —dijo María con la energía que le era habitual.

Y durante una temporada se dedicó a ir con sus amigas a los barrios donde vivían a llevarles ropa y comida y a intentar convencerlos de que bautizaran a sus hijos, hasta que advirtieron con horror que ninguno de los padres estaba casado.

—Lo primero de todo, ¡conseguir que se casen! —Se dijeron aquellas señoras tan piadosas.

Los gitanos contestaron que, a cambio de dinero, por supuesto que se casaban y lo que hubiere menester.

—La primera boda tiene que ser de órdago —dijo una ilusionada María, que se puso en marcha para casar a una pareja que ya llevaba veinte años viviendo en pecado y que tenía una docena de hijos.

Ella, que para preparar los cumpleaños de sus hijos tenía que recurrir a sus damas, se puso a organizar un gran convite, que presidió el padre Valentini, que ofició la emocionante ceremonia, y al que asistieron las familias benefactoras. Juan y sus hijos, todos elegantemente vestidos, departían con el tío João y el tío Sebastião, los patriarcas gitanos, que también lucían con donaire camisas de seda y numerosas muelas de oro.

Pero este primer y único casamiento resultó un gran fracaso:

—Cuando volvimos al poblado gitano, a la semana siguiente, nos encontramos con que el recién casado había echado a su mujer de casa y ya estaba viviendo con otra, bastante más joven que la anterior.

La esposa abandonada se lamentaba a grandes voces, lo que ahuyentó a las elegantes damas, que decidieron no volver nunca por si acaso:

—¡Para qué *caralho* me hicieron casarme, con lo felices que éramos!

María al final decidió practicar la caridad de una forma más segura y eficaz. Designó un día fijo a la semana para que fueran los pobres a Villa Giralda a pedir, como el que demanda audiencia. Ese día se formaba una cola larguísima en la puerta trasera, pero muy bien organizada, y había para cada uno ropa de los niños que se les había quedado pequeña, comida, zapatos e incluso algunos escudos.

No se sabe lo que pensarían los monárquicos que acudían a Estoril con dinero *cash* o ingresaban en cuentas corrientes bancarias una cantidad fija al mes para auxiliar a sus «reyes» de este «desvío de fondos». María, naturalmente, nunca les consultó.

Los niños vigilaban que nadie se colase ni se pusiese dos veces a la larga hilera de pedigüeños.

María quería a Margot de una forma especial, porque al amor se unía la compasión, el miedo y un ancestral e ilógico complejo de culpa.

Pero su auténtica alegría era Alfonsito. Senequita tenía la gracia de ser popular entre los amigos de sus padres, sus vecinos y la gente de la calle. Los rostros de todas las personas que conocieron a los infantes en aquella época se iluminan cuando hablan de Alfonsito.

Su mejor amigo, Antonio Eraso, lo describía así delante del magnetofón de Juan Antonio Gurriarán, que ha recogido en un libro espléndido aquellos días de felicidad en Estoril:

—Chocantemente inteligente, de una gran sensibilidad, tenía un gran sentido del deber y de la responsabilidad, tenía mucho contacto con el pueblo, ¡odiaba la injusticia!

La belleza física se la llevó Juanito, porque Alfonso era más bien feo, tenía una gran nariz borbónica y boca y ojos pequeños y, además, se empeñaba en que María le cortase el pelo con la máquina de afeitar de su padre, pero poseía el mismo poder de seducción que había tenido su abuelo. A diferencia de sus hermanos, nunca aprendió a dominar la «erre» española, y María recordó toda su vida sus gritos:

—¡El *afiladog*, el *afiladog*!

Cuando pasaba el afilador, un gallego, haciendo sonar su típico silbato, Alfonsito bajaba a la calle corriendo y se ponía a tocar el instrumento, y cuando su madre lo reprendía porque podía coger alguna infección, él contestaba:

—Mami, ¿cómo voy a *cogeg* una *enfegmedad* si el *apagato* viene de España?

En Friburgo, Juanito leía con algo de envidia las cartas que le escribían sus hermanos. Toda la semana estaba sometido a la rígida disciplina del colegio, todavía más acentuada porque, al empezar a sonar su nombre como sucesor de su abuelo, se temía que los falangistas, furibundos antimonárquicos, pretendieran envenenarlo.

María incluso llamó al colegio y pidió:

—Si envían bombones, no se les ocurra dárselos.

Le mandó un ejemplar de *Platero y yo*, el sentimental libro de Juan Ramón Jiménez, y Juanito no solamente se lo leyó —según dicen algunos exagerados, es el único libro que ha leído en su vida—, sino que se lo aprendió de memoria.

Los fines de semana lo iba a buscar su preceptor, Eugenio Vegas Latapié, que se había ido incluso a vivir al lado del colegio, para llevarlo a casa de Gangan. Para amenizarle el viaje le contaba lo benéfica que había sido para la humanidad la Santa Inquisición o la historia de María Goretti, que había preferido morir antes de perder la pureza, aunque Juanito no tenía ni idea de lo que era eso de perder la pureza.

Los dos, alumno y profesor, entonaban el himno de la legión, su canción favorita, que empezaban sentados tranquilamente en su asiento:

Soy un hombre a quien la suerte
hirió con su brazo de fiera.

Y continuaban ambos de pie, para asombro de los circunspectos ciudadanos suizos:

Soy un novio de la muerte
que va a unirse en lazo fuerte
con tal leal compañera.

Juanito empezó a interesarse por los misterios de la vida, y en vez de preguntarles sobre ellos a sus padres, le preguntó a su preceptor:

—Eugenio. ¿Qué quiere decir en el Avemaría la frase «de tu vientre Jesús»?

Pero Vegas, que no era partidario de la educación sexual, se negó a contestarle y advirtió en el colegio que no debía alimentarse la febril imaginación del príncipe, con lo que Juanito tuvo que esperar a regresar a Estoril para que su hermano, que era tres años menor, lo ilustrase acerca de estos asuntos.

Juanito era tan ingenuo que creyó en los Reyes Magos hasta que tuvo once años, cuando escribió una carta a Sus Majestades de Oriente en la que decía:

Queridos Reyes Magos: Os escribo porque sé que a lo mejor me traias (sic) *algo, pero os digo que si no he sido bueno no tenéis que darme nada, sólo carbón.*

Alfonsito, que ya estaba al cabo de la calle de todo, se reía a carcajadas, hasta que su padre le pegó un bofetón para proteger la santa inocencia de aquel celestial querubín.

Pero María, mucho más psicóloga, comprendió que la ingenuidad de su hijo iba a ser motivo de burla entre sus amigos y le explicó la verdad a escondidas de su marido.

Es decir, lo cogió y le dijo:

—Los reyes somos nosotros.

Cabe imaginar la sorpresa de Juanito, que oía todos los días cómo llamaban a su padre «el rey» y a su madre «la reina», y puede deducirse su contestación:

—¡Pero si eso ya lo sabía yo, mami!

De los otros misterios de la vida, bastante más interesantes, lo puso al corriente su hermano Alfonsito, que era muy espabilado.

A Gangan le contaban estas historias y arqueaba una ceja, porque todo lo que hacía María le parecía:

—*Shocking*!

Seguía queriendo mucho a aquel nieto llamado a tan altos destinos, y lo alojaba en la mejor habitación de la Vielle Fontaine. A veces Juanito coincidía con sus primos, el tristón Alfonso de Borbón Dampierre y su hermano Gonzalo. La madre de éstos, Emanuela, se acababa de casar con su Bello Tonino y había montado una casa en Roma donde no había previsto ninguna habitación para ellos. Su padre no iba mejor: se había unido a una cantante de cabaré, Carlota Tiedemann, y vivía una vida escandalosa que incluso salía en las revistas. Como había hecho su hermano fallecido, el ex príncipe de Asturias, en Estados Unidos quince años antes, Jaime y su nueva mujer también se convirtieron en un reclamo publicitario e incluso contrataron a un relaciones públicas, el Gran Guido Orlandi, que les buscaba promociones como si fueran estrellas de cine.

Cuando Juanito fue a Estoril por Navidad, María aprovechó para organizar su Primera Comunión en el Patriarcado de Lisboa, el 5 de enero de 1947, el mismo día en que cumplía nueve años. Iba con traje de marinero y la Comunión se la impartió el cardenal Gonçalvez, aunque a él lo había preparado el sacerdote salesiano padre Valentini. Sólo salió en *ABC* una nota de cinco líneas, al cabo de unos días, «el infante don Juan Carlos, hijo del conde de Barcelona, ha recibido la Primera Comunión… ante una selecta concurrencia entre la que estaba el rey Humberto II de Saboya».

No salió ni el nombre de la reina Victoria Eugenia ni siquiera el de su tía Crista ni el de su tío Jaime, que acudió sin su Carlota del alma. Ambos hermanos, Crista y Jaime, se detuvieron en Madrid a su regreso a Turín y París respectivamente y pasearon con timidez por la Castellana, la primera vez desde que se habían ido al exilio. Los escasos y ancianos monárquicos que fueron a recibirlos se extasiaban:

—¡Es como si viéramos a los reyes! ¡Se parecen tanto!

Alguna nota suelta salió en la prensa, y quizás este recordatorio hizo que se recrudeciesen las amenazas contra el niño; llamaron por teléfono a Villa Giralda y voces anónimas susurraron:

—¿Está ahí Juanito? Pronto acabaremos con él.

Aunque la verdad es que Juan se asustó más que María, quien descartó el peligro con un gesto desdeñoso de la mano:

—¡Será un loco!

Pero cuando se intensificaron los rumores de que se estaba preparando un atentado contra su hijo, sí le pidió a su marido que no lo volviese a enviar a Friburgo.

Juan no sabía qué hacer, temía parecer cobarde, ¿no enviaban los reyes antiguos a sus hijos menores a luchar en primera fila contra el enemigo? Su mismo suegro, Nino, ¿no había ofrecido un hijo a la patria y se había desesperado al no poder sacrificar al otro? Pero al final la naturaleza de Juanito decidió por él: cogió nada más y nada menos que dos enfermedades seguidas, el sarampión y la varicela, y el médico recomendó que no lo alejasen de la familia.

Volvió al Amor de Deus a disfrutar, junto a sus hermanos, de los beneficios espirituales que le impartía el padre Valentini, al que Juan también aconsejaba:

—Si se portan mal, pégales un coscorrón.

Y más de una vez estuvo a punto de hacerlo, porque, como se quejaba a los padres:

—¡Sus Altezas juntos son un desastre!

Los príncipes se lo pasaban en grande con sus amigos y uno de sus juegos favoritos era sentar a un niño que representaba a Franco en un trono y sacarlo de ahí a patadas.

A pesar de las historias que se cuentan de que Juan le pegó un puñetazo a un socio del golf porque había hablado mal de Franco llamándole al mismo tiempo: «cabrón», y que también le había dado un bofetón a Margot por el mismo motivo, lo cierto era que los chistes y las burlas sobre el Caudillo, su mujer y su hija también eran, como en Suiza, constantes, sólo se reprimían algo cuando los visitaba el hijo del embajador de España, Niki Franco y Pascual de Pobil, que llegó a ser uno de los compañeros favoritos de los infantes. Aquí también, como en Lausana, los niños eran furibundos antifranquistas y convencieron a todos sus amigos de la crueldad de Franco:

—Que no deja entrar en España a papá.

El apodo con que denominaban en esa época a Franco era «el caimán». Se lo había puesto doña Victoria Eugenia, que fue a pasar una temporadita a Estoril y cuando al fin se olvidó de los gustos terribles de su nuera en materia de ropa, su negligencia en el cuidado de la casa o en la educación de sus hijos, su espeluznante afición a los toros y su exagerada propensión a los cócteles de alta graduación, se convirtió en una anciana llena de sentido del humor y alegría de vivir. Y cantaba con sus nietos, con su peculiar acento inglés, iniciando una conga levantando de forma algo sicalíptica su real y siempre muy alabada pierna:

Se va el caimán, se va el caimán,
se va para Baganquilla.

María coreaba la cancioncilla con entusiasmo levantando también las piernas, porque sabía que eran uno de sus mayores atractivos.

La reina era muy crítica con la vida que se llevaba en Villa Giralda, aunque terminó tomándoselo todo con sentido del humor. María, gran aficionada al fútbol, sobre todo a «su» Betis, hizo ponerse corbatas de color verde a los grandes de guardia cuando «su» equipo fue a jugar a Portugal.

—¡Así no se sentirán extranjeros! —Argumentaba.

La tía Ena primero se rio y lo encontró ridículo, pero no quiso ser menos, y cuando España se enfrentó a Portugal en un peculiar Torneo Ibérico, reclutó a un grupo de señoras para ir a rezar un rosario en la iglesia de San Antonio.

—Por la victoria de España... Dios te salve, María...

En realidad, a la que fue reina de España, todo lo que no fuera la vida en palacio le parecía mediocre, aburrido, democrático.

Mientras hacía *petit point*, le suspiraba a su nuera:

—Desengáñate, María, mañana reinarán los hijos de los taxistas...

Una, que ha convivido con varias reinas destronadas, aunque no precisamente de la realeza, comprende que éste es el peor oficio del mundo. Porque las ex reinas saben —y los demás también— que, ocurra lo que ocurra, su mejor momento ha pasado y sólo irán hacia abajo, porque las agujas del reloj no pueden girar en dirección contraria.

En las sobremesas, a todos les divertían las anécdotas contra Franco que contaba Sainz Rodríguez de su época de ministro, y las palabrotas que decía, una fuente inagotable de aprendizaje para Margot.

Los condes de Caserta, abuelos paternos de María, eran los titulares de la corona de las Dos Sicilias y al no existir ya este reino vivían exiliados en Cannes, aunque Nino había nacido en Suiza.

Fotografía de los condes de París, abuelos maternos de María.

Boda de Nino y Luisa, padres de María de Borbón. Para Nino era su segundo matrimonio, pues acababa de quedarse viudo de María de las Mercedes, a la que llamaban Polla, hermana de don Alfonso, que había muerto después de dar a luz su tercer hijo, una niña.

Alfonso, Bebito, duque de Calabria y hermano mayor de María, con su padre, Nino, ambos vestidos de húsar.

María recordaría aquellos años de infancia con benevolencia y agradecía la educación severa que le habían dado sus padres. Foto familiar en la que María aparece sentada a la izquierda con su hermano Carlitos, con mirada traviesa debajo del flequillo.

Al bueno de Nino, marido modélico, no le gustaban las desavenencias conyugales del rey.

Alicia de Borbón Parma el día que se casó en Viena con Bebito. En la segunda instantánea, ambos en 1960, cuando fueron proclamados duques de Calabria.

El exilio no sólo dinamitó la aparente armonía de la Familia Real, sino que además, poco a poco, Nino y Luisa fueron apartados del entorno real, aunque siguieron manteniendo la inquebrantable unidad de los Borbón Dos Sicilias, como ilustra esta fotografía tomada en Cannes.

Boda de Dola con Augusto Czartoryski, el 12 de agosto de 1937 en Ouchy, Suiza.

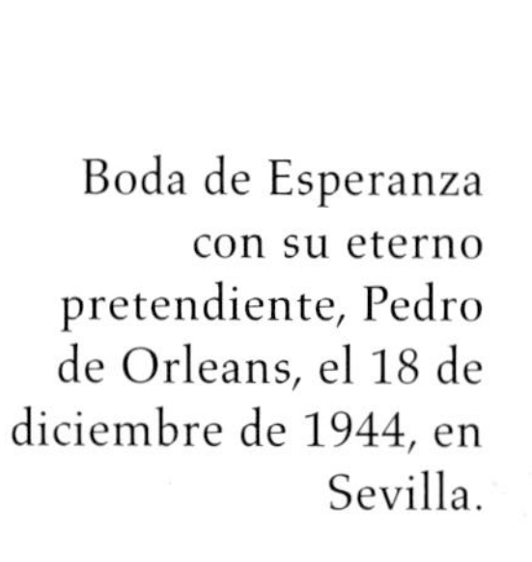

Boda de Esperanza con su eterno pretendiente, Pedro de Orleans, el 18 de diciembre de 1944, en Sevilla.

Lo más probable es que María se sintiera halagada al ser la elegida por don Juan de Borbón, pues para eso había sido educada toda la vida, y casarse con el príncipe heredero al trono español era el máximo trofeo. Los recién prometidos, junto a Luisa y Nino, padres de la novia, y el rey Alfonso XIII.

María, que era ingenua pero nada tonta, se daba cuenta de que Alfonso XIII quería hacerse perdonar la indelicadeza de exigirle que se casara con su hijo en régimen de separación de bienes, pues el rey estaba muy escarmentado con las constantes peticiones de dinero que le hacía su mujer, la reina Victoria Eugenia, de la que vivía oficialmente separado desde hacía cuatro años.

Parada en Honolulú durante el viaje de novios, con el inevitable vizconde de Rocamora.

La relación entre María y su suegra era de cierta altivez. Pero también es verdad que la tía Ena le proporcionó valiosas lecciones acerca del modo en que había de desenvolverse una reina, ya que era de la opinión que aunque estuviesen en el exilio, se debían guardar las mismas formas que en el Palacio Real.

Juan y María con su primo José Eugenio de Baviera, que fue una de las personas que alentó a Juan para que fuera a España tras el estallido de la Guerra Civil.

Juan y María con la boina carlista, en un oficio religioso.

†

No penseis mas en su vida para llorar su muerte; pero pensad en su muerte para imitár su vida.

S. Francisco

Señor, Vos nos lo habiais dado para nuestra felicidad, nos lo reclamais, os lo devolvemos, pero con el corazón destrozado de dolor.

S. Geromino

Amaba la vida y supo morir.

S. Agustin

Ego sum resurrectio et vita.

S. Juan XI-25

Los Em.os y Rev.os Srs. Cardenal Primado y Cardenal Arzobispo de Sevilla, los Ex.os e Il.os Srs. Obispo de Marruecos y Obispo de Malaga han concedido indulgencias en la forma acostumbrada.

Nuestro Padre Jesús de la Pasión

La más dolorosa consecuencia de la Guerra Civil para María fue la muerte de su hermano Carlitos, que, a los veintiocho años, murió en el frente de Elgoibar.

†

ROGAD A DIOS POR EL ALMA

DE

S. A. R.

EL PRINCIPE D. CARLOS

DE BORBON Y ORLÉANS

NACIDO EN SANTILLANA

EL 5 DE SEPTIEMBRE 1908

MUERTO LUCHANDO POR DIOS

Y POR LA PATRIA

DELANTE DE EIBAR

EL 27 DE SEPTIEMBRE 1936

R. I. P.

CREDO

Emanuela Dampierre, esposa de Jaime de Borbón, cogió un odio africano a sus cuñadas, ya que fingían no enterarse de las infidelidades de don Jaime para no tener que tomar partido. En la fotografía, la pareja con su primogénito, Alfonso de Borbón y Dampierre, futuro duque de Cádiz.

La infanta Pilar de Borbón entró en este mundo llorando
y dando muestras del talante que iba a demostrar toda su vida: fuerte,
independiente, llena de carácter y valor. Nació lejos del fragor y la lucha
que castigaban el país en el que su abuelo reinó.

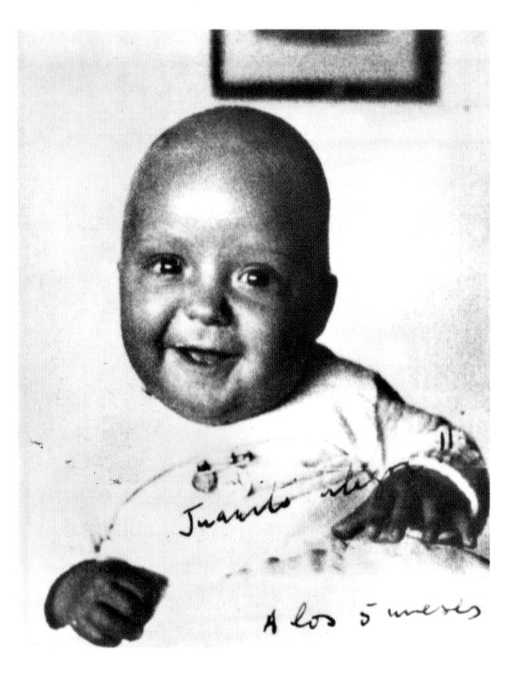

En enero de 1938 nació Juanito,
y la alegría de la familia
y de los pocos monárquicos
que había en Roma fue
inmensa, porque había nacido
un varón y así el futuro de la
dinastía estaba asegurado.
Los cronistas se arrobaban ante
este infantito de ojos azules,
fuerte, robusto y sano.

Después de la muerte de Alfonso XIII, en febrero de 1941, la condesa de Barcelona volvía a tener los ojos tan limpiamente azules como siempre. Su alegría natural triunfaba sobre la muerte de su hermano, la de su suegro, la ceguera de Margot y la incertidumbre de su futuro. Habían decidido irse a vivir a Suiza. Fotografía del funeral del monarca español; detrás de María y Juan, el infante don Jaime.

María merece ser incluida en los tratados de cinegética, ya que introdujo en Portugal una modalidad que había dejado de practicarse y que hoy continúa vigente: la caza a caballo con perros.

Como afirmó ella misma, montar a caballo era su pasión.

Foto familiar de María y Juan con sus hijos y la reina Victoria Eugenia en Lausana.

Con su abuela Ena, los hijos de Juan y María aprendían modales, a comer, a sentarse, a caminar. De todas maneras, aquella abuela tan querida, que aquí aparece con todos sus nietos, también daba un poco de miedo.

Pilar
Alfonso
Sandra
Olimpia
Alfonsito

A María no le preocupaba Pilar, que era muy independiente, ni Juanito, que tenía la atención de todos, ni tampoco Alfonsito, tan simpático; era Margot la que centraba todos sus esfuerzos.

Uno de los episodios más delicados de la vida en común de Juan y María fue la historia de amor que vivió el conde de Barcelona y que puso en peligro su matrimonio.

A medida que sus hijos iban creciendo, se hacían patentes las diferencias y semejanzas entre hermanos: Pilar y Alfonsito se parecían a Juan, eran serios, responsables, de apariencia campechana pero muy rígidos en el fondo. Margot y Juanito eran más como su madre, alegres y abiertos.

Foto oficial de Juan y María en Estoril, en los años cincuenta. María lleva la tiara de perlas y diamantes de la reina María Cristina y la banda de la Orden de la reina María Luisa.

Plongeon a quienes muchos consideran los reyes de España.

Alfonsito tenía la gracia de ser popular entre todo el mundo y de hacerse querer.

Con motivo del crucero *Agamenon*, organizado por Federica de Grecia en 1953, Juanito se compró su primer esmoquin, cosa que le hizo mucha ilusión. Los condes de Barcelona aparecen a la izquierda de la fotografía.

El 12 de octubre de 1954 se celebró la puesta de largo de la infanta Pilar con otras debutantes, con motivo de sus dieciocho años, un acto más político que social.

María compartiendo mesa con el rey Umberto de Italia y el duque de Braganza durante el debut de su hija.

A pesar de sus disputas infantiles, Juanito y Alfonsito siempre se quisieron mucho.

†

ROGAD A DIOS POR EL ALMA DE

S. A. R. EL INFANTE

DON ALFONSO DE BORBON Y BORBON

QUE ENTREGO SU ALMA A DIOS, EN ESTORIL, EL DIA 29 DE MARZO DE 1956

R. I. P.

Señor, ya desde ahora acepto de buena voluntad, como venida de Vuestra Mano, cualquier género de muerte que Os plazca enviarme, con todas sus angustias, penas y dolores.

Su oración diaria

Después de la trágica muerte de Alfonsito, su nombre apenas volvería a pronunciarse en público y en Villa Giralda se instalaría el silencio.

Juan de Borbón, aquel hombre que hasta esos momentos sólo se había preocupado de su guerra particular contra Franco, tuvo que hacer el esfuerzo inmenso de ayudar a otro ser humano, en este caso su mujer, para evitar que cayera en la devastación y quizás también en la muerte.

Poco a poco, todos ponen los mimbres para que la vida vuelva a funcionar, aunque ya nada será como antes. Pilar y Margot están tan acostumbradas a que Juanito resida lejos, que ya no le echan en falta. Este hermano nunca les ha pertenecido del todo, y sin Alfonsito, que hacía de puente entre las chicas y él, sus relaciones se mantendrán siempre en un plano respetuoso y correcto, pero falto de calor fraternal.

Estancia con los Torlonia y los Marone, en la casa de los Marone en la Riviera italiana.

María se va recuperando poco a poco, pero en cierta manera ya no es el pilar familiar. Ahora se apoya en Juan, que no ha aprendido solamente a tomar decisiones políticas, sino también a conducir de la mejor manera posible las vidas de sus hijos.

María Gabriela de Saboya, amor juvenil de Juanito, con quien tuvo un noviazgo marcado por la camaradería y la complicidad.

Olghina de Robilant, gran amor de juventud de Juanito, era una condesa italiana de buena familia, cuatro años mayor que él, que había llevado una vida «disipada».

En lo que finalmente estuvieron de acuerdo Franco, el tío Ali y don Juan fue en que Juanito, con veintitrés años, tenía que casarse de una vez. La mejor candidata era la princesa Sofía de Grecia. Ambos parecían estar muy seguros de sus sentimientos cuando el 13 de septiembre de 1961 confirmaron su noviazgo.

María llega a la playa de Glyfada, en Atenas, en los días de la boda de Juan Carlos y Sofía.

Al enlace de Juanito y Sofía asistieron ciento treinta y siete miembros de casas reales y veinticuatro soberanos o jefes de casas ex soberanas en un acto de adhesión incondicional a don Juan.

Beso a los recién casados.

María nunca llegó a entenderse con su nuera. No tenían temas de conversación en común y no era únicamente por su diferencia de carácter. En el fondo no pudo dejar de latir una cierta rivalidad, porque había un hecho incontestable: una sería reina en lugar de la otra.

La boda de Pilar y Luis Gómez-Acebo se celebró el 5 de mayo de 1967 y se convirtió en un acto de adhesión política que resultó muy violento para Juan Carlos y Sofía.

En casa de Alfonso Ussía, Margot conoce a la persona que cambiará su vida: Carlos Zurita. A pesar de los obstáculos que existían, Carlos no se rindió. La boda se celebró el 12 de octubre de 1972.

Después de una larga agonía, el 20 de noviembre de 1975, Franco, que aplastó a don Juan definitivamente, sin misericordia y de la forma más refinada, utilizando a su propio hijo, murió.

El día de la entronización de Juan Carlos, Pilar y Margot escuchan atentamente el discurso del joven rey. La disciplina y la buena educación hacen que oigan con semblante imperturbable los inevitables elogios de su hermano a Franco, «ese señor que ha hecho sufrir a papá», según lo identificaba el malogrado Alfonsito.

LA VANGUARDIA
ESPAÑOLA
ENCRUCIJADA DECISIVA PARA ESPAÑA
Francisco Franco ha muerto
FRANCISCO FRANCO
DESDE JULIO DE 1974

Una vez reincorporada a su vida, Pilar se ocupa de sus cinco hijos y se dedica en cuerpo y alma a obras benéficas.

En 1989 se creó la Fundación Cultural Duques de Soria con ánimo de difundir la cultura española mediante diversas iniciativas de tipo académico. La infanta Margot se entrega con tanto entusiasmo que años después fue nombrada doctora *honoris causa* de la Universidad Miguel Hernández.

Los condes de Barcelona no empiezan a regularizar sus estancias en Madrid hasta bien entrado el año 1976 y sus visitas se producen de puntillas, sin ninguna relevancia por parte de los medios de comunicación.

María, liberada por primera vez de la pesada losa de servir a la transmisión de la legitimidad dinástica, se siente resignadamente libre. Recuperada la vivacidad de sus mejores tiempos, se dedica a sus hijas, a sus nietos y a sus amigos. En la fotografía, con sus mejores amigas, Blanca, condesa viuda de Romanones, y Amalín López-Doriga, *la vieja guardia*.

María también se hace cargo de sus hermanas. En la fotografía, María, Isabel, Esperanza y Dola.

Finalmente, en un frío acto en La Zarzuela, el 14 de mayo de 1977, don Juan renuncia a sus derechos dinásticos. Es una puesta en escena sin sonrisas y se explica tan mal que la gente no sabe muy bien qué quiere decir.

El 12 de octubre de 1985, Juan y María celebran sus bodas de oro en el palacio de El Pardo.

Leandro Ruiz Moragas, hijo de Alfonso XIII y Carmen Ruiz Moragas, en una celebración familiar con los condes de Barcelona.

En sus últimos años, don Juan se apoyó mucho en Mario Conde, con cuya mujer, Lourdes Arroyo, aparece en esta fotografía.

1991,
GIRALDA

María en una corrida de toros, una de sus aficiones favoritas. Obsérvese la expresión resignada de la reina.

Antes de fallecer, Luis Gómez-Acebo fue el padrino en la boda de su hija Simoneta con Miguel Fernández Sastrón. Fue el primer nieto de María que se casaba. Fotografía del enlace, celebrado en Palma de Mallorca, el 12 de septiembre de 1990.

Don Juan en una de sus visitas a la clínica de Navarra.

En enero de 1993, Navarra concedió a don Juan la Medalla de Oro. Es su último acto público y no se olvidó de besar elegantemente la mano de su mujer, como en otros tiempos.

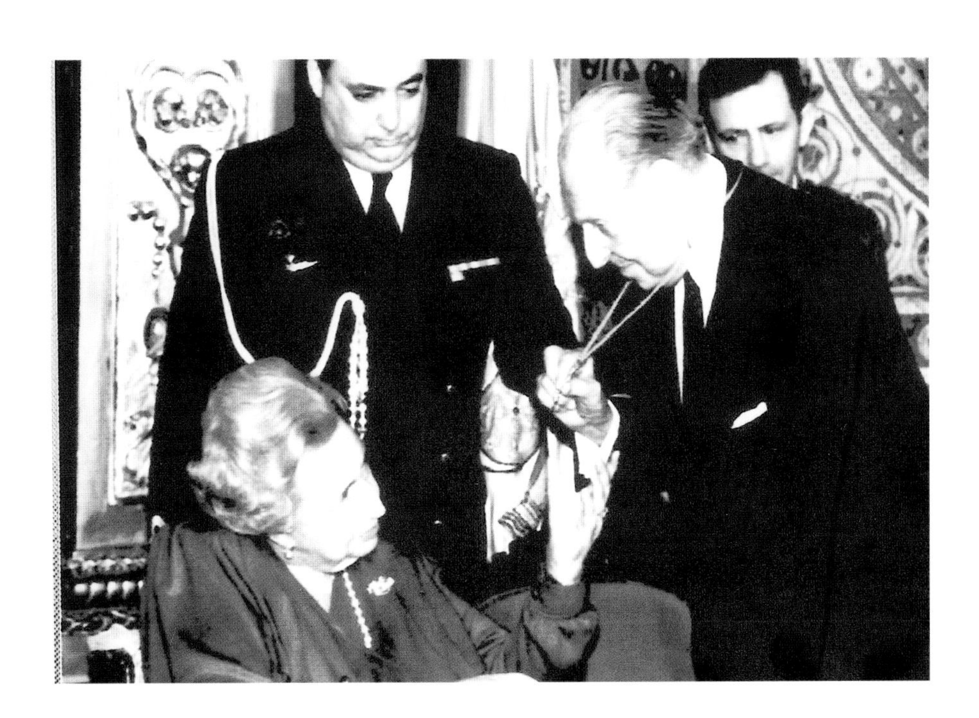

Cuando le entierran en el Panteón de los Reyes bajo una fría losa de mármol, don Juan será por fin Juan III, rotas ya todas sus ataduras.

Cariñoso gesto del rey a su madre.

Fotografía tomada en La Mareta, el 30 de diciembre de 1999, tres días antes de que María muriera, rodeada de recuerdos y de amor familiar.

María de Borbón y Orleans, María la Brava como la llamaba Alfonso XIII, que tuvo una vida apasionada y turbulenta, murió dulcemente mientras dormía.

María enviaba a sus hijos una vez a la semana con el coche a que merendasen en su casa, para que, como decía vagamente:

—Les enseñes cosas, tú, que tienes tanta cultura.

En realidad iban a tomar chocolate, ya que Sainz tenía una criada española de Zamora, Vicenta, que les preparaba un chocolate con churros espléndido. «Cervantes», que era como ellos llamaban a Sainz, les contaba:

—Yo también tengo un espía, como vuestro João Costa. Pero como el hombre va tan mal vestido y tiene un aspecto tan harapiento, le he propuesto que en vez de coger un coche para seguirme fuéramos en el mismo taxi para así pagar a medias.

Y añadía el ilustre sabio:

—Y también le he dicho que no hace falta que coja mesa en el mismo restaurante que yo. Que me espere fuera, y cuando yo salga, ya le contaré con quién he comido y lo que hemos hablado, y así él puede hacer su informe y justificar su sueldo.

Los niños escuchaban embobados, pero, como siempre, terminaban por pelearse y dejaban en tal estado el pequeño piso de Sainz que al final éste tuvo que proponer que las meriendas se hiciesen al aire libre.

Lo que no cuenta Sainz a los niños es que su espía lo sigue incluso a los prostíbulos, a los que es tan aficionado, una costumbre tan arraigada en él que hasta es admitida por Juan y tolerada por María, que finge no enterarse. Eso sí, Juan le pide a Rocamora que le proporcione una lista de prostíbulos de postín, ya que piensa que su consejero degrada a la monarquía acudiendo a locales de baja estofa frecuentados por la marinería y la gente del hampa.[17]

Juan, cuyos años en la Marina lo habían convertido en un amante de los placeres más plebeyos, envidiaba estas actividades de su consejero, y solía comentar a sus amigos con cierta melancolía:

—Yo sólo puedo tirarme a monárquicas que quieren hacer méritos o a mujeres muy ricas que lo hacen por esnobismo, pero las profesionales, que son las que a mí me gustan, tienen el color verde de los dólares...

Y añadía mientras liaba uno de los apestosos cigarros que su criado le hacía con una picadura que le enviaban de España:

—Hoy, los reyes sin trono ya no impresionamos a esta clase de mujeres, que salen carísimas.[18]

Era un poco lo que decía su padre:

—¡Estamos pasados de moda!

El verano de 1948 se abrió con un festejo, que se convirtió en costumbre y que ha continuado también el rey don Juan Carlos. Celebraron con una recepción multitudinaria el día de san Juan, el santo del rey, como lo llamaban sus allegados en Portugal, aunque a esa primera convocatoria no acudió demasiada gente.

María se estaba arreglando tranquilamente en su cuarto, mientras Juan, muy nervioso, le hacía a los niños varias recomendaciones: a Pilar que vigilase un poco para que todos estuvieran a gusto, a Juanito que atendiese a todo el mundo, que les preguntase por ejemplo de dónde venían, y a Margot le pidió que diese conversación. No le dijo nada a Alfonsito, por considerarlo demasiado pequeño.[19]

Pero el niño se acercó a su padre, tirándole de la chaqueta y protestando:

—Papá, y yo qué, *pogque* yo también *quiego haceg* algo...

Juan, distraído, sin darse cuenta, le contestó:

—Mira, chiquito, coge una de esas bandejas de plata y le das puñetitas a la gente.

Y Senequita se lo tomó tan en serio que estuvo toda la tarde pasando las bandejas y diciéndole a la gente:

—¿*Quiegues* una puñetita?

María no sabía lo que decía su hijo y se extrañaba de que sus bandejas despertasen tantas risas.

Había un fotógrafo en la fiesta, César Cardoso, y todo el mundo le encargaba instantáneas del momento en que saludaban a Sus Majestades.

Juan pensó que podría ganarse un dinerillo para aliviar la economía familiar y decidió ir a medias con el fotógrafo.

Posaban María o Juan con el invitado que así lo desease, el fotógrafo le pedía la dirección y el número de copias solicitadas, y era el propio Juan el que cobraba una cantidad, de la cual luego daba la mitad a Cardoso, según contó él mismo en el libro de José Antonio Gurriarán, *El Rey en Estoril*.

Si Juan estaba distraído, era María quien, sin ningún complejo, anotaba datos y le decía al solicitante:

—Espérate un momento y ahora el rey te cobrará.

Los niños también debían posar en ocasiones para las fotos, pero se escapaban en cuanto podían para jugar a tenis en la casa de Eduardo Cabral, muy cerca del campo donde disputaban partidos de fútbol con los alumnos de los salesianos o contra otros niños del barrio, en los que intervenía a veces el padre Valentini recogiéndose la sotana o el propio Juan.

A los espectadores ocasionales seguramente les parecerían algo ridículos los gritos en medio del fragor de los partidos:

—Chútale la pelota a don Juanito.

O también:

—Alteza, ¡pásemela!

Porque así, «don Juanito», le llamaban sus amigos. Y no solamente ellos, sino también los padres y los abuelos de éstos e incluso sus profesores.

Era muy chocante ver a ese rubio angelical decirle con su voz de niño a un provecto anciano cargado de honores:

—Si te portas bien, cuando «reinemos» te haremos ministro.

María, fumadora empedernida que encendía un cigarrillo con otro, tardó en darse cuenta de que sus cajetillas mermaban con velocidad pasmosa. Sospechó inmediatamente de sus hijos, ya que ella había hecho lo mismo con su madre, pero lo aceptó con benevolencia, como el tributo que hay que pagar por ser padres. Tampoco se sabían entonces los peligros del tabaco y todas las señoras de la buena sociedad fumaban como descosidas, incluso estando embarazadas.

Si escondía los cartones, sus hijos se compraban los fuertes *antoninhos*, el equivalente a los Ideales españoles, con los que todos, incluida Margot, se atragantaban, pero insistieron tragándose el humo hasta que al final los cuatro hermanos fumaban como chimeneas.

María los hizo socios del Club Náutico y cada uno tenía su barquito, pero el primero en entusiasmarse fue Senequita. A Juanito al principio no le gustaba navegar, y no se aficionó hasta que unos monárquicos amigos le regalaron un velero de dos palos, el *Sirimiri.*

Hoy día dicho barco está expuesto en el Club Náutico, aunque, misteriosamente, le han cambiado el nombre y se llama *Niebla.*

En Monte Estoril eran frecuentes las fiestas. Jorge Arnoso celebró su cumpleaños en su casa, Villa Santa Marta, de color rosa pálido, uno de los edificios más bellos y románticos de Cascais, y los Barcelona le llevaron de regalo una navaja suiza. Los infantes también correspondían; Pilar celebraba su cumpleaños en verano, y María organizaba juegos, como carreras de sacos, llevar una patata en una cuchara o bailar cabeza contra cabeza con una manzana en medio.

Los detalles prácticos corrían a cargo de Angelita Rocamora, pero María era más cariñosa con los invitados que con sus propios hijos, hasta el punto de que, muchos años después, despierta en Babá Arnoso, uno de los mejores amigos de Alfonsito, un recuerdo emocionado:

—La reina era para mí como una segunda madre, un personaje inolvidable y querido... Una mujer encantadora y dulce y al mismo tiempo con una fuerte personalidad.

Margot lo corroboraba:

—Mi madre era muy cariñosa con todos nuestros amigos, los trataba como a unos hijos... Una vez yo estaba jugando con una amiga mía en casa y se le hizo tarde para volver caminando a la suya. Lloraba y tenía miedo de que la riñesen. Pues mi madre, que ya estaba en cama, se puso el abrigo encima del camisón, cogió el coche, la acompañó a su casa y le dijo a la madre: mira, esta niña ha llegado tarde por mi culpa, o sea que no la riñas...

Pero a Juan, obsesionado con la idea de ceñir la Corona en España, única ambición y objetivo de su vida, le importaba poco la felicidad de Juanito y su integración en la familia. Y decidió que lo estaban echando a perder con tanto mimo y que debía volver a las brumas siniestras de Friburgo. Cuando Juanito divisó los muros de su colegio, cubiertos lánguidamente de hiedras perpetuas, se echó a llorar con desconsuelo.

Es curioso que María, en las reminiscencias recogidas puntualmente por Javier González de Vega, no tenga ningún recuerdo para los padecimientos de su hijo, y sin embargo sí se lamente muchas veces de lo dura que fue la vida de su marido:

—¡Tuvo que renunciar a ser marino, que era lo que más le gustaba del mundo!

Sintiéndose rechazado, ese curso Juanito se puso gravemente enfermo.

Sus padres habían decidido irse a un largo crucero por Cuba y las Antillas, invitados por el ex rey Leopoldo de Bélgica, que, a causa de sus actividades filonazis, había tenido que abdicar en su hijo Balduino.

El largo exilio había hecho más tolerantes a Juan y María, que aceptaban ya sin problemas a la mujer de Leopoldo, Liliana de Rhety, sobre todo si eran ellos, Leopoldo y Liliana, los que corrían con los gastos del viaje. Era un crucero como los que le gustaban a María, sin fecha de regreso, ¡ninguno de los cuatro tenía muchas cosas que hacer!

Llamaron a Juanito antes de irse:

—Pórtate como un hombre.

Pero Juanito era un niño, y pensó que lo abandonaban. Empezó a tener un terrible dolor de oídos; le supuraban tanto que una noche tuvieron que cambiar varias veces la funda de la almohada. Llamaba: «¡Mami, mami!», con gritos que desgarraban el alma. Los profesores avisaron a Vegas, quien decidió llevárselo rápidamente al hospital. Allí los médicos dijeron que había que hacerle una trepanación para limpiarle la zona infectada. Desesperado, Vegas intentó contactar con los padres, pero era imposible, estaban ilocalizables, en pleno Caribe. Los condes de Barcelona se habían encontrado con la condesa de Covadonga, la alegre Puchunga, que había estado casada con el hermano de Juan, el pobre Alfonso, y ella les hizo de espléndida anfitriona. Se sucedían las visitas, las fiestas, las excursiones. Los dos matrimonios, los Bélgica y los Barcelona, disfrutaban de las largas noches caribeñas, llenas de ritmo, sensualidad, exotismo y ron cubano. *Flaneaban* por la acera del hotel Plaza, bailaban en el Yacht Club de Marianao, donde dejaban el barco y asistían a los alegres espectáculos del teatro Tacón, donde María se arrancaba incluso a bailar con Leopoldo danzones melosos y habaneras aguayabadas. Mientras, Liliana se abanicaba perezosamente comiendo bombones y Juan se escabullía para ir a jugar al casino Riviera, donde sus propietarios, Lucky Luciano y Meyer Lansky, también eran reyes, pero del hampa.

María, quien llevada por su incurable optimismo pensaba que nada podía ocurrir en su ausencia y que, en último término, sus damas y consejeros podrían hacerse cargo del problema, se olvidó de llamar a la familia y no supo de los requerimientos angustiosos de su hijo. Finalmente, Vegas habló por teléfono con doña Victoria Eugenia, quien dio permiso para la operación.

Le practicaron al príncipe una intervención muy complicada que le dejaría algo duro de oído toda su vida.

Últimamente se ha descubierto con alarma que el rey lleva audífono. La verdad es que sus amigos, acostumbrados a hablarle a Su Majestad a gritos, han debido de comentar entre ellos:

—¡Ya era hora!

Durante doce días, Vegas estuvo al lado de la cama de Juanito cogiéndole la mano. El cariño entre profesor y alumno se hizo más profundo. En el hospital, el preceptor continuó contándole historias de conspiraciones monárquicas, de duelos, o la edificante vida de Felipe II, que era su rey favorito, hasta que un día el príncipe le preguntó:

—Eugenio, ¿es verdad que voy a ir a estudiar a España?

Su abuela tan sólo fue a verlo un día.

No sabemos si sus padres, a su regreso, acudieron a su lado.

Pero deducimos que los Rocamora sí fueron a menudo, ya que nos consta que Angelines, la hija mayor, se hizo novia del preceptor de Juanito en el colegio, Fernando Granzow, más tarde duque de Parcent, y terminaron casándose.

Claro que Juanito, ese verano, se iba a convertir en un peón necesario en la lucha encarnizada de su padre para llegar al trono de España.

Porque ese verano todo iba a cambiar. Franco había proclamado en las Cortes que España era un reino, para adjudicarse un viso de legitimidad, pero no había manifestado ninguna intención de ir más allá de esta denominación puramente formal. Juan decidió entonces jugar su carta suprema: su hijo. Pensaba que si lo hacía bien, ni éste ni Franco se atreverían a «saltárselo».

Pero él era el único que mantenía esta idea tan optimista. La mayoría de los españoles, monárquicos incluidos, creían que Franco había arrumbado el sistema monárquico al desván de los trastos y que habría franquismo por los siglos de los siglos.

Que Juan no era nadie.

Esto se notó en la Primera Comunión de Alfonsito, en la que estaba la familia estricta, totalmente sola. No acudieron ni los jefes de la casa, ni los grandes de España, ni elementos monárquicos de relieve. Ni una sola persona se molestó en ir desde España a la ceremonia. El párroco pronunció unas palabras en un balbuceante español, Margot tocó la *Marcha Real* en el armonio con imperfección enternecedora —Vegas se negó a tocar el violín— y todos se pusieron en fila en el atrio para saludar a un grupito de personas, vecinos y amigos de Estoril sin ninguna importancia política. La reina Victoria Eugenia tenía los ojos llenos de lágrimas y Juan estaba abrumado por el dolor; más que en una celebración, la familia parecía estar en un funeral.[20]

Contribuía a este efecto el hecho de que tanto María como su suegra fueran vestidas de negro. Ambas portaban peineta y mantilla; la tía Ena, que odiaba esta prenda, la llevaba echada hacia atrás, casi en la nuca. Ambas lucían también perlas. María había vestido a las dos niñas con organza blanca y calcetines cortos, que en el caso de Pilar, tan alta y desarrollada, quedaban algo fuera de lugar.

María era la única que sonreía y tendía su mano con amabilidad a los escasos amigos para que se la besasen.

Para ella lo más importante era que todos tenían salud y estaban unidos.

A la desesperada, Juan puso su triunfo encima de la mesa siguiendo los consejos de Sainz Rodríguez:

—Franquito le lamerá el culo a Vuestra Majestad tantas veces como haga falta para tener a don Juanito en España.

Y se entrevistaron en el *Azor* Juan y Franco, por primera vez, frente a las costas de San Sebastián. Eran enemigos irreconciliables. El Caudillo creía que el conde de Barcelona era un borracho y un libertino. Juan se quejaba:

—Cree que yo soy poco menos que un imbécil.

Al conde de Barcelona le llamaba la atención el clima de adulación que rodeaba a Franco, sus generales le servían las bandejas con las «puñetitas», que hubiera dicho Alfonsito, con la deferencia servil de un camarero, pero también Juan y sus compañeros estaban excesivamente impertinentes, enmendándole la plana incluso en aquellas cuestiones en las que Franco se consideraba un experto: la caza y la pesca.

Además, como manifestó luego Juan a su mujer con notable malhumor, la comida era:

—Una mierda.

El menú, a base de entremeses, huevos a la americana, ternera Benicarló, patatas a la duquesa y bizcocho, resultó notablemente indigesto, y como Franco no bebía, ni siquiera sirvieron vinos de crianza. Pero, en algo se pusieron de acuerdo, en que Juanito debía estudiar en España.

Desde luego, desde una perspectiva histórica, el mejor estratega fue Franco, ya que consiguió que Juan le entregase a su hijo, su bien más preciado, y sólo ofreciendo a cambio vagas promesas de futuro. A todos los monárquicos les entró un ataque de cuernos impresionante, y atribuyeron la decisión de Juan al consejo del grupo de idiotas que lo rodeaba.

Según han comentado reputados historiadores, una de las personas que le recomendó aceptar la oferta de Franco fue su mujer. En el imaginario de Juan, machista como todos los hombres de aquella época en general y los Borbones en particular, su mujer no tenía ningún papel en sus decisiones políticas. Pero un observador de entonces me precisa:

—Doña María dejaba caer una palabra aquí y allí y don Juan fingía no escucharla, incluso muchas veces la cortaba con un ¡y tú qué sabes! Pero después, a menudo, cuando estaba delante de la gente, repetía sus comentarios, sin decir, por supuesto, que se los había inspirado su mujer. Yo creo que antes se hubiera dejado matar que confesar que doña María le «soplaba» alguna idea política.

También añade mi informante:

—De esa manera modesta que le era habitual, sin ningún tipo de pretensiones, sin ningún afán de protagonismo, dándole siempre la preeminencia a su marido, el pilar de la familia era doña María.

Ese verano, que se extendió hasta noviembre, tuvo para Juanito sabor a despedida, un sentimiento que, desgraciadamente, y pese a su corta edad, ya había experimentado demasiadas veces.

Todos estaban a la expectativa, pero Franquito no se pronunciaba.

Ni siquiera los viajes con *El Saltillo* conseguían animarlo. Fueron a Tánger y pasaron allí varios días, aunque dormían en el barco. Un día María visitó con sus amigas el zoco y empezó a regatear por unas babuchas para los niños. No tenían del color que ella quería, y el vendedor le dijo:

—Si tú te quedas aquí a vender, yo me voy a mi casa a buscarlas.

Les llevó unos taburetes y un té de hierbas y, dada la parsimonia de los marroquíes, volvió al cabo de varias horas. Y María les contó luego a sus hijos, que la esperaban impacientes en el barco:

—¡No os creáis, que le vendimos bastantes!

Las peleas entre Juanito y Alfonso eran constantes; María tenía que comprar la mercromina a litros. Juanito estaba triste y nervioso, oía hablar de su futuro, que si estudiará en España, en Lovaina, volverá a Friburgo, se quedará en Estoril, como si fuera una pieza en el juego de ajedrez.

Como decía de forma gráfica Sainz Rodríguez:

—Franco no nos lame el culo con la delectación que esperábamos.

Hasta la misma Gangan, tan poco dada a sentimentalismos como buena inglesa, y para la que lo único importante era la supervivencia de la dinastía, advirtió a su hijo de que el niño podía caer en una depresión.

María estaba tan acostumbrada a acatar la voluntad de su marido que no consta que protestase.

Pero Juan pasaba la mayor parte del día encerrado en su despacho, y tenía discusiones tan frenéticas con sus consejeros que el espía João Costa anotaba en su parte diario que las voces en el despacho eran muy fuertes y se oían desde el jardín, aunque, después, el conde de Barcelona trató de justificarse delante del espía:

—¡Es que mi invitado era sordo y tenía que gritarle!

Finalmente, optó, como medida de presión, ya que Franquito seguía en silencio a pesar de sus promesas, porque el niño volviera a Friburgo. En doce horas le hicieron las maletas y Juanito fue reexpedido al duro colegio suizo, acompañado, eso sí, por Vegas. Es de suponer el estado del niño, obligado en unas horas a separarse de su familia y a sumergirse de nuevo en la atmósfera lúgubre de un colegio que él creía que ya había quedado relegado al pasado.

A pesar de que María, quizás queriendo engañarse a sí misma y para no tener que discutir con su marido, no dejaba de repetir:

—El Saint-Jean es un colegio estupendo.

Franco, displicentemente, al fin movió ficha y le pidió de manera formal al Pretendiente que su hijo se educara en España. Hicieron regresar a Juanito del colegio, y su padre le comunicó dos decisiones que no admitían discusión: irse a España y despedir a Vegas, que ya no era necesario.

Cuando el niño se atrevió a protestar débilmente por esta última, separarse de quien le había hecho de padre y maestro durante cinco años, Juan le gritó con brusquedad:

—¡No me toques los cojones, Juanito! —Y se fue dando un portazo.

María sí le dijo a Vegas que podía ir a despedirse de su alumno antes de partir, pero la sobremesa se alargó tanto que, cuando el hombre intentó ir a su habitación para darle un beso, María se lo impidió diciéndole que el niño ya se había dormido.

Los hermanos estaban hartos de que todo el protagonismo de la familia y las únicas conversaciones que se mantenían en la casa fueran para tratar temas relacionados con Juanito. Se sentían algo abandonados, pero, a la vez, se aprovechaban de esta desidia para hacer su vida. Pilar se escapaba muchas veces del colegio para ir a montar, Margot se volvía cada vez más osada, se subía a los árboles, se lanzaba por la rua de Inglaterra abajo en vehículos con una rueda que se desmontaban enseguida y a Alfonsito se le despertaron sus primeros instintos sexuales, haciendo gala de esa precocidad tan típica de los Borbones. Además, y pese a su corta edad, se convirtió en el líder de sus amigos, que lo adoraban y lo seguían en sus aventuras más descabelladas.

Juanito, al ver la vida despreocupada de sus hermanos, también sintió celos. Y se refugiaba en ocasiones en un rincón del inmenso jardín. El espía João Costa lo adviritió y anotó en sus informes:

—¿Por qué está tan triste don *Joanhino*? ¿Tiene algún problema?

Y él mismo se respondía:

—Le han obligado a separarse de Vegas, su preceptor, para irse a España.

Finalmente, el 8 de noviembre de 1948, Juanito salió para España. Con una frialdad que asombra a los que somos padres, ni María ni Juan fueron a despedir a su desgraciado hijo, que partió en el Lusitania Express rumbo a Madrid, hacia un lugar y una vida totalmente nuevos. Los condes de Barcelona se habían ido de cacería dos días antes.

¿Lo hacían para endurecer al niño, como opinaban unos? ¿O simplemente por egoísmo?

Nunca lo sabremos.

Lo cierto es que en las fotos que hay de ese momento sólo se veía a Juanito con dos sacerdotes y con los sombríos duque de Sotomayor, vizconde de Rocamora y José de Aguinaga, que iban con él a Madrid. El tren lo conducirá el conde de Ruiseñada, con mono azul, que por algo es ingeniero. A tono con el lúgubre acompañamiento, llevaron al príncipe directamente al Cerro de los Ángeles, donde está el monumento al Sagrado Corazón, proclamado «mutilado por la Patria», ya que fue semidestruido durante la Guerra Civil, a leer unas cuartillas de las que no entiendía ni palabra, y que, en sus manos, tiemblan angustiosamente en ese helado atardecer mesetario.

—En memoria de mi augusto abuelo, Su Majestad el rey don Alfonso XIII, vengo ante el Sagrado Corazón de Jesús...

Era un acto absurdo, sin ninguna repercusión pública, que sólo servía para desconcertar aún más a un niño que no sabía lo que iba a ser de su vida.

En ningún momento se pensó en enviar a Juanito a un colegio normal, sino que se diseñó un centro a medida, un microcosmos totalmente artificial, una burbuja en la que permanecería cinco años. Se le rodeó de nueve niños de familias nobles y monárquicas: Agustín Carvajal y Fernández de Córdoba y su primo Jaime Carvajal y Urquijo, que hoy es representante del grupo de presión Club Bilderberg en España, Juan José Macaya, Carlos de Borbón Dos Sicilias, el hijo de Bebito y Alicia, que lleva el nombre del hermano muerto y al que, como a él, llamaban en familia Carlitos:

—Mi primo Carlitos siempre estaba de broma.

El hoy duque de Calabria es abogado y agricultor y está casado con Diana de Francia.

También estaba Fernando Falcó, marqués de Cubas, ex *playboy* y esposo en la actualidad de Esther Koplovitz, el valenciano Alfredo Gómez Torres, Álvaro Urzaiz y Alonso Álvarez de Toledo. A ellos se añadirá, al cabo de dos meses, el toque democrático: el único niño que no es de procedencia noble, aunque sí de muy buena familia, José Luis Leal, que más tarde fue ministro de Economía con la UCD y que recordará de mayor, con cierto resquemor, que se le hizo pagar muy duro el hecho de no ser aristócrata. Incluso, en una ocasión en que faltó una bombilla, se le acusó de haber sido él quien la había robado.

El director, desde luego, tenía un currículo impecable. José Garrido Casanova ejerció ese cargo en los internados municipales de Nuestra Señora de la Paloma desde la Guerra Civil, cuando evitó que los niños de este hospicio fueran evacuados a Rusia desde Barcelona. También era monárquico hasta las trancas: fue preceptor de los chicos de la familia Arriluce de Ibarra y también de Luis Martínez de Irujo, el hijo de los duques de Sotomayor, quien se casó con la duquesa de Alba. Pero el momento cumbre de su vida fue cuando le encargaron la educación del futuro rey de España. Era cierto, como señalaban sus biógrafos, que tenía gran experiencia pedagógica, pero también resulta lógico deducir que no podía tratar como a los otros niños a aquel que iba a ser su rey, al que calificaba en las notas internas del colegio como El Augusto Alumno.

En realidad, todos los elogios que recibía Juanito en aquella época eran tan ditirámbicos que resultan increíbles. Por una parte nos lo pintaban como un intelectual amante del ajedrez, que leía a Shakespeare, a Molière y a Racine en voz alta por los pasillos en sus momentos libres, que escuchaba música clásica, sus favoritos eran Beethoven y Rachmaninov, pero al mismo tiempo era deportista, buen compañero, con un alto sentido social, capaz de regalar sus trajes a los pobres, abnegado, muy religioso y muy estudioso. Sus notas hacían justicia a este dechado de virtudes.

¡Siempre matrícula de honor!

Los exámenes se realizaban en el Instituto San Isidro de Madrid y eran públicos. Pero en los días previos tenía lugar un intercambio de cartas entre el director del colegio y los examinadores que produce sonrojo. En primer lugar, Juan le escribe al director del San Isidro, el catedrático Berasaín, para recomendarle a su hijo. Éste, lleno de emoción, prepara la fecha y el horario más conveniente para El Augusto Alumno. Al mismo tiempo sugiere a Garrido que visite a los profesores para enterarse de cuáles van a ser las preguntas de los exámenes, y termina agradeciéndole a Juan su importante donativo.

Así, no es de extrañar que el profesor que le examina de francés, por ejemplo, le diga muy amablemente a Juanito:

—Alteza: permítame que cometa una incorrección preguntándole algo en francés, puesto que lo domina usted más que yo.

Su Alteza Real concedió generosamente:

—Tú también lo hablas bien.

O que el mismo Berasaín, advertido de que Juanito se había aficionado a la física, le preguntara aquellos temas que dominaba hasta que la sala prorrumpió en aplausos.

Física, química, matemáticas, historia, geografía, todo lo trituró aquel cerebro prodigioso con pasmosa habilidad, casi se podían oír en la calurosa aula de examen las aspas de su sapiencia machacando las materias de examen. Juanito finalizó sus exposiciones y fue recibido en el patio con gran alborozo por todos los monárquicos que se congregaban en el instituto y que le abrían paso gritando:

—¡Viva el rey!

Se arrodillaban y le besaban las manos.

Se hubiera necesitado tener mucho valor y una independencia económica de la que no gozaban los pobres profesores para darle una nota por debajo del sobresaliente.

Por algo, cuando terminó el bachillerato, comentó con franqueza su profesor de Literatura:

—Si el príncipe hubiera suspendido alguna vez los exámenes, todos nos hubiéramos sentido unos fracasados.

María lo llamaba cada quince días, y, cuando oía el timbre del teléfono, Juanito subía las escaleras de Las Jarillas gritando:

—¡Es mami, es mami!

Las Jarillas, donde Juanito pasó su primer año en España, era una espléndida finca a diecisiete kilómetros de Madrid propiedad del marqués de Urquijo que se habilitó para escuela. Los nueve niños compartían habitaciones dobles, excepto El Augusto Alumno, que tenía dormitorio y saloncito particular, caballo propio, que le regaló un monárquico andaluz, un coche con chófer a su disposición para ir los fines de semana de visita a las fincas de los amigos de sus padres y una escopeta último modelo que le regaló Franco en su primera entrevista en El Pardo con la que solía salir a cazar por la finca liebres, perdices y hasta jabalíes. La cabeza de la primera liebre que cazó, la disecaron y se le enviaron como regalo.

También con las pezuñas de su primer jabalí hicieron un cuadro, en el que se exhibe además la cola enhiesta y rasposa del animal. Ambos trofeos estuvieron mucho tiempo en Villa Giralda, compitiendo con los colmillos de elefante cobrados por María en un safari. ¿Dónde estarán ahora aquellas reliquias? Es de sospechar que doña Sofía no encontraría acomodo para este original recuerdo en ningún lugar de La Zarzuela.

Me cuenta una persona que ha trabajado en la casa que en el último piso de Zarzuela existen tres inmensas estancias secretas repletas de objetos que han pertenecido a Franco o a la Familia Real.

—Hay desde el váter con el que viajaba el Caudillo hasta servicios de mesa con las iniciales V-A XIII para cien personas comidos por la polilla.

Si algún investigador lograra penetrar al fin en tamaño santuario, le rogaría que tratara con respeto a las dos primeras víctimas del afán cinegético de nuestro monarca, la liebre y el jabalí, compañeros del entrañable oso ruso Mitrofan, muerto en Rusia en el año 2006 en extrañas circunstancias.

Mientras Juanito estaba en Las Jarillas, su hermano Alfonso se hizo el dueño de la casa. Acompañaba a sus padres de cacería. María le enseñaba:

—Pon el ojo aquí y tira, cuidado con el retroceso.

Y se convirtió en su preferido.

Los niños siguieron sus vidas y se olvidaron un poco de aquel hermano que nunca les había pertenecido del todo.

Además de llamarlo, María seguía escribiendo a su hijo a diario, e incluso le hizo partícipe de su gran preocupación en aquellos momentos. Su padre, el bueno de Nino, el cortesano perfecto, el hombre más correcto de la corte alfonsina, el mejor de los maridos y el mejor de los padres, tan discreto que algunos lo han tomado por tonto, jamás había llegado a recuperarse de las dos muertes que habían marcado su vida, la de su hijo y la de la monarquía. Y agonizaba interminablemente desde entonces, tan despacio que nadie parecía advertirlo.

El último año ya apenas podía salir de su casa de La Palmera porque estaba casi ciego. Cuando Bela o Dola le decían:

—Papá, aunque no veas, vamos a pasear, nosotras te acompañamos.

Contestaba aquel gran señor:

—Prefiero quedarme en casa, porque no me gustaría que pasara gente por mi lado y me saludara y yo no pudiera corresponder por culpa de las cataratas.

Unos meses antes de morir, le escribió una carta a mano a cada uno de sus cinco hijos, dándoles las gracias por el cariño que siempre le habían ofrecido y que él, en su modestia, no creía merecer.

María llamaba por teléfono todos los días. Contestaban Bebito o Bela, que habían ido a vivir a la Villa Virgen de los Reyes para cuidarle mejor, porque Luisa estaba en una silla de ruedas, ya que se había caído y se había roto la cadera:

—Hoy está un poquito peor.

Desesperada, María había pedido permiso en la embajada para poder entrar en España y acompañar a su padre, y llamaba a diario también al despacho del embajador, que ni siquiera se ponía. El funcionario subalterno le comunicaba:

—La petición sigue su curso; ya le contestaremos.

María adelgazó, dejó de ir a jugar al golf y a tomar copas al bar del Palacio, lo único que hacía era montar interminablemente a caballo hasta que dejaba a los animales tan agotados que casi se ponían de rodillas pidiéndole clemencia y volver a la cuadra.

La espera se hacía angustiosa. Hasta que un día Bebito le dijo:

—Ahora sí que papá se muere.

Sin papeles, sin permisos, sin visados, sin nada, pidió a Juan Martínez que pusiera el coche en marcha a la máxima velocidad. El viaje se le hizo eterno. En la radio, sólo escuchaban la música del parte y una voz que decía:

—Ya les hemos dado las últimas noticias de Sevilla, ahora unos minutos musicales.

La incertidumbre era lo que la mataba, convertía cada kilómetro en cien.

Tan atribulada estaba que ni siquiera advirtió que pisaba suelo español después de veinte años.

Cuando llegó a La Palmera, salieron a recibirla sus hermanos, incluso Esperanza, que había tardado menos que ella desde Brasil, ya vestidos de luto, Bebito con corbata y brazalete negro; hasta el preceptor de Adam se había puesto la corbata de ese color.

Luisa era un bulto enlutado en una silla que de pronto se veía enorme.

María dijo sin darse cuenta:

—Entonces se ha muerto.

También sin darse cuenta llegó al lado del que había sido su padre. Estaba en una tarima, el gigante moral del turbulento reinado de su cuñado Alfonso XIII empequeñecido, los bigotes lacios y amarillentos, los pies desnudos, lo más muerto de todo, asomando bajo el raído manto de los hermanos de Caridad. Lo estaban subiendo a unas angarillas, unos monjes abrían paso con una campana de bronce, toda la escena recreando las exequias de los pordioseros que debían ser enterrados gracias a la caridad pública.

Así quiso que lo llevaran a la iglesia de El Salvador al lado de su hijo, en un gesto tan humilde que casi resultaba soberbio, sin la pompa a la que era acreedor por su linaje, su biografía y por la magnitud de sus sufrimientos.

Él podía decir como los nobles antiguos:

«No descedendemos de reyes, sino los reyes de nos».

En el último momento, un enviado del gobierno se presentó en la casa protestando:

—Pero, ¿cómo lo van a enterrar así?, como a un pobre... El Generalísimo ha llamado y le ofrece honores de capitán general...

María sólo tuvo que levantar dos dedos, en un gesto soberano que la convirtió por un momento en la reina que nunca iba a ser.

—Gracias, pero no.

Tenía tal autoridad su expresión, toda su sangre azul puesta en pie dentro suyo, que el gobernador tuvo que irse, como al día siguiente comentaron entre risitas los otros nobles, «con el rabo entre las piernas».

María nunca pudo evocar aquellos momentos sin llorar y decir:

—Yo, que creo que soy capaz de perdonarlo todo, nunca pude perdonar a Franco que se portara tan mal con papá. ¡Ese permiso, ese permiso que no llegaba...! ¡Por su culpa no pude ver morir a mi padre!

Cuando Juanito regresa a casa en verano, se siente relegado, y las peleas con su hermano vuelven a ser constantes.

El único que lo recibe con alegría insensata es su cocker spaniel *Pardo*, que no puede dejar de dar vueltas a su alrededor y hasta se tumba en el suelo y le ofrece su barriga para que lo rasque. A toda la familia, Juan incluido, le gustan mucho los perros, y a *Damil* y a *Pardo* se suma *Rusty*, un caniche tamaño grande al que los chicos le cortan el pelo de forma estrafalaria.

Lo que no es óbice para que a María, Pilar y Juanito les gusten mucho los toros y les desagraden las corridas a la portuguesa, que no incluyen la suerte de matar.

Y también la caza. María incluso merece ser incluida en los tratados cinégeticos, ya que introduce en Portugal una modalidad que había dejado de practicarse y que hoy continúa vigente: la caza a caballo con perros.

Esta biógrafa da cuenta de estas actividades muy a su pesar, ya que abomina de todo tipo de crueldad para con los seres vivos.

Cuando finalizan esas vacaciones, en vez de regresar a Las Jarillas, Juan, de forma un tanto arbitraria, decide que su hijo se quede en Estoril. Considera que las promesas que le ha hecho Franco no se han cumplido y que la monarquía sigue siendo la gran desconocida en España. El dictador le afirma al escritor y monárquico José María Pemán, con suficiencia, que esto no es por su culpa, sino porque la gente no es monárquica. A lo que responde el escritor gaditano:

—Desde luego, general. Tampoco es budista, ni kantiana, ni apache. El milagro sería que fuera una cosa que ni conoce ni ha vivido nunca.[21]

La decisión de Juan deja «colgados» a los compañeros de su hijo, que contaban con regresar a Las Jarillas y no se habían matriculado en ningún colegio. Así, tienen que arreglárselas por su cuenta e improvisan otra «escuela» para ellos solos en el palacio de Montellano, propiedad de los Falcó. Si desconsiderada es la actitud de Juan y María respecto a su hijo y sus compañeros, también es algo peculiar la de estos abnegados padres, que sacrifican el bien de sus vástagos esperando a un príncipe que tal vez no se presente nunca.

Los profesores de Madrid, Garrido y el padre Zulueta, y otro de Lisboa, Montllor, van a Estoril a dar clases, y también se consigue que algunos compañeros pasen temporadas en Villa Giralda, que hagan un turno rotatorio a la manera de los grandes que acompañan a sus padres. Se volvieron a habilitar unas habitaciones en Villa Malmequer como aulas. Alfonsito iba a los salesianos y también al estrambótico colegio montado para su hermano, al que Margot asistía encantada, aunque no sabemos si aprovechó mucho las clases.

Pero Pilar dice que en Villa Malmequer se aburre y vuelve a enfundarse el uniforme azul oscuro porque prefiere las Esclavas.

Entre los condiscípulos españoles, los amigos portugueses y los hermanos, la casa estaba llena de niños. Era una época en la que María y Juan viajaban mucho, e incluso asistieron a la coronación de la reina Isabel de Inglaterra, la prima Lilibeth, en la que los sentaron en lugares secundarios. Pero la tía Ena, que estaba en un sitio de honor, ya que ella sí había sido reina «de verdad», le ordenó a María:

—¡Ponte la corona de las flores de lis! ¡Tienes que hacerte notar! Hija mía, si tú no te ves reina, nadie te verá reina.

Es una pena, porque, a pesar de ponerse la corona de las flores de lis, María no aparece en ninguna foto.

Juan, molesto por la falta de pretensiones de su mujer, la obligó a posar con todos los atributos reales —corona, banda de María Luisa, estola de armiño— sentada en una especie de trono, cuando regresaron a su casa en Estoril. Y distribuyó la foto a la prensa con el pie: «Doña María de Borbón el día de la coronación de la reina Isabel II de Inglaterra», lo que hubiera inducido a equívoco si la propia María no se encargara rápidamente de declarar cuando le entregaba la foto a algún visitante:

—Me la hicieron en Villa Giralda, y ese sillón es uno muy incómodo que está en el vestíbulo.

También visitaban las casas de sus parientes en Europa: una semanita en Menton, en Villa Teba, aunque José Eugenio de Baviera se había hecho tan franquista que siempre acababa discutiendo con Juan, al que su mujer tenía que recordar por la noche:

—¡Somos sus invitados!

Aprovechaban que estaban en la Costa Azul para visitar en Montecarlo a su primo Álvaro de Orleans, el hijo del tío Ali y la tía Bee, el novio efímero de la infanta Beatriz, a la que había abandonado en el exilio. Ahora estaba casado con una multimillonaria, naturalmente, Carla Parodi. Con ellos solía vivir su solterón hermano Ataúlfo, del que decían pudorosamente:

—No le gustan las mujeres.

Ataúlfo tocaba el piano y bailaba con delicadeza extraordinaria, lo que a los ojos de los amigos de su madre, la tía Bee, eran signos de afeminamiento. A su hermano Álvaro, a pesar de estar casado, sin embargo, sí le gustaban las mujeres, ¡y mucho! Durante una temporada pensó, incluso, en abandonar a Carla para irse con una señora mayor, de la que María decía:

—Lo de que era una vieja era lo de menos, ¡es que tenía un ojo de cristal!

Parece que Juan, recordando los consejos que había recibido cuando su loca pasión por Greta, hizo que su primo reconsiderase su decisión. También pesó el hecho de que las importantes empresas de las que Álvaro era director pertenecían al padre de su mujer.

Crista y Enrico los recibieron con los brazos abiertos en su elegante *palazzo* de la calle Vincenzo Vela, de Turín. Por las noches, después de cenar, jugaban a bridge mientras tomaban una copa, pero Enrique prefería salir a la calle para continuar bebiendo sin que nadie lo pudiera controlar y se hacía acompañar, sin demasiada insistencia de su parte, por su cuñado.

María y Crista se quedaban entonces charlando y riéndose tanto que a veces el servicio, alarmado, iba a golpear la puerta del salón. Cuando entraban, podían ver, a través de una atmósfera cargada del humo de innumerables cigarrillos, a dos Altezas Reales dobladas sobre sí mismas por las carcajadas al recordar episodios de su infancia. Desde la severidad de la duquesa de la Victoria, hasta los papillotes que se ponían en el pelo, pasando por su loco entusiasmo por John Gilbert.

Después María y Juan bajaban hasta Roma, donde se alojaban unos días en el palacio Torlonia, que tantos recuerdos guardaba para ellos:

—¿Te acuerdas, Juan? ¡Teníamos que acostarnos con gabardina y paraguas para evitar las goteras! —Rememoraban divertidos, aunque el palacio la verdad es que todavía estaba peor, no había dinero para emprender nuevas reformas y tenía que alquilarse a extraños por quincenas. Con los años y la difícil en ocasiones convivencia con su marido, el Principone, el carácter de Beatriz se había dulcificado, y recordaba con tristeza la única ocasión en que había visitado España, en 1950. Un monárquico despistado había gritado en su presencia: ¡Viva el rey! Y Franco había expulsado a la infanta acusándola de haber organizado un mitin político.

También fueron, por supuesto, a la Vieille Fontaine, donde la tía Ena les contó la última ocurrencia de su desdichado hijo Jaime:

—Dice que su renuncia no ha sido válida y que espera volver al trono cuando ese gran hombre que ha salvado España, que se llama Franco, lo permita.

Y les enseñó el informe elaborado por el espía de Jaime que le había hecho llegar un diplomático de la embajada española: «La Charlotte no es su mujer, pero la presenta como su esposa... es una arribista y una indeseable y está hecho una calamidad... el infante bebe y ella más que él y siempre andan a la última pregunta...».[22] La Charlotte era, evidentemente, Carlota Tiedemann.

Juan y María rieron desdeñosamente; quizás no recordaban los informes policiales que les atañían: «Perturbado por el efecto del whisky... todo el día de juerga con sus amigotas...». Lo que sí era cierto es que los redactores de estos informes no frecuentaban precisamente las páginas del María Moliner.

También parecía que el matrimonio de Emanuela y Sozzani hacía aguas, pero nadie quería reclamar a los dos hijos, que estaban internos en el colegio Montana, de Zug, y cuyas facturas pagaba la ex reina de España.

Cuando volvían a Villa Giralda cargados de regalos, sus hijos se arrojaban a sus brazos y Juan se ponía a contar y siempre le salían una docena de niños que no eran de la familia.

María recordaba luego aquellos tiempos con una sonrisa:

—La casa estaba llena de niños... Entre las meriendas y los desayunos creo que se bebían la producción de leche de varias vacas cada día.

El curso siguiente, Juan había reflexionado y le dijo a Sainz Rodríguez:

—El pretendiente que no ha estado en su país no moja.

Y decidió que Juanito volviera a España para proseguir su bachillerato, pero esta vez acompañado por su hermano Alfonsito.

Marcha la alegría de la casa, pero María se limita explicar, con lo que podemos considerar algo de indiferencia:

—Alfonsito se va a España con su hermano.

Pero en esta ocasión se elige otro «colegio» lejos de Madrid: lo instalan en Miramar, en San Sebastián, el que fue palacio de la reina María Cristina, donde Alfonso XIII y la reina Victoria Eugenia pasaron veintitrés veranos de su vida. Era propiedad particular de Juan, que lo vendería años después al Ayuntamiento de San Sebastián por una cantidad bastante modesta.

Para habilitar las clases de los niños se escogió el «ala de los infantes», una zona construida especialmente para los pobres príncipes hemofílicos Alfonsito y Gonzalín, los dos muertos, en la que no hay cantos agudos, ni esquinas, para evitar que los niños se hirieran y se desangraran. El resto del palacio se mantuvo cerrado, con sus grandes muebles, los cuatrocientos enormes cuadros, el piano y las lámparas, todo cubierto con sábanas, que le daban un aspecto fantasmal. Además, como decían los alumnos:

—Hacía un frío del carajo.

A los profesores se añadieron Juan Rodríguez Aranda, que daba clases de Literatura, Aurora Gómez Delgado, que impartía la asignatura de Francés y que al ser la única mujer del grupo hacía las funciones de «ama de casa», y el sacerdote del Opus Dei Angel López-Amo. Juan, que se había entrevistado con el padre José María Escrivá de Balaguer, fundador de la Orden, creyó conveniente poner a su hijo en contacto con esta prelatura, cuya influencia sobre don Juan Carlos sería determinante a partir de ese momento.

Ese año se tuvieron que reclutar nuevos niños en las familias monárquicas para acompañar a Alfonsito. Fueron los gemelos Zayas, hijos del marqués de Zayas; uno de ellos, Carlos, sería más tarde el marido de la cantante Massiel y padre de su hijo. Los bilbaínos Luis Alfonso Pérez de Guzmán y Álvaro Arana, el sevillano Carlos Benjumea, el hijo del conde de Ruiseñada, Carlos Güell y los donostiarras Tirso Olazábal y Juan Carlos Gaytán de Ayala. El curso siguiente se incorporaría Joaquín Pérez Herrasti, también de San Sebastián.

Juan y María no habían tenido empacho alguno en separarse de su hijo favorito y enviarlo a España alejándolo de sus amigos y su colegio. Siempre se hablaba de la tristeza de don Juan Carlos y de su añoranza, pero no se reparaba en los sentimientos de su hermano pequeño, que, además, ni siquiera tenía la compensación de pensar que iba a ser rey.

De hecho, al lado de los elogios desmedidos que provocaba Juanito, apenas existen testimonios del paso de Senequita por el colegio Miramar, tan sólo sabemos lo que María contaba a sus amigas de Estoril:

—Lo han tenido que cambiar de habitación porque se peleaba siempre con su hermano...

Nada más. Lo que hace sospechar que el rendimiento de Alfonsito era menos problemático que el de Juanito y que era mejor no entrar en detalles, por aquello del agravio comparativo.

María ahora les escribía a los dos. Las despedidas siempre eran las mismas: «Adiós, queridos niños, hasta muy pronto, si Dios quiere, un abrazo muy fuerte de vuestra mami que os bendice». Aunque en la posdata abandonaba este estilo alambicado para ir a lo concreto: «Y dejad de morderos las uñas».

Juanito a veces desaparecía, y sus profesores se lo encontraban en la ventana más alta del edificio contemplando una puesta de sol. Cuando le preguntaban, respondía, soñador, señalando el horizonte:

—Es que allí detrás está mami.

Estaba detrás, en efecto. Pero detrás, detrás. ¡Muy detrás! Porque María y Juan se dedicaban a viajar, safaris y cacerías en Kenia y Angola, donde abatían elefantes, tigres y hasta leones. En las partidas, María era la única mujer y, si bien al principio los miembros de la expedición temían que llegara a ser un engorro, pronto se daban cuenta de que a arrojo y valor nadie la superaba.

La única complicación era que en cada acampada debían prepararle un «cuarto de baño» para ella sola.

—Para «perderme en la maleza» me tenía que acompañar un señor con un rifle que se quedaba discretamente a cierta distancia —recordaba María entre risas—. ¡El problema era que los elefantes tenían un olfato enorme y había que irse a sotavento para que no se pusieran farrucos!

Logró cazar un inmenso ejemplar:

—Le apunté al codillo, el animal se arrodilló intentando ponerse de pie... Tiramos el otro cazador blanco y yo, ¡pero el elefante era mío porque yo había hecho la primera sangre!

María puso un colmillo en el vestíbulo de Villa Giralda y en el otro consiguió que un orfebre sevillano le tallase la Virgen de las Batallas; se lo encargó a su madre en una de sus visitas relámpago.[23] Luisa estaba muy disminuida, nada quedaba ya de aquella mujer altanera y arrogante que inspiraba tanto respeto como temor.

Cuando su hija le insistía para que se quedase más tiempo con ellos, aquella mujer que jamás había dejado de firmar «Louise» le decía con el acento francés que nunca había llegado a perder:

—El pescado y el invitado a los tres días apestan.

No fue ni siquiera cuando murió la reina Amelia, su hermana.

Oliveira Salazar, el dictador portugués, se empeñó en hacer funerales de Estado a la que había sido reina de Portugal. Pero, contra lo que se nos quiso hacer creer en su momento, la verdad es que los condes de Barcelona no tenían ningún rango protocolario, ni en Portugal ni en ninguna de las escasas cortes que quedaban en Europa, a diferencia, por ejemplo, de Humberto de Saboya, que, aunque por muy poco tiempo, sí había sido rey de Italia y recibía honores de tal.

Sin embargo, sí acudieron al funeral de Amelia, pero como sobrinos, no como pretendientes de un trono que no existía.

Fue en el Santuario São Vicente de Fora, donde el cadáver había estado treinta días expuesto, vestido con el traje que llevaba el día del atentado que costó la vida de su marido, ¡lo había guardado durante cuarenta y cuatro años para que se lo pusiesen en su funeral!

Seguramente María, viendo su rostro tan pálido como la cera y dándole vueltas al anillo de zafiros que su tía le había regalado por su boda, rememoraría las felices jornadas pasadas en su castillo de Versalles montando a caballo con sus primos y hermanos, o los veranos despreocupados del Manoir d'Anjou.

Poco a poco, como marchitos actores de una obra ya caduca y pasada de moda, los viejos nobles se fueron retirando haciendo una postrera y versallesca reverencia a los nuevos tiempos.

Sobre la lápida de mármol de la última reina de Portugal, se grabó: «Aquí descansa en Dios doña Amelia de Orleans y Braganza, reina en el trono, en la caridad y en el dolor».

Claro que la vida de los condes de Barcelona en Estoril no era tan idílica como se nos quiso hacer creer.

Juan había caído otra vez en aquellas «irregularidades» que tanta preocupación habían causado a Franco y a su mujer. Según explicaba José María Gil Robles en un apunte de sus diarios que ha quedado inédito, «...el pretendiente de la Corona española estaba entregado al alcohol y los excesos... el abuso de alcohol le estaba debilitando la inteligencia y la voluntad, ahogaba sus penas en alcohol y en diversiones de todo tipo...».

El estilete de Gil Robles se clavó también en María, a pesar de que los hijos comentaban lo mucho que sus padres querían a los reyes, como se les llamaba entonces: «Su mujer, doña María de las Mercedes, no se ocupaba mucho de la casa. Estaba todo el día de juerga, cuando don Juan no estaba en casa, se marchaba dejando su hogar sin rumbo... Tenían constantes discusiones, no se llevaban bien...».[24]

No sabemos si era cierto que el hogar quedaba sin rumbo, pero sí que la independencia y la rebeldía de Pilar y Margot se acentuaron.

Pilar le cogió mucho cariño a Pedro Sainz Rodríguez, que le servía de mentor y le aconsejaba las obras que tenía que leer; a veces, incluso tenía que ejercer de anfitriona cuando sus padres no estaban. En una ocasión atendió a un grupo de periodistas que la encontraron tan original en sus opiniones y actitud que estuvieron más tiempo del previsto. De todas formas, estaba pasando la típica edad en que no sabía por qué decidirse ni cuál era su vocación, y pensó en convertirse en misionera e irse a convertir negritos a África. También se aficionó a las miniaturas, como su madre, y era asombroso ver cómo sus manos, llenas de durezas a causa de la equitación, utilizaban unos pequeñísimos pinceles de tan sólo un pelo para dibujar delicados primores.

Margarita se volcaba en su profesora, madame Petzenick, y en la música; seguía siendo la niña más traviesa de Estoril, nadie le ponía freno y estuvo a punto de matarse más de una vez. Un día se precipitó por la ventana de su habitación, y menos mal que estaban abiertos los postigos del despacho de Juan, situado debajo de su cuarto, y amortiguaron la caída; aun así se rompió el brazo y sufrió diversas magulladuras.

La familia al completo se reunía en Navidades, Semana Santa y verano, la mejor época para cruceros. Recorrían una y otra vez el Mediterráneo. María, que en su casa no levantaba un dedo, en el barco barría y limpiaba hasta dejarlo todo «como los chorros del oro». ¡No le parecía una obligación, sino un juego!

Claro que a la hora de manejarse con el barco, se comportaba como un auténtico marinero, si no Juan, que era muy estricto en estas cosas, no le hubiera permitido tocar ni una escota.

A propósito de este término, en una ocasión en que un lego mencionó la palabra «cuerda» a bordo de *El Saltillo*, Juan casi lo tiró por la borda recriminándole:

—¡En un barco no hay más cuerda que la de la campana o la del reloj!

En uno de los viajes, se llevaron a los primos Alfonso y Gonzalo de Borbón Dampierre, que no tenían a nadie con quien pasar las vacaciones. Además, Juan quería sondear a su sobrino Alfonso para ver si en el futuro podía representar algún peligro para las pretensiones de Juanito, pero pronto descartó —erróneamente— esta eventualidad, pues los chicos no querían saber nada de España, seguramente por inspiración de su madre.

María tranquilizó a su marido:

—¡Pero si ni siquiera hablan español!

Pero por dentro no se fiaba ni un pelo de ese sobrino del que seguía pensando que «era un ser amargado y muy influenciable».

Las Navidades se celebraban a medias en casa de los condes de París y en Villa Giralda. Don Juan, que era el más apropiado por su físico, se vestía de Papá Noel, y María envolvía regalos para todos, lo cual tenía su mérito porque los condes de París, sumando los once hijos, eran trece personas. Un año que ya no sabía qué regalarles, hizo lotes a la manera de las cestas de Navidad que regalan las empresas a sus empleados, con algo de comer, algún juguete y banderines. Su marido, que además de no intervenir en nada siempre tenía que decir la suya, la dejó planchada:

—Vaya mierda de regalo, ni que fuéramos tenderos.

Cuando llegaban los invitados a Villa Giralda, Alfonsito iba advirtiendo a gritos a toda la casa:

—Los *Paguís,* ya están aquí los *Paguís*. ¡Sálvese quien pueda!

El día de Reyes iban a casa de los Saboya, adonde llegaba la Befana, que es la bruja que en Italia hace el papel de Reyes Magos.

María José se dignaba acudir desde Suiza y fumaba echándole el humo a su marido, pues sabía que él odiaba el olor del tabaco.

Los cuatro niños, Víctor Manuel, María Pía, María Gabriela —Ela— y Titi se hicieron muy amigos de los infantes, incluso parece que Ela coqueteaba con Juanito, aunque ambos eran un par de sosos de cuidado.

Juanito, en 1952, se puso sus primeros pantalones largos y ¡se enamoró! por primera vez, si descontamos, claró está, su pasión infantil por Marie Claire Carvajal.

¿Que quién era ella? Chantal de Quay, una espectacular rubia hija de una belga y del vizconde suizo Stucky de Quay, prestigioso abogado que estaba casi siempre de viaje.

Chantal, con palabras de aquella época, «paraba la circulación», y Juanito se enamoró locamente de ella. Chantal, que actualmente posee una casa de modas en Estoril y a la que don Juan Carlos ha ido a visitar en algún viaje privado a Portugal, ha admitido que:

—Sí, tuvimos un *flirt*, una relación, Juanito era humano, ardoroso y alegre.[25]

Él le escribía fogosas cartas desde Miramar donde le decía que no podía vivir sin ella.

Claro que Alfonsito también se había echado una novia, Tessy Pinto Coelho, también guapísima, hermana del conocido decorador afincado en Madrid Duarte Pinto Coelho que acaba de fallecer en el momento de escribir estas líneas (junio 2010). Hoy día Tessy es una presencia constante en la crónica social portuguesa, ya que es una espléndida cantante de fados y ha estado casada con el conocido actor, cómico y comunicador Raul Solnado, fallecido el año pasado.

Según sus amigos de aquella época, y a pesar de la diferencia de edad, Alfonsito se sentía muy seguro de sí mismo y era más lanzado que su hermano. Juanito iba a ser rey, sí, pero de momento era poco atrevido con las chicas y no tenía éxito con ellas.

Iban a bailar a la *boîte* Ronda, donde había un pianista español que les tocaba románticas rancheras que él le traducía a Chantal en voz baja:

Un viejo amor,
ni se olvida ni se pierde…

Asistieron a una fiesta de disfraces juntos, como pareja. El disfraz que escogió Juanito salió del «fondo de armario» de María: un atuendo de moro.

Con Alfonsito y Tessy acudían al cine Casino, pero se sentaban en la última fila cogidos de las manos y no se enteraban muy bien de las películas, aunque *Anna* sí les gustó bastante, porque Silvana Mangano bailaba el bayón con sugerentes movimientos de caderas.

También iban juntos a tomar helados a Santini. Alfonsito, sin embargo, abandonaba a su novia para ir a aparcar el coche del dueño, al que convencía siempre con la misma excusa:

—Santini, dame las llaves de tu coche que está ahí la policía y te quiere poner una multa.

Pero el primer amor de Juanito duró tan poco como la vida de una flor. De pronto, el príncipe fue viendo cómo su novia cambiaba, que le rehuía, y no tardó en enterarse de la verdad. Se la dijo su hermano:

—Chantal se he enamorado de Babá Espíritu Santo.

Juanito sufrió por amor por primera vez en su vida. Regresó a Miramar, donde observaba a su hermano con cierto rencor: se carteaba con Tessy, que ¡hasta le hacía escenas de celos porque sospechaba que su precoz enamorado intercambiaba correspondencia con otras chicas de su grupo!

¡Ay, esos genes borbónicos!

Alfonsito también trataba de quitarle la novia, Marilú, a su amigo Antonio Eraso, aunque ello supusiera abandonar otra incipiente relación: France Brito e Cunha. Así se lo dice al menos a aquél en una carta. «Cuando veas a France, dile que me perdone, pero es que prefiero a Marilú que a ella».

Eraso se carcajeaba; ninguno de ellos se tomaba en serio estos amores adolescentes y cuando estaban a solas los comentarios sobre las chicas eran dignos de un tratado sobre machismo. Tenían a quién parecerse; todos los allegados a Juan recuerdan su retrógrado lenguaje a la hora de hablar de la inteligencia de las mujeres o de otros atributos. Como comentaba Vilallonga:

—Don Juan era uno de esos hombres convencidos de que todas las mujeres son unas putas y, desgraciadamente, actuaba en consecuencia.[26]

Por su parte, el barman del club de golf, Joanhino, opinaba con indulgencia:

—Es como un niño grande, ninguna mujer puede decirle que no.

A estas alturas de la historia, creo sinceramente que María prefería no enterarse de nada y que si alguien hubiera intentado quitarle la venda de los ojos se hubiera negado a escucharlo.

La tía Bee[27] instalaba cerca suyo a la supuesta amante de su marido haciéndola «ama de llaves», porque, como decía cínicamente:

—Prefiero tener el enemigo en casa.

Sin embargo, el prestigioso y siempre bien afinado historiador Ricardo Mateos me cuenta que esta supuesta relación nunca existió y que todo se debía a la maledicencia de algunos vecinos:

—He podido ver la correspondencia entre Bee y Ali, llena de complicidad y cariño. Carmela Louro, la gobernanta, era muy elegante y se la tenía muy bien considerada en la familia, y esto despertaba la envidia de ciertos elementos de la sociedad sanluqueña.

Ricardo y yo nos asombrábamos, de todas formas, de la persistencia de este nombre en los adulterios reales. Tanto Antonio de Orleans, el padre de tío Ali (Carmela Jiménez), como Alfonso XIII (Carmela Ruiz Moragas), como quizás el propio tío Ali (Carmela Louro) demostraban una atracción fatal por este patronímico.

Cuando Juanito regresó a Estoril ya había perdonado a su amigo Babá, aunque le urgía encontrar a una chica nueva.

María se lo tuvo que llevar casi a rastras a casa de los condes de París.

—¡Con lo que te gustaba ir cuando eras pequeño!

Se puso a mirar con hambre adolescente a las chicas de la fiesta. La hija mayor de «los Paguí» era muy mona, se llamaba Isabel, pero no le hacía caso, es más, se reía de sus ingenuas artimañas para conquistarla y le consideraba un crío, pues era seis años mayor que él. Nuevo desengaño. Hasta que descubrió los ojos de María Gabriela de Saboya clavados en él y se dedicó a esta relación sin demasiado entusiasmo.

Al lado de la voluptuosa y madura Chantal, encontraba a la princesa italiana «muy sosita». Pero pronto se dio cuenta de que Ela era liberal y moderna, muy distinta de las portuguesas, que eran tan puritanas como las españolas, y ya había tenido algunos amores.

Su hermano le comentó que «salía» con Kaddy Visconti, un sobrino del famoso director de cine italiano.

Pero todos sabían que de quien estaba realmente enamorada era de Juanito, y los dos entablaron un noviazgo lleno de camaradería y complicidad, aunque, cuando la ocasión lo requería o ella estaba en Suiza con su madre, Juanito por supuesto que salía con otras chicas.

Ela sufría, pero se aguantaba. Si se casaba con un Borbón —y tal era su propósito—, ya sabía lo que le esperaba.

María veía con indulgencia estos amoríos de sus hijos, le parecían naturales, y también pensaba que era bueno que conocieran a muchas chicas antes de casarse, porque las bodas de los miembros reales deben ser para siempre.

Incluso el desgraciado e imposible matrimonio entre la tía Ena y el tío rey sólo se había roto una vez en el exilio.

Ese verano se organizaron varias fiestas, pero ya no había en ellas carreras de sacos ni bailes de la patata. Como en todos los guateques de la época, el amigo más feo se ponía al lado del *pick up* y, además de darle cuerda, alternaba los ritmos lentos con el rock más frenético, baile en el que Juanito era un maestro; cuando se lanzaba a la pista, le hacían corro y daban palmas mientras él trenzaba y destrenzaba los difíciles pasos levantando a su pareja sin perder el ritmo. Alfonsito prefería los ritmos lentos y, a pesar de su pantalón corto y su poco agraciado aspecto, era tan seductor que tenía siempre una cola de chicas deseando bailar con él. Cuando la fiesta estaba en su apogeo, se apagaban algunas luces y al inofensivo *cup* que bebían las chicas se añadía bajo mano una botella de whisky sacada del bar de Juan.

Hasta la vida diera
por perder el miedo
de besarla a usted.

Y Alfonsito, como Lorenzo González en la canción, intentaba manosear también a su pareja, salvando codos, rodillas, faja y todo tipo de obstáculos.

De vez en cuando sonaba un bofetón y también algún suspiro.

Para los más osados, los príncipes habilitaron una habitación, a la que llamaban el «cuarto oscuro» y que no se utilizaba precisamente para jugar al escondite.

A estas fiestas iba también Pilar, a la que su madre hacía vestirse de rosa, un color que odiaba; a ella lo que le gustaba era llevar el *blazer* del club hípico con los dos caballitos en la solapa. Bailaba con sus amigos de la niñez, los hijos de Gil Robles, pero ella ya no se consideraba una niña. Sus padres estaban tan centrados en Juanito que apenas se habían dado cuenta de que Pilar había crecido. Era de las mayores de su colegio y, encima, con su elevada estatura, parecía de más edad. Ella no iba a ser reina; sí, se casaría, porque era su obligación, aunque no le gustara ninguno de los chicos que conocía, pero, hasta entonces, ¿qué podía hacer?

Ya no quiere irse a las misiones. Nunca ha olvidado su infantil vocación de enfermera y guarda todavía el estuche-botiquín que le regaló su abuela en Lausana. Y un día le plantea a su madre que ya está harta de ir al colegio y que quiere entrar a trabajar en un hospital. María la entiende bien; ella también, como todas las chicas de la alta sociedad españolas antes de la guerra, como sus cuñadas, las infantas Crista y Beatriz, había sido enfermera de la Cruz Roja. Que la reina doña Victoria Eugenia presidiera esta institución benéfica, le había dado un toque chic, y era muy elegante posar para los fotógrafos con el uniforme y las tocas de enfermera que tanto favorecían. La misma reina también lo había hecho, con un uniforme a medida, naturalmente, de Paquin, en la única fotografía, quizás, que conocemos de ella en la que aparece sin una sola joya.

Pero de eso a trabajar en un hospital popular había mucho trecho. Como las monjas de las Esclavas ya no sabían muy bien qué hacer con Pilar, la madre se resignó a sacarla del colegio, pero se encontró con una dificultad: la infanta no había terminado ni siquiera el bachillerato elemental, pero para algo sirven las amistades y las influencias. María se fue a ver a una amiga de la difunta reina Amelia, que estaba al frente del hospital San Carlos, y le contó el interés enorme de su hija por estudiar la carrera. Entonces se le ofreció a Pilar la oportunidad de entrar directamente en el curso de enfermería en la escuela Artur Ravara de Lisboa, sin necesidad de presentar el título de bachiller.

—Cuando Pilar vea las duras tareas que hay que hacer en un hospital, se cansará —le dijo María a su marido. Pero no contaba con la tenacidad, la terquedad y la fortaleza del carácter de su hija, tan parecidas a las suyas. Cuando empezó a estudiar, Pilar percibió que su vocación era auténtica y cumplió como todas sus compañeras; turnos de noche, curas, a todo se entregaba con la enorme pasión que pone en las cosas que realmente le interesan.

Qué deprisa pasa el tiempo, se dijo María, mientras bordaba un tapetito para las bandejas de té, el cigarrillo reposando en un cenicero a su lado.

Sonreía porque acababa de recibir una carta de Esperanza, que acababa de dar a luz su sexto hijo. Percibía la satisfacción de su hermana, dada por estéril por el doctor Castellani, cada vez que le anunciaba el nacimiento de un hijo, y si era varón, como en este caso, todavía más.

María estaba contenta por su hermana. También le alegraba que al fin el gobierno de Brasil le hubiera devuelto a Pedriño sus valiosas posesiones imperiales. María había heredado de su padre el fuerte sentido familiar que caracterizaba a los Dos Sicilias, hondo, íntimo y profundo, pero sin ningún exhibicionismo.

Cuando comía una de las pacanas que le enviaba el cuidador del Alcázar de Sevilla, el sabor de su infancia la invadía entera, y si se veía reflejada en algún espejo, se preguntaba con asombro quién era esa señora mayor de aspecto formal y expresión circunspecta y adónde se había ido María la Brava.

Ahora son sus hijos los que son niños.

Mejor dicho, «eran» niños.

Porque Juanito, por ejemplo, ya estaba terminando su bachillerato superior, se había examinado de sexto y reválida, claro está que con matrícula de honor, y después había ido a visitar a Franco a El Pardo con su hermano. Alfonsito era la primera vez que veía al Caudillo y explicaba que:

—Franco tenía las piernas cruzadas y no cesaba de mover una de ellas, como un péndulo.

La Señora salió a saludarles. Luego, ya en Estoril y en confianza, Alfonso explicaría a su madre:

—Mami, ¡la Señora me daba asco con todos esos dientes! ¿Por qué tenemos que hacerle tantas pamemas! Franco parecía un sapo... —Su madre le reconvenía y le hacía un gesto con el canto de la mano, aunque no podía dejar de sonreír, y el niño, envalentonado, proseguía—. ¡Lo que tenemos que hacer es darle una patada en el culo para poner a papá!

Es de suponer la poca gracia que estos comentarios harían al Caudillo, que de todo se enteraba, precisamente en un momento en que se le había comparado en la prensa española con el Cid Campeador, Felipe II y Cristóbal Colón y se había elogiado con delectación «su broncínea voz con diamantinos armónicos».

La última semana que pasó Juanito en Miramar fue con su profesor, Garrido, a comprar su primer esmoquin al mejor sastre de San Sebastián. Éste le comunicó a Garrido:

—El precio del traje para los clientes en general es de tres mil quinientas pesetas, pero, por tratarse de SAR el infante don Juan, tendré mucho gusto en confeccionárselo por dos mil quinientas, que es el valor de la tela y los forros, de fábrica.

Juanito estaba muy emocionado. Necesitaba el esmoquin para su primera fiesta de verdad, un crucero a bordo del buque de lujo *Agamenon* organizado por la reina Federica de Grecia. «El armador Eugenides organizó el crucero en uno de sus barcos, el *Agamenon*, a petición mía, para que las familias reales europeas nos reuniéramos por primera vez después de la guerra y también con la intención de abrir nuestro país al turismo». Y, también, aunque la reina Federica no lo confesó, para concertar matrimonios, sobre todo los de sus hijos. ¡Grecia estaba tan fuera de los circuitos reales!

Fueron invitados los condes de Barcelona, con Pilar y Juanito. Federica dio como excusa para no invitar a Margot y a Alfonsito que eran demasiado jóvenes, sin embargo, invita a Ela, que tiene la misma edad que aquélla. Margot creyó que no había sido invitada porque era ciega y temían que se cayera del barco, cuando navegaba desde que sabía caminar. María y Juan fueron con *El Saltillo* y dejaron a los dos niños en Nápoles, en casa de la viuda del duque de Aosta, Irene de Grecia, y de su hijo Amadeo, que tenía dos años menos que Alfonsito. Se quedaron llorando, aunque Margot, como siempre, pronto se consoló y le dijo a su hermano:

—A mí tampoco me hubiera gustado ir sola, Alfonsito, ya verás lo bien que lo pasamos aquí.

Ellos lo pasaron muy bien; no se sabe cómo los duques de Aosta.

El crucero resultó un gran éxito.

María comentará con ironía:

—Es que estaba organizado «a la prusiana» —aludiendo a la nacionalidad de la anfitriona.

Se reunieron ciento diez personas de veinte nacionalidades, hablando quince idiomas distintos. Sorteaban los puestos en las mesas, y a la reina Juliana de Holanda, por ejemplo, le podía tocar de vecino un chico de quince años. Como la posibilidad de cenar con ella al lado les resultaba espantosa a los jóvenes, éstos hacían trampas para sentarse al lado de alguna princesa guapa y, a poder ser, con fama de «fresca».

Juanito cenaba todos los días con Ela. Cena y no se sabe si algo más, porque años después, en el 2001, una mujer francesa presentó ante los tribunales de Burdeos una demanda de paternidad. Se llamaba María José de la Ruele y decía ser hija natural de don Juan Carlos y de María Gabriela de Saboya y que había sido concebida, precisamente, a bordo del *Agamenon*. Había nacido en Argel en 1954, y dada en adopción. Su demanda cayó en el olvido. La Casa Real se pronunció al respecto y dijo:

—Es un infundio.

La prensa informó libremente sobre este hecho. Jaime Peñafiel, en concreto, contó todos los detalles en *El Mundo*.[28]

A bordo del *Agamenon* se conocieron Juanito y Sofía. Ésta presumía delante de él de que estaba estudiando judo, y el príncipe se rio burlonamente y le dijo (en el mejor estilo de su padre):

—Con un hombre no te servirá de mucho eso, ¿no?

Sin pronunciar palabra, la princesa griega le cogió la mano y lo tiró al suelo.

La reina dice de él que en esos días era simpatiquísimo, muy bromista, muy gamberro, y recuerda que no la sacó a bailar ni una sola vez.[29] Tardarán siete años en volver a verse.

Juan y María vigilaban a sus hijos. El principal objetivo de este viaje era encontrar partidos convenientes. María Gabriela no les gustaba demasiado, ¡era tan moderna!, pero pensaban que Juanito era muy joven y tendría muchas más novias todavía. Y Pilar ya iba a cumplir dieciocho años y no había en el horizonte ningún buen partido dispuesto al matrimonio. Se hizo muy amiga de la princesa Alejandra de Kent; se parecían mucho físicamente y tenían las mismas aficiones. Pero Alejandra se arreglaba, era muy *british*, con una elegancia contenida típica de las mujeres de la Familia Real británica, mientras Pilar iba siempre con el vestido arrugado, no le gustaba pintarse y se recogía el pelo en un peinado que no la favorecía. Tenía un gran porte, un poco al estilo de su abuela, pero no se sacaba partido. Juan se la quedaba mirando fijamente y mascullaba:

—Pero, esta niña, ¿no se arregla nunca?

María reía, como hacía siempre, y no le daba más importancia. Era la «camarógrafa» del grupo; iba siempre con su cámara filmando escenas que hoy en día, de poder consultarse, tendrían un valor extraordinario. Se encontró con sus amigos, el príncipe Nicolás y su mujer María Bonaparte, los París, los Saboya, el tío Ali y el rey Olav de Noruega, y le gustaba rememorar con ellos aspectos divertidos de su pasado y de sus familias, que estaban tan entremezcladas. Hasta se encontraba a gusto con la tía Bee, que se había dulcificado y convertido en una gran benefactora. Además, le estaba agradecida porque visitaba a menudo a su madre en su casa de La Palmera.

Claro que no entiendía muy bien el cinismo de su tía, que comentaba con desenvoltura el aspecto de la gobernanta, supuesta amante de su marido:

—Imita mis gestos y hasta viste mis propias ropas.[30]

Con ella comenta, en confianza, el panorama de príncipes casaderos. No es muy prometedor; el más apetecible es Harald de Noruega, pero parece que Federica ya le ha echado el ojo para una de sus dos hijas, Irene o Sofía. Harto de ver que Pilar es la que va menos arreglada del barco, Juan baja a tierra en una pequeña escala, se va a una perfumería, compra una barra de labios y le pinta él mismo la boca a su hija, que mueve la cabeza como si la estuvieran martirizando.

De todas formas, la única boda que salió del crucero del *Agamenon* fue la de María Pía, la hija mayor de los Saboya, con el príncipe Alejandro de Yugoslavia, aunque el matrimonio duraría poco más de diez años, terminando en divorcio.

En el viaje de vuelta, recogieron a Alfonsito y Margot, que estaban indemnes, en el palacio de Capo di Monti, en el que habían vivido al parecer también, y que hoy día es un importante museo.

Preguntaban sin cesar cómo había ido todo. María había rodado varios rollos de película y les dijo que ya se las enseñaría cuando llegaran a casa. Duraban tres horas, un testimonio histórico excepcional e irrepetible:

—¡Han intentado comprármelas muchas veces! ¡Y me decían que pusiera yo el precio que quisiera! —Se ufanaba siempre María. Ella nunca accedió.

Sería interesante que los herederos pusieran este material a disposición de los historiadores. Es un periodo muy poco documentado, lleno de dificultades para todos los que escribimos sobre él. Los escasos testigos de aquella época que quedan vivos llegan al extremo, llevados por su discreción, de negar hechos que han sido comprobados históricamente.

Hay muy poca documentación imparcial y, aún menos, hostil a la causa monárquica.

También hay un afán constante y muy molesto por ocultar ciertos aspectos y resaltar otros que, dadas las fuentes, resultan bastante dudosos y totalmente indemostrables.

La misma doña María de Borbón advertía constantemente a su único biógrafo, Javier González de Vega:

—Esto no lo pongas.

Desgraciadamente, Vega le obedecía.

El viaje de regreso no fue una travesía tranquila. Juanito tuvo un ataque de apendicitis a la altura de Tánger. La marinería pretendía ponerle hielo para aliviar el dolor, pero María recordó las enseñanzas teóricas que le dieron en la Cruz Roja y comprendió que lo que le convenía era el calor. Mandó calentar agua y le colocó la botella cerca de la zona dolorida. Al mismo tiempo, insistió para que desembarcaran inmediatamente en Tánger para que Juanito fuera intervenido.

Juan no paraba de gruñir:

—Qué manera de complicarse la vida... Seguro que no es nada... Este chico lo que tiene es mucho cuento... En Lisboa que lo mire Loureiro...

Menos mal que María insistió, llevándole por una vez la contraria a su marido, y consiguió que lo operara en Tánger el cirujano Alfonso de la Peña, que les dijo:

—Si se le hubiera aplicado hielo y se hubiera tardado un poco más, el príncipe hubiera muerto de peritonitis.

En el caso de que este hecho fatal se hubiera producido, automáticamente hubiera quedado el primero en la línea sucesoria Alfonsito. Pero parece que a nadie se le ocurrió esa posibilidad, y el infante siguió siendo educado como un niño normal, con despreocupación y sin ninguna carga histórica.

Vista en perspectiva, esta actitud insensata de los condes de Barcelona fue la misma que había tenido Alfonso XIII, que no previó que Juan iba a ser el heredero de la Corona por la enfermedad de su primogénito y nunca le dio una educación adecuada. Los más puntillosos también pueden argüir idéntica irresponsabilidad en las generaciones actuales: se ha educado a las infantas Elena y Cristina como señoritas particulares (sus matrimonios son buena prueba de ello), cuando, en el caso desgraciado de que a Felipe le hubiera sucedido algo en su larga soltería, una de ellas hubiera podido ser la que ocupara el trono.

Aunque en el caso que tratamos en estas páginas del libro, tal como fueron las cosas, Juan y María debieron de alegrarse de haber dejado crecer a su hijo como un niño normal, sin tener que someterse a las crueles disposiciones por las que tuvo que pasar Juanito.

Cuando llegaron a Estoril, Juan seguía mirando a su hija y dándole vueltas a la cabeza:

—Pero, a ver, esta chica, María, ¿cuántos años tiene?

—Pero, Juan, lo sabes muy bien, el 30 de julio cumplirá dieciocho.

—Pues hay que ponerla de largo.

Primero se pensó en una fiesta pequeña, casi familiar, pero se enteraron los monárquicos españoles y se apuntaron cientos de ellos. Ante lo complicado que iba a resultar todo, María y Juan dejaron los preparativos en manos de los Rocamora y se fueron de cacería.

María cogió a Angelita por los hombros y le dijo:

—¡Es que tú todo lo haces tan bien!

Al final, la fiesta se celebró el 12 de octubre de 1954, en el decimonoveno aniversario de la boda de sus padres, y se decidió que con la infanta Pilar se pusieran de largo unas cuantas chicas de familias nobles, así se aliviaba la carga monetaria del evento, al que se llamó en la mejor tradición «baile de debutantes».

La fiesta constó de dos partes. La primera, una reunión en Villa Giralda con más de cuatrocientos españoles. Los «¡viva el rey!» provocaron que Juan se viera obligado a decir unas palabras. Entre la concurrencia estaba Pastora Imperio, de quien hay una imagen saludando a Juan con lágrimas en los ojos, mientras María le sonríe emocionada. En la mano, Pastora lleva una especie de sobre blanco que parece trata de entregarle, quizás en él iba una aportación a la colecta que los Rocamora habían organizado entre los invitados para tratar de ayudar a los condes de Barcelona a pagar la puesta de largo.

O quizás estaba tratando de pagar una fotografía, dado el negociete que Juan había montado con el fotógrafo. La turbación de la cantante puede venir dada por algunos recuerdos de juventud: se rumoreó que había sido una de las favoritas de don Alfonso XIII, que la apreciaba mucho y no precisamente por sus artes cantoras.

La que menos protagonismo tuvo fue Pilar, que no parecía muy contenta con toda aquella parafernalia de su presentación en sociedad. No se sentía cómoda con su ropa de fiesta; ella prefería ir vestida de amazona, con botas altas.

Al día siguiente se celebró la fiesta propiamente dicha en el hotel Parque, al lado del hotel Palacio, que organizó el banquete: se consumieron cuatrocientas langostas, doscientos cincuenta pavos y cuatro mil pasteles de pollo. Se bebieron dos mil botellas de champán francés. Pese a que habían pedido pasaporte quince mil personas, Franco sólo autorizó el viaje a tres mil. La duquesita de Alba, con su marido Luis Martínez de Irujo, viajó desde España a pesar de estar de luto por la muerte de su padre. También asistió el embajador de España en Portugal, el hermano de Franco. La duquesa de Medina Sidonia, Luisa Isabel Álvarez de Toledo, más tarde conocida como «la duquesa roja», también estaba entre las debutantes. Teniendo en cuenta que poco después se casó vestida de negro, sería interesante ver un testimonio gráfico de su traje.

La hermana de María, Dola, apareció del brazo de su flamante marido, Carlos Chías, el preceptor de su hijo Adam, un atractivo catalán de tan sólo veinticinco años, sobrino del que fuera gobernador civil de Barcelona Osorio y Gallardo. Después de diez años de viudez, y para sorpresa de todos, había decidido casarse con Carlos, que, con galantería, se ponía gafas y se peinaba con el pelo hacia atrás para parecer mayor y acercarse a la edad de su mujer.

Bebito, más grueso que nunca, iba con Alicia y Bela, a la que habían tenido que sacar a rastras de su finca y habían conseguido vestir «de elegante», como decía María.

—¡Hasta la maquillamos!

Como ya era una auténtica campesina, estuvo toda la noche en un rincón sin despegar los labios, porque le repugnaba el sabor de la barra con la que se los habían pintado.

Se intentó recrear un auténtico baile de corte; las señoras con diadema y joyas y traje largo, los hombres con chaqué y condecoraciones. María se puso la corona de las flores de lis y su collar de chatones y un vestido de brocado color beige; superaba en elegancia incluso a la reina Victoria Eugenia, quien fue bastante criticada por lucir escote y hombros desnudos. ¡Ya no estaba para aquellos trotes!, bromeaban las invitadas más castizas. Pilar llevaba un vestido, blanco, claro está, con la falda de organza y el cuerpo ajustado y escote barco, que le había hecho la modista Isaura, especializada en trajes de noche y ceremonia, sin diadema, sólo un sencillo collar de perlas, guantes largos blancos y una pulsera por encima de ellos, detalle que entonces no se consideró de muy buen gusto. Salió a bailar el vals con su padre, casi delgado enfundado en su ajustado chaqué, y todos gritaron de nuevo: «¡Viva el rey!», incluso la mujer de Nicolás Franco, Isabel Pascual de Pobil, que aplaudió tanto que se le enrojecieron las manos. Esto le valió después una reprimenda en España por parte de sus cuñados, el Caudillo y doña Carmen, que, muerta de envidia, incluso presionó a su marido para que les retirara el pasaporte a los que habían acudido a Estoril, acusándoles de dar gritos antipatrióticos.[31]

Finalmente, prevaleció el buen juicio y tal sanción no se produjo.

A doña Carmen también le causó gran enfado que la revista americana *Life* dedicara varias páginas al evento, cuando la boda de su hija Nenuca con el marqués de Villaverde —marqués de Vayavida le llamaban en España— no había merecido ni una foto.

Después del vals tuvo lugar un largo besamanos de varias horas, en el que desfilaron delante de la reina Victoria Eugenia los tres mil invitados. A María llegó incluso a hacérsele una llaga en la mano por el anillo. A continuación actuó Imperio Argentina.

Es evidente que el acto fue más político que social, y seguramente los jóvenes, que deberían haber sido los protagonistas de la fiesta, se aburrieron como ostras.

Lo que les gustaba era Renato Carosone y no Imperio Argentina, que, ya en aquella época, era una reliquia. Menos mal que Juanito pudo terminar la noche cogiéndole las manos a su novia Ela mientras ambos escuchaban los melancólicos fados de Amália Rodrigues, la presunta amante de Humberto de Saboya.

Por muito que se disser
o fado não é canalha,
não é fadista quem quer,
só é fadista quem calha.

Todos le gastaban bromas a Juanito. Las novias a esa edad no se tomaban en serio, y los amigos se pasaban las chicas los unos a los otros sin ningún problema. Hasta que Alfonsito, que sabía ponerse formal cuando correspondía, atajó los comentarios y, con una madurez impropia de sus años y tratando de proteger a su hermano mayor al que adivinaba sensible, frágil y enamorado, los cogió en un aparte y les recriminó:

—Tenéis que tener cuidado cuando habléis de Ela, porque ese tema puede ser importante para Juanito.

Después del baile de debutantes, otra vez Juanito somatizó la incertidumbre de su destino. Se sentía cansado, sin fuerzas, con mareos y muchas ganas de dormir. El doctor Loureiro diagnosticó:

—No se ha recuperado todavía de su operación de apendicitis.

Y decidió que no regresase de momento a España.

Claro es que este diagnóstico le vino muy bien a Juan, que estaba quejoso porque Franquito no había cumplido ninguna de sus promesas.

Y le comentó tomando una copa en el golf a su mujer, sabiendo que llegaría a oídos del Caudillo:

—Lo vamos a enviar a Lovaina.

Y así fue. Franco convocó rápidamente una reunión en Las Cabezas, en Extremadura, propiedad del conde de Ruiseñada, el 29 de diciembre de 1954, donde propuso que Juanito estudiara en las academias militares españolas, pero sin aclarar si en el futuro el rey sería él o su padre. El Pretendiente, que no sabía muy bien qué hacer con su hijo, ni con su propia vida, accedió sin poner mayores reparos.

Juan salió personalmente de la entrevista algo más contento, ya que se había servido un estupendo vino Vega-Sicilia.

En enero marcharon de nuevo los dos hermanos a Madrid. Alfonsito entró, en régimen de internado, en el elegante y recién inaugurado colegio Santa María de los Rosales, en la colonia de El Viso, al que años más tarde acudirán los hijos de la duquesa de Alba y también el hijo de don Juan Carlos, el príncipe Felipe. En el Rosales se alienta la formación integral de la persona desde el humanismo cristiano. Mientras, Juanito se fue a vivir al palacio de los Montellano, en la Castellana, donde hoy está la sede de la Unión y el Fénix.

Los duques de Montellano, padres de Carlos Falcó, su compañero en Las Jarillas, le dejaron todo el servicio y se fueron a vivir a un hotel. De vez en cuando acudían a comer con su huésped, y eran ellos los tratados como invitados.

A Juanito le pusieron para preparar los exámenes un pelotón de profesores comandados por el severo duque de la Torre, el teniente general Martínez Campos.

Éste protestaba:

—Vaya embolado, si no he sabido educar ni a mis propios hijos...

Alfonsito cursó su quinto curso de bachillerato con toda normalidad y sin ningún tipo de ayuda extra.

María decía:

—Los dos hermanos se adoran entrañablemente, no pueden vivir el uno sin el otro y pasan juntos todo el tiempo posible.

La verdad es que no consta que hubiera salidas conjuntas, aparte de algún fin de semana en la finca de los Ruiseñada, El Alamín, donde, con palabras de Alfonso, iban a cazar pajaritos. No se sabe si a estas avecillas les disecaron también la cabeza, como hicieron con la primera liebre que cazó Juanito. A María le gustaba mucho que sus hijos fueran de caza; a ella le apasionaba incluso más que a su marido, hasta el punto de que cuando éste le preguntaba qué quería por su cumpleaños, ella le pedía:

—Que vayamos a cazar.

Y así fue, se convirtió en tradición en la familia que cada 23 de diciembre la emprendieran a tiros con los animales del coto de algún amigo suyo, casi siempre Guillermo Gião, en el Alentejo, muy cerca de la frontera con España. María contó más tarde:

—A veces me olvidaba hasta de tirar porque se me iban los ojos hacia nuestra patria.

María y Juan disfrutaban además con el vino extraordinario de la zona. Las piezas cobradas iban a parar al colegio de los Salesianos o a los hospitales para indigentes.

María Gabriela fue a ver a su novio en diversas ocasiones, aprovechando que debía acudir a Madrid a examinarse de bachillerato en el Liceo Italiano. Estas visitas no placían ni a Juan, ni a María, ni a Franco, pues la princesa les parecía demasiado liberal, demasiado moderna, y no les gustaba tampoco la fama del padre. Además, no tenía ni un duro.

En esa época, tal vez el mejor amigo de Juanito era Miguel Primo de Rivera, sobrino del fundador de la Falange y nieto del dictador amigo de su abuelo. Iban juntos a tentaderos en casa de Luis Miguel Dominguín o El Litri —otra afición heredada de María—, viajaron a China y París, y salían a la noche madrileña, difuminada entonces siempre por la niebla. Frecuentaban la nueva *boîte* que habían abierto en la Gran Vía, el York Club, donde a veces cantaba un envejecido Maurice Chevalier, y Morocco, para ver actuar a Bola de Nieve:

Ay, mamá Inés, ay, mamá Inés,
todos los negros tomamos café.

O tomaban una copa en el jardín del recién inaugurado hotel Fénix. Juanito también debía cumplir con algunos compromisos familiares, como asistir al estreno de una obra de Bonmatí de Codecido, que había estado junto a su cuna en Roma y había escrito todos aquellos ditirambos sobre «sus carnes sonrosadas y firmemente apretadas».

A veces, sin que nadie se enterase, incluso terminaban la noche en el pecaminoso cabaré Suevia, «entre infame y aburrido», con palabras de César González Ruano, o en Villa Rosa, donde, también según César, a última hora todavía se podían ver «joyas y algún escote que vale la pena». Después Miguel se quedaba a dormir en el palacio de los Montellano.

Pero no todo era diversión. Todavía hoy, Miguel Primo de Rivera luce una cruz de oro, recuerdo de los primeros ejercicios espirituales que realizaron juntos. El rey lleva una igual, con la que aparece en múltiples fotografías.[32]

La amistad con la familia Primo de Rivera ha continuado en las generaciones más jóvenes. El hijo de Miguel, Pelayo, es uno de los mejores amigos del príncipe Felipe.

Mientras, Alfonsito estrechaba amistad con los niños de su colegio y se escribía con sus amigos de Estoril, fumando, a todo esto, como un descosido.

Según iba observando su madre, su carácter revoltoso, sin perder su capacidad de burla ni sus comentarios mordaces, se apaciguaba en parte. Estudiaba y sacaba muy buenas notas.

Cuando Juanito ingresó en la Academia Militar de Zaragoza, María y Juan pidieron permiso a la embajada española para asistir a su Jura de Bandera. María incluso se encargó un traje en Josefina, con su peineta y mantilla correspondientes. Pero el ansiado permiso nunca llegó: no se lo negaban, sino que simplemente no contestaban nunca a sus requerimientos, lo cual era enloquecedor.

Al final fue Pilar la que representó a sus padres y leyó una carta en nombre de Juan. Fue la primera actividad que realizó como infanta de España, se desenvolvió con regia autoridad y más de uno empezó a pensar en los altos destinos que merecería su fuerte carácter.

Tampoco fue Alfonsito a la Jura. Cursaba sexto de bachillerato a marchas forzadas. Le urgía acabar pronto; estaba impaciente por ingresar en la Escuela Naval de Marín, porque su gran vocación seguía siendo la marina, como la de su padre.

María notaba que al padre se le humedecían los ojos cuando pensaba que su hijo iba a ser lo que él no pudo. Pero Juan lo disimulaba con un:

—Coño, este niñato, a ver qué tal se porta, ¡tiene que dejar el pabellón muy alto!

María observaba a su familia con satisfacción, pensando quizás que aquel propósito que formulara de recién casada: «Estar con Juan toda la vida y ayudarle en sus cosas», se iba cumpliendo.

Engordó algo. Se cortó el pelo y empezó a teñirse las canas con un tono castaño semicaoba. Intentó vestir de una forma más cómoda, casi siempre con zapato bajo. En ocasiones se ayudaba con un bastón, más por coquetería que por necesidad, ya que todavía no tenía cuarenta y cinco años.

Empezó a visitar hospitales y casas cuna, y la cola de menesterosos en la puerta de Villa Giralda crecía todas las semanas, pero ella le quitaba importancia a su generosidad y sus desvelos:

—Yo iba porque me gustaba mucho visitar enfermos... A los hombres, porque las mujeres eran muy quejicas... Los pobres venían porque ya eran como de casa... Yo conocía sus nombres y sus tribulaciones familiares.

Acudía a fiestas, a veces con Dola y su marido Carlos Chías, a la casa particular de sus amigos los Galíndez, o de la que podía haber sido su cuñada, Teté de Borbón Parma, la de «los Italia», la de «los *Paguís*» o la de los «exiliados húngaros», José y Ana de Austria, de los que María decía con humor:

—¡Todavía están peor de dinero que nosotros, que ya es decir!

Entonces echaba el resto: trajes de seda abullonados, joyas a tutiplén, labios rojos, chales de cachemira; siempre con su inseparable cigarrillo y, si la ocasión lo requería, una copa en la mano.

A su alrededor, sus hijos iban creciendo: Pilar seguía con sus cursos de enfermera; era una buena alumna que no se asustaba si tenía que realizar una cura y no tenía miedo a la sangre; en realidad, haber convivido con sus hermanos era como haber estado en la Batalla de Lepanto. El año anterior había tenido que hacer una cura a su hermano Alfonsito en la cara, en una herida causada por una flecha, cuando jugaban a indios en la playa de Guincho; la cicatriz le quedaría para siempre. Pero no dejó nunca de montar a caballo ni de hacer su vida independiente; la puesta de largo había sido un paréntesis, seguían sin gustarle el maquillaje o las actividades femeninas, pero su paso por el hospital la había hecho más abierta.

A diferencia de Pilar, a la que los visitantes de Villa Giralda tenían un poco de miedo, a Margot la quería todo el mundo, hasta el punto de que los amigos de los padres la llenaban de atenciones. Los príncipes de Dinamarca, Axel y Margarita, la invitaron a Copenhague una temporada. María la acompañó, y a los dos días hablaba el danés; su madre se la llevaba a las tiendas para que le tradujese. Al mismo tiempo, y como su anfitriona era sueca, Margot aprendió también esta lengua.

Y los condes de San Miguel, que la conocieron en Lausana y también le tenían un gran cariño, la invitaron a Barcelona quince días, para asistir en el Teatro del Liceo a las representaciones wagnerianas de la compañía de ópera de Bayreuth.

María le dijo a su marido:

—¿Y si dejamos que vaya sola?

Y así lo hizo. Barcelona le encantó, porque tiene mucha luz y la paleta de los colores que percibía se amplió algo. En unos cuantos días empezó a hablar catalán y lo entendía todo. Juan y María, que la habían visto marchar con algo de tristeza, ya que ellos no podían viajar a España, se alegraron de que aprendiera el idioma.

Si ellos habían optado por llevar el título de condes de Barcelona es por el cariño que sentían por esta ciudad. Uno de los recuerdos más evocados por María era la inauguración de la Feria Internacional de Muestras, se lo contaba a sus hijos:

—¡Yo estaba en el balcón con el tío rey y la tía Ena!

Como siempre que recordaba a Alfonso XIII, María se llevaba la mano a las pulseras que él le regaló, como saludando a aquel rey triste que ya se había ido al otro lado.

María lo imaginaba en el cielo, al lado de su padre, y quizás pensara:

—Se están haciendo compañía hasta que lleguemos nosotros.

Esas Navidades, las de 1955, fueron las últimas que pasaron juntos, aunque ellos todavía no lo sabían.

—Aquellas Navidades fueron estupendas, porque entonces estábamos todos y éramos jóvenes, sanos y felices —rememoraba María años después, ya sabiendo el zarpazo terrible que le iba a asestar el destino.

Juanito se llevó todas las miradas, muy guapo vestido con su uniforme de cadete. María se emocionó tanto que se hizo una foto con él en la inmensa terraza de Villa Giralda. Ella llevaba un traje estampado de los que tanto horrorizaban a su suegra y, como siempre, aunque era invierno, estaba bronceadísima. Juanito aguantaba debajo del brazo la gorra de plato y sonreía debajo de un par de espesas cejas oscuras. Los dos aparecen orgullosos mirando al objetivo, con una expresión de despreocupada felicidad que ninguno de ellos volverá a tener nunca.

Alfonsito protestó:

—¡Juanito con uniforme y yo todavía con pantalones cortos!

Su madre le prometió que para Semana Santa se pondría sus primeros largos, ya de hombre. El infante refunfuñaba aún antes de apaciguarse:

—Pero que no sean unos de papá arreglados…

María le prometió que se los haría a medida Collado, el sastre de Juan en Madrid.

El primer trimestre del año 1956 transcurrió lentamente para Alfonsito. Su única distracción era ver a Sarita Montiel en *Locura de amor* en un cine de reestreno. Claro que luego tendría que confesarse, porque la película estaba clasificada 3 R, es decir, «Para mayores con reparos».

Las vacaciones de Semana Santa fueron las mejores, en Estoril le esperaban sus amigos y las chicas, Tessy y las demás. Impaciente, les escribió una carta a los hermanos Antonio y Joaco Eraso, la última que éstos recibirían, y que conservarán durante más de cuarenta años. La letra y la firma son exactas a las de su abuelo, Alfonso XIII:

Queridos Antonio y Joaco:

No sabéis lo que me acuerdo de vosotros aquí en el colegio. Estoy en la cama, y gracias a Dios que mi compañero de cuarto también lo está y lo pasamos bien. ¿Qué tal van los estudios en el Opus? Yo estudiando bastante para acabar limpiamente el bachillerato. Tengo muchas ganas de veros. A ver si preparáis algo para Pascuas. Por cierto, decidle a N.B. Cunha que a ver si puede adelantar 2 o 3 días su campeonato, pues yo voy el 22 de marzo y vuelvo otra vez el 2 o 3 de abril.

Contestadme pronto, por favor.

¿Jugáis mucho al golf? Yo todavía no he cogido un palo, y eso está muy mal porque este año hay que quitarle el campeonato a los portugueses. Yo estoy dispuesto a ello y supongo que vosotros también.

Si veis a Marina B.C. decidle que me acuerdo mucho de ella y que espero bailar el *booguie* con ella pronto.

Bueno, chicos, recuerdos a vuestros padres y Buby; a vosotros un abrazo de un amigo.

Alfonso

Su madre también le escribe y le cuenta que ha cruzado su cocker spaniel *Pardo* con la perrita de los Sousa Lara y ha escogido el cachorro más bonito de todos. Y le dice:

—Será tu perro, tú le pones el nombre que quieras y creceréis juntos.

Y sí, en efecto, el perro creció.

Pero sin nombre y sin Alfonsito.

Capítulo 9

EL VALLE DE LAS SOMBRAS

29 de marzo de 1956

—¿Me ha mandado llamar, Majestad?

María está inmersa en las páginas de la revista *Lecturas* que le acaba de enviar su cuñada Alicia desde Madrid, en este 29 de marzo del año 1956. La emperatriz Soraya sigue triste porque no puede darle un hijo al sah de Persia, Ingrid Bergman y Roberto Rossellini están al borde de la ruptura y la princesa Margarita dice que el capitán Peter Towsend ahora es solamente un amigo. Pero lo que llama la atención de María es una rubia glamurosa que trata de ocultar su origen hollywoodiense con un estricto traje chaqueta y un sombrero de gobernanta: Grace Kelly, que acaba de llegar a Mónaco para casarse con Rainiero, el hijo del príncipe Pierre de Polignac. María sonríe imaginando los comentarios mordaces de la tía Ena ante este matrimonio tan desigual.

La interrumpe un suave carraspeo. María levanta la vista. En la puerta del saloncito dorado, Angelita Rocamora se ha detenido en medio de una reverencia, en una actitud tan incómoda que María se apresura a pedirle que se levante con un gesto de mano:

—Ay, perdona, Angelita, es que es tremenda esta boda, no sé dónde vamos a ir a parar... Mira, en realidad te llamaba para pedirte que no pusieras vino en la comida, ya sabes que en Semana Santa hace muy mal efecto que haya alcohol en la mesa.

La vizcondesa se disculpa:

—Ha sido cosa del ayuda de cámara nuevo, que como es griego no conoce nuestras costumbres… La cocinera también se ha enfadado…

María sonríe:

—Yo no estoy enfadada, Angelita, ¡con la buena voluntad que tienes siempre!

Su dama sonríe también. Y le dice a la que para ella es reina:

—Si Su Majestad no me necesita, me voy a misa.

—Claro, claro, nosotros ya hemos ido esta tarde.

—Después pensaba pasar por Villa Alkane.

—No te preocupes, vete tranquila… Dale recuerdos a tu hija Angelines.

La vizcondesa de Rocamora se va, haciendo una nueva reverencia y caminando de espaldas, y María vuelve a su lectura. En la gramola suena una polonesa de Chopin. Una tormenta azota el sur de Portugal desde hace tres días, pero apenas se nota en la casa. Si acaso, cuando Angelita abre la puerta de entrada para irse, una ráfaga húmeda se cuela en el vestíbulo y alguna ventana golpea con un sonido que tiene algo de detonación.

María se estremece.

Juan está en su despacho fumando un cigarrillo, tomando —a escondidas, por aquello de la prohibición pascual— un whisky y repasando por enésima vez las últimas noticias que le llegan de España. Franco ha vuelto a dar uno de sus habituales golpes de timón, ha destituido al ministro «liberal» Ruiz Jiménez, con el que tan buena sintonía tenía Juan, para nombrar a José Luis Arrese, falangista y acérrimo antimonárquico.

Con los dientes apretados, masculla de vez en cuando, mientras pasa las inmensas páginas del periódico:

—Qué cabronada.

Juan ve, decepcionado, que sus esperanzas de volver al trono de España cada vez son más infundadas y que Franco lo trata, como dice él mismo con amargura, «como a un maricón con purgaciones». Durante las largas vacaciones de esta Semana Santa, que se convertirá en su particular semana de dolor, casi no ha ido a verle nadie. Cada mañana se levanta y le pregunta a Ramón Padilla:

—¿Hoy qué tenemos?

—Nada, Majestad.

El *Arriba*, periódico de los falangistas, se mofa: «Nunca las flores de lis han estado tan mustias».

El clima de abandono y desaliento se ha contagiado a toda la casa.

Remoloneando por el chalé, medio constipados, aburridos, pesados e insidiosos, como la humedad que lo impregna todo, están los chicos. La mayor, Pilar, lee en su cuarto, y la pequeña, Margot, que tiene trece años, juega con la señorita de compañía, la suiza Anne Diky. Alfonsito tiene uno y medio más que su hermana, es decir, casi quince. Juanito ha cumplido ya los dieciocho.

Está claro que ninguno de los dos hermanos es ya un niño, como se nos ha querido hacer creer durante mucho tiempo para minimizar la gravedad de este suceso capital en la vida de la Familia Real y quizás también en la historia de España, ya que hay quien dice que Juan, observando el semblante despejado y la agudeza de Alfonsito, pensaba que tenía más cualidades para ser rey que su hermano. Algo que a Alfonsito le hubiera espantado; incluso rezaba para que a su hermano no le pasara nada, pero no por generosidad, sino por egoísmo: «¡Para que no me toque ser rey a mí!».

Ambos hermanos han salido de España cinco días antes, el sábado 24 de marzo, en el Lusitania Express. Un grupo de monárquicos, entre los que se encuentra un jovencísimo Luis María Anson, ha ido a despedirles a la estación[1] después de haber estado toda la tarde jugando al *ping-pong*. Van a pasar a Estoril sus vacaciones de Semana Santa.

Juanito está en la Academia Militar de Zaragoza, donde en diciembre ha jurado bandera. Alfonsito, que estudia último curso de bachillerato en el Santa María de Rosales, ha llegado a Estoril casi directamente desde Los Molinos, donde ha pasado unas jornadas de ejercicios espirituales bajo la dirección del padre Basabé, en las que quizás haya tenido que confesar un enorme pecado: ha ido a ver *Locura de amor* de Sarita Montiel, considerada por la censura como «Para Mayores Con Reparos».

Aunque cuando están juntos siempre se están chinchando el uno al otro, lo cierto es que los dos hermanos, que son completamente distintos, se quieren mucho. En el último aniversario de Alfonso, cuando cumple los catorce años en los que la muerte lo congelará para siempre, Juanito le escribe desde Zaragoza a Madrid: «Querido hermano: lo primero darte un millón de felicidades y que ya sabes lo mucho que te quiero y lo mucho que me acordaré de ti mañana... Sé buen chico y estudia... recibe para ti, de tu hermano, el más cariñoso abrazo y que siempre te querré. Tu siempre, Juanito».

Pero ahora llevan juntos cinco días que para los padres se han hecho interminables a causa de sus continuas peleas. A requerimiento de María, Juan ha tenido que pegarles, a pesar de su edad y su estatura, algún bofetón que otro.

Estos días, Juanito intenta escabullirse para ir a Villa Italia con un lote de discos de Elvis Presley escondidos debajo del jersey, ¡en Semana Santa está prohibido escuchar música! Pero María lo intercepta en el último momento y lo obliga a que lleve con él a su hermano menor, que en vez de discos acarrea los tebeos de El Guerrero del Antifaz para entretenerse. Para poder bailar con Ela, única manera que había entonces de ejercer el sentido del tacto sobre el otro sexo, Juanito le pide que entretenga a su vez a su hermana pequeña, la feúcha e insoportable Titi, que tiene trece años, y a la que le tiene que traducir las viñetas de sus tebeos. Alfonsito está rabioso, porque en vez de estar con sus amigos y, sobre todo, con las chicas que le gustan, tiene que hacer de carabina de su hermano y aguantar a esta niña tan rara que no le atrae en absoluto.

Juanito, con gran secreto, le enseña a su hermano un objeto que lleva en el bolsillo:

—Mira, la pistola.

El origen de esta arma todavía es una incógnita; algunos autores sostienen que se la regaló Franco, otros que el conde de los Andes y, otros más, que salió de la Academia de Zaragoza.

—Pero ¿papá no la había escondido?

—Sí, pero le he insistido tanto que al final me la ha dejado. Claro, como está descargada…

A ambos hermanos les brillan los ojos. Porque aprovechando un viaje que Alfonsito ha hecho a Lisboa, a veinticinco kilómetros de Estoril, se ha escapado de su señorita de compañía Mercedes Solano para comprar balas en una armería. La pistola es una Long Automatic Star del 22.

La caja lleva el anuncio *Keep out of the reach of children* («Aléjese del alcance de los niños»).

Una de las teorías que se apuntan es que el príncipe compra balas demasiado grandes, que encajan a duras penas en el cañón del arma y se quedan atascadas. He consultado con un experto en balística y me ha explicado que tal circunstancia es casi imposible. Y que, a pesar de que las balas de calibre 22 son muy pequeñas, pueden llegar a matar. De hecho, hace un par de años una persona abatió a dos atracadores con una bala de estas características. Este mismo experto, para ilustrarme acerca de este tema, se hizo disparar delante de mí protegiéndose el pecho con un listín telefónico. La bala llegó hasta la página 850 (el listín tenía 1.200).

Juanito alardea de la posesión del arma delante de sus amigas. Las princesas italianas están encantadas. Ela es una gran cazadora; Titi, de mayor, siempre irá armada y, precisamente en España, con la pistolita que llevaba en el bolso, intentará suicidarse por el amor de un guapo torero, Victoriano Roger *Valencia*. Sí, el padre de Paloma Cuevas, habitual de las revistas del corazón por su matrimonio con el torero Enrique Ponce.

Víctor Manuel, el único varón de la familia, también es un gran amante de las armas; veintidós años más tarde matará de un tiro a un muchacho que, al parecer, intentaba abordar su yate.

Y es que, en un mundo en continua confrontación, en el que los militares son los héroes del momento, con guerrilleros en los montes, y en el que gran parte de la sociedad va armada, una pistola es un trofeo y uno de los distintivos que definen al hombre-hombre. Como dicen los periódicos: «La violencia purificadora se distingue de la gratuita en que la primera la inspira el Espíritu Santo». A lo que apostillaba Agustín de Foxá:

—Joder, pues si eso lo inspira el Espíritu Santo, yo me hago del tiro de pichón.

El jardín de los Saboya es más grande que el de Villa Giralda. Los chicos preparan varios blancos para disparar, unas latas de sardinas puestas en pie, un cartón sujeto a un árbol con una diana pintada, una manzana, a la manera de Guillermo Tell, pero encima del muro, porque las dos princesas son demasiado remilgadas —«cursis», según dice Alfonsito— y se resisten a ponérsela en la cabeza.

Los cuatro disparan por riguroso turno. Pronto, como ocurre siempre, Juanito y Alfonso empiezan a pelearse, que si tú has tirado más veces que yo, que si tú haces trampa y te acercas más...

Humberto sale indignado del chalé y les prohíbe seguir con el juego, y entonces los hermanos se van a su casa. Por el camino se dedican a apuntar alegremente a las farolas a lo largo de toda la rua de Inglaterra. Hay protestas entre el vecindario, que va a quejarse a los condes de Barcelona, quienes, horrorizados, esconden el arma en el chifonier del despacho de Juan, que se guarda la llave en el bolsillo de la chaqueta.

El 29 de marzo, Jueves Santo, la familia entera, vestidos de negro como es habitual en esas fechas, va a misa en la pequeña iglesia de San Antonio, frente al mar. Comulgan. Después de comer, Juan, con los dos chicos, se acerca al club de golf de Estoril, donde

Alfonsito toma parte en una competición, la Taça Visconde Pereira de Machado. Hace mucho frío y el tiempo amenaza tormenta. Alfonsito le gana a su íntimo amigo Antonio Eraso y deciden irse a causa de la lluvia torrencial. Hay una foto de ese momento, la última que se tomará al infante, en la que se ve a Alfonsito de perfil, descansando apoyado en un palo de golf mientras su amigo juega. Alfonsito posa orgulloso con, ¡al fin!, los primeros pantalones largos. Aunque lleva los bajos arremangados para no manchárselos de barro.[2]

Se decide que el campeonato continuará el Sábado de Gloria.

A las seis, toda la familia vuelve a ir a la iglesia de San Antonio para oír la misa de Jueves Santo.

Regresan a casa. No pueden salir a causa de la tormenta. Los chicos se pelean, se aburren, bajan resbalando por la barandilla de madera de la escalera, están a punto de tirar la chimenea fuera de uso que hay en el rellano, a la que Juan tanto aprecio tiene porque iba en el barco *Príncipe Alfonso* que llevó a don Alfonso XIII al exilio. Rompen un jarrón, los cuernos del elefante cazado por su madre se tambalean, juegan a las cartas. Piden insistentemente la pistola:

—No para disparar, mami, sólo para verla.

La madre, harta, va a buscar a la chaqueta de su marido la llave del secreter. Se la da.

—Pero las balas no.

(Cuántas veces, después, no hubiera dado la vida por retroceder a ese momento implacable).

Cree que estando descargada no hay ningún peligro, pero lo que no sabe es que una bala ha quedado olvidada en la recámara. Los chicos suben al cuarto de juegos del piso tercero, dos metros y medio por cuatro, corriendo, se disparan el uno al otro:

—Pum, pum.

En la entrada se pelean por ver quién pasa primero, la puerta se abre y se cierra, un golpe, un empujón, jugando, quizás uno le dice al otro, creyendo que el arma está descargada:

—Si no me dejas en paz te disparo.

Otras fuentes indican que Alfonsito fue a la cocina a buscar unos bocadillos para los dos y que empujó la puerta bruscamente.[3]

El experto consultado me indica que es imposible que sean ciertas las diversas teorías que se esgrimen acerca de este suceso: que es un disparate que alguien crea que el rebote de una bala de tan pequeño calibre pueda matar, ni que un golpecito con la puerta consiga accionar el arma.

Tuvo que ser un tiro limpio.

Un solo tiro. La bala le entra al niño por la nariz y le llega directamente al cerebro, causando su muerte de forma casi instantánea. El orificio es tan limpio que el rostro no se le deforma en absoluto.

Empuñaba la pistola Juanito. Murió Alfonso.[4]

María ya ha abandonado su lectura y se está fumando tranquilamente un cigarrillo. Le parece sentir un ruido extraño, pero no le da importancia, sorprendentemente no lo nota tampoco Margot, a pesar de su oído finísimo, ni Juan, ni la institutriz, aunque sí Pilar, que no lo olvidará nunca.

No había nadie más en la casa, era día *feriado*.

María, de repente, oye ruido de pasos y de puertas que se cierran y el alarido escalofriante de Juanito bajando por la escalera:

—Se lo tengo que decir yo. ¡Mami, mami!

María confesó años después: «A mí se me paró la vida».

Los padres suben corriendo la escalera, atropellándose el uno al otro. María cae, sube a gatas, qué largo el camino, y qué corto.

Todavía queda un hálito de vida en Alfonsito, que se apaga entre los brazos de su padre como la llama de una vela. De la herida mana un chorro de sangre que cubre lentamente el suelo.

Loco de dolor, pero «en rey», Juan coge el cuerpo de su hijo y lo lleva al vestíbulo, con la madre arrastrándose detrás de él erizada en un alarido insoportable. Arranca una bandera de España de una de las paredes del salón y la echa encima del cuerpecillo de aquel niño descarado y listo. Senequita. Cogiendo por el cogote a Juanito, que tiembla en una esquina de aturdimiento, le obliga a arrodillarse delante de su hermano y de la bandera de España. Y, con voz telúrica, que parece surgir del fondo de los tiempos, ruge:

—¡Júrame que no lo has hecho a propósito![5]

Y después coge la mano temblorosa de su hijo y la lleva al corazón inmóvil del infante muerto, ya muerto para siempre, y le exige:

—¡Y júrame que vas a cumplir con tu deber y con la dinastía!

María acuna a su hijo en una nana absurda y final.

La casa se llena de voces y gritos. El doctor Loureiro no puede sino certificar la muerte del infante a las ocho y media de la tarde. La señorita de los niños llora ruidosamente. Los perros de la casa, *Rusty*, *Daimil*, *Pardo*, a los que tanto quería Alfonsito, aúllan como un coro griego, sobre todo el cachorro de raza cocker spaniel que acaban de traer y que todavía no tiene nombre. El íntimo amigo de Alfonsito, Antonio Eraso, es el único que intenta consolar a Juanito, y le da un abrazo.

María se niega a separarse de su hijo. Es una *mater* dolorosa que repite incansablemente su nombre:

—Alfonsito, Alfonsito, Alfonsito…

Muy bajito, apenas un susurro, alguien cree oír también:

—Yo he tenido la culpa, no Juanito.

En ese instante supremo, en ella habla la madre. Ha perdido un hijo. No quiere perder dos.

Juan, enloquecido por el espanto de ese suceso irreversible, sale con su Bentley negro y recorre una y otra vez las callejuelas del monte de Estoril. Luego, ve las fotos de sus tres hijos vivos en el tablero del coche, y la de la cabeza rubia con mirada insolente de su hijo muerto. Aparca el Bentley al lado de la acera y, con los brazos sobre el volante, se echa a llorar.

En Villa Giralda visten su cama de adolescente con sábanas de hilo blanco, le ponen el traje gris oscuro que acababa de estrenar y un rosario entre los dedos, y lo velan las hermanas de la Misericordia, mientras los monárquicos se persignan ante este rostro de puro Borbón, la gran nariz aguileña, la boca pequeña, el incipiente prognatismo de la barbilla. En su mejilla de cera puede verse la larga cicatriz que le dejó una flecha el año anterior, cuando jugaba a los indios en la playa de Guincho, y que le curó su hermana Pilar.

Los amigos susurran ante el cadáver:

—Es como una maldición, Dios lo quiere, el destino los odia.

Doña Victoria llega desde Lausana acompañada por su otro nieto, Alfonso de Borbón Dampierre. Llora en la habitación de al lado y no cesa de interrogar, desesperada, al cielo:

—¿Cuándo cesarán las tragedias, cuándo interrumpirán su curso...? Mis amigos protestantes me lo dijeron cuando los abandoné. ¿Por qué me convertí al catolicismo, ¡por qué!?

Margot pasea desolada por el jardín y hace un sencillo ramo de flores que deposita a los pies de su hermano.

—Él me dijo cómo se llamaban. Me enseñó a reconocerlas por el tacto. Me decía, Margot, estas flores se llaman como tú, y éstos son geranios, y éstos, claveles, las flores favoritas de mami, y éstas, rosas...

Le pasa una y otra vez las manos por el rostro para despedirse de él a su manera.

Amigos venidos de España cargan con el ataúd hasta el pequeño cementerio de la Guía, en Cascais, donde lo entierran cubierto con la bandera española. Preside la ceremonia el nuncio del Papa en Portugal, el mismo sábado y a la misma hora en que Alfonsito tenía que jugar la final del torneo de golf. Con enorme dignidad, Juan saluda uno a uno a todos los españoles que han venido para despedir a su hijo. Nobles, grandes de España, gente del pueblo que han llegado en un desvencijado autocar y que echan tierra de la patria sobre la tumba. También vecinos sencillos de Estoril, como el hijo de un chófer de taxi, uno de los mejores amigos del infante muerto, y los *caddes* del club de golf, que llevan una gran corona de flores amarillas.[6]

También hay una modesta representación oficial del Gobierno español. Franco, que ha amordazado a la prensa y sólo ha dejado publicar una nota ambigua en la que se habla de accidente fortuito, ha enviado únicamente a un ministro consejero de embajada. El niño no le era simpático.

María, que se ha quedado en casa porque las mujeres no asisten a los entierros, apenas puede hablar, balbucea como una letanía tántrica para calmar su dolor:

—Estaba en gracia de Dios, había hecho ejercicios espirituales con el padre Basabé, había comulgado por la mañana. Está en el cielo.[7]

Ojeroso, pálido, repentinamente mayor, Juanito, vestido con su uniforme marrón de cadete del Ejército, traga saliva sin cesar y apenas se atreve a mirar a su padre. Sufre indeciblemente. Martillea en su cabeza el ruido del disparo, el leve ¡ay! exhalado por su hermano, el juramento que ha tenido que hacerle a su padre... Como dice el poeta, «no halló cosa en que poner los ojos que no fuese recuerdo de la muerte».

Se van los autocares. Cinco duques, quince marqueses, el ex rey de Italia, el duque de Braganza, embajadores, grandes de España, todo el mundo parte, sobrecogido por aquella familia inmersa en la desgracia, el dolor más grande. Juanito sale inmediatamente para Zaragoza, unos dicen que para reintegrarse a su vida normal y olvidar la tragedia, y otros porque su padre lo obliga a marcharse porque no puede soportar su presencia.

Nadie, ninguno de ellos, volverá a ser el mismo.

El nombre de Alfonsito apenas volverá a pronunciarse nunca en público, para no tener que mencionar las tremendas circunstancias de su muerte y la implicación del heredero de la Corona española. Únicamente cuentan que, una vez que Pilar llegó a La Zarzuela y vio a su hermano enseñando a disparar al príncipe Felipe con un arma corta, no pudo evitar gritarle:

—¡No, por Dios, otra vez no!

Juan Carlos le dedicó un día un conmovido recuerdo lleno de ternura frente a un amigo íntimo:

—Se comía las uñas... Nosotros siempre estábamos detrás de él para reñirle...

Y María confesó poco antes de morir, con lágrimas en los ojos:

—Yo siempre he sido feliz, excepto cuando murió mi hijo.[8]

Juan, que no había querido que se le practicara la autopsia a su hijo adorado, arrojó la pistola al mar (dicen que la recogió el príncipe Víctor Manuel, que la enseña aún a sus visitantes como morbosa curiosidad) y sólo hablará de su muerte en contadas ocasiones. Una vez en la que alguien le alababa su buen carácter y le comentaba, creyendo halagarle, que todo el mundo notaba que el conde de Barcelona era un ser lleno de felicidad, él contestó abruptamente:

—¡Eso jamás! ¡No olvide usted que está hablando con un hombre al que se le ha muerto un hijo!

Capítulo 10

ESTORIL

1956

Entre Juan y María, después de «lo de Alfonsito», se instaló el silencio.

—El silencio de Villa Giralda te impresionaba. ¡Antes todo era bullicio! —Me comenta un visitante habitual de aquel tiempo de dolor de Estoril. Estamos comiendo ambos en un restaurante del centro de Madrid, en pleno mes de julio, el aire abrasador se cuela por las ventanas entreabiertas, pero mi interlocutor se estremece como si tuviera frío. Es el recuerdo helador de aquellos tiempos—. Entrabas en la casa, se cerraba la puerta detrás de ti y sólo te recibía el silencio.

Y yo le pregunto, apremiante, indago más allá de la buena educación:

—Pero ¿entre ellos, entre don Juan y doña María, hubo reproches? ¿Se peleaban?

Y mi testigo, espantado todavía por aquella evocación, repite:

—No. Estaban sentados el uno al lado del otro. En silencio.

Y al silencio le gustaría poder recurrir a esta biógrafa para no tener que desvelar esta etapa de la vida de María. Largos meses, años incluso, piadosamente ocultados, secretos, tan dignos de misericordia.

En el tiempo sombrío, ¿se hablará también?
También se hablará sobre el tiempo sombrío.

Me apoyo en estos versos de Bertold Brecht para justificar esta etapa de mi viaje con doña María. La cual, a través del tiempo, me presenta con generosidad las heridas abiertas de su desgracia.

Quiero hablar de ella de la misma forma en que querría que hablaran de mi madre. Con respeto, ternura, compasión. Creo que mi deber es contar todo lo que sé de la vida de María de Borbón (si no, ¿para qué escribir su biografía?), quiero compartir lo que me han contado porque ya no es de mis informantes, ni mío, ni de los lectores. Ya pertenece a la historia.

Vamos allá por este camino ignoto que nunca, hasta ahora, se ha convertido en letra impresa.

Alfonsito murió el 29 de marzo de 1956. A las 48 horas el duque de la Torre recogió a Juanito con un avión militar y lo llevó a Zaragoza. Antes de irse, el príncipe le confesó a su amigo Antonio Eraso:

—Me voy a hacer cartujo.

Cuando el padre se enteró, le dijo sin mirarlo:

—Lo que has de hacer es cumplir con la dinastía.

Alguien que lo trató en aquellos años me cuenta:

—Don Juanito había perdido aquella alegría deslumbrante que tenía, ¡nunca volvió a recuperarla! Sí, reía, lo pasaba bien, pero siempre con un fondo de tristeza en los ojos.

Paul Preston cuenta que el príncipe estaba profundamente afectado, se acentuó su tendencia a la introspección, más solitario que nunca, se volvió huraño y comedido en sus palabras, ¡estaba desolado!

La familia no fue a verlo. No podían y no querían quizás. El duque de la Torre, de esa forma brusca que tenía de hacer las cosas, organizó en Madrid a los amigos jóvenes de Juanito para que le hicieran compañía los fines de semana y no se quedara solo, por lo que deducimos que era más bien una ficción eso de que era uno más en la academia y que se trataba en pie de igualdad con sus compañeros.

Una vez Juanito, tímidamente, presentó a su preceptor a otros cadetes de la academia. Al ver éste que lo trataban de tú y que permanecían tranquilamente sentados mientras el príncipe estaba de pie, el duque de la Torre se puso a gritarles:

—¡Caballero cadete! ¡Levántese y póngase firme! ¡Caballero cadete, cómo se atreve a tratar de tú a una persona a la que yo, que soy teniente general y un anciano, doy el tratamiento de Alteza Real!

Después de esto, si la paloma de la amistad había conseguido aletear en alguno de aquellos pechos juveniles, el duque de la Torre le retorció el cuello.

A Miguel Primo de Rivera, Pedro Ussía, Luis María Anson, Álvaro Luna, les ordena más que les pide:

—Vais cada semana en un coche distinto y lo entretenéis.

Juanito a su vez también va algunos fines de semana a Madrid, donde se aloja en Liria, la casa de Cayetana Alba.

Aquí podemos hacer un inciso para hablar de la abnegación, sacrificio y entrega de algunos nobles españoles —no todos, porque muchos se apuntaron a la «corte» de Franco— hacia nuestra Familia Real mientras estuvo en el exilio. No solamente contribuían a su sustento, sino que llegaron a pasar riesgos físicos. La casa de Cayetana tuvo que redoblar sus medidas de seguridad, ¡los falangistas, de vez en cuando, amenazaban con quemarla!

Un noble andaluz, ya fallecido, se me quejaba en cierta ocasión de que nunca se le habían dado las gracias por sus desvelos, y de que tampoco se le había premiado, cuando don Juan Carlos fue rey, de ninguna otra forma:

—Tengo sólo un título y dos hijos —comentaba con amargura.

La clave me la dio un «juanista» conspicuo:

—Según lo entendían ellos, el honor era para ti. ¡Servir nada más y nada menos que a la Familia Real!

Y si yo opinaba que esto era una muestra de egoísmo y desapego, él me aclaraba:

—Ellos no son personas particulares, no les estás haciendo el favor a ellos sino a la dinastía, ¡ellos también se sacrifican por ella y tampoco nadie les da las gracias!

Visto así, se justifica algo mejor la legendaria «ingratitud borbónica».

A Juanito, en Zaragoza, le gusta ir a jugar al *ping-pong* con sus amigos de Madrid mientras se toman una cerveza; todos se mueven con cierta modestia, ya que ninguno de ellos está sobrado de «viático». Además, aunque la fidelidad tampoco es su fuerte, se considera medio novio de Ela, de la que tiene una foto en la mesilla de noche.

Cuando Franco se entera, se la manda retirar para que no aparezca en los reportajes que puedan hacérsele al príncipe.

Hasta que Juanito conoce al notario y *playboy* Antonio García Trevijano, Tono, que tiene armas superiores para entretenerlo: ¡dinero, el mejor coche de Zaragoza, un Pegaso, y unas amigas brasileñas impresionantes!

Cómo fueron a parar estas amigas brasileñas e impresionantes a Zaragoza no lo explican las crónicas.

Y es que a fin y al cabo Juanito sólo tiene dieciocho años.

Y cambia su tristeza y decaimiento por una alegría algo artificial, como si quisiera aturdirse y olvidar.

Margot y Pilar, tristes y desasistidas, vagan como alma en pena por Villa Giralda. Pero Pilar es una luchadora y se entrega con pasión a su trabajo de enfermera. Primero en un dispensario infantil, luego en el hospital de Santa Marina y después en el de San Carlos, con turnos de noche, de fin de semana, urgencias, accidentes, visitas domiciliarias... Se levanta a las seis de la mañana, pero no falta ni un solo día.

En el hospital comentan que es una pena que la infanta no tenga más estudios, pues podría llegar muy lejos. Es muy trabajadora y además posee las dotes organizativas y de mando de un general. También, pase lo que pase, conserva una sangre fría impresionante. ¡Las enseñanzas de Gangan han dado sus frutos!

Hay monárquicos nada sospechosos de feminismo que incluso llegan a lamentar que en el seno de la Familia Real impere la ley sálica.

Pocos días después de la muerte de Alfonsito, el 17 de abril, Margot es enviada a Madrid. Su madre no puede ocuparse de ella, y además le resulta demasiado doloroso verla sola, sin la presencia protectora de Senequita. Ella también quiere ser enfermera pediátrica, pero, como a su hermana, le falta el bachillerato y debe contentarse con estudiar puericultura en la escuela Salus Infirmorum, de la calle García Morato 18. Es la primera vez que se separa de su madre por tan largo tiempo y llora todas las noches.

También llora porque el mismo día de su marcha despiden a su institutriz miss Diky, que llevaba diez años junto a ella.

Margot se aloja en casa de los condes de Puñoenrostro, leales monárquicos que han estado siempre al servicio de los reyes. Una condesa de Puñoenrostro había sido la dama más simpática y ocurrente de la corte de la reina Cristina.

La atienden con devoción y cariño, que Margot recordará toda su vida.

Ninguna de sus compañeras de la escuela sabe quién es, nadie conoce en España a la Familia Real, ya se ha ocupado Franco de que así sea, suprimiendo toda referencia al conde de Barcelona o a la monarquía en la prensa española.

Hasta que un día una niña la señala con el dedo y le dice:

—Tú eres la hija de ese masón que viven en Estoril.

Margot quizás quiso pegarle un puñetazo, como hubiera hecho Juanito, pero se tuvo que limitar a llorar llenando de churretones su pulcro uniforme rosa (las enfermeras «de verdad» lo llevaban blanco).

Quería volver a Estoril, pero su padre le decía que mamá todavía no se encontraba bien y que esperase quince días más, y estos quince días se alargaron hasta dos años.[1]

Los amigos de Alfonsito van todos los días al jardín de Villa Giralda a hacer una especie de guardia de honor en la puerta.

En silencio.

Todas las tardes el padre Valentini va a rezar el rosario y a acompañar a aquellos padres abrumados por el dolor y, en el caso de María, también por el complejo de culpa.

Si se pudiera volver atrás…, si hubiera sido más firme con los chicos, y al final, como pasa siempre, empiezan las elucubraciones absurdas, si Juan no hubiera guardado la llave en la chaqueta, si no le hubieran regalado la pistola a Juanito, si no hubiera llovido… ¡Si Franco no estuviera en el poder y nosotros en el exilio! Y el memorial de culpas es una cadena que da la vuelta a la península Ibérica, incluso más allá, ¿no había sido la tía Ena la que había inculcado la pasión por la caza a Juan y a los chicos? Y María se sumerge en una espiral de reproches que amenaza con volverla loca y termina deduciendo:

—¡Aquellos desfiles con las espadas de madera tienen la culpa de todo!

Y también:

—Pero el culpable de verdad es Franco.

Un Franco que no autoriza ninguna mención al infante muerto, porque, según dice con suficiencia, «a la gente no le gustan los reyes con tan mala suerte. ¡Muertos por hemofilia, sordomudos, y ahora esto!».

El padre Valentini echa mano de todos sus argumentos para intentar levantar el ánimo de aquellos padres condenados a la pena eterna que conlleva la muerte de un hijo.

Juan también cambia. Pierde la inconsciencia juvenil que era su mayor atractivo pero que también le hacía parecer inmaduro y superficial, el fulgor muchachil de sus ojos se ha apagado para siempre. Sus consejeros intentan animarle contándole las últimas fechorías de Franquito:

—En el funeral aniversario de José Antonio, un camisa vieja gritó: «¡No queremos reyes idiotas!». Y Franco sonrió.

Ramón Padilla lee con su voz pulcra y educada de diplomático el periódico *Arriba*:

«Francisco Franco se encuentra por encima del hecho escueto... torpeza sería situarlo a la altura de Alejandro Magno, Julio César, el condestable de Borbón, Gonzalo de Córdoba o Ambrosio de Spínola... en sus ojos se adivina un delicado sentimiento...».

Pedro Sainz ironiza:[2]

—Sí, ¡tan delicado que dice que su poesía favorita es «Oigo patria tu aflicción...»!

Y otro consejero añade incrédulo:

—¡Y su bebida preferida es la Mirinda de naranja!

Juan sale de su apatía y se revuelve como un toro, casi sin querer, ¡es la costumbre y además el motor de su vida! Resuelve su dolor y su frustración en el odio contra Franquito.

Hasta es capaz de atender con un remoto esbozo de sonrisa cuando Anson le secretea:

—Me han contado que don Juanito ha retado a una pelea a puñetazos a un cadete que había insultado a Su Majestad en las caballerizas de la academia.

El coloso finge indiferencia, pero al cabo de un rato pregunta:

—Chiquito. ¿Y cómo quedaron?

Y casi ronronea cuando le cuentan que el otro salió bastante perjudicado.

Anson, protegiendo el delicado equilibrio de su rey, callaba la confidencia que le había hecho don Juanito:

—No sabes cuántas almohadas he mojado llorando porque los aplausos que a mí me dedican aquí deberían ser para mi padre.

Claro que, en ocasiones, en medio de una discusión, por una palabra suelta, quizás alguien dice:

—¿Tomamos unas «puñetitas»? —Porque después de la ocurrencia de Alfonsito, la palabra ya se ha incorporado al lenguaje de Villa Giralda.

O es tal vez que un chico toca la armónica por la calle... Juan cae de pronto en un profundo aturdimiento y hunde la cabeza entre las manos. Sus consejeros se miran, se dan aliento los unos a los otros y uno cuenta la última hazaña del Caudillo, y si hay que adornarla algo, se adorna, todo con tal de que don Juan dé un golpe en la mesa, levante la cabeza con los ojos secos y suelte un estentóreo:

—¡Coño!

Y aquellos hombres avezados, las inteligencias españolas más altas, curtidas en la sutileza, cultivadas en los libros y templadas en la adversidad, se secan un sudor imaginario. Están intentando que la atención de don Juan no decaiga, que no se hunda, porque, si Juan de Borbón se hunde, si tira la toalla, si deserta, su vida y la de todos ellos ya no tendría ningún sentido.

Cuando Nino, el padre de María, defendía a su rey contra toda lógica y su mujer le musitaba:

—Muy bien, yo sé que lo haces por él...

Se golpeaba el pecho y contestaba:

—Te equivocas, Luisa, ¡lo hago por mí!

Pero María, ay María.

Reza, sí, mucho, muchísimo. Rosarios, misas, se arrodilla en el reclinatorio de su habitación, sólo se la oye el musitar:

—Dios te salve María... Padre nuestro...

Pero no se puede estar rezando veinticuatro horas. Llega al final el momento de soledad, de decaimiento, cuando entraba Alfonsito corriendo y saltando desde el colegio, pidiendo su merienda, gritando:

—Mami, el *afiladog*...

Y entraban detrás de él los perros ladrando, sus amigos, el aire frío, la humedad, el suelo embarrado, y delante del despacho del padre cantaba:

Se va el caimán, se va el caimán,
se va para Baganquilla.

Hasta que Juan salía y le enseñaba el puño.

Llaman al teléfono y le parece oír la voz de Alfonsito bajando los escalones de dos en dos:

—Es *paga* mí, es *paga* mí.

Es su camita con la huella aún de su cuerpo, es el cachorro sin nombre, son las botas de montar, son los libros con su firma, es el caballo que patea y quiere salir, son los tebeos de *El Guerrero del Antifaz* tan usados que son ilegibles, es Alfonsito mirándose al espejo de perfil con el brazo doblado «sacando bíceps» y diciendo: «Soy Marlon Brando».

Son los amigos, de guardia en la puerta, en silencio.

Es el atardecer, la hora más cruel.

Es la mirada suplicante de María.

Amalín, siempre cómplice, diciendo:

—¿Una copa, Majestad?

No necesita que María asienta. La buena de Amalín hace la mezcla, tintinean los cubitos en el vaso, ella también se pone uno, y las dos, sin brindar, naturalmente, se llevan el vaso a los labios, sin ninguna alegría, como el que toma opio para adormecer el dolor.

Llega la hora de la cena. María apenas habla, la mirada fija en el plato. El vaso de vino se vacía rápidamente.

Después, a pesar de la buena voluntad de los consejeros, la conversación decae... María se levanta y va con Amalín a su saloncito.

Amalín ya no dice nada. Prepara las bebidas y le tiende una a la señora.

Beben en silencio, a conciencia.

María se desmorona en el sillón como uno de aquellos muñecos descoyuntados con los que jugaba en su juventud.

Lentamente, su dama ayuda a su señora a levantarse y la acompaña hasta su habitación. María se echa en la cama, Petra la desnuda y se sumerge en un sueño mineral en el que los hijos no se mueren nunca.

Al principio nadie se dio cuenta. Pero después empezaron a alarmarse, aunque de forma atenuada. Sí, doña María tenía una forma algo confusa de hablar... Su mirada había perdido el brillo o, al contrario, estaba demasiado resplandeciente, sus mejillas sonrosadas... Alguien vio la cantidad de alcohol que se consumía en la casa. Se restringieron las compras.

—Basta de alcoholes fuertes.

Ingenuamente, se pensó que no comprando ni ginebra, ni whisky se iba a acabar el problema. Pero las risitas a destiempo, el temblor de las manos, los balbuceos, el andar vacilante, la falta de voluntad no cesaban.

Las hijas miraban a su madre con extrañeza, con un poco de temor, sin atreverse a preguntar.

Alguien propuso un viaje.

Juan, desconcertado por aquella mujer que jamás le había dado un problema, le preguntó si quería viajar. María lo asombró:

—Yo quiero hacer el viaje de novios de nuevo.

¿Solos? Juan estudió esta posibilidad con algo de aprensión, ¡no habían estado solos ni en aquel primero! Providencialmente, los reyes de Grecia, Pablo y Federica, los invitaron a la isla de Corfú. Margot los miraba desolada, y Juan, en el último momento, decidió llevársela.

Mon Repos estaba en una colina rodeado de pinos y olivos, naranjos y limoneros, en el jardín había burros para pasear y los criados iban vestidos a la griega. Sofía e Irene, las dos princesas reales, de modales encantadores y un poco pasados de moda, les enseñaron sus últimos descubrimientos arqueológicos para entretenerles, y más tarde, ellas dos, con Margot, tocaban el piano y un viejo acordeón que alguien había encontrado en un rincón de la casa.

Después de cenar las chicas se iban a enseñarle griego a la princesa española y quizás Juan y la ambiciosa reina Federica, a la que llamaban «la casamentera», trazaban sus planes de futuro.

Quizás la invitación no fue casual.

No es descabellado pensar que en aquellas tibias noches mediterráneas, acunados por el canto de las cigarras y el aroma abrumador del enebro y la resina, ya se pensó en emparejar a Juanito con una de las dos princesas griegas. Al fin y al cabo, tenía la misma edad que su padre cuando se comprometió con María. Y al fin y al cabo, el panorama de las princesas casaderas europeas era casi tan desolador como lo es en la actualidad: en Inglaterra, Liechtestein y Luxemburgo las princesas eran niñas todavía, en Dinamarca y Holanda, las princesas serán reinas y no pueden por tanto casarse con un heredero (presunto) de otro país, en Bélgica sólo había varones y las princesas suecas no gustaban a Juan ¡eran demasiado modernas! Sólo quedaba la hermana pequeña de la futura reina Beatriz de Holanda, Irene, que terminaría casándose con un príncipe español, Carlos Hugo de Borbón Parma, y las dos princesas griegas.

Seguramente ni a Juan ni a Federica se les ocurrió preguntarse si este matrimonio sería del agrado de sus hijos. Sofía estaba enamorada de Harald de Noruega —que no le correspondía, ya que salía en secreto con Sonia Haraldsen, que habría de convertirse en su mujer— y Juanito salía con María Gabriela de Saboya. Pero se esperaba, por supuesto, que ambos cumplieran con su deber y se sometieran a los intereses de la dinastía.

En la noche se servía un aguardiente típico del lugar, el licor de quinoto, mientras una luna lúbrica y mantecosa se paseaba solemnemente por el mismo cielo que había alumbrado los juegos eróticos de Poseidón y la ninfa Córcira que había dado nombre a la isla.

Todos fingían no percatarse de que el vaso de María se vaciaba con sospechosa rapidez, pero naturalmente nadie se atrevió a advertir al criado que no volviese a rellenarlo.

Regresaron a Estoril. Villa Giralda, sin flores, con las contraventanas cerradas y el calor acumulado en las habitaciones como una nube pesada, tenía el aire indiferente de las casas vacías.

Juanito había llegado de España y les besó tímidamente la mano.

Le dijo a su padre:

—Papá, he sacado muy buenas notas.

Juan asintió en silencio. Desde de la muerte de Alfonsito, Juanito se esforzaría siempre en emularlo. Pero era imposible competir con un fantasma que había sido el hijo más querido.

María se tumbaba en la cama, vestida siempre de negro, tapándose los oídos para no sentir:

—El *afiladog*, el *afiladog*.

Y también:

—Nada que venga de España puede hacerme daño.

Irse. Juan piensa en refugiarse en el mar, unos brazos más acogedores que los de su propia madre, que, desde Suiza y dada su estricta educación victoriana, no entendía muy bien la desesperación de su nuera y, sobre todo, por qué necesitaba tantos cuidados. ¡Ella había perdido dos hijos y había tenido que morderse los labios y tirar adelante!

Y Juan de Borbón, aquel hombre que hasta esos momentos sólo se había preocupado de su guerra particular contra Franco y sus posibilidades de sentarse en el trono, tuvo que hacer el esfuerzo inmenso de ayudar a otro ser humano, en este caso su mujer, para evitar que cayera en la devastación y quizás también en la muerte.

Quién sabe. Quizás sí lo evitó, y tan sólo esa posibilidad vale toda una vida humana.

Pero Juan no estaba acostumbrado a una intimidad de dos, y, para hacer su travesía, llenó *El Saltillo* de gente, los hermanos Arnoso, Jorge y Bernardo, los marqueses de Casarola, Tornos y su mujer María del Mar, Pilar, pero Margot no va, se queda en Estoril con madame Petzenick, ha descubierto radio Montecarlo y saca nuevas melodías en el acordeón y en el piano y hasta baila.

Por la casa habla en griego, su último descubrimiento.

María no se quita el traje negro y reza el rosario todas las tardes, pero es Juan quien lleva la foto de Alfonsito y la pone en una estantería.

El barco bordea los lugares más pintorescos de la costa portuguesa. Llegan hasta Punta Umbría, en Huelva, donde está veraneando el íntimo amigo de Juanito, Miguel Primo de Rivera. Un grupo de monárquicos españoles, los Medinaceli, los Medina Sidonia, Pepito Lerma, hasta el torero El Litri, organizaron una juerga flamenca con unos gitanos.

—Va por *usté, señó* rey.

Brindan su baile a Juan como lo hizo Carmen Amaya a su padre en Barcelona, cuando no conocían el exilio y la monarquía parecía eterna.

La música[3] suena tan alto que los barcos vecinos protestan y el práctico del puerto se apresura a recordar a Juan:

—El conde de Barcelona no puede fondear en tierra española.

Se marchan a Tánger, pero esta vez no hay visitas a la Medina y nadie le compra babuchas al moro amigo de María.

El regreso a Estoril fue lo peor. Margot se marchó de nuevo a Madrid, Pilar se sumergió en su trabajo del hospital, Juanito regresó a Zaragoza...

María se volvió al único compañero que no la sanaba, pero la aturdía y le impedía pensar.

Los recuerdos, los recuerdos.

Pero estaba prohibido comprar alcohol en Villa Giralda. ¿Cómo lo conseguía María?

Ya no sale nunca, pero siguen las palabras balbuceantes, el temblor en las manos, las largas siestas con las persianas echadas... Algunas veces se la oye canturrear:

Se va el caimán se va el caimán
Se va para...

Y de una forma que estremece las piedras, imita la voz aguda y gangeante del hijo muerto:

...*Para* Baganquilla.

Al final, era inevitable. Se descubrió... Las botellas entraban camufladas dentro de libros... Ellos, los inquisidores, eran estrategas acostumbrados al disimulo, la traición, el secreteo, de Juan Tornos se decía incluso que era un espía de Franco empotrado en Villa Giralda. Y Amalín era... bueno, tan sólo, y tanto, Amalín. Tan blanda, tan buena, tan cómplice, la que le suministraba su dosis de olvido diario.

El padre Valentini reconoció, inteligentemente, que en este caso los auxilios divinos no bastaban y que se necesitaban medidas más drásticas. Se reunieron al fin los consejeros de Juan. Se encerraron con él en el despacho. Se oyeron voces:

—Problema... hay que atajarlo... no es vicio sino enfermedad...

Juan, enfrentado a una situación familiar que lo sobrepasaba, tuvo la humildad de preguntar con la voz rota:

—¿Qué hago?

Los consejeros le dijeron que «casualmente» el reputado medico López Ibor, el introductor de la psiquiatría moderna en España, estaba en el hotel Palacio y, casualmente, podría ir a cenar a Villa Giralda. No había por qué comunicarle a doña María su profesión, simplemente presentarlo como un español más, ávido de conocerlos.

El diagnóstico de López Ibor fue tajante:

—Hay que ingresarla. Será difícil. Necesita tratamiento.

Casi no he logrado conocer más detalles.[4] Y no porque la situación fuera un secreto, pero los que la vivieron se cierran en banda, en un pacto de silencio hermético e inexpugnable. Nadie ha hablado. Fueron unos meses, años incluso, que quizás todos prefirieron olvidar.

En los escasos libros en los que se habla del tema, se alude a una depresión, a largas estancias en una clínica de Frankfurt o en Suiza.

Es evidente que María fue arrastrada a la dipsomanía, como entonces se llamaba, por el sufrimiento que le produjo la muerte de su hijo y las tremendas circunstancias en las que ocurrió. Educada en el estoicismo, quizás sin un hombro sobre el que apoyarse, con miedo a demostrar su debilidad, no encontró otro refugio.

Lo cierto es que el tratamiento contra su alcoholismo fue severo y duró de forma intermitente dos años. Tengo mis dudas respecto a si llegó a curarse totalmente. Entonces, como ahora, se recomendaba la abstinencia absoluta, también apoyo moral y fortalecimiento de la salud en general.

Pero después de este periodo de abstinencia, María continuó bebiendo, aunque al parecer de forma moderada y sin que constituyese ya ningún problema, al menos grave.

Repito, honestamente desconozco si llegó a curarse del todo algún día.

Aunque nadie la criticó. Hasta los corazones más endurecidos comprendieron que la muerte de un hijo silencia todas las objeciones y justifica todas las debilidades.

Quizás fueron los próximos los que menos la entendieron. Doña Victoria Eugenia,[5] severa e intransigente para las debilidades propias y ajenas, sobre todo las de su propia familia, comentó alguna vez con algo de desprecio:

—¿María? ¡En las viñas del Señor, como siempre! ¡Creo que todo el mundo se ha dado cuenta!

María alternó las estancias en una clínica especializada y en casa de sus amigos, José Eugenio de Baviera y Marisol Mora, cuyos hijos Tessa, Cristina, Fernando y Luis Alfonso eran muy cariñosos con ella. En Villa Teba la visitaban Grace Kelly, ya convertida en toda una princesa Grace y, sobre todo, Antoniette, la hermana de Rainiero. Ésta era muy amiga de su hermana Dola, que iba muchas veces desde Sevilla para ver a María.

Dola se quedaba en casa de Antoniette. Ambas compartían la afición a los perros y competían de forma amistosa en los concursos caninos, donde una solía llevarse el primer premio y la otra el segundo. Acudían a ver a María, con órdenes estrictas de no pedir una copa. Cuando María les preguntaba:

—¿Queréis tomar algo?

Ambas debían decir que sí, que gracias, un té, cosa que molestaba bastante a Antoinette, que gustaba de tomarse un combinado, ella también tenía cosas que olvidar, aunque en su caso se trataba de su desgraciada vida matrimonial.

Crista también iba a menudo desde Turín; llevaba la alegría con ella y a María le brillaban los ojos cuando la veía y palmoteaba como una niña pequeña. Pero llegaba un momento en que la conversación decaía. No se podía hablar de niños, ni de muertes, ni de diversiones, ni de Juanito, ni de Franco… ¡Había tantos temas tabúes!

Y María optaba por retirarse a su habitación a desgranar, en un eterno duermevela, las cuentas del rosario que le había regalado el Papa el día de su boda.

A veces la oían llorar y musitar palabras, pero cuando pegaban la oreja a la puerta se daban cuenta de que, en vez de decir Alfonsito, decía:

—Papá.

Esas Navidades fueron las primeras de una nueva vida. Ya no hubo fiestas en casa de «los *Paguís*», que habían sido autorizados a regresar a Francia, ni reuniones familiares con los Saboya, ni Juan se disfrazó de Papá Noel.

Pilar y Juanito tienen libertad total. Nadie les controla ni los vigila. Salen con sus amigos a disfrutar de la noche en las reuniones «de los exiliados», como se llaman a ellos mismos con una ironía conmovedora. De todas formas, los hermanos hacen poca vida en común, cada uno tiene su círculo de amigos.

En una de estas cenas, Juanito conoce a la que será su gran amor de juventud, Olghina de Robilant.

Era ésta una condesa italiana de buena familia, aunque arruinada, y lo que podría describirse como «una vividora». Tenía veintitrés años, cuatro más que Juanito, y había llevado una vida disipada. Con «amigos» tan célebres como Dominguín, Walter Chiari o Robert Stack, era una habitual del ambiente taurino, la Feria de Abril sevillana, el San Isidro madrileño, el mundo del cine y de la *dolce vita*, y muy próxima a Hemingway y Ava Gardner.

En Portugal, sin embargo, se mostraba más discreta, ya que pasaba largas temporadas en las casas de su severa y puritana tía Olga, condesa de Cadaval, una inmensa finca en Muge, con cientos de hectáreas y un impresionante palacio, o la elegante Quinta de Piedade, en Cintra, al lado de Estoril. Era muy amiga de las hijas del rey de Italia y, a través de ellas, conoció a Juanito.

Fue en el restaurante Mutxaxo, en la playa de Guincho. María Gabriela no estaba, ya que había ido a pasar las vacaciones con su madre en Suiza. Olghina se sorprendió al ver a Juanito tan alegre, ya que conocía la desgracia familiar que había desgarrado su vida. Tan sólo llevaba corbata negra y un brazalete de luto, pero fue el primero en salir a bailar el *Madrid, Madrid, Madrid* de Agustín Lara, con su mejilla ardiente junto a la de Olghina y los labios en su oreja susurrándole palabras de amor.

Asombrada por esta audacia, aquella mujer sobrada de experiencia y sofisticación se vio obligada a ir a recuperarse al cuarto de baño. Cuando volvió, Juanito le había cogido la barra de labios y en la servilleta le había escrito «Te quiero». Olghina se quejó, y el príncipe le contestó con un aplomo que estremeció a la ya entregada condesa:

—No te pintes los labios, porque tarde o temprano los despintaré.

El fogoso galán consiguió pronto lo que quería: en el Wolkswagen escarabajo la besó con sus labios calientes, secos y sabios, y en el asiento de atrás se comportó «como un hombre y no como un niño». Los dos sentían una pasión abrumadora.

Cuando Olghina le habló de su noviazgo con María Gabriela, Juanito lo descartó con un gesto:

—Me permito lo que puedo y siempre que puedo, ya que tengo el tiempo limitado, la vida limitada.

Quizás gracias a Tono García Trevijano y las ardientes brasileñas, Olginha nota que es un amante experimentado y se extasía:

—¡Ha tenido relaciones hasta con Sarita Montiel!

Claro, que también ella debía ser un volcán inolvidable, ya que uno de sus amantes, el cantante Boby Solo, contó cuando ya habían roto que durante el tiempo de su relación adelgazó doce kilos y no era capaz de cantar, pero que, después de ella, si estaba con una mujer que no le daba lo mismo que Olghina, la echaba de su cama a patadas.[6]

La relación entre Juanito y Olghina, con intermitencias, duró casi cuatro años.

A finales de 1960, Olghina dio a luz a su hija Paola. En sus memorias se apresuró a declarar que si bien no iba a revelar el nombre del padre, sí que quería dejar claro que era italiano y moreno, y que no era famoso. Paola vive retirada en un pequeño pueblo de Estados Unidos, en cuya universidad da clases, y no tiene ninguna relación con su madre. En la única imagen que conocemos de ella, vemos a una mujer de elevada estatura, medio rubia, de cabello ondulado y con una nariz que ha conocido el retoque de un cirujano plástico.

Olghina, sin embargo, en la actualidad sigue siendo una mujer muy popular en Italia, e incluso ha tenido un blog en internet donde presumía de seguir en contacto con el rey; hasta llegó a insinuar que estuvo invitada a la boda del príncipe Felipe y Letizia. Yo no estoy muy segura de la veracidad de esta afirmación, aunque sí es cierto que fue ella la que dio a conocer al periódico romano *La Repubblica* la pelea a puñetazos entre el duque de Aosta y Víctor Manuel de Italia en la cena privada en La Zarzuela que tuvo lugar después del enlace. Recordemos que es *vox populi* que los dos príncipes italianos son probablemente hermanos de padre, como hemos reseñado en otro lugar de este libro.

También hubiera resultado muy extraño que la invitaran después del chantaje con que la condesa amenazó a la Familia Real en 1988. Apareció en Madrid con cuarenta y siete cartas muy íntimas que le había dirigido don Juan Carlos a lo largo de su relación. El periodista Jaime Peñafiel hizo de intermediario y consiguió que Sabino Fernández Campos le pagara ocho millones de pesetas de las de entonces a Olghina a cambio de los originales. Lo que no sabían ni Peñafiel ni la Casa Real es que la avispada condesa guardaría copias de todas ellas y se las vendería a *Oggi* primero y a *Interviú* después. Así pudimos conocer la deliciosa prosa de Juanito, en la que se mostraba como lo que era: un cadete enamorado. «Esta noche en la cama, he pensado que estaba besándote, pero me he dado cuenta de que no eras tú, sino una simple almohada arrugada y con mal olor (de verdad desagradable)». El candoroso amante termina con una reflexión que seguro emocionaría el ligero corazón de su Olghina del alma, «pero así es la vida, ¡nos pasamos soñando una cosa mientras Dios decide otra!».[7]

Hay muchas puertas cerradas en Villa Giralda, habitaciones que no se ocupan y ya no deben limpiarse. Una leve capa de polvo cubre los espejos.

Los hijos están fuera.

No sé si Juan llegó a estar alguna vez enamorado de su mujer. Separarse, ambos ya sabían desde el episodio de Greta que, pasara lo que pasase, no lo iban a hacer jamás. Si no los unía el amor, sí los unía la posibilidad de acceder al trono de España, porque ¿en qué cabeza cabía que un divorciado llegase a ser rey de un país tan católico como el nuestro?

Habrían de pasar sesenta años para que esta hipótesis descabellada se hiciese realidad, aunque en ese caso la persona divorciada fuese la futura reina.

Pero la presencia de María le resulta a Juan, no diré indispensable, pero sí muy necesaria. Y ella también está lejos.

Juan se siente solo. Ya no le bastan las relaciones esporádicas que puede encontrar a salto de mata en algún bar o en el golf. Y una de sus relaciones «contingentes» se convierte en su compañera fija.

Es otro de los secretos férreamente guardados por el entorno de Juan de Borbón. Cuando se habla o se pregunta por la época de Estoril, sólo surge una advertencia:

—Vete con cuidado. Sé muy prudente.

Pero hago la misma reflexión de párrafos anteriores. Si no se va a contar toda la información que se posee, ¿de qué sirve escribir una biografía?

Sin escarnio, sin detalles morbosos. Porque creo que la necesidad de afecto y compañía son comunes a todos los seres humanos y en particular a los que han sufrido una pérdida irreparable.

Los que la conocieron[8] —todos los visitantes asiduos de Estoril— me dicen que H. no era ni joven ni especialmente guapa, pero proporcionaba al conde de Barcelona lo que necesitaba con desespación en aquellos tiempos de tribulación: compañía, cariño, complicidad, afecto.

Tengo entendido que la relación continuó, más o menos intermitentemente, toda la vida.

Sé quién fue esa dama, aristócrata. Conozco su nombre. H. No era portuguesa (ni española) y su marido tampoco. En ningún momento ni Juan ni ella, ninguno de los dos, pensó en romper su matrimonio. Había veces en que más que una relación amorosa, parecía una amistad íntima. Jugaban al golf, salían en barco —poco juntos, porque cada uno tenía el suyo—, iban al English Bar a tomar una copa, hablaban mucho. Juan era muy alto, fornido, el dolor le había dado un aire vulnerable que antes no tenía, se había vuelto más humano. Vilallonga decía de él:[9]

—Es gigantesco y arrollador por fuera, pero por dentro se le nota frágil y quebradizo. .. No da la talla, no reinará nunca...

Y cuando su interlocutora protestaba:

—¡Es un buen hombre!

José Luis contestaba:

—Precisamente por eso...

El comentario común, con las mismas palabras melancólicas, de todos los que lo trataban entonces y ahora han hablado conmigo para la elaboración de esta biografía es:

—Te habría encantado si lo hubieras conocido en aquella época...

Siempre bronceado, con gorra de marino y su chaqueta azul, con su inseparable cigarrillo entre los dedos, era capaz de quedarse hablando hasta la madrugada, contando historias de su infancia en el Palacio Real, de sus viajes por Oriente con el *Enterprise* y hablando de Gonzalín... Nunca de Alfonsito. Con su íntimo amigo Paddok Brito e Cunha. Y con H.

Escuchaba mucho. Reía a grandes carcajadas que le entrecerraban los ojos color coñac y los llenaban de arrugas.

Todo el mundo estaba al tanto. Camareros, sus consejeros, los nobles de guardia, seguramente hasta el padre Valentini. Como en el caso de María, no hubo reproches.

La vida había sido tan dura para ellos que todos pensaron que tenían derecho a su pequeña parcela de felicidad.

De todas formas, Juan decide que necesita alejarse de todo, huir por un tiempo del ambiente estancado de Villa Giralda. Como un reto, emprende una travesía transatlántica con el pequeño *El Saltillo*.

Antes de partir, tendría lugar uno de esos sucesos que sirven para alimentar ilusiones sin límite en la corte de Estoril, donde tan pocas alegrías y novedades suele haber. Doña Carmen Polo, la mujer del Caudillo, pasa a mediados del mes de marzo de 1957 por Portugal de camino hacia Madeira. Se aloja en la embajada, en Lisboa.

María está esos días casualmente en Estoril, en un descanso de su tratamiento, pero apenas sale de su habitación. Juan y sus consejeros sopesan nerviosamente las posibilidades de esta visita. Al final Sainz le dice a Juan:

—Que la reina envíe un ramo de flores.

María asiente con indiferencia, y Amalín manda un cesto de rosas. Carmen Polo llama agradeciendo, y María, dejando aflorar esa espontaneidad que sus desgracias han amortiguado pero no han hecho desaparecer, le propone:

—¿Y por qué no viene a merendar?

Juan y sus consejeros, que asisten a la conversación, ponen gesto de asombro ante tal audacia.

¡Ellos nunca se hubieran atrevido!

Y con más sorpresa todavía, reciben la contestación de Carmen Polo:

—Muy bien. Iré mañana por la tarde.

Al día siguiente cunde una actividad frenética en Villa Giralda. Lo que seguramente para la mujer de Franco no es más que una anécdota, es categoría para Juan y sus consejeros. Todos están nerviosos menos María, que le dice a su marido, acordándose de los feos que le ha hecho su odiado Franquito:

—Yo no pienso bajar de mi habitación.

Recuerda la voz de su hijo preguntándole:

—¿Por qué tenemos que hacerle pamemas a la mujer del Caudillo?

Tiene que ser Juan el que recibe a la Generalísima en la puerta de la casa. Carmen Polo le hace una enorme reverencia y le llama:

—Majestad.

Juan casi se desmaya de gusto.

En el saloncito está dispuesto un servicio de té que Juan sirve con mano torpe. Van arriba las damas de María a suplicarle que baje.

María la Brava, malhumorada, al final accede. Pero sus ojos tienen su antigua expresión traviesa cuando le cuenta a un amigo que, si bien había tenido que saludarla:

—Le di la mano flojita.

Carmen Polo se va después de otras reverencias, esta vez por partida doble.

¡Qué huracán de esperanzas provocan estas «pamemas» en Estoril!

Pero son gestos vacíos, que no encierran ningún significado.

Juan, durante su travesía transatlántica, estará embarcado cien jornadas, soportará temporales, olas altas como rascacielos, un incendio en el barco e incluso podrá ver el Sputnik hundiéndose en el mar. Hoy día podemos tener una visión muy completa de este viaje gracias a la película puesta a disposición de Televisión Española rodada por uno de los tripulantes, seguramente Jorge Arnoso. En ella vemos a Juan, el más grande de todos, comiendo directamente de las latas de conservas y cortando un jamón que María ha tenido el ánimo de llevar a escondidas al barco, como una sorpresa. Una se da cuenta de que es en este ambiente de camaradería entre hombres donde mejor se siente el conde de Barcelona: ríe, canta, y en un momento dado, en un gesto de cordialidad, les pasa las manos a sus compañeros alrededor de los hombros.

Aunque ha dispensado a sus amigos de afeitarse y todos lucen barbas y bigotes, él va cuidadosamente rasurado.

Parece que sigue al pie de la letra los consejos de Pedro Sainz Rodríguez:

—Lo que tiene que hacer el rey es comer bien, beber bien, jugar al golf, tocarse las pelotas y mantenerse joven y con buen humor para cautivar a todos... De lo demás me encargo yo...

Es curioso constatar en el citado documental que los otros tripulantes no se permiten con él ninguna confianza. Ni siquiera Paddok, que es un marinero mediocre y que sólo está entre la tripulación porque con sus ocurrencias hace reír al rey y de eso se trata.

Mientras Juan está en alta mar, se va apagando la vida de Luisa. La de la «facha colosal», tan severa que aun en su lecho de muerte le ordenaba a su hija,[10] que casi tenía cincuenta años:

—María, siendo reina de España, ¡no se te ocurra comer «calentitos» por la calle!

Porque para algo sí ha servido la visita de Carmen Polo a Villa Giralda. No se ponen restricciones ya para que María entre en España para velar a su madre, en peligro de muerte.

Sus hermanas la acogen con un abrazo, y María, en el ambiente familiar y acogedor de la casa de La Palmera, olvida por un momento la muerte de Alfonsito. Le sorprende el aspecto asilvestrado de Bela. Dola le cuenta entre risas que han venido unos primos italianos a verla a su finquita y que, al abrir ella la puerta, le han preguntado:

—¿Está la señora?

Y que luego les había asombrado ver a las gallinas picoteando los muebles, espléndidos, heredados de Isabel II y el frío que hacía en la casa.

También le llama la atención que su madre hable tranquilamente de sus disposiciones testamentarias:

—A ti, María, te dejo esta casa de La Palmera, a Esperanza la de Villamanrique y a Dola todas las cosas que tenemos en Sevilla.

Bebito y Bela están excluidos del reparto, ya que no son hijos de Luisa y ya heredaron en su momento de su madre, la infanta Polla, pero la atienden con el mismo cariño que sus tres hermanastras.

María ve las procesiones, está toda la noche de pie —incluso, desobedeciendo a su madre, come «calentitos»— y se emociona cuando la Virgen de la Amargura se detiene delante de ella y le hace la *levantá*. Se extasía:

—¡Sólo mi Sevilla sabe hacer estas cosas! —Y reconoce con lucidez, ahora que su marido no está cerca y no hay que fingir un optimismo que cada vez le cuesta más mantener—: Nosotros para los españoles no éramos nadie, pero el corazón de los sevillanos sí era de mis padres. ¡Eran su familia real!

Y los sevillanos sabían que «su» Luisa estaba muriéndose.

Traspasó definitivamente el 17 de abril de 1957. Esperanza había venido desde Brasil, Dola y Bebito, Bela y María estaban al lado de la cama, cogiéndole la mano.

María afrontó con serenidad la muerte de su madre.

Al día siguiente debía empezar la Feria de Sevilla, pero las autoridades la retrasaron dos días. María, cómo no, suspiró:

—¡Sevilla!

María ni tiene que ponerse de luto, porque no se lo ha quitado desde que murió Alfonsito. El 24 de junio, el día de su santo, llega Juan al puerto de Lisboa. María y Pilar salen en otro barco a su encuentro. Lo vemos en el documental dirigido por Pedro Carvajal que se pasó en el mes de junio de 2010 en Televisión Española. María lleva un pañuelo de seda de rayas en la cabeza, un chaquetón «trapecio» blanco con detalles oscuros y un absurdo bolsito cuadrado tipo neceser; en homenaje a su marido se ha pintado los labios de rojo. Está gruesa, pero tiene una expresión aniñada y la sonrisa ilusionada de una adolescente.

Se asoma a la borda de su barco y le hace a Juan el gesto universal de juntar los dedos de la mano y llevárselos a la boca, para indicar que hay hambre y es la hora de comer.

Se encuentran en el muelle de la Torre de Belém. Cuando él ve la multitud que le aguarda en el puerto, se cambia su camiseta blanca y la rotunda boina vasca por un estricto traje oscuro con corbata.

Juan sonríe sin fisuras, María se lanza literalmente a sus brazos, se aprieta con fuerza a su torso con ambas manos, quedan un rato fundidos, el rostro de ella sepultado en el ancho pecho de su marido. Es una imagen emocionante, que antes no se ha producido, ni volverá a darse, al menos públicamente.

Pilar, que está muy guapa también con su pañuelo en la cabeza y vestida con un jersey de marinero, muy «Saint-Tropez», se acerca a su padre y ejecuta el complicado ritual que practica desde pequeña: primero beso en la mejilla, luego genuflexión. Él traza la cruz en la frente de su hija y después la besa en la mano.

Margot vuelve a Estoril en 1959. Los médicos han dado por terminado el tratamiento de María, que cuando se encuentra mejor lo primero que hace es reclamarla.

Poco a poco, todos ponen los mimbres para que la vida vuelva a funcionar, aunque ya nada será como antes. Pilar y Margot están tan acostumbradas a que Juanito resida lejos que ya no lo echan a faltar y han aprendido a vivir sin él, y también él sin ellas. Este hermano nunca les ha pertenecido del todo, y sin Alfonsito, que hacía de puente entre las chicas y él, sus relaciones se mantendrán siempre en un plano respetuoso y correcto, pero falto de calor fraternal.

Margot empieza a ganarse un sueldo dando clases de inglés a las niñas de la beneficencia española, en la calle de Cunha de Lisboa porque como se suele decir en esa época: «Necesitamos menos protocolo y más patatas». Y también trabaja en la guardería de un orfanato regido por religiosas, pero su intención es ser enfermera de verdad, de las que ponen inyecciones y practican curas. Sin consultárselo ni siquiera a su madre, se entrevista con una profesora del tan denostado Instituto Español de Lisboa, María del Carmen Hidalgo, y se decide que reciba clases particulares que la propia infanta sufragará con su sueldo de profesora, ya que por su discapacidad sería difícil que siguiera las clases «normales», puesto que, por ejemplo, no podría ver la pizarra. En dos años acaba tres cursos de bachillerato.

A pesar de que Margot no vive su ceguera como una minusvalía, sí se da cuenta de que es diferente de su hermana. Mientras a ésta le buscan buenos partidos entre la realeza europea, de ella nadie se ocupa, así que se encastilla y le dice a todo el mundo:

—Yo no quiero casarme.

Además, un médico despiadado e ignorante le ha recomendado que como es ciega no debe tener hijos, a ella, a la que tanto le gustan los niños, y la pobre infantita pierde toda ilusión por el matrimonio. Pero es tremendamente ingenua para estas cuestiones y, además, como en Estoril continúa hablando con todo el mundo por la calle, no siendo ya una niña traviesa como antes sino toda una mujer, se mete en algún que otro lío. Un día llega a Villa Giralda contentísima diciendo:[11]

—Ya tengo novio y me voy a casar.

Y añade con orgullo:

—Es americano y nos iremos a vivir a Estados Unidos.

En esos momentos está en la casa un amigo de Juan, el holandés Nils Peter, quien se interesa por ese inesperado novio de la infanta y le advierte de que antes de huir con él tiene que comentárselo a sus padres. A lo que la infanta responde que no porque:

—Mi novio me ha dicho que no quiere pasar por Villa Giralda, que tenemos que embarcarnos directamente rumbo a América.

Margot sigue contándole a Nils que había conocido a su efusivo pretendiente por la mañana en un bar, y que él le había pedido matrimonio, aunque, eso sí, confesándole acto seguido que en realidad él era:

—Maricón.

Nils, que está tomándose un whisky, se atraganta y pregunta:

—¿Cómo?

Y la infanta contesta muy ufana:

—Es maricón.

Margot no tiene ni idea de lo que quiere decir maricón, y se pasa todo el día hablando del maricón de su novio... En la cena, con todos sentados, suelta:

—Me voy a casar con mi novio el maricón...

En el comedor se hace un silencio impresionante, hasta a María le baila la risa en la mirada, y espía de reojo la reacción de su marido que, harto, pega un puñetazo encima de la mesa y le pide a su amigo:

—Nils, coño, cuéntale de una puta vez a Su Alteza qué diferencia hay entre ser hombre y ser maricón.

Como es natural, a aquél le cuesta mucho explicarle esta distinción en la actualidad tan políticamente incorrecta.

Pilar no muestra ninguna inclinación por los novios, sigue sin ser nada coqueta y acude a fiestas familiares en Europa por obediencia y con cierto aire de aburrimiento. María se va recuperando poco a poco, pero en cierta manera ya no es el pilar de su familia, que se apoya en Juan, quien ha aprendido no solamente a tomar decisiones políticas, sino a conducir de la mejor manera que sabe las vidas de sus hijos. María apenas interviene en las decisiones de su familia. Sonríe, escucha, fuma mucho, habla poco y de repente da unos suspiros que parten el alma.

Cuando su padre mira a Pilar con reproche, María, que antes no era cariñosa, le echa a su hija el pelo hacia atrás y le dice:

—Pues yo encuentro que así estás muy mona.

Aunque Pilar, muy poco hecha a las caricias, se revuelve como los caballos indómitos a los que tan bien sigue montando.

Pero su abuela y su padre comentan entre ellos:

—A esta chica hay que casarla.

Como en el caso de Juanito, tanto doña Victoria como Juan hace tiempo que otean sin cesar el panorama de los príncipes casaderos. Tampoco para Pilar la cosecha es muy abundante: tanto en Inglaterra como en Liechtenstein y Luxemburgo los príncipes son demasiado jóvenes para ella; en Suecia, Holanda y Dinamarca no hay varones. Quedan los hermanos Balduino y Alberto de Bélgica y el príncipe Harald de Noruega. Pero este último es un candidato de la reina griega para una de sus hijas, y también la princesa Tatiana Radziwill, prima de los Grecia, «pretende» su codiciada mano. Pero es un secreto a voces, aireado por la prensa del corazón de la época, el noviazgo secreto entre Harald y Sonia Haraldsen, una sencilla vendedora y modista de Estocolmo que intenta suicidarse cada vez que las revistas emparejan a Harald con alguna princesa. Los dos están profundamente enamorados, pero el padre de él se opone, y no vencerán su resistencia hasta diez años después. Descartado este príncipe para Pilar, sólo quedan los belgas, aunque de Alberto ya empieza a rumorearse que se ha enamorado locamente de Paola Ruffo di Calabria, la «*dolce* Paola» de la canción de Adamo, una italiana bellísima con la que terminará casándose en 1959.

Así pues, queda en pie un único candidato para los propósitos de Juan:

—Balduino, que es rey desde 1951 por abdicación de su padre. Además, Pilar y él se conocen desde pequeños.

Y así es, de cuando esquiaban juntos en Gstaad, aunque más tarde se han visto pocas veces. El rey es muy introvertido, no le gusta asistir a fiestas, alardeará de que en cuarenta y dos años de reinado sólo ha organizado dos, y es tan religioso que se rumorea que tal vez acabe profesando y entrando en un convento. Además, es muy infantil y vulnerable. La muerte prematura de su madre, la convivencia con una madrastra que, si bien se portó bien con él, no pudo hacerse querer por el pueblo belga, y una infancia marcada por el exilio, han hecho de él un hombre prematuramente envejecido, de una timidez enfermiza, al que llaman el rey triste. Pocas aficiones comunes tiene con Pilar: a él le gusta la ornitología, la astronomía, la fotografía, y es muy dependiente de su padre, a la infanta montar a caballo, leer y su profesión de enfermera, y no deja que nada ni nadie la domine.

Pero Pilar acepta la decisión de su padre y abuela con docilidad; a pesar de su carácter fuerte, ni se le ocurre oponerse a las determinaciones de su familia; sabe que el fin de toda princesa es ayudar a apuntalar la dinastía, y que los matrimonios entre personas reales son la mejor forma de conseguir esta argamasa. Así pues, el viaje a Bélgica para que se encuentren los futuros novios se prepara con todo cuidado.[12] La excusa está bien escogida, una visita a la Exposición Universal que, en 1958, se celebra en Bruselas, lo que provoca la invitación de los condes de Barcelona y su hija al palacio de Laeken durante una semana. Pilar recibe consejos, súplicas y órdenes de que se pinte, se arregle, vista bien.

Es el padre el que se ocupa hasta de los temas más nimios: consigue que Josefina Carolo haga horas extras para confeccionarle un guardarropa que realce sus encantos.

María ha perdido todo interés en la moda. Sólo quiere llevar vestidos negros, está muy gruesa y le confeccionan prendas de grandes dimensiones que todavía ensanchan más su figura.

El principal obstáculo para este noviazgo es la princesa de Rhety, que tiene la ocasión ahora de vengarse de los supuestos agravios que la Familia Real española le infringió en su época de Suiza, cuando se decía *sotto voce* al verla en las pistas:

—Mira, la hija del pescadero...

Pero Gangan piensa con optimismo que si Balduino se prenda de los encantos de Pilar, que los tiene en abundancia, aunque a primera vista no resalten, todos los obstáculos caerán al paso arrollador del amor. Le hace una última indicación:

—Pilar, llévate una dama de honor, pero escoge la más discreta de todas, la... menos vistosa.

Pilar elige a Fabiola de Mora y Aragón, la hija de los marqueses de Casa Riera, que habían vivido en Lausana durante los años cuarenta y habían sido asiduos visitantes de la Vieille Fontaine, ya que la marquesa y doña Victoria Eugenia compartían la afición a los perros; cuando aquélla murió, tenía casi cincuenta viviendo en su palacio de la calle Quintana.

Fabiola no ha sido nunca amiga de Pilar, porque es casi diez años mayor, pero responde a los requisitos exigidos por Gangan: no es ninguna belleza. También es introvertida, tan religiosa que se decía que quería entrar en un convento, callada y enemiga de las fiestas, la frivolidad y la coquetería, pero, a diferencia de Balduino, muy segura de sí misma. La mujer ideal, vamos, para el rey triste. Su figura poco atractiva no impone, pero adquiere una actitud protectora hacia este monarca que parece tan desgraciado. Pronto Balduino se siente a gusto con ella. Más tarde, ambos dijeron que se habían enamorado en el mismo instante en que se vieron. Una persona, que asistió a aquellos primeros encuentros, me cuenta:

—Balduino por fin halló lo que llevaba buscando desde pequeño: una madre.

Y también me dice:

—Pilar, que era algo pedante, se puso a hablar de África intentando explicar las características de aquel continente, ¡se olvidó de que estaba hablando nada más y nada menos que con el rey del Congo Belga!

Los días que estuvieron en Laeken, Balduino, al decir de Juan, está muy modosito y acompaña a Pilar y a su dama a todos lados. Pero pronto el conde de Barcelona, que no tiene nada de tonto, se da cuenta de la situación, y en lugar de quedarse cinco días están sólo dos. Luego les explicaría a sus amigos que si se habían ido era porque:

—La Rethy nos ha hecho la vida imposible, ya que no puede soportar que llegue a ser reina de Bélgica una infanta de España, con categoría europea, y de tanto carácter como Pilar.

Y cuando Pedro Sainz Rodríguez, para que la princesa tuviera una salida airosa, comenta que seguramente a Pilar tampoco le gustaría mucho un rey tan soso, Juan contesta con esa sinceridad que a muchos podía resultar algo brutal:

—Hubiera estado dispuesta al sacrificio, como lo están todas las princesas bien educadas, vamos...[13]

Todo el mundo sabe que dos años después se casaron Balduino y Fabiola. Fue en diciembre de 1960, y Pilar estuvo en la boda y fue la que felicitó a los novios con más calor, aunque Juan no podía dejar de mascullar:

—Es una boda increíble, no me lo puedo creer, si es de inferior categoría que Pilar.

¡Ni se le ocurría pensar que el rey de Bélgica simplemente se había enamorado!

Allí se encontraron los marqueses de Villaverde con los condes de Barcelona. Aquéllos se sentían muy desplazados, pero habían sido invitados en lugar de Franco, que no viajaba nunca al extranjero, porque la novia era española. Juan y María se desvivieron por ellos y les presentaron a todo el mundo, y así se lo contó Nenuca a su padre, quien comentó con condescendencia:

—No, si este don Juan no es una mala persona, lástima que esté tan mal aconsejado, ¡es tan débil y liberal![14]

Y no dio ninguna importancia a los esfuerzos del pobre Juan para hacerse el simpático, ya que hacía tiempo que lo había desechado para el trono español. Así se lo había dado a entender en la última reunión que habían mantenido en Las Cabezas el 20 de marzo de 1960; después de ésta, ya no volverían a encontrarse más.

Ya no lo necesita, y Juan no escuchará nunca más su «broncínea voz de diamantinos armónicos».

Franco no se había molestado siquiera en ser amable con el Pretendiente y estuvo hablando todo el rato en tono monocorde y doctrinal sobre los masones.

En esa reunión se había decidido que Juanito estudiaría diversas materias sueltas en distintas facultades, apoyado por los consabidos profesores particulares. Un plan de estudios muy extravagante que hizo exclamar al conde de los Andes con su dulce ceceo jerezano:

—*Zalvo el zeminario el príncipe va a recorrer todos loz eztablecimientos docentez del paíz.*

Y el tío Ali, el confidente de las correrías de don Alfonso XIII y de Juan, comenta, cada vez más viejo pero más lúcido:

—Me extraña que no lo hagan médico y también obispo... Lo único que importa es que se case bien y tenga un buen lote de hijos.

Juanito «se licencia» en Derecho, Políticas y Economía. Pero en esta ocasión sí que, cuando se intentó afirmar que don Juan Carlos era un alumno más, protestaron los otros estudiantes explicando que no puede ser un alumno más aquel al que cambian el horario de las clases según su conveniencia y que sólo cursa las asignaturas que le apetecen. Es quizás la época más dura del príncipe, ya que la universidad estaba muy politizada y al pobre Juanito lo insultaban por igual los falangistas y los requetés: unos decían: «No queremos reyes idiotas», y los otros gritaban a su paso: «Borbón-Bobón».

También:

—Príncipe Fabiolo.

Y:

—No queremos príncipes Sissi.

Lo que entendían estos imaginativos estudiantes con lo de príncipe Sissi —la película protagonizada por Romy Schneider estaba en las carteleras— y la alusión al hermano de la reina de los belgas, no podemos entenderlo.

En lo único que están de acuerdo Franco, el tío Ali y Juan es en que se debe acabar con la época de las olghinas, las brasileñas y las marías gabrielas, y que a Juanito, que ya tiene veintitrés años, hay que casarlo de una vez.

No se consulta a María. Las riendas de la familia ahora las lleva Juan, y a él se le preguntan hasta temas de intendencia.

La única decisión doméstica de María fue:

—Para desayunar a partir de ahora que Chico traiga rosquillas.

Chico era el panadero, que cada día llevaba varias barras de pan a Giralda. Las rosquillas y los pasteles en general eran los responsables de que María hubiera aumentado tanto de peso. También ha dejado de practicar ejercicio.

Decididamente la mejor candidata es la princesa Sofía de Grecia, que tiene su misma edad. Sofía y Juanito se encuentran el 8 de junio de 1961 en la boda de Eduardo de Kent, primo de la reina de Inglaterra, y Katherine Worsley. Los sientan juntos en la iglesia, y la reina, más tarde, comentaría:

—Por una vez el protocolo hizo bien las cosas.

Pero quizás no fue el protocolo, sino la voluntad de las familias la que actuó de Cupido, al menos así lo dicen diversos estudiosos de la monarquía y también Emanuela Dampierre, que vuelve a aparecer en estas páginas con su habitual maledicencia: «La boda fue de interés, organizada por Federica de Grecia y la reina Victoria Eugenia».[15] También los historiadores de prestigio europeos cuentan que, al estar educados ambos en un profundo sentido del deber, actuaron tal como se esperaba que lo hicieran, declarándose su «amor».[16] Juanito, desde luego, no dejaba de recordarles a todas sus novias que por su posición no era libre de enamorarse de quien quisiera y que debía acatar el mandato de sus mayores.

Mi opinión personal, después de haber consultado varias fuentes, es que Sofía se entusiasmó con Juanito, y éste, algo menos.

Pero ambos parecen estar muy seguros de sus sentimientos, porque tres meses después, el 13 de septiembre, confirman su noviazgo en la Vieille Fontaine. Todo ha ido tan rápido que, cuando Juanito les explica a sus íntimos amigos los Arnoso que se ha prometido con una princesa griega, éstos le preguntan:

—Ah, ¿con Irene?

María, durante el noviazgo de Juanito, apenas ve a Sofía un par de veces.

La condesa de Barcelona, con su timidez y sus ganas de pasar desapercibida, no impresionó a Sofía en absoluto, es más, la reina apenas hace mención de su suegra —ningún elogio— en las conversaciones que mantuvo con Pilar Urbano para elaborar su única biografía oficial.

A sus cuñadas les dedica tan sólo una línea: «dicen que nos llevamos mal y no es cierto...».

Sin embargo, sí tiene palabras de alabanza hacia doña Victoria:

—Era estupenda aconsejando... Tenía una gran experiencia...

María, que podría compartir la divisa del duque de Osuna, «Siempre Quedar Bien», sí fue generosa en sus recuerdos y dijo:

—Nos gustaba la manera de ser de Sofía por su sencillez y naturalidad.

Claro está que, antes de casarse, el príncipe debe dar explicaciones a sus dos «novias». Todavía ese verano la prensa publica que seguramente en las bodas de plata de los condes de Barcelona, una sencilla merienda en Villa Giralda, se hará el anuncio oficial del noviazgo de María Gabriela con Juanito, cuando la princesa italiana ya ha sido descartada como futura reina de España hasta por el presunto novio. Además, harta de esperar y cansada de las infidelidades de su pretendiente, ya ha empezado a volar por su cuenta, ha estado en la Feria de Sevilla invitada por Cayetana Alba, donde se la ha fotografiado en cariñosa actitud con el rejoneador Ángel Peralta, «su último romance», según las revistas, y en Suiza coquetea, en un intento desesperado de darle celos a su Juanito, con el primo de éste, Alfonso de Borbón Dampierre, que también ha heredado de los Borbones la gran afición a las mujeres. En Estoril tontea con Nicky Franco Pascual de Pobil, que, además de sobrino del Caudillo, es un íntimo amigo de Juanito. Como si todo esto no fuera suficiente, a bordo del yate *Mau Mau* juguetea con Paolo de Robiland, precisamente un primo de Olghina.

Más tarde, María Gabriela, ya algo más tranquila, conocerá al millonario casado Robert de Balkany y contraerá matrimonio con él, después de que éste consiguiera el divorcio. Según me cuenta un amigo de la princesa italiana, Ela y Juanito continúan en la actualidad siendo amigos, y el rey coge a menudo su avioneta privada para ir a visitarla a la casa que ella tiene en Ibiza.

No sé cómo le habrán sentado al rey, de todas formas, las últimas declaraciones que María Gabriela de Saboya (20 de julio de 2010) ha concedido al periodista mallorquín Esteban Mercer, en las que, después de insinuar que fue ella la que rechazó a Juanito porque no tenía ganas de casarse ni quería ser reina —nuestro refranero tiene una delícada perífrasis para este tipo de afirmaciones: el que no se consuela es porque no quiere—, declara con desenfado:

—Creo que, tarde o temprano, las monarquías van a desaparecer.

La siguiente en la lista de «novias» despedidas era Olghina.

Juanito va a buscarla de madrugada al Club 84 de Roma, lo acompaña Clemente Lecquio, el marido de su prima Sandra, sí, el padre de Alessandro. Ya ha nacido Paola, pero Olghina no le ha dicho nada a su novio, porque lleva casi un año sin verlo. Clemente se esfuma, y la pareja, arrebatada de pasión, coge un taxi y va a la pensión Pasiello, un lugar «horrible, pero la imaginación puede convertir una habitación en un jardín de la Alhambra y fue eso lo que hice».

A la mañana siguiente don Juan Carlos le cuenta que se ha prometido con la princesa Sofía de Grecia y le enseña el anillo que le ha comprado:

—¡Con mi dinero!

Son dos rubíes en forma de corazón. Entonces Olghina le cuenta lo de su hija Paola y Juanito la escucha con distanciamiento borbónico, se muestra «esquivo y asustado... le entró miedo de que le atribuyera esta paternidad».[17]

De suceder todo esto en la actualidad, Olginha se hubiera convertido en una habitual de los programas del corazón, que han encontrado en las supuestas paternidades un filón inagotable de audiencia.

Última decepción. Olghina tiene que pagar la habitación y el taxi, aunque luego Juanito tuvo el detalle de devolverle el dinero por correo.

La reina Federica organiza la boda a lo grande; es una megalómana que quiere que el casamiento de su hija sea mejor que el de la reina de Inglaterra. A regañadientes, el Parlamento concede una dote de nueve millones de dracmas —unos noventa mil euros al cambio de hoy— para Sofía; su madre no quiere que sea la cenicienta del Gotha. Tan a disgusto conceden esta cantidad los parlamentarios griegos que un año después, cuando hay rumores de crisis entre la pareja, piden que este dinero sea devuelto.

Para cubrir el expediente, Federica viaja con Sofía a Estoril para preparar conjuntamente con María la boda de «los chicos». María va saliendo poco a poco a flote del pozo en que la ha sumido la muerte de su hijo y la acompaña al Algarve para ver los almendros en flor mientras Sofía recorre Portugal con su novio en el Porsche metalizado que los monárquicos acaban de regalarle a él para que esté la altura de la familia griega.

Con gran esfuerzo, y con ganas de agradar a su marido y a su hijo, María trata de hacer la estancia de Federica y su futura nuera lo más interesante posible, pero no debió conseguirlo, ya que la reina doña Sofía confesó a su biógrafa Pilar Urbano años después:

—Me dio la impresión que vivían muy aislados (María y Juan) de la gente de Portugal y del resto del mundo. No tenían relaciones. Sólo se trataban con el círculo monárquico, que era un reducto muy partidista... Yo me dije, aquí no voy a vivir.

Federica también intenta mangonearlo todo, y María se vuelve a meter en su caparazón delante de aquella mujer tan apabullante que se enfrenta incluso con el mismo Juanito.

Que llega a decirle:

—Mira, Sofía será una princesa real, pero aquí el único que quizás ocupará un trono algún día soy yo.

Las maneras de Federica y de María son totalmente distintas. Aquélla es una dictadora y se dice que su marido, el apacible Pablo, está totalmente dominado por ella. Todo lo contrario que María, a quien nadie, aparentemente, hace mucho caso.

De todas formas, los preparativos son tan complicados que María lo deja todo en manos de su consuegra.

Y es que Sofía profesa la religión ortodoxa, aunque consiente en convertirse al catolicismo, de hecho lo hará un par de días después de su boda. Pero una princesa griega debe casarse por el rito ortodoxo, y el Papa admite, de forma inusual, que se celebre una doble ceremonia, ahora, eso sí, dejando claro que la solemne debe ser la católica y que la otra solamente constituirá un simple trámite. Los ortodoxos más acérrimos no aceptan que la princesa se case también por el rito católico y encabezan una protesta. Los políticos de la oposición, por su parte, critican el elevado dispendio y se niegan a asistir al casamiento, incluso se producen amenazas de que intentarán boicotear el acto, lo que obliga a un despliegue policial sin precedentes.

Se confiscan balcones para que sirvan de tribunas y también los yates amarrados en El Pireo y muchas habitaciones particulares para alojar a los tres mil españoles que se desplazan a Atenas. El rey Pablo alquila dos aviones Constellation para transportar a los invitados de sangre real, pero no incluye a la familia del novio.

Juan y María son dejados al margen del protocolo, hasta el punto de que él se queja:

—Parece la boda de un huerfanito.

María, poco habituada ya a las grandes celebraciones sociales, no sabe cómo ayudar. Intenta cooperar con la lista de invitados, pero se le hace ver que sus amigos portugueses no tienen sitio en la boda y que quizás sería mejor no invitarles o, al menos, restringir su número. Nadie ha previsto cómo tiene que llegar la familia del novio a Grecia, y María se limita a coger un vuelo en un avión regular con Pilar y Margot, mientras Juan prefiere ir a bordo de *El Saltillo*.

Tuvo más mano en aquel enlace el enviado de Franco, Abárzuza, que el propio Juan. Su intención de que la boda de su hijo le ayudara en sus pretensiones fue un auténtico fracaso y se dio cuenta de que la reverencia de Carmen Polo que tanta ilusión le había hecho no había sido más que una pantomima.

¡El gallego se la había jugado de nuevo!

La boda se celebró el 14 de mayo de 1962.

Siguiendo una tradición que los españoles de aquellos años conocemos muy bien, se arreglan someramente las calles por donde pasará el cortejo para no ofender la vista de los regios asistentes, pero los invitados más sensibles no se dejan engañar y se asombran del contraste entre la pompa de las casas reales de toda Europa y la pobreza que reina en Grecia; lisiados, pordioseros, mendigos y gitanos son mantenidos a raya por la implacable policía griega, que forma un cordón alrededor de los invitados y sus valiosas joyas: la corona de zafiros de María Antonieta que lleva la condesa de París; la corona de esmeraldas que había pertenecido a la reina Amelia que porta la princesa Ana de Francia; la tiara con el famoso diamante de la corona, una de las gemas más bellas del mundo, que luce la reina Juliana de Holanda; la tiara de la emperatriz Eugenia que adorna el complicado peinado de madame Niarchos, esposa del multimillonario armador griego; los rubíes de la ex mujer de Onassis, Tina, casada ahora con el marqués de Blandford, que hacen juego con su vestido de Guy Laroche de color carmín, y las perlas de la duquesa de Marlborough y de doña María, que contrastan con su majestuoso traje azul noche.

Un invitado a la boda, que prefiere mantenerse en el anonimato, recordó en su momento para mi libro *Secretos y mentiras de la Familia Real*:

—Era una situación increíble; por una parte había una especie de histeria entre los griegos, un fanatismo primitivo que casi daba miedo, yo vi desmayarse a varias personas delante mío, incluso se rumoreó que había muertos, y, por otra, en cuanto te alejabas unos metros de la fila de espectadores, te tropezabas con el tercer mundo puro y duro, parecía la India más que un país europeo, todo era un poco exagerado, clarines, caballos, guardia de honor, estandartes, carrozas, escuderos uniformados y empenachados, Constantino vestido como un domador de circo caracoleando con su caballo, criados con librea... la reina Federica despertaba muy poco entusiasmo, apenas la aplaudía nadie, pero ella fingía no darse cuenta, saludaba con una amplia sonrisa como si las multitudes la aclamasen.

A los que sí aplauden es a los novios, que son los que van más sencillos. Sofía lleva un traje de lamé blanco bordado con bolillos con hilo de plata, del modisto griego afincado en París,

Jean Desses, pero todo tan discreto y desdibujado que parece que lleve únicamente una túnica blanca. El velo es de encaje de Bruselas y es el mismo que lucía Federica el día de su boda con el rey Pablo. Se la ve sonriendo muy ilusionada y con los ojos brillantes debajo de la corona de diamantes que le ha regalado su madre, quien también la recibió de la suya, la princesa Victoria Luisa de Prusia, que, curiosamente, no asiste a la boda de su nieta, ya que está peleada con Federica. La diadema, con dibujos helénicos, es la misma que llevará su nuera doña Letizia cuarenta y dos años después. Juanito lleva puesto su uniforme caqui de teniente del Ejército de Tierra, está algo ojeroso y pálido, tiene un brazo vendado y sufre fuertes dolores. Se lo ha roto, según unos, practicando judo con su cuñado, según otros, al resbalar simplemente en palacio.

La censura hace que la prensa española omita que los príncipes se van a casar también por el rito ortodoxo y prohíbe la difusión de las fotos de esta ceremonia.

Hay una filmación de ese día realizada por Televisión Española. Consiguieron la rara filigrana de tapar en todas las ocasiones a don Juan con objetos tan dispares como una columna o una palmera metida en un inmenso macetón.

Los invitados tampoco saben de antemano que hay dos ceremonias, y deben dirigirse a una y otra corriendo. Es una situación muy curiosa. Nadie recuerda haber vivido nunca algo parecido. Prosigue mi informante:

—Fue agotador, primero la iglesia católica, colocarnos en el templo no sé cómo, porque apenas cabíamos, ir corriendo a la otra ceremonia, volvernos a sentar, los coches no llegaban y las señoras tenían que ir caminando con los grandes sombreros y los tacones por aquellas endemoniadas calles griegas... Nadie entendía nada.

Luego, todos van al palacio real a firmar la tercera boda, la civil, delante del alcalde de Atenas.

Los mil invitados, que han asistido a varias fiestas prenupciales y que además llevan arreglados y vestidos desde las ocho de la mañana, se sientan por fin a almorzar con un suspiro de alivio. Muchos se descalzan con disimulo.

Los novios se van a los postres y embarcan en el lujoso yate negro de Niarchos —unos autores afirman que se llamaba *Creole* y otros *Eros*—, donde pasarán la noche de bodas. El armador fue el invitado más rumboso de todos, ya que le regaló a Sofía un soberbio conjunto de diadema, collar y pendientes de Van Cleef con gruesos rubíes de cabujón rodeados de brillantes que en la actualidad tanto la reina como su hija la infanta Cristina lucen muy a menudo, además de poner a su disposición el *Creole* con toda la tripulación a su servicio.

La tía Ena, que tanto entendía de joyas, comenta con satisfacción:

—El regalo de Niarchos, espléndido. *C'est beau la fortune*!

Y añade despreciativamente:

—Sin embargo, el regalo de Pablo y Freddy (la reina Federica) lo encontré algo pobre… cuatro sencillas pulseras de cadenas de oro con pequeños cabujones de rubíes, zafiros y esmeraldas…

La ex reina de España concede de todas formas:

—Claro que les habían comprado dos cajas para cubiertos en Londres y un barco de plata para Juanito —aunque no puede contenerse y añade con cierta maledicencia—: ¡Pero los padres a Sofía bien podían haberle regalado alguna perla, pendientes, una bonita hilera de perlas cultivadas… en vez de las pulseritas y el barco!

Dichas «pulseritas» son las que lleva casi siempre, en su vida diaria, la reina y que muchos confundimos con abalorios hechos con piedras de Mauritania a la manera *hippy*.

Al despertarse, Juanito y Sofía pudieron ver las costas de su querida isla de Corfú.

Todos coinciden en que la auténtica protagonista de la boda, la que más ha disfrutado, ha sido Federica de Grecia, deslumbrante en su traje de lamé dorado con un abrigo beige largo ribeteado de martas cibelinas. Con una mano saluda y con la otra se enjuga las lágrimas... Lo único que le importa es que a la boda de su hija han asistido ciento treinta y siete miembros de familias reales y veinticuatro soberanos o jefes de casas ex soberanas.

Como contraste, a la Familia Real española no se la ve feliz en absoluto. Ha habido muchos desaciertos; quizás la afrenta más grotesca fuera que cada vez que el corpulento Juan entraba en una recepción con su paso torpón y escorado, en lugar de sonar la *Marcha Real* los músicos habían recibido órdenes de tocar el *Pasodoble torero*. Juan se ponía lívido de rabia.

A María, opacada por su deslumbrante consuegra, simplemente no se le ha hecho ningún caso.

Claro que ella ya está acostumbrada y se resigna a su papel de segundona. Es más, hasta lo agradece, pues la vida social sigue sin gustarle en absoluto. Como confesará más de una vez:

—Para acompañar a Juan no he tenido más remedio que salir y dejarme ver, pero qué poco me ha gustado figurar siempre...

Se desplaza por Atenas con un coche corriente, en las fotos de la ceremonia ni siquiera se la ve. De día va vestida con sobriedad algo demodé, traje de chaqueta y collar de perlas. En la boda lleva un traje que su suegra critica despiadadamente:[18]

—Todo el mundo iba bien vestido excepto María, mi hija política. Su traje era azul fuerte y hacía que pareciese... Está enormemente gruesa de nuevo y casi siempre en las viñas del Señor y temo que la mayoría se dé cuenta de ello...

Pero también doña Victoria, antes tan elegante, se ha arreglado sin ningún esmero, parece incluso no haberse peinado y lleva un sombrero que hasta en aquellos momento y con la óptica de la moda de entonces, algunos invitados definieron como «un nido de pájaros».

En los pies de fotos, ni siquiera se la identifica correctamente.

Lo único que les consuela es pensar que Juanito ha escogido bien.

Pilar es una de las ocho damas de honor de Sofía; con veintiséis años, es la mayor, junto a otra dama, su amiga Alejandra de

Kent, ya prometida a Angus Ogilvy, con el que se casará un año después. Ana María de Dinamarca es la más joven, sólo tiene dieciséis años y ya se ha enamorado de ella Constantino, el hermano de Sofía, con el que se casará dos años más tarde. Otra boda saldrá de ésta: la de Diana de Francia con Carlos de Borbón Dos Sicilias, aquel Carlitos tan bromista, primo de Juanito, que estudió con él en Las Jarillas. Sí, el hijo de Bebito, y es el que sostiene la corona encima de su cabeza en la complicada ceremonia ortodoxa.

Diana de Francia, que tan dulce aparece en estas fotos, ha tenido un episodio complicado con su suegra, Alicia de Borbón Parma, un par de años antes de la publicación de este libro que el lector tiene entre sus manos, y la ha expulsado de su casa, La Toledana. Alicia, viuda de Bebito, en la actualidad vive en un geriátrico.

La prima de Sofía, Tatiana Radziwill, su mejor amiga todavía ahora, ya que es una de las asiduas a los veranos en Mallorca, se casará con el doctor Fruchaud cinco años después. Irene de Grecia permanecerá soltera e Irene de Holanda todavía no había conocido al que sería su marido, el príncipe español Carlos Hugo de Borbón Parma, aunque dicen que él la escogió (es multimillonaria) tras verla en una fotografía en la que está con su traje de dama de honor.

Todas van ataviadas igual, con unos vestidos de organza de escote bañera ceñidos por cinturones rosa y azul, cubiertos con unas chaquetillas de gasa transparente que no les favorecen, y unas diademas de terciopelo que se les resbalan todo el tiempo.

Pilar está muy seria, y eso se refleja en las escasas fotos que existen de ella, todas de grupo, «no la vi sonreír ni una sola vez», me sigue contando mi informador. Está dolida por el trato que reciben sus padres. Tampoco debe estar contenta con el puesto que le asignan entre todas las damas, a ella que es la hermana del novio: siempre la última.

Pero más dolida está Margot, que debe contentarse con seguir la ceremonia desde la segunda fila de la iglesia. La han vestido con un traje muy amplio, línea trapecio, que la hace muy gruesa, y le han puesto un sombrero en forma de pirámide que la hace mayor. Nuestro invitado se fijó en ella:

—Estaba al lado del pasillo y algo relegada, me pareció extraño, pues en otras bodas reales a las que he asistido la familia se sentaba en el primer banco fuera cual fuere el rango del resto de los invitados, y me dio mucha pena cuando la vi intentado seguir la entrada de los invitados y los novios, apabullada por el ruido y moviendo la cabeza hacia un lado y otro... La gente no sabía quién era y la miraban con curiosidad... sólo la observé relajarse cuando sonó el *Aleluya* de Haendel en la iglesia católica. Luego, con todo el trasiego de una iglesia a otra, la noté muy perdida...

La posición secundaria de las dos infantas parece una premonición de lo que les aguardará en el futuro.

La boda real y los fastos que la han acompañado se le borran a Pilar totalmente cuando tiene que enfrentarse de nuevo a la tragedia, pero en esta ocasión ésta no tiene carácter personal, sino colectivo.

El 27 de mayo de 1963 se hunde el techo de la estación lisboeta de Cais do Sodré sobre el popular ferrocarril de la costa. Las primeras noticias son confusas, se habla de bombas y atentados, pues la dictadura de Oliveira Salazar ya empieza a ser contestada por amplios sectores de la sociedad portuguesa, agotada tras varios años de guerra para mantener unas colonias, Guinea, Mozambique y Angola, que luchan a última sangre por su independencia.

Lo único que se sabe seguro es que hay heridos y muertos, y que se necesita ayuda urgente. Se ponen en estado de alerta los hospitales de Lisboa y alrededores y se avisa a todo el personal médico.

Pilar, que en ese tiempo trabaja en el hospital de dos Capuchos, se presenta voluntaria con su maletín de enfermera y, nada más llegar, se hace cargo de la situación: hay miembros arrancados y sangrantes diseminados por toda la estación, hombres decapitados, niños abandonados que lloran a gritos, humo, ruido de sirenas y miedo, porque todavía no se sabe si ha sido un atentado o hay aún más bombas por explotar. Con la frialdad necesaria en esos momentos, Pilar deja de ser infanta y se convierte únicamente en una enfermera eficiente y llena de valor. Primero auxilia a los heridos más graves, pone inyecciones para el dolor, tiene palabras de consuelo para todos, hace curas de urgencia, entablilla brazos, avisa a los médicos cuando el caso es límite, y, como es tan fuerte, ayuda ella misma a trasladar a los afectados a las camillas y luego a trasportar éstas a las ambulancias.[19] A su alrededor las enfermeras se desmayan por el calor, el humo y la impresión recibida; se ve sangre por todas partes que impregna cestas de comida, parasoles y pelotas de niño, y la infanta las anima:

—Venga, venga, ahora no es el momento, ya os desmayaréis después, ayudad, hay mucho trabajo.

Están largas horas sin comer, sin beber, sin descanso. Los bomberos tratan de levantar las enormes estructuras derruidas para comprobar si hay heridos debajo. Encuentran lo que creen un cadáver y, cuando ya van a llevarlo al depósito, las enfermeras lo oyen gemir y se abrazan entre ellas con lágrimas en los ojos.

Después, la infanta va directamente al hospital para seguir atendiendo a los heridos; está agotada y sus mismos jefes le dicen que se vaya a casa, pero ella quiere estar al pie de la cama de sus pacientes, a los que personalmente ha contribuido a salvar.

Su actitud es heroica; se la fotografía con su uniforme sucio de humo y de sangre y esta imagen sale en lugar destacado en el periódico *ABC*.[20] Es la primera vez que una infanta de España aparece en la portada de un diario español desde la marcha de los reyes en 1931. Su rostro y su nombre, desconocidos hasta entonces, se hacen populares, hasta el punto de que el Gobierno portugués le rinde homenaje y le concede una medalla, será la primera que recibe la familia, y quizás la única que consigue un Borbón no por ser quien es, sino por méritos propios.

Los condes de Barcelona manifiestan su alegría de que su hija haya podido devolver una pequeñísima parte de lo que Portugal ha hecho por ellos, y María se sonroja íntimamente, porque cree que la valentía y la capacidad de entrega son cualidades que ha heredado Pilar de ella.

A María también le hubiera gustado trabajar codo con codo con su hija curando enfermos y consolando moribundos, pero Juan no la ha dejado. Y le pregunta a Pilar una y otra vez por su experiencia.

Más de un monárquico suspira mirando a la aguerrida princesa, la mayor de sus hermanos:

—¡Qué pena que no naciera hombre...!

En los primeros tiempos de casados, Juanito y Sofía se quedan a vivir en Estoril, pero como ella no quiere alojarse en Villa Giralda, Ramón Padilla les cede Carpe Diem. La reina posteriormente le contará a Pilar Urbano:

—¡Era muy pequeña y no podíamos ni clavar una chincheta en la pared porque estábamos de prestado!

Saben que hay un palacio adecuado y acondicionado para ellos en España, La Zarzuela, pero como nada se les ha comunicado acerca de su futuro, fingen barajar varias posibilidades: vivir en Estoril o incluso en Grecia.

Son uno tiempos difíciles para María, que no llega a entenderse con su nuera. Sofía se ha casado con el heredero de un trono, pero ese trono cada vez está más lejos. Todo el mundo habla también de la fabulosa fortuna de Alfonso XIII, pero lo cierto es que la familia pasa por un momento económico bajo, pues Juan se ha gastado mucho dinero en la boda de su hijo, y el tren de vida es más que económico.

A Sofía todo se le hace muy cuesta arriba, y piensa, quizás, que la boda no cumplirá las expectativas ni de ella ni de su madre. Se siente sola, nunca llega a intimar con su suegra ni con sus cuñadas. Viaja a Grecia lo máximo posible; sus padres les dejan la casa de Psychico donde nació y donde guardan los regalos de boda y el avituallamiento de su futuro hogar. En Estoril todo lo que tienen cabe en un par de maletas.

María y ella no tienen temas en común de conversación, y no es únicamente por su diferencia de carácter. En el fondo, no puede dejar de latir una cierta rivalidad, porque hay un hecho incontestable: una será reina en lugar de la otra.

Y, por primera vez, padre e hijo discuten y se pelean. Juanito ya no es un jovenzuelo pendiente de las palabras y de las decisiones de su padre y sus consejeros, siempre deseoso de agradar. Es un hombre casado, y él y Sofía tienen sus propios planes.

Según contó la misma reina doña Sofía, Juan no hacía más que repetirle a su hijo:

—Pero ¿por qué tienes que ir a España? ¿Qué vas a hacer allí? ¿De qué vas a vivir? Lo normal es que estés aquí conmigo.

A lo que contestaba el hasta entonces dócil Juanito:

—Papá, si queremos monarquía en el futuro, es preferible que yo esté allí.

Sofía comentó también:

—Don Juan trataba a mi marido como a un niño... No le daba importancia...

Las objeciones de Juanito se producían con la completa anuencia de Sofía, que remarca, «todo lo decidíamos juntos», y también que si querían ser reyes de España, lo lógico era que residieran allí. Incluso podría ser, como apuntan varios autores, que fuera ella la instigadora de esta rebelión filial, que María contemplaba con cierta aprensión. ¡Por primera vez alguien osaba llevarle la contraria a Juan! A Pilar y a Margot tampoco les gustaba ver cómo se menoscababa la autoridad del que no solamente era su padre, sino el jefe de la dinastía.

El soniquete constante de Sofía era:[21]

—¿Qué hacemos aquí? ¡O España o Grecia! Vivir en Portugal no tiene sentido.

Incluso consiguió que su mismo padre, el rey Pablo, le escribiera una carta a Juan insistiéndole en la conveniencia de que Juanito y Sofía vivieran solos y en España.

Y sí. Se marcharon.

Franco se puso contento, no había tenido que humillarse ni mover un dedo, simplemente esperar. Como decía un ilustre paisano suyo, Camilo José Cela, «el que resiste gana».

No hay que decir lo que debió doler la decisión de su hijo a Juan y a María.

Pilar empieza a pasar largas temporadas en Madrid, y tiene ocasión de ir al entierro de su tío Bebito. Es el primer hermano de María que muere después de Carlitos, aunque en los últimos tiempos estaban algo distanciados por alguna reclamación de tipo dinástico relacionada con la casa de Calabria. María llora a aquel hermanastro gris y mediocre que nunca se había podido quitar de encima el estigma de cobarde desde que se negó a luchar en la Guerra Civil española. Quiere mucho a sus hijos, sobre todo a Carlitos, el íntimo amigo de Juanito, que a partir de ahora va a llevar el título de duque de Calabria.

Pilar conoce entonces al que va a ser el gran amor de su vida.

En Madrid la infanta tiene muy poco contacto con su hermano y Sofía, que ya viven en el Palacio de La Zarzuela, a la sombra de Franco. En 1963 y 1965 han nacido sus hijas Elena y Cristina, y la pareja lleva una vida muy privada, sin rodearse de amigos ni camarilla, prácticamente han reducido la familia a ellos cuatro.

Las relaciones entre Juanito y su padre son definitivamente tensas y las peleas constantes porque Juan teme que entre Juanito y Franco «le estén haciendo la cama». Pedro Sainz Rodríguez, su eterno consejero, trata de consolarlo susurrándole en las largas noches de whisky y conspiraciones de Estoril:

—Al cabroncete de Franco hay que seguir tratándolo igual, como si nada hubiera ocurrido... Don Juanito tiene que jugar su papel en España...

En el conflicto entre padre e hijo, María cierra filas con su marido.

Ella no tiene ninguna duda: es Juan el que debe ser rey. El hecho de que Franco pretenda saltárselo es para ella realmente monstruoso. Ciertos autores han contado que María llegó a intrigar en contra de su marido para favorecer a su hijo. Luis María Anson, que fue testigo privilegiado —y algo más— de aquellos momentos y ha escrito la mejor biografía sobre don Juan de Borbón, en la que aúna el rigor histórico e importantes revelaciones con un respeto impecable y sin fisuras, afirma que tal versión es totalmente falsa. En los momentos difíciles, doña María se mantuvo siempre al lado de su marido, aunque, procurando, eso sí, que no se produjera ningún choque irreversible entre padre e hijo. «Su tacto, su habilidad y su firmeza fueron decisivos para que no se llegara a una situación de ruptura».

Asimismo Pilar se pone siempre al lado de su padre. Es una mujer independiente, pero una hija sumisa, y una infanta que acata la legitimidad dinástica.

Conoce a Luis Gómez-Acebo en casa del ex rey de Bulgaria, Simeón, que está casado con Margarita Gómez-Acebo y Cejuela, su prima hermana.

Luis Gómez-Acebo es abogado, ha estudiado en el colegio del Pilar y los Jesuitas, y, al terminar la carrera, pasó un año en Lille aprendiendo literatura, su gran pasión, y dos más trabajando en una compañía petrolera en Nueva York, empleo que dejó para incorporarse a la secretaría general de Cementos Asland. Es hijo de Jaime Gómez-Acebo y Modet, y nieto del marqués de Cortina, que fue ministro y fundador del Banco Español de Crédito, el futuro Banesto. Sus dos tíos, Miguel y Manuel, fueron asesinados durante la Guerra Civil, el último de ellos a tiros junto a su mujer Mercedes Cejuela, dejando huérfanos a Margarita y a su hermano José Luis, que por tal razón recibieron la medalla de Sufrimientos por la Patria. Cuando Margarita se casó con Simeón de Bulgaria llevaba la condecoración prendida a su vestido de novia.

La madre de Luis es Isabel Duque de Estrada, novena marquesa de Deleitosa. Este apellido compuesto, Duque de Estrada, suele confundirse con un título nobiliario, por lo que en algunas biografías indican que Luis Gómez-Acebo es duque de Estrada, incluso traducido como *duc* de Estrada en los libros escritos por autores franceses. Tal confusión no debía desagradar a Luis; yo al menos he oído comentar que le gustaban mucho los títulos nobiliarios, y no he advertido que nadie intentara corregir este dato erróneo.

Luis había tenido una novia formal, se habían repartido ya las invitaciones de boda y los amigos habían enviado regalos. El noviazgo no se rompió a causa de la infanta: la pareja fue a encargar la cama de matrimonio y uno la quería doble y la otra prefería camas individuales.

Naturalmente, se devolvieron los regalos de boda y Luis regresó al mercado matrimonial.

Aunque Luis pertenece a la doble aristocracia de la banca y la nobleza, no es un partido tan ventajoso como Balduino de Bélgica, y los monárquicos que rodean a Juan desaprueban esta boda, que en un principio causa disgusto en Estoril. Pero no hay nada que hacer, porque la infanta se ha enamorado perdidamente de él, como sólo lo hacen los que se enamoran una vez en la vida. Luis es más alto que Pilar, cosa bastante difícil en aquella época en que la estatura media de los españoles era 1,67 (la infanta mide 1,75), es atractivo, con un sentido del humor muy inglés, algo seco, algo redicho, canta muy bien, es muy culto y lo primero que lo une a ella es su afición a la historia y a los libros.

Además, a sus treinta años, es una presa codiciada por cualquier chica de la buena sociedad, y Pilar es muy consciente de ello. Sus amigas ven con divertido asombro cómo la infanta empieza a arreglarse más, a comprar ropa de colores alegres y casi minifaldera, hace una dieta de adelgazamiento y va al reputado peluquero Isaac Blanco, que le aconseja:

—Alteza, yo le aclararía el pelo con unas mechas para que resaltara el verde de sus ojos.

Se vuelve más femenina, más alegre y sonríe a menudo. Tiene el porte regio de su madre y, cuando entra en una habitación, su presencia impone. Ahora, además, se esfuerza por ser más cordial y abierta.

Luis primero se siente algo deslumbrado de que una infanta de España haya posado sus ojos en él, pero enseguida cae cautivado por esa mezcla de elegancia, campechanía y originalidad que es una característica de Pilar y también se enamora de ella. Llevan su noviazgo en secreto durante un tiempo, hasta que por fin, a finales de 1966, Pilar habla con sus padres y éstos deciden que, aunque no les gusta mucho el partido, ya es hora de casar a esta hija de carácter un tanto difícil y que, caramba, se está haciendo mayor, tiene ya treinta años.

De nuevo María se pone a elogiar a este nuevo miembro de la familia:

—A mí me gusta mucho Luis, porque es muy inteligente, muy simpático y muy cariñoso.

La pedida de mano se organiza en Villa Giralda y los novios intercambian una pulsera de brillantes y unos gemelos de brillantes y perlas. A los pocos días, Juan le escribe una carta a Franco que vale la pena transcribir, ya que es la única misiva de la que se tiene constancia en la que el conde de Barcelona no habla de Juanito.

> Mi querido General: Como me consta el afectuoso interés con que ha seguido V.E. los asuntos de mi familia, no quiero dejar de comu-

nicarle que hace muy pocos días se han comprometido para casarse mi hija Pilar y Luis Gómez-Acebo, hijo de los marqueses de Deleitosa. Tanto María como yo vemos con agrado este proyecto de nuevo hogar por tratarse de un chico español del cual tenemos excelentes informes.

Aprovecho para desearle a Vuestra Excelencia y a los suyos Felices Pascuas, esperando que el próximo año le sea próspero, así como a nuestra Patria. Juan.

Este patético intento de adulación es respondido de forma paternal por Franco, que, magnánimamente, le dice que le parece bien el enlace, ya que la abuela de Luis, la condesa de Vega de la Sella, es muy amiga de doña Carmen.

Una semana antes de la boda, la novia se fotografía[22] en casa del duque de Alburquerque con los regalos expuestos sobre una mesa; la lista es tan modesta que obliga a pensar que la aristocracia ha sufrido un ataque repentino de tacañería o que los más lujosos no se han enseñado para no despertar envidias: una plancha antigua, unos paraguas, un costurero, una peineta de carey, una palmatoria de plata, una bandeja de plata de la nobleza de los Hidalgos de Madrid, un reloj del personal de servicio, un secreter de sus compañeras del hospital (estos dos son los mejores regalos), un barómetro, un lote de pañuelos y una máquina de coser.

También es cierto que se han abierto en diversos bancos españoles cuentas bajo el epígrafe «Regalo de boda para la infanta Pilar de Borbón», donde los monárquicos que lo deseen pueden depositar su óbolo (el anuncio de estas cuentas sale en *ABC*, 25 de abril de 1967).

La boda se celebra el 5 de mayo de 1967. No se invita expresamente más que a la familia y amigos íntimos, y hay entrada libre para todos los españoles que quieran desplazarse a Estoril. Se presentan cinco mil y la boda se convierte en un acto de adhesión incondicional a la persona de Juan por encima de su hijo, lo que resulta muy violento para Juan Carlos y Sofía y muy ingrato para los novios.

El día antes de la boda se celebra una recepción en Villa Giralda; en el jardín y la calle se reúnen cientos de españoles enfervorizados. Los condes de Barcelona están en el segundo piso, en cuya sala principal esperan de pie junto a los novios y Juan Carlos y Sofía, que tienen que escuchar continuos: «¡Viva Juan III! ¡Muera Franco!», para lo que echan mano de la técnica aprendida en sus frecuentes viajes por España, en los que han escuchado insultos de todo tipo: fingen que no oyen nada.

La cola para saludar da varias vueltas a la manzana. Están siete horas.

Después van a una cena en el hotel Palacio, también con una multitud que los aclama en la entrada. Cuando pasan don Juan Carlos y doña Sofía se oye un murmullo de desaprobación. Se llegan a sentar ciento setenta personas, y muchos se quedan de pie, observando a los que comen. Juan se empeña a los postres en decir unas palabras sobre sus derechos irrenunciables e irreversibles a la Corona de España y su deseo de ser el rey de todos los españoles que hacen que Juanito se sienta visiblemente incómodo.

Sofía finge que está muy interesada por las flores que adornan de la mesa.

Pilar, por su parte, se emociona hasta las lágrimas cuando oye hablar a su padre de:

—Mi amada hija, la infanta Pilar, que va a vivir entre vosotros a esa España que yo me quedo añorando en mis soledades.

El día de la boda hace mucho viento, las señoras que van con mantilla española o con sombrero tienen que cruzar corriendo la amplia explanada que lleva a la iglesia del monasterio de los Jerónimos de Lisboa donde se celebrará la ceremonia, porque temen perder el equilibrio y caerse al suelo; a pesar de las precauciones, a alguna le ocurre entre un revuelo de gasas y tacones.

La novia llega en el Bentley familiar. Lleva un vestido de organza natural francesa bordado con abalorios de cristal, realizado por su modista Isaura, y un sencillo velo de tul, en lugar del que estaba preparado, ricamente bordado, porque éste, dada la estatura de la infanta, la asemejaba a esos simpáticos «gigantes» que alegran las fiestas mayores de nuestros pueblos. El velo va sujeto con la corona de brillantes y perlas que había sido de la reina Cristina y que también llevaría su hija Simoneta cuando se casó con José Miguel Fernández Sastrón.

El pintor Benedito le hizo un retrato a la condesa de Barcelona con esa diadema que hoy día está en casa de Margot.

Pero la que está verdaderamente deslumbrante es María. Lleva un suntuoso vestido de Pedro Rodríguez, de brocado, recubierto por un abrigo de organza trasparente, y una pamela de organza verde pálido adornada con grandes flores de gasa beige. Hilera de perlas gruesas, pendientes de perlas también y un broche con una perla colgando que podría ser La Peregrina. Los guantes, el bolso y los zapatos también son de color verde. Ha adelgazado, está a régimen y además vuelve a montar a caballo y a moverse más, y en su rostro cuidadosamente maquillado resalta la limpidez de sus ojos celestes, casi líquidos de pura transparencia, que contrastan con el cabello que Isaac Blanco, que ha viajado desde Madrid, ha teñido de castaño algo más oscuro de lo habitual.

Esta vez no hubo comentarios por parte de su suegra ni ninguna alusión a las viñas del Señor. Al contrario, Jaime Peñafiel, que asistió a aquella boda, me cuenta:

—A pesar de lo caótico que fue todo, doña María no perdió la calma en ningún momento, tenía una tranquilidad y un aplomo que yo no le había visto nunca... ¡Incluso creo que le gustó que dieran vivas a don Juan! Se la veía sorprendida pero satisfecha. Estuvo pendiente de su hija Margot, pero con discreción, sin demostrarlo. Aunque no advertí que hablara en ningún momento ni con su nuera doña Sofía ni con su suegra.

Cuando le he preguntado al periodista si su trabajo, entonces en la revista *¡Hola!*, pasaba algún tipo de censura, se ha echado a reír:

—¡No seas ingenua! ¡En aquellos tiempos todos nos autocensurábamos tanto que no eran necesarias intervenciones externas!

El resto de los invitados van ataviados con trajes que, en algunos casos, parecen sacados de una tienda de disfraces, particularmente un andaluz, que lleva un uniforme ¡isabelino! Los tunos extienden las capas en el suelo y los invitados resbalan y se caen en tropel entre grandes risotadas de los espectadores. Dentro de la iglesia la gente grita de nuevo: «¡Abajo Franco! ¡Viva el rey!», convirtiendo la boda en un acto contra el dictador, cosa que disgusta mucho a Juanito, porque teme la reacción del Caudillo cuando vuelva a España. Además Oliveira Salazar ha prohibido toda manifestación política y el propio Juan acaba gritando un rotundo:

—¡Callaos, coño!

Hay periodistas que señalan luego en sus crónicas que ellos han ido para homenajear a don Juan y no a Juan Carlos. Los fotógrafos intentan colarse por la sacristía ante la desesperación de los secretarios de Juan, a uno de los cuales incluso le da un amago de angina de pecho y tiene que llamarse a una ambulancia. También hay problemas con los coches que tienen que llevar a los invitados al banquete. Un grupo casi se amotina; se agolpan en el atrio y se tiene que ordenar por los altavoces que la gente se disperse porque hay peligro de derrumbamiento.

La infanta recordaría años después con tristeza que su boda fue un acto político más que un casamiento.

El novio cada vez está más pálido y ojeroso, no sonríe ni una vez y se le ve dirigir miradas asustadas a la multitud que abarrota el templo. El momento del intercambio de los anillos es especialmente tenso. Pero, una vez terminada la ceremonia, impartida por el anciano canónigo sevillano José Sebastián Bandarán —muy viejecito, porque ya oficiaba en el palacio de Villamejor cuando María era niña—, mientras saludan de nuevo a los invitados en el atrio, se cogen las manos sonrientes y enamorados. Tienen que pasar de nuevo por el largo ritual de los saludos, pero están tan agotados que tienen que sentarse, aunque sólo hay butacas para los novios, doña Victoria, María y Margot. Don Juan Carlos y doña Sofía permanecen de pie durante dos horas con expresión violenta.

Durante el banquete en el Estoril Plaza también se produce una situación tirante. Juan apenas le había dirigido la palabra a su hijo, haciéndole ver que, por mucho que Franco lo significase, en esa ocasión el papel de Juanito estaba subordinado al suyo. Oficialmente don Juan es el jefe de la Casa de Borbón y, como tal, ocupa la mesa principal. Otras mesas importantes están presididas por sus hermanas, las infantas Beatriz Torlonia y Cristina Marone, por el duque de Calabria, Carlitos, y por el tío Ali. Juanito todavía no ha sido designado sucesor a título de rey, es simplemente un hermano de la novia, y tanto él como Sofía presiden unas mesas con invitados de segunda categoría, sin títulos importantes.

Durante toda la cena están muy serios, no conversan apenas con nadie y se retiraron temprano.

Los novios, después de cortar un pastel de cuatrocientos kilos que representa la puerta de Alcalá, se van en avión privado a Madrid y luego a México.

Hasta allí los siguen los periodistas, que comentan que cada día los novios asisten a misa en la capilla del sanatorio español, compran collares de plata de Taxco para regalar y que Lola Beltrán había cantado para ellos en la magnífica fiesta que los señores de Sánchez Navarro les ofrecieron en su finca. La crónica se tituló, «La infanta ya es señora de Gómez-Acebo», aunque lo cierto es que la pareja ya podía lucir dos flamantes títulos nobiliarios, el de duques de Badajoz, concedido por Juan y revalidado por Franco, y que no es transmisible, ya que volverá a la Corona cuando Pilar fallezca, y el de vizconde de la Torre, que Luis reivindicó en 1964, cuando ya conocía a Pilar, y que sí pasa de padres a hijos. Pilar no pierde su condición de infanta ni el derecho a utilizar el tratamiento de Alteza Real de forma vitalicia, aunque su descendencia sí queda apartada de forma automática de la sucesión por este matrimonio tan poco ajustado a las normas dinásticas.

Franco le comentó con displicencia a su primo Pacón:

—Se quiso aprovechar la boda de la infanta Pilar para hacer propaganda política, aunque no va a servir de nada... Don Juan es enemigo del Movimiento Nacional (por lo que ya está descartado), don Juan Carlos no va a dejarse influir por su padre... confío en su elevado patriotismo e inteligencia.

Pobre Juan, ya ni siquiera consigue cabrear a Franquito.

Muy pocos meses después de la boda, en diciembre concretamente, la infanta tiene ocasión de revalidar su condición de heroína, esta vez delante de los ojos enamorados de su marido: en unas terribles inundaciones que asolan Lisboa, piden de nuevo voluntarios, y ella, que está pasando unos días al lado de sus padres en Estoril, organiza un grupo de enfermeras que se portan admirablemente, sacando heridos del barro y practicando curas de urgencia. Y la ayuda de Pilar no se limita al aspecto médico, sino que, con el auxilio de un grupo de amigas reclutado por ella, entre las que están la marquesa de Quintanar, Elena Escudero y la embajadora de Francia, organiza en Madrid un festival benéfico, con la actuación estelar de Conchita Montes, para recoger fondos para los damnificados.

María llama a su hijo a Madrid para pedirle que vaya con Sofía.

Pilar quiso entregar la cantidad resultante personalmente al presidente de Portugal, Oliveira Salazar. Así pues, fue con sus amigas al palacio presidencial y allí, delante de la prensa, la infanta entregó el sobre al presidente. Pero lo que no sabía nadie, únicamente ella, es que aquello, con palabras de María, era:

—¡Una especie del timo del tocomocho![23]

Porque en el camino se habían dado cuenta de que se habían dejado en Villa Giralda el dinero y habían rellenado el sobre con papeles de periódico.

Oliveira, cuando se enteró, se rio de buena gana, pero no se quedó tranquilo hasta que recibió el dinero auténtico.

En esa ocasión volvió a condecorar a la infanta con el collar de la Orden del Infante don Enrique, que se concede sobre todo a presidentes de Gobierno y es el equivalente del Toisón de Oro español. Fue una de las últimas condecoraciones que concedió, ya que en septiembre cayó gravemente enfermo y fue apartado del Gobierno.

Todo el mundo comenta en la boda de Pilar lo guapa que va Margot. Está muy bronceada; en la cena prenupcial lleva un vestido escotado de color turquesa y la pequeña diadema que luce recoge sus cabellos de una forma muy favorecedora. Para ir a la iglesia de los Jerónimos se viste de rojo cereza con un bordado blanco en el cuello que le sienta muy bien.

Pero, cuando todo acaba, se queda sola en casa y se lanza a estudiar para acabar su bachillerato y poder ejercer de enfermera, su gran vocación. Las circunstancias que ha vivido hasta entonces han cambiado algo su carácter, ya no es atolondrada, sale menos, se queda mucho en su habitación escuchando música; claro que, cuando tiene ocasión, vuelve a ser la Margot de siempre, de grandes risotadas, palabrotas y esa franqueza tan borbónica, tan parecida a la de su abuelo. Quizás es entonces cuando empieza a soñar con su gran amor.

Juan está de malhumor; conspira incesantemente, pero es un hombre sin futuro y él lo sabe. Apenas para en casa, tiene otro cariño en el que refugiarse.

María viaja mucho. La operan en Alemania. El secretismo que rodea a esta intervención me hace sospechar que probablemente se trata de una operación «de mujeres».

Se va a reponer a la Costa Azul, a Villa Teba, la casa de Marisol y José Eugenio, el refugio de la familia desde la época de los condes de Mora, los padres de ella. La tía Ena está alojada en el palacio que había sido de Pierre de Polignac, que ya se ha muerto, invitada por la princesa Grace.

Claro que María no dice «palacio» sino casa, como comenta con gracejo:

—¡Ahora todos son palacios! Cuando éramos jóvenes, palacios sólo había el de Oriente en Madrid, el de Buckingham y las Tullerías, ¡el resto eran casas!

Su hermana Dola está en casa de la princesa Antoinette con su marido Carlos Chías, con el que forma un matrimonio muy unido, y con Adam, que, muy guapo y «enredador», ya apunta maneras de *playboy*, en lo que rivaliza con el atractivo Fernando de Baviera, el hijo de Marisol y José Eugenio. Compiten ambos en ver cuál se apunta el mayor número de conquistas femeninas. De momento, parece que va ganando Fernando, ya que ha conseguido incluso tener un romance con la nietísima, Carmencita Martínez-Bordiú, a pesar de que él está casado con una chica catalana. Marisol comenta debidamente escandalizada:

—Fernando pretendía traerla aquí, y yo le dije que ni pensarlo... Fueron a un hotel en Cannes y apareció Cristóbal Villaverde, que se llevó a su hija cogida por la oreja...

María se tapa la boca con la mano, no se sabe si riéndose u horrorizándose. El chisme es suculento por tratarse de la nieta de Franco, quien despotricaba continuamente sobre «la inmoralidad de los Borbones».

Incluso en alguna ocasión acude a Villa Teba a ver a María su desgraciado cuñado Jaime, ya apartado de todos los acontecimientos familiares.

María intenta mostrarse algo fría con él, ya que sabe que su hijo mayor, Alfonso, conspira para obtener el favor de Franco arguyendo que las renuncias de su padre no fueron válidas, pero termina compadeciéndose del pobre infante al ver el temblor de sus manos y se enternece cuando la llama «María la Brava» con su extraña e impresionante voz. Le emociona el asombroso parecido del duque de Segovia con su querido tío rey y siempre se despiden con un beso cariñoso.

Por si acaso, María no le cuenta nada a su marido de estas visitas.

Lejos de los deberes que le impone su condición de «reina consorte» y lejos también de Villa Giralda, que tanto le recuerda al hijo muerto, vuelve a ser la mujer ocurrente y simpática que hace reír a todas sus amigas, Marisol, dos primas suyas, Chita, la duquesa de Fernán Núñez, Blanca, la condesa viuda de Romanones y Amalín, por supuesto:

—¡La vieja guardia!

Son las mejores amigas de aquella mujer a la que no gustan las mujeres. En Portugal, por ejemplo, no consta que alternara con las señoras de la buena sociedad de allí, únicamente tiene trato con los amigos de su marido. La misma Sofía lo cuenta:[24]

—Estaban muy apartados de la sociedad portuguesa.

Pero entre sus iguales, se siente protegida y a gusto. Comentan los últimos chismes de Madrid, ¡parece que Tití de Saboya, la pequeña de Humberto, está haciendo de las suyas! Se hacen la manicura las unas a las otras, Blanca de Romanones se envuelve los dedos de los pies en algodón con crema para embellecerlos, se habla de parentescos y de escándalos familiares. Buena comida, servicio impecable y siempre con el coche preparado para ir a Montecarlo o a Menton. María adquiere la costumbre de pasar allí largas temporadas y son sus hijos los que van a verla. Está meses enteros sin encontrarse con su marido, y cuando se le pregunta por él, siempre contesta diplomáticamente:

—Está muy ocupado en Estoril.

O:

—Está reparando el barco.

A nadie se le pasa por la mente pronunciar las palabras «separación» o «distanciamiento».

En una ocasión acude Sofía con sus hijas y María las lleva en secreto al peluquero y les corta el pelo al cero para que crezca más fuerte, como solía hacerles a sus hijos cuando eran pequeños.

Pero Sofía se disgusta muchísimo al ver la cabeza de escrofulosa que se les ha quedado a Elena y Cristina y no duda en reprochárselo a su suegra, que acepta la regañina sin contestar palabra.

Las relaciones entre ambas seguían sin ser fluidas.

Cuando Sofía se queda embarazada por tercera vez, decide que la madrina, si es chico, sea la reina Victoria, y ésta le sugiere que entonces el padrino debe ser Juan. María ya había apadrinado a Elena, la mayor, juntamente con el tío Ali, que desde entonces la llamaba «comadre».

Sofía está muy preocupada, teme que el recién nacido, probablemente su último hijo, sea otra niña. Pasa el embarazo tremendamente angustiada.

Poca fe deberían tener en que el nuevo nieto fuera varón, porque poco antes de que la princesa saliera de cuentas, Juan y María se embarcan para un lujoso crucero por el Caribe en el fabuloso buque italiano *Eugenio C.*

María sigue pidiéndole a su marido:

—Hagamos de nuevo nuestro viaje de novios.

Juan, al final, accede, pero evita estar a solas con su mujer, con la que no tiene muchas cosas que decirse. Los acompañan sus cuñados Enrique Marone Cinzano y Crista, además de las damas de guardia y los gentilhombres correspondientes. A María le sorprende lo envejecido que está Enrique, más encogido todavía, tose mucho, tiene mal color, nadie sabe que al diminuto «rey del vermut» le quedan tan sólo ocho meses de vida. Aún así, permanece hasta la madrugada bebiendo en el bar; siempre es el último en retirarse.

Crista es la compañía perfecta para María, alegre y optimista a pesar de que está al tanto de la delicada salud de su marido.

Siempre dice:

—Para ser feliz hay que tener mala memoria.

Por la noche se tienden en una hamaca en cubierta bajo un cielo tan cuajado de estrellas que parece la cúpula del salón de baile del Waldorf Astoria, que han visitado antes de coger el barco. Fuman un cigarrillo tras otro, y Crista habla interminablemente de sus hijas: las tres mayores ya están casadas, y la pequeña, Anna, ya tiene novio.

Crista le dice a María entre risas mirando el bruñido pasamanos de la escalera del barco:

—¿Te acuerdas cuando me enseñabas a tirarme por las barandillas? ¡Era una animalada!

María ríe:

—Sí, y hacíamos carreras de sacos y les pegábamos a las muñecas porque no nos gustaban.

Crista finge enfadarse:

—¡A mí sí me gustaban! Pero como a ti no, porque eras muy bruta, me daba vergüenza demostrarlo y por las noches me arrepentía y dormía abrazada a ellas. ¡Me daban una pena!

María se sorprende:

—¿Sí? ¡Nunca me dijiste nada! Pues ya ves que ahora somos abuelas.

Enmudecen, súbitamente mayores. Pero de pronto María pregunta:

—¿Y cómo se llamaba aquel perro que teníais, que lo recogisteis en Carabanchel y que le poníais gafas y gorra para ir en coche?

Y Crista lanza, rápida como una centella:

—¡*Peluzón*! Era el perro de Alfonsito.

Y aquí hay que callarse, porque un Alfonsito lleva a otro, y los dos están muertos. María siempre terminaba suspirando:

—Ay, nuestras vidas son como los cangilones de las norias... Unas veces traen alegrías y otras penas...

El 30 de enero de 1968 reciben un cablegrama que les entrega el propio capitán: Sofía ha dado a luz un varón, el príncipe Felipe, y lo van a bautizar ocho días después.

Desembarcan apresuradamente y cogen el primer avión que sale para Lisboa. Pasan por Estoril para recoger a Margot y se van todos a Madrid para dar la bienvenida a la reina Victoria, que pisará España por primera vez desde hace treinta y siete años.

A Juan y a María se les permite entrar en España, pero no residir en Madrid. Se quedan en Algete, en El Soto, la casa del duque de Alburquerque.

La llegada de la reina se convierte en un acto de adhesión borbónica, aunque la realidad difiere algo de las versiones que hacen circular los monárquicos, quienes hablan de cincuenta mil personas aclamando a Su Majestad fervorosamente. En realidad fueron tres mil, y no acudieron de forma espontánea, sino convocadas por diferentes organizaciones. Éstas tuvieron que vencer muchas reticencias, ya que la mayoría de los monárquicos, como decía Vázquez Montalbán, «estaban escondidos bajo las faldas del tabardo caqui del general Franco y de vez en cuando asomaban la cabeza para hacer un guiño al Pretendiente». Pero una cosa es hacer este guiño en Estoril, tan lejos, y otra en las mismas narices del Generalísimo.

La reina doña Sofía comentó más tarde, con cierta displicencia, que a ella, que lo vio en diferido por televisión, le había parecido que había:

—Muy poca gente y demasiada excitación e histerismo.

Quizás porque comprendía que los que estaban allí eran partidarios de Juan antes que de su marido.

Todos aplauden cuando la reina baja del avión con algo de torpeza y en un gesto minuciosamente estudiado se arrodilla delante de su hijo Juan y le besa la mano, dándole tratamiento de rey.

Un monárquico muy próximo a doña Victoria me comentó que ella le había explicado lo que iba a hacer «para que todos supieran a quién consideraba yo el heredero de Alfonso XIII».

Otro gesto que no debió gustar nada a Sofía.

La recepción oficial es muy fría, no han puesto ni una alfombra para recorrer el camino desde el avión al hall del aeropuerto, ninguna guardia de honor; no va a buscarla ninguna alta personalidad ni ningún enviado especial de Franco. Las torpezas son constantes, pero no cabe protestar, porque la Familia Real está en situación de desventaja delante del Caudillo, que es el que tiene la sartén por el mango.

Cuando los condes de Barcelona están de camino de Algete al Palacio de La Zarzuela, donde se va a celebrar el bautizo, María le da un tirón en la manga a su marido. Éste, muy preocupado pensando en lo que hablará con el Caudillo, le pregunta con impaciencia:

—¿Qué pasa?

María inquiere:

—¿Vamos a estar a solas con Franco? Porque yo tengo una cosa que decirle.

Juan se gira hacia ella. Su mujer tiene una expresión de intrepidez que él conoce muy bien, los «labios gordezuelos de Sánchez Coello» fruncidos con determinación, y pregunta con un poco de miedo:

—¿El qué?

María espera, coge aliento y contesta mirando por la ventanilla con los ojos fijos:

—Le quiero decir lo mal que se portó con lo de papá.

Juan se echa las manos a la cabeza, ¡está en juego la dinastía y María lo va a echar todo a perder! Trata de disuadirla, ella se enroca, es la primera vez que va a estar delante de «ese señor» y quiere decirle lo que le bulle dentro desde hace tanto tiempo:

—No pude ver a papá vivo por su culpa, no pude recoger su último suspiro, es lo único que no voy a perdonar nunca...

Juan al final la convence de guardar silencio, pero la verdad es que no las tiene todas consigo y se pone a sudar, aunque hace bastante frío. ¡Él ya conoce a su mujer, que no le teme a nada!

La condesa de Barcelona acepta callarse a regañadientes, pero estoy segura de que María la Brava iba pensando por dentro:

—Pero la mano sí que se la voy a dar flojita…

Sin embargo, lo cierto es que el bautizo tuvo un tono glacial que no permitió ningún tipo de comentario. El vicepresidente Carrero Blanco se niega a saludar a Juan, que queda con la diestra extendida sin saber qué hacer, y el mismo Franco se muestra muy frío con él, no le puede perdonar los diversos comunicados que ha emitido propugnándose como el rey de todos los españoles:

—¿De todos los españoles? ¿Los rojos, separatistas, comunistas, también? ¿Para esto hicimos una guerra? —Se pregunta sarcástico el Caudillo.

Y se muestra correcto con la reina, pero no ofrece ninguna garantía de contar con algún miembro de la familia para que sea su sucesor.

Doña Victoria le dice:

—General, estamos los dos muy viejecitos.

Doña Carmen se comporta con amable condescendencia; en estos momentos la auténtica Familia Real en España es la suya propia.

Cayetana abre generosamente de nuevo el palacio de Liria; la entrada es libre y hay un desfile incesante de españoles que quieren saludar a la que fue su reina.

Meses después de esta visita, doña Victoria Eugenia le comentó con tristeza al periodista Jaime Peñafiel que no debería haber vuelto a España estando Franco en el poder, y que su viaje había sido un gran error. Quizás se murió con esa pena.

Un día que la reina pasea a su perro tekel *Tony* por el jardín del palacio del príncipe Pierre de Polignac en Mónaco, donde está de nuevo pasando unos meses al lado de la princesa Grace, que la llena de atenciones, resbala, y se da un golpe en la cabeza. La hospitalizan, y su nieta favorita, Pilar, no puede visitarla porque está a punto de dar a luz su primera hija, Simoneta. Cuando María, alojada en casa de los Baviera Mora, va a ver a su suegra, ésta le dice en voz baja acerca de la genial intérprete de *La ventana indiscreta*:

—Grace es muy buena y viene a leerme todos los días para que me espabile, pero la pobre tiene una voz tan monótona, que me quedo instantáneamente dormida.

Aunque luego volvió a Lausana, no llegó a recuperarse del todo, seguía teniendo molestias. Al fin entró en coma, y murió el 15 de abril de 1969. Tuvo una muerte apacible, rodeada de los suyos, aquella reina a la que los españoles no habían querido nunca. Dicen que, ya inconsciente, en ocasiones sonreía levemente, quizás soñando en un paraíso en el que los hijos no se murieran y los maridos no fueran infieles.

Su último deseo fue que no la amortajasen con un hábito de monja, como se solía hacer con las reinas, otra costumbre «absurda y horrorosa» de ese país que no había llegado a entender nunca.

En el entierro, en el cementerio de Bois de Vaux, se produjeron los problemas protocolarios que se abatían siempre sobre la familia en cualquier acto trascendente. Todos pugnaban por llevar la caja y ocupar la preferencia; el hermano sordomudo, Jaime, azuzado por su mujer Carlota Tiedemann, quería ir el primero, mientras Juan decía que debía ser él el que encabezase el cortejo. Al final, las infantas Beatriz y Crista cogieron en un aparte a Carlota y la convencieron no se sabe cómo para que se mantuviera lejos, tal vez recordándole los espléndidos cócteles que servían en el hotel Royal, y la ceremonia se desarrolló sin mayores problemas con los dos hermanos en la presidencia, aunque es de remarcar el aspecto disgustado de Jaime y de sus dos hijos, Alfonso y Gonzalo.

Juan sabía que Alfonso conspiraba para adjudicarse la Corona, y apenas le dirigió la palabra, aunque era el nieto que más desolado se sentía, ya que se iba la única persona que realmente lo había querido y se había preocupado por él. Pilar, que había sido casi la primera nieta y que había convivido con la reina en la Vieille Fontaine, lloró amargamente la muerte de su querida Gangan. La infanta ya estaba de nuevo embarazada del que sería su segundo hijo, que nacería en diciembre y se llamaría Juan, como homenaje a su padre. Hoy día es el único de los seis hijos de Pilar que sigue soltero.

Al día siguiente, María, viendo que Juanito no se hablaba con su padre, le preguntó, quizás a instancias de su marido:

—¿Se sabe algo?

Juanito miró a su madre y le dijo:

—Mami, tú serás la primera en enterarte... En cuanto Franco tome una decisión, te llamaré y te diré: el grano ha reventado.

Pero a Juan estas componendas no le gustan, y quiere que su hijo hable con él claramente. En un saloncito del hotel Royal (un día habría que detallar los grandes sucesos de la Familia Real que tuvieron lugar en hoteles, desde las renuncias de los hijos, la separación de los reyes, hasta la muerte de Alfonso XIII) se reunieron el conde de Barcelona y su hijo. María permaneció fuera, pero eran tan altas las voces que se enteró de la conversación sin esfuerzo. En unos momentos en que la convivencia con su marido estaba en horas bajas, quizás no le disgustó que alguien le plantara cara, ya que ella era incapaz de hacerlo.

Padre e hijo discutieron violentamente. Juanito contó más tarde que le tuvo que decir a su padre:

—Papá, la España que tú conoces ya no existe... Ahora es otra... Si estoy en España es para aceptar lo que hay...

Y aquel hombre sin suerte que se había sacrificado para nada le dijo con voz estrangulada por la indignación:

—¡Sí, pero no para suplantarme a mí!

Y cuando el hijo le preguntó:

—Pero, papá, ¿no se trata de salvar la monarquía?

Juan contestó con tono preñado de incredulidad:

—¿Qué monarquía salvas? ¿Una monarquía contra tu padre? ¡No has salvado nada! ¡Una monarquía franquista! ¡Ni estoy de acuerdo ni daré jamás mi consentimiento!

Se fueron Juanito y Sofía a Madrid y los condes de Barcelona a Estoril, donde un enfurecido Juan le cuenta su entrevista con Juanito a Sainz Rodríguez, que le consuela:

—Si termina traicionándole, para mí don Juanito pasará de ser Su Alteza a ser Su Bajeza.

Al final Franco lo había conseguido, no sólo había condenado al exilio a Juan, sino que también había logrado destruirlo.

María estaba desgarrada entre el deber a su marido y a la dinastía, y el cariño hacia su hijo. Pero en esos momentos, ella, que se ponía siempre al lado de los débiles, comprendió que su marido era el verso suelto de la situación, y continuó apoyándolo, como había hecho toda la vida. Ahora, eso sí, dada la frialdad que H. provocaba entre ellos, sin alardes cariñosos.

Cuando más tarde se le preguntó cómo se sentían en aquella época, se limitó a decir serenamente:

—Pues, como es natural, a Juan le molestó saber que no iba a ser rey.

Si Juan hubiera leído el diario de Cesare Pavese estaría de acuerdo con la sentencia que escribió el día en que se suicidó ingiriendo un tubo de somníferos: «Lo que más secretamente tememos, siempre ocurre».

Porque tres meses después de la muerte de doña Victoria, Franco proclama a Juan Carlos heredero a título de Rey. Juan primero, según describe Anson, se queda:

—Mudo, malherido, con la mirada entristecida y turbia.

Franco lo ha aplastado definitivamente, sin misericordia alguna, y de la forma más refinada: utilizando a su propio hijo.

El día antes Juanito ha llamado a su madre y le ha dicho las palabras mágicas:

—El grano está a punto de reventar.

Aquí tengo que decir, con las debidas reservas por mi parte, que hay autores que han comentado que María se tomó una sutil venganza sobre su marido contestándole a su hijo:

—No te preocupes, Juanito, que aquí nadie va a hacer ninguna tontería.

Y también:

—Como española y como madre estoy orgullosa de ti.

Aunque considero altamente improbable que María actuara a espaldas de Juan, que para ella además de su marido era el rey legítimo, dejo aquí este testimonio que nos ha sido relatado por Laureano López Rodó en su libro *La larga marcha hacia la monarquía.*

Aunque sí es cierto que alguna discusión tendría con su marido, pero yo creo que fue más bien de orden privado, ya que se fue a París dejándolo solo en esos momentos cruciales.

En estado de cólera, Juan salió de casa dando un portazo y se dirigió a casa de H., le explicó lo ocurrido y se puso a llorar delante de ella desconsoladamente.

Juan llamó a su hija a Madrid y al resto de sus familiares, prohibiéndoles asistir a la toma de posesión. Una vez más según el testimonio de López Rodó, don Juan Carlos alardeó de que él podría conseguir que su madre acudiese «pero no quiero poner en peligro el matrimonio de mis padres». Así, únicamente pudo contar a su lado con su primo Alfonso de Borbón Dampierre, que encontró de esta forma la mejor ocasión para fastidiar a su tío. Alfonso comenta con satisfacción a su entorno el disgusto y la sorpresa que debía sentir su tío:

—Que temiendo verse desbancado por su sobrino, al fin había sido desbancado por su propio hijo.[25]

También acude el infante Luis Alfonso de Baviera, hermano de José Eugenio. Es un solterón bondadoso y amable pero de pocas luces que ha hecho profesión de fe franquista y que ha sido incluso gobernador militar de Barcelona.

Juan, «almirante de infortunios», salió el día de la proclamación, 23 de julio de 1969, muy pronto de casa. Feroz y roto. Navegó todo el día. Por la tarde amarró su barco en Figueira da Foz. Entró en un bar conocido. Eligió una mesa, arrimó la silla, y pidió:

—Un whisky.

—¿Una copa?

—No, una botella —y añadió con un gesto hacia arriba— y enciendan el chisme ese que quiero ver la jura.

A las siete y media de la tarde, Juanito, de rodillas sobre un cojín de terciopelo carmesí, en nombre de Dios juró lealtad a Franco y a los Principios Fundamentales del Movimiento.

Cuando se terminó la retrasmisión, se terminó también la botella. El conde de Barcelona se pasó la mano bruscamente sobre sus ojos secos y luego dijo una frase que se haría legendaria:

—Mi Juanito ha leído muy bien.

Unos han querido ver un elogio, otros una ironía.

Salvador de Madariaga le envió a Juan de Borbón un mensaje público desde Oxford, donde impartía cátedra: «La carrera de un hombre que, aunque sea rey, no ha dudado en traicionar a su padre, no dura demasiado», pero esto no le consuela.[26]

Laureano López Rodó, miembro del Opus Dei y uno de los ministros aperturistas de Franco, empezó a ir por Villa Giralda, y Juan lo acogió expansivamente, ya que su padre, archivero de profesión, había sido su profesor de catalán en Roma. María, cuando lo vio por primera vez, se estremeció, aunque no pudo explicar la razón:

—No me gusta y ya está.

Su marido le contestó:

—¡Tú qué sabes!

No fue hasta más tarde cundo Juan se enteró de que López Rodó había jugado ante Franco la carta de su hijo en lugar de la suya. Y aquel hombre orgulloso tuvo el gesto valiente de comentar delante de sus consejeros:

—María tenía razón.

A López Rodó debemos también el relato de una de las discusiones entre padre e hijo:

—El enfrentamiento fue tan fuerte como sólo se da entre dos rivales que codician la misma pieza.

Creo que en este punto es admirable la posición leal de María, que, aun sabiendo que su marido se consolaba con otra mujer, permaneció a su lado sin desfallecer ni un minuto, incluso sacrificando lo que más quería: otro de sus hijos.

A aquél se lo arrebató la muerte y a éste Franco.

Juan Carlos perdonó los desplantes de sus hermanos y primos, pues comprendía e incluso apreciaba esta lealtad hacia su padre, pero Sofía no lo olvidó nunca. La pareja todavía se aisló más del exterior y se replegó sobre sí misma, y estuvieron mucho tiempo sin coincidir ni con Pilar ni con Margot, y comenzaron a repartir los veranos entre el pazo de Meirás y Mallorca, donde finalmente el Gobierno balear les cedería el palacio de Marivent.

Para huir de la soledad de Villa Giralda, Margot empieza a ir a Madrid a menudo. Su hermana, en su primera casa de la calle Padilla, que había sido del bailarín Antonio, le pone una habitación expresamente para ella; es muy pequeña, está recubierta de madera, la cama es plegable y se esconde en la pared mediante un extraño mecanismo.

En casa del escritor Alfonso Ussía conocerá a la persona que va a cambiar su vida. Es Carlos Zurita Delgado, cuyo hermano está casado con una hermana de aquél.[27]

Desde un principio congenian. A los dos les gusta mucho la música y a Carlos le encanta el sentido del humor de Margarita. La primera vez que salen juntos es para asistir a un concierto. Margot está emocionadísima. Su única confidente es su hermana Pilar, y le pregunta:

—Cómo es Carlos físicamente, cómo va vestido, ¿te parece que está enamorado de mí?

Pilar, que lo conoce, sólo le da informes favorables.

Carlos Zurita Delgado es hijo del doctor Carlos Zurita González, un eminente médico especializado en enfermedades del tórax, y de Carmen Delgado Fernández de Santaella, farmacéutica. Nace en Antequera y vive en Córdoba, hasta que empieza la carrera de Medicina en Sevilla, que terminó con Premio Extraordinario de Licenciatura fin de carrera y número uno de su promoción en todas las facultades de Medicina de Andalucía. Después estudia dos años de doble especialización, corazón y pulmón.

En el momento del encuentro con la infanta vive con sus padres y sus dos hermanos solteros en la calle Almagro de Madrid, donde su progenitor trabaja en la clínica La Paz, junto a Cristóbal Martínez-Bordiú.

Toda su familia es monárquica auténtica; acuden a todas las concentraciones en Estoril y a los actos que hay en Madrid en memoria de cualquier miembro de la monarquía, pero no forman parte del círculo de amistades de Juan o de María.

Pero en el entorno de Villa Giralda hay desconfianza. Estaban tan acostumbrados a ver a Margot sola que todos pensaban que no iba a casarse nunca. Tiene treinta años. Además, mientras que Luis Gómez-Acebo es noble e hijo de una marquesa, por las venas de Carlos Zurita no corre ni una gota de sangre azul. ¿Cómo no pensar que es un aventurero ambicioso? Entre los monárquicos hay incomprensión y mala voluntad para con Carlos, pero la infanta discute con sus padres, se enroca en su amor, está muy segura de lo que quiere y saca a relucir su fuerte carácter Borbón, ahora sí, muy parecido al de Juan. Pasan los meses e incluso los años, y, poco a poco, con su perseverancia, Carlos va demostrando que su amor por la infanta es sincero y profundo.

Carlos se gana el corazón de María. Su otro yerno, Luis, era un buen marido y ya por eso le gustaba. Pero a Carlos además le estaba profundamente agradecida. Aunque a Juan le cuesta prescindir de esta hija que es la alegría de la casa ahora que falta Alfonsito, egoísta, como todos los hombres, pensaba que Margot nunca se iba a ir de su lado e iba a ser su apoyo durante su vejez.

Y también teme que, a causa de su ceguera, este primer noviazgo se malogre antes de que esté consolidado si se hace público, y entonces puede que la infanta no vuelva a tener otra oportunidad. Prohíbe que se comente el noviazgo en los periódicos.

Pero Carlos no se rinde. Aprende Braille para poder comunicarse con Margot y se escriben cartas diariamente, aunque le cuesta asimilar tanta desconfianza y mala fe y, cansado de los comentarios maledicentes, pide una beca, que le conceden, para realizar su tesis de doctorado en la universidad de Bolonia durante dos cursos. Margarita, sin dudarlo ni un momento, se va detrás de su enamorado a Italia y se aloja en Il Borro, la propiedad de su íntima amiga la princesa Claudia de Francia, duquesa de Aosta, en la maravillosa Florencia. La infanta pasea con Carlos por la Toscana, ríen, hablan continuamente, se divierten, hacen planes, están enamorados. Está transformada, es feliz, y, al fin, Juan accede.

María se alegra muchísimo.

Carlos va a Villa Giralda a pedir la mano de Margot con algo de miedo, pero Juan le da un abrazo fuerte y le dice con ese tono de voz mineral de marinero acostumbrado a mediar en los más duros combates:

—Carlos, ¿la quieres de verdad? ¿Sí? ¡Pues adelante!

Todavía emocionado, Carlos rememora años después con cierta ingenuidad que no le preguntó de qué familia era, ni a lo que se dedicaba, ni lo que ganaba. Es de suponer que un hombre tan bien informado como Juan ya estaba al cabo de la calle de todos esos temas. Había tenido dos años para enterarse, los mismos que había durado el cerco amoroso del persistente galán.

Los rumores en la prensa eran incesantes desde hacía tiempo, pero, a todos los periodistas de confianza, Juan les pedía discreción. Por fin, mientras los condes de Barcelona asistían a los funerales del rey Federico de Dinamarca, el rumor casi se convierte en certeza, que se confirma cuando un periodista español, que está acompañando a los príncipes de España en un viaje oficial a Nagasaki, ve en la recepción del hotel un borrador de telegrama que dice así: Margarita de Borbón y Borbón, Villa Giralda, Estoril. «Para ti y para Carlos nuestra más sincera felicitación. Juan Carlos y Sofi».

Poco antes de casarse, Carlos Zurita es nombrado jefe clínico de la Escuela Nacional de Enfermedades del Tórax.

Juan, como a su hermana Pilar, le ofrece a Margot el título de duquesa de Soria, que ella, después de consultar con Carlos, decide rechazar. Más tarde, ambos cambiarán de opinión.

La boda, que se ha de celebrar el 12 de octubre de 1972, se plantea de una forma muy distinta a la de Pilar, será una ceremonia privada y sólo invitan a doscientas personas. A pesar de todo, no está exenta de los consabidos problemas protocolarios. Por una parte, Carlos, no muy al tanto de las sutilezas formales que rigen la familia con la que va a emparentar, decide invitar al marqués de Villaverde, colega suyo, y le propone ser su testigo de boda. Cuando Juan se entera, monta en cólera. ¡El yerno de su tan odiado Franquito en la boda de su hija!

—¡Y como testigo de boda!

Le hace saber a Carlos que admite que esté como invitado, pero que los testigos de boda son solamente los miembros de su familia. Es de consignar el mal rato que debió pasar el novio cuando tuvo que comunicarle esta circunstancia al yerno del Caudillo, que, obviamente, optó por no asistir a la ceremonia y, además, no envió ningún regalo y no dio ninguna excusa.

Otro invitado que se niega a ir es el sobrino de Juan, Alfonso de Borbón Dampierre. Hace apenas un año que se ha casado con la nieta de Franco, Carmencita Martínez-Bordiú, y está de embajador en Suecia. Juan le ha dirigido la invitación a nombre del Excmo. Señor Embajador de España y señora, y Alfonso, cuya soberbia se ha multiplicado con esta boda y cree que finalmente Franco terminará nombrándolo a él su sucesor, vierte en una carta todo el resentimiento que ha ido acumulando a lo largo de tantos años de supuestos agravios y menosprecios. Le reprocha a su tío que no le llame Alteza Real y le dice que de nada valen sus subterfugios para humillarlo. Y le recuerda que todo lo que tiene Juan se lo debe a su hermano mayor, del que se ha aprovechado toda la vida por motivo de su enfermedad.

Por otra parte, por mucho que se nos diga que las relaciones entre Juan y su hijo Juan Carlos se habían arreglado y que departieron amigablemente durante la boda, la verdad es que no se dirigieron la palabra e intentaron no coincidir en ningún momento, y esto creó una sensación de violencia en todos los asistentes, excepto en los novios, a los que se veía totalmente enamorados y felices. La sonrisa de la infanta lo dice todo, y los ojos de Carlos brillan extasiados, sin percibir, aparentemente, el ambiente de frialdad que los rodea. Delante del sacerdote, quien les dice también conmovido que casa a estos dos cristianos como casaría a cualesquiera otros hijos de Dios, gentes simples y sencillas, los novios se cogen de las manos, y las lágrimas se deslizan por las mejillas de la infanta. Cuando la ceremonia termina, su hermana Pilar tiene que retocarle el maquillaje, lo cual no sirve de nada, pues al salir al jardín y oír los gritos de la gente:

—¡La *ceguinha*, la *ceguinha*!

La infanta, de nuevo, no puede contener las lágrimas.

Han sido unos días emocionalmente muy cargados para Margot. A la alegría de ver que por fin se ha aceptado su historia de amor con Carlos, se une la tristeza de saber que deja a sus padres y la atmósfera de su niñez. Y les pide a éstos un regalo muy especial, recorrer todos los lugares en los que ella y sus hermanos han reído, llorado, jugado, vivido en suma, antes de que lleguen su novio y los demás. Van a la heladería Santini, a cenar a El Pescador, a tomar una copa a Mutxaxo y a la *boîte* Ronda, al Casino, al colegio Amor de Deus, a las Esclavas de Lisboa, a la playa de Guincho, al Club de Golf, al Náutico, a la Hípica, a las casas de sus amigos... De todas partes la infanta tiene recuerdos felices, pero este recorrido melancólico se tiñe de tristeza cuando los tres piensan en Alfonsito, detenido siempre en la memoria en sus catorce años. Los lugares que pisan están mojados por sus lágrimas.

Como en el caso de la boda de Pilar, tiene lugar una recepción informal en Villa Giralda, donde saludan a los monárquicos que se han desplazado hasta Portugal, unos quinientos. La infanta los reconoce a todos por el tono o el sonido de la voz, lo que hace comentar a los invitados:

—¡No parece ciega!

La infanta también ha tenido su despedida de soltera, en una taberna típica, O Frango, cuyo nombre se encarga de deletrear a los periodistas:

—Frango, eh, no Franco, ¡no os equivoquéis, que la armamos!

Allí estaban los inevitables tunos, que le cantaron el también inevitable *Clavelitos*, que la infanta acompañó con el acordeón, pidiendo luego disculpas por los fallos, de una forma encantadora:

—No lo he hecho muy bien porque no estoy acostumbrada a tocar de pie.

El día de la boda, Margot, a quien importan poco las convenciones sociales, le enseña su traje a Carlos —muy sencillo, con cuello Mao, diseñado por ella y Lika Babeska, una modista polaca afincada en Madrid— y llega casi antes que él a la pequeña iglesia de San Antonio, donde había hecho la Primera Comunión y donde se había celebrado el funeral del pobre Alfonsito. La infanta se niega a llevar diadema o joya alguna, quiere que su anillo de boda sea la única alhaja que la adorne. Entre las manos, un pequeño ramo de orquídeas.

Los momentos más tirantes se viven después, cuando llega la hora de posar para los fotógrafos. Nadie consigue que pose la familia al completo. En medio del grupo, inmóviles, Margot, que, aunque no ve nada, está ya acostumbrada a estos problemas y se muestra tranquila, y Carlos, un tanto asombrado. A su lado, como en el baile de las sillas, cuando aparecen unos, otros desaparecen, si se ponen don Juan Carlos y doña Sofía, don Juan no acude, se ha ido de pronto a abrazar a un amigo al que hace diez minutos que no ve, si llega don Juan, son los príncipes los que se ponen a hablar repentinamente con unos halagados invitados que están en el otro extremo del jardín y a los que apenas conocen. Pilar y Luis deben cambiar de lugar según se sitúen su padre o sus hermanos. Los niños, los tres hijos de los príncipes de España —la infantita Elena es la que ha portado las arras— y los tres que ya tienen los duques de Badajoz se mueven desconcertados y optan al fin por cogerse de la mano de sus tíos Margot y Carlos, que esos sí que permanecen ahí, quietos e inasequibles al desaliento.

El rostro de María, que es el pararrayos de padre e hijo, e incluso en ocasiones ha tenido que ponerse físicamente en medio de ambos para que no llegaran a las manos, acusa la insoportable tensión; se le acentúan las arrugas verticales y da muestras de cansancio, aunque para ella también es un día feliz, ya que ha llegado a cogerle mucho cariño a Carlos.

En el banquete, que tiene lugar en el hotel Palacio, sientan a don Juan Carlos en un puesto muy desairado, en la mesa presidencial, sí, pero en el peor sitio, en el extremo, al lado de su tía

Crista y sin nadie a su izquierda; Sofía, enfrente, se encuentra en la misma situación. En la corte de Franco serán príncipes de España —un título históricamente algo estrambótico—, sucesores y toda la pesca, pero aquí son simplemente los hermanos de la novia, y el jefe de todos ellos, porque el jefe de la casa Borbón sigue siendo Juan. La expresión de Sofía, mientras aparta con disimulo la ternera de su plato y sólo come las verduras y los espárragos a la milanesa, es de divertida resignación, la de Juan Carlos, de enfado, se encuentra rodeado de partidarios de su padre que creen que ha cometido una doble traición, como hijo y como príncipe.

Juan ocupa el lugar principal, el centro de la mesa. María le ha pedido que, por la paz familiar, no pronuncie palabras inconvenientes, pero a pesar de todo se levanta para hablar.

Juanito contiene el aliento y parece casi estar a punto de irse, le dirige una mirada suplicante a su madre, que mueve la cabeza de forma imperceptible. Juan se limita a decirle a su hija:

—Margarita, mi querida hija, sales de una casa en donde fuiste polarización de cariños y preocupaciones, que hoy se mitigan al verte caer en los brazos acogedores de Carlos, hombre bueno y cariñoso.

Y levanta su copa para brindar por los novios, que, como en las buenas historias, sonríen y lloran al mismo tiempo.

En vez de un viaje de novios tradicional, la pareja se va cinco meses a Buenos Aires, donde Carlos perfecciona su especialidad de pulmón y corazón mediante una beca en el Gran Hospital. Es un periodo feliz, en el que la pareja vive en una casa que les dejan unos amigos de los padres de Carlos, un chalecito con jardín. Los dos salen de buena mañana de casa para ir al hospital, ya que la infanta ha encontrado trabajo de puericultora. Por las noches cenan en su casita; tienen una cocinera paraguaya que no solamente les prepara platos exóticos, sino que además enseña guaraní a la infanta. A Carlos le encanta que, en la intimidad de su hogar, su mujer le cuente sus aventuras en el hospital con acento porteño; no cabe decir que lo que la infanta ha aprendido primero son los tacos, y sus: «Boludos, pelotudos, ¡vos *sos* loco!», hacen partirse de risa a su marido. En esos días Margot recibe la mayor alegría de su vida: se ha quedado embarazada.

María y Juan la echan muchísimo a faltar, y esta añoranza crea entre ellos un lazo común.

La soledad con su largo cortejo de tristeza, malhumor, silencio, frío, se cuela en las cincuenta y una habitaciones de Villa Giralda, envueltas en la luz crepuscular de los recuerdos que ya se han ido para siempre.

Fantasmas.

Carreras por los pasillos, ladridos de perros, la música atronadora del acordeón de Margot, Pilar aporreando el piano con la *Marcha Real*, las cenas de etiqueta con el perfume de los ramos de flores y el humo de los cigarrillos, las carcajadas de Juan haciendo temblar las lámparas. ¡Un martinito!… El sonido incesante del teléfono y del timbre de la puerta.

—¿Hoy vamos al *picadego?*

A veces María se apoya en el quicio de la puerta de una habitación cualquiera y trata de recordar, uno a uno, todos los sonidos, la música de su vida.

La *ceghina*. Senequita. Le parece sentir en el techo decenas de pasitos de niño.

Cuando Juan llega y pone la gorra en el colgador del vestíbulo, levanta la cabeza y escucha. Le llama la atención, no el ruido, sino el silencio impresionante.

Hasta los relojes se han parado.

Buscan excusas para alejarse de la solitaria Villa Giralda y de sus recuerdos y deciden visitar a Margot. No solos, por supuesto, llevan la compañía del grande de guardia, uno de los pocos que continúan fielmente a su lado, el marqués de Casa Tremañes, Pepe Rodríguez de Santiago-Concha.

Los viajes hacen revivir siempre a María. Lleva montones de regalos para su hija y la casa. Se divierte cuando Margot y Carlos los desenvuelven y se sorprenden por todo:

—¡Una vajilla! ¡Toallas! ¡Un gallo de cerámica!

María propone:

—¿Y si fuéramos a Brasil para ver a Esperanza? ¿Y por qué no vamos al Carnaval de Río?

Margot está de cinco meses, pero qué más da, María montaba a caballo la semana antes de dar a luz.

Esperanza y Pedriño Orleans Braganza viven en Petrópolis, en el palacio de Grao Pará, ése sí un auténtico palacio lujosísimo, que todavía hoy está en posesión de la familia, heredera del imperio brasileño. El palacio huele a la humedad de flamboyanes y mangos, pero Esperanza lleva enseguida a su hermana a un rincón del espléndido jardín y le enseña los nardos que ha plantado en recuerdo de Sevilla y le dice:

—Mira el árbol.

Extasiada, María se acerca lentamente. Mira las nueces que cuelgan y mira a su hermana:

—Son... ¿pacanas?

Se ríen ambas, y allí mismo, sentadas en el suelo, abriéndolas con una piedra, con el aroma de los nardos, se dirían niñas en Sevilla. El pasado y el presente se funden como en un sueño.

Esperanza recibe a su hermana poniendo en marcha todo el protocolo y el ritual cortesano que en Europa ya casi no se utiliza, movilizando decenas de criados vestidos «a la Federica» en medio del calor sofocante, como los cincuenta servidores que tenían de pequeñas en el palacio de Villamejor. La casa está llena de fotografías y cuadros de sus seis hijos, dos más que María y Juan, con el que en algún momento soñó en casarse.

Quizás en lo más profundo del corazón de la simpática Esperanza late ese sentimiento tan humano llamado «revanchismo».

Luego van a Río, a vivir el excitante Carnaval. Como siempre que está de viaje, María se siente feliz.

Se pasan toda la noche despiertos viendo pasar las escuelas de Samba. María y Margot, desde una tribuna que les habilita el embajador, incluso se lanzan a bailar:

Mamãe eu quero, mamãe eu quero
Mamãe eu quero mamar
Dá a chupetar dar a chupeta
Dá a chupeta pro bebé não chorá

María se ríe y le cuenta a su hija que aprendió a bailar la rumba durante su viaje de novios, nada menos que en Hollywood.

Juan, Pepe Casa Tremañes y Carlos se pierden en la noche carioca, de los tres, quizás el que impone contención es precisamente el más joven. De todas formas, los tres llegaron al hotel de madrugada mojados y hambrientos. María contaba luego:

—Al pobre Juan incluso le robaron el dinero y el mechero, salvó el reloj porque se dio cuenta de que se lo iban a quitar y lo ocultó.

Al oír lo de «pobre» Juan todos sonrieron por debajo del bigote, aunque la mayoría no llevaba bigote. ¡«Pobre» aquel mujeriego impenitente perdido en medio de la ciudad de las bellezas más impresionantes del mundo! ¡Sólo se le podía ocurrir a María hacer aquel comentario!

Una María a la que no le cuesta nada seguir la juerga, porque, como dice en una de esas comparaciones surrealistas que arrancan carcajadas a sus amigos y una mirada severa de su marido:

—Gracias a la Semana Santa, ¡ya estábamos acostumbrados!

En su maleta lleva también las periódicos portugueses donde ha salido la boda de su hija, y a Carlos le hacen mucha gracia los titulares: «*Infanta casou-se ontem com plebeu*», y también: «*Infanta disse sim entre cravos y gardenias*».

Capítulo 11

MADRID

1975

Verano de 1975 y el gallego no acaba de morirse.

María y Juan, en la inmensa Villa Giralda, se sienten como gatos enjaulados. Ya no hay consejeros ni nobles de guardia que engrasen los ejes de la vida cotidiana y todo tiene un aire de barracón desmantelado.

Juan se desespera hablando de los que lo han abandonado:

—Se han pasado del juanismo al juancarlismo poniendo una gran vela al dios de La Zarzuela y otra pequeñita al diablo de Estoril. Mi futuro se ha ido diluyendo como un azucarillo en aguardiente.

Dilar y José, que se ocupan de las tareas domésticas, hacen lo que pueden, pero ¿cómo se borran los recuerdos?

Arriba, en la habitación de Alfonsito, todavía está la marca de la bala en la pared.

Jaime, el desgraciado duque de Segovia, ha muerto el 20 de marzo a consecuencia de la paliza que le ha dado su mujer, Carlota Tiedemann, ambos en estado de embriaguez. Las largas complicaciones del testamento y la necesidad de esconder las circunstancias escandalosas de su muerte han minado todavía más la complicada convivencia de Juan y María.

A María, que quería sinceramente a su cuñado, le hubiera gustado consolar a sus hijos, Alfonso y Gonzalo, pero sabe que el largo pleito dinástico ha escindido a la familia en dos para siempre.

El viejo tío Ali también ha muerto, el 6 de agosto, en su querido Sanlúcar, a los noventa años. Pilar había ido a verlo varias veces; el tío Ali se paseaba por la inmensa finca con pantalones cortos, el cuerpo desnudo, jugueteaba con sus decenas de perrillos sin raza añorando a Bee, muerta nueve años antes.

En la era yacía la avioneta con la que realizaba sus vuelos insensatos. Y le enseñaba la planta de los pies a la gente:

—De tanto ir descalzo, puedo pisar vidrios y fuego.

Pero también estaba medio peleado con Juan. Éste, en los últimos tiempos, receloso y suspicaz, creía que ya no podía fiarse de nadie.

¡Han sacrificado tantas cosas por un trono que no van a tener nunca!

No sabemos cuáles eran los motivos concretos para la frialdad que se había instalado entre María y Juan ese verano. Ya no salen nunca a cenar, ni a tomar copas en el hotel Palacio. María ya no aparece ni por el golf ni por el club náutico, y Juan no va por la hípica.

María monta a caballo interminablemente, mañana y tarde. También mañana y tarde lleva gafas oscuras para que nadie pueda leer lo que piensa a través de esas ventanas abiertas que son sus ojos, incapaces de disimular o mentir.

En casa procuran no coincidir; incluso a misa van en coches distintos, a Juan lo lleva José, María conduce ella misma. Si tienen que estar juntos por alguna razón, no se dirigen la palabra.

Algunos autores explican que María estaba furiosa, ya que mientras Juan pensaba que todavía tenía posibilidades y debía luchar por su candidatura a rey hasta el último momento, ella consideraba que debía apartarse a un lado para dejar el paso libre a su hijo.[1]

Creo altamente improbable que María se pusiera al lado de su hijo en contra de su marido, no lo había hecho nunca antes ni, como veremos, tampoco lo hizo después. A diferencia de las opiniones de los sesudos historiadores, casi todos pertenecientes al género masculino, que interpretan los hechos según criterios políticos, mi impresión personal es que la política no tenía nada que ver con el disgusto de María y que debemos achacarlo única y exclusivamente a celos de mujer.

Pienso que María estaba al fin dolida y humillada por la presencia constante de H. en el entorno de Juan.

A ella el sacerdote al casarse le había dicho «compartirás las penas y las alegrías con tu marido», pero hasta entonces habían sido más los quebrantos que las dichas: exilio, vivir lejos de sus hijos y ahora de sus nietos, también de sus hermanas, con la espina de la muerte de sus padres lejos de ella. Sola y aislada, cree merecer más ternura, consideración y respeto.

En octubre viajan a París los dos, aunque en un principio iba a ir Juan solo, ya que ha empezado allí sus contactos con la izquierda española. ¡El viejo león no se rinde y continúa luchando!

—Habrá algunos que dirán que, como no he podido ser rey con Franco, quizá pueda ser rey de los rojos, ¡hay que joderse! —Exclama con cruel ironía el conde de Barcelona.[2]

En París reciben la noticia de que Franco se muere sin remedio. De una forma algo inexplicable, deciden entonces ir a la Costa Azul, a Villa Teba, donde sigue viviendo Marisol, ya viuda de José Eugenio de Baviera, con sus hijas Tessa y Cristina y el seductor Fernando, único varón desde que su hermano Luis se mató en el rally de coches de Montecarlo.

Su cuñado, Luis Alfonso de Baviera, está de visita —dicen que quiere casarse con la acaudalada Marisol, descendiente de Fernando de Lesseps—, y la situación es bastante incómoda, porque es el único miembro de la Familia Real que desobedeció a Juan y asistió a la designación de Juanito a título de rey.

Aunque Juan no piensa enfadarse por esta nimiedad:

—Es tan tonto el pobre…

Pero lo cierto es que se trata de una visita que a todos resulta incómoda y que María trata de justificar diciendo:

—Lo sugerí yo lo de ir a casa de Marisol para que no armasen líos en París.

Que cada cual lo interprete como pueda, pero si el lector ha tenido la paciencia de leerse todo este libro (sin saltarse ninguna página) se dará cuenta de que hacer una maleta y viajar para huir de los problemas ha sido una constante en la Familia Real española.

Están en Cap Martin durante la larga agonía de Franco, llamando puntualmente a Pilar y a Margot para enterarse de las novedades. Carlos Zurita les explica lo de las heces en melena y las hemorragias gástricas, es decir, todo lo que los españoles aprendimos en un cursillo acelerado de medicina en el interminable otoño de 1975, y Juan se consume de impaciencia.

Le dice a su mujer:

—Llama a Carlos.

María intenta protestar:

—Pero si lo hemos llamado hace veinte minutos… Está trabajando… si hubiera pasado algo lo hubieran dicho por la radio…

Juan no atiende a razones:

—Que lo llames.

Por fin, cuando el desenlace ya es inminente, regresan a París, porque Juan ya no puede con su nerviosismo. Allí se alojan en casa del catalán marqués de Marianao, Alfonso de Fontcuberta, en el boulevard Malesherbes. María está acompañada por la condesa de los Gaitanes, Pochola Muñoz Seca.

Juan no duerme ni come y tiene la voz enronquecida por el tabaco y las largas discusiones que mantiene con sus consejeros. Unos le quieren convencer de que prepare un manifiesto para difundir el día en que muera Franco reivindicando para sí la Corona española, otros le piden que acepte su derrota y que apoye la entronización de don Juan Carlos. Él no hace más que repetir:

—No quiero crearle un bollo a mi hijo.

María, según algunos autores, le advierte que no haga ninguna tontería, que así se lo ha vuelto a prometer a Juanito.

No sé si algún investigador, además de López Rodó, llegó a escuchar estas tan publicitadas palabras. Una vez más debo decir que mi humilde opinión es que María permaneció siempre, sin desmayo, al lado de su marido, haciendo suyos sus objetivos.

El día 20 suena el teléfono en casa de Marianao. Es Pilar. María pregunta por los niños, el pequeñajo, al que llaman Cocoliso, está algo resfriado, pero Pilar no tiene tiempo para estas minucias domésticas:

—Dile a papá que se ponga, por favor.

—Hola, Chiquita.

—Papá, nos han llamado de Zarzuela que la coronación de Juanito se hará dos días después de la muerte de Franco. ¿Qué hacemos? ¿Vamos o qué?

El día en que Franco nombró a Juan Carlos sucesor a título de rey, en 1969, Juan les prohibió a sus hijas que asistiesen a la ceremonia. De ahí la pregunta de Pilar.

El corazón de este viejo marino exiliado desde hace cuarenta y cuatro años está desgarrado entre el cariño a su hijo y sus propios derechos dinásticos. Si renuncia a éstos, su vida no tendrá sentido.

Mientras agita los cubitos de hielo de su whisky, un tintineo que según recuerdan sus allegados acompaña casi todas sus conversaciones, pregunta a su hija, para tratar de ganar tiempo e ir pensando la respuesta:

—Pero ¿ellos os han dicho que fuerais?

—Sí, sí. Hasta nos han avisado de que Margot y yo teníamos que llevar traje largo.

Juan sabe que sus hijas le obedecerán ciegamente.

Su yerno, Luis Gómez-Acebo, aunque respetuoso con la decisión de su mujer y su suegro, es partidario de asistir y apoyar a su cuñado plenamente, cree que él con su experiencia, su calidad de aristócrata y sus amistades puede ayudarle en la difícil tarea de conducir a un país hasta la modernidad. Margot y Carlos Zurita no se pronuncian, están a la espera de lo que decida quien no solamente es su padre, sino el jefe de la familia Borbón.

El conde de Barcelona carraspea, da un sorbo a su whisky y al final contesta sin consultárselo a nadie:

—Pues id, id, qué coño. Llamadme luego aquí a casa de Marianao y ya me contaréis.

Cuelga el teléfono. Le gruñe a su mujer que, expectante, se mantiene a su lado:

—Juanito, la coronación.

María no dice nada, pero piensa en este supremo sacrificio que debe hacer una vez más y que quizás sólo podemos comprender los que somos padres: no poder estar ahí, bebiéndote con los ojos a tu hijo el día cumbre de su vida. Tener que ahogar dentro de ti las ansias enormes de plantarte en el centro del escenario y decir a gritos por dentro, aunque nadie lo oiga:

—¡Es mi hijo! —Y, como nos han enseñado las folclóricas de este país telúrico y desgarrado—: ¡El fruto de mis entrañas!

María tuvo que renunciar a ese momento supremo, y depositó un triste ramo simbólico hecho con las flores de su inmolación a los pies de su marido, ¡quién sabe si él supo agradecérselo!

El 22 de noviembre de 1975, a las doce y media de la mañana, sábado madrileño frío y despejado, en el palacio de las Cortes de la Carrera de San Jerónimo, dos mujeres jóvenes, acompañadas por sus maridos, van a coger el ascensor que las llevará a los palcos[3] cuando un ujier las increpa:

—¡Eh, ustedes! ¿Qué se han creído? ¡Por la escalera! ¡Que el ascensor es para la gente importante!

Margot y Pilar obedecen, aunque ellas son de las personas más importantes que estarán en el palacio de las Cortes, porque su hermano, Juan Carlos de Borbón, va a prestar su juramento como rey de España.

Son las más importantes, porque sus padres no van a estar.

Uniformes, sotanas, trajes negros, el color púrpura de los atuendos arzobispales. La muerte de Franco, todavía insepulto, pesa sobre la reunión como la descomunal losa de granito que está esperando al Caudillo en el Valle de los Caídos. En medio de las Cortes —ahora el Congreso—, cinco personas, dos adultos y tres niños, parecen aferrarse unas a otras como náufragos en plena tormenta.

Es un grupo familiar completo; nadie, aparte de ellos, cuenta ya en esta nueva España. Sofía, para desmarcarse del luto oficial y para que los españoles vean que los tiempos están cambiando, lleva un vestido rosa fucsia que despertará muchas críticas entre la damas del búnker, aunque, eso sí, ha tenido la precaución de hacerse a toda prisa un abrigo de terciopelo negro, largo hasta los pies, para cubrirse y asistir a la capilla ardiente en la palacio de Oriente, donde está lo que queda del hombre que gobernó a España durante cuarenta años, una figurita patética de apenas metro y medio dentro de un féretro que pesa quinientos kilos.

Las modistas de Sofía, las hermanas Molinero, llevaron un corte de traje a Zarzuela y allí cosieron el abrigo la misma noche, y la todavía princesa de España y su hermana Irene quitaron hilvanes, sobrehilaron, plancharon, pegaron botones; de ahí las ojeras que lucía Sofía. El talle de su vestido, algo holgado, y su sonrisa constante despertarán rumores (infundados) de que está de nuevo embarazada.

Las pequeñas princesas, Elena y Cristina, visten trajes de terciopelo verde con cinturones verde claro de seda y cintas negras en la cabeza. El príncipe Felipe lleva traje oscuro y corbata negra. Los tres guardan una compostura perfecta durante toda la ceremonia.

Juanito, en uniforme caqui de capitán general, está pálido y ojeroso; su mirada no descansa, y tan pronto recorre los largos bancos en los que sabe que tiene tantos enemigos, los rumores de que se prepara un atentado contra su persona son constantes, como mira hacia arriba, al palco central, justo encima del reloj que marcará la hora histórica. Allí dos infantas de España se inclinan hacia el hemiciclo, siguen con tanta atención la ceremonia que parece por momentos que vayan a caerse por la barandilla. Pilar y Margot escuchan atentamente el discurso del joven rey; la disciplina y la buena educación hacen que oigan con semblante imperturbable los inevitables elogios de su hermano a Franco, «ese señor que tanto ha hecho sufrir a papá», según lo identificiaba el malogrado Alfonsito.

Pero Juanito dice con voz exhausta de cansancio:

—Su recuerdo será siempre para mí una exigencia de comportamiento.

Cuarenta segundos de aplausos.

Y también menciona al padre ausente:

—El cumplimiento del deber está por encima de cualquier circunstancia, como me enseñó mi padre desde la infancia.

Tan sólo ocho segundos de aplausos por parte de media docena de procuradores.

Pero esta evocación seguramente no las conmueve, sólo ellas saben que hace tiempo que padre e hijo no se hablan. Sólo ellas comprenden los días terribles, la sensación de traición y fracaso que debe sentir en París el hijo del último rey de España.

Ambas están al tanto, en esta hora soberana, de que su padre ya no será nunca rey, porque el agua no puede remontar río arriba, y no consiguen dejar de ver a su hermano como un usurpador.

Durante la hora larga que dura la ceremonia, las infantas tienen tiempo de recordar el extenso camino transitado y seguramente no pueden evitar la comparación con la misma ceremonia con su padre como protagonista. Juan III. Ellas estarían abajo, donde están sus pequeños sobrinos, y seguramente los invitados de tribuna ofrecerían un paisaje más democrático que el que ahora las rodea: Imelda Marcos, la presidenta de Filipinas, con su rostro orientalmente inexpresivo, sentada al lado de sus amigos, los marqueses de Villaverde, totalmente vestidos de negro; Nenuca muestra ya las huellas de su primer *lifting*. Un poco más allá, el dictador chileno Augusto Pinochet, con un vistoso uniforme muy parecido al que suelen vestir los chimpancés en los circos, le da tantos golpes a su vecino con la capa que al final éste se levanta y se sienta en otro lugar. Y Constantino, el hermano de la reina, el depuesto rey griego, que es el único que se emociona y llora.

Según un periodista asistente al acto, Pilar y Margot se mantuvieron tan impávidas que dieron sensación de una tremenda frialdad. Apenas intercambiaron palabra con sus maridos. Únicamente Carlos Zurita pareció explicarle a su mujer al principio cómo estaban colocados su hermano, su cuñada y sus sobrinos.

Cuando todo terminó, Juan Carlos y Sofía empezaron a escribir una nueva página en la historia de España.

Juan y María han visto la ceremonia por televisión.

En color, eso sí. Siguen en París, pero en casa de Marianao la televisión es en blanco y negro. Llaman a sus amigos Charo Treviño y José Luis López-Schümmer, que tienen un estupendo aparato de televisión alemán en technicolor. Charo los invita a comer.

Estoy segura de que ni Juan ni María advirtieron lo que les iban poniendo en los platos. Y que seguramente María no pudo atender a la charla del hijo de sus amigos, José Luis, que se acababa de comprar una carabina de aire comprimido porque de mayor quiere ser un gran cazador, como lo ha sido ella. Que apenas escuche el parloteo entusiasmado del pequeño José Luis da medida de la preocupación de María por la ceremonia que está a punto de celebrarse.

Ver en directo cómo un país sale de la Edad Media para entrar en la modernidad es tan importante que se trasmite por televisión a casi todos los países europeos. María y Juan están en silencio. En un momento dado, las cámaras ofrecen un primer plano del rey y es evidente la expresión fatigadísima de su rostro. Él, que casi no prueba el tabaco, se ha fumado esta mañana paquete y medio de cigarrillos.

María, con timidez, le dice a su marido, apenada:

—Qué ojeras tiene Juanito.

Es la única frase que se pronuncia en toda la comida.

Cuando la ceremonia termina y suena la *Marcha Real*, que la mayoría de los españoles escuchan por primera vez, Juan y María se ponen de pie y brindan:

—¡Por el rey de España!

La dinastía Borbón vuelve a estar en el trono. Los deseos de Alfonso XIII se han cumplido. Parecía imposible. Se ha saltado algún eslabón de la cadena, pero no se ha roto.

Sus anfitriones no entienden —o quizás sí— por qué demonios entonces Juan y María parecen tan tristes.

Las hermanas del rey vuelven al anonimato de sus casas y de sus vidas, al silencio del que nunca han salido.

Pilar vive en Somosaguas, en un chalé con chimenea de ladrillo y un cierto aire campestre en el que resaltan como contraste dos fabulosos caballos de jade, una carabela de plata, que estaba en la Vieille Fontaine, y una espléndida vajilla de Sajonia que perteneció a la reina regente Cristina, bisabuela de la infanta, un servicio para ciento setenta personas que Pilar ha repartido con sus hermanos y que está expuesto en una magnífica vitrina cerrada con llave para que los niños no lo destrocen.

Cuando llega la infanta, habla con sus hijos mayores sobre el significado de la ceremonia. Simoneta, que tiene siete años, resume de forma gráfica:

—O sea, que mi tío es rey, mi madre es infanta y nosotros no somos nadie.

Pilar se ocupa de sus cinco hijos, que han nacido en un periodo de seis años, Simoneta, la mayor y única chica, Juan, Bruno, Beltrán y Fernando, y, aunque tiene energía suficiente para llevar una familia numerosa y hasta mandar un ejército, nadie cree conveniente que una hermana del rey ejerza un trabajo remunerado. Sin embargo, se dedica en cuerpo y alma a la obra benéfica Nuevo Futuro, que se encarga de niños sin hogar o con discapacidades físicas o psíquicas.

Es la infanta la que desarrolla la idea de realizar un mercadillo para recoger fondos. El éxito desborda a la propia empresa y hace callar a los escépticos: en el primer Rastrillo se recogen tres millones seiscientas mil pesetas.

La satisfacción de Pilar es enorme, y los que trabajan con ella se asombran de su entusiasmo, su capacidad de trabajo, su energía y sus dotes de organización, y a más de uno le pasa por la cabeza lo mismo que pensaban los testigos de sus actos de heroísmo en Lisboa: ¡ay, si hubiera nacido hombre…!

Como recompensa a sus esfuerzos, Nuevo Futuro la nombra presidenta honoraria.

Su marido ocupa la secretaría de Cementos Asland (más tarde Lafarge-Asland) y también realiza operaciones financieras relacionadas con el Banco Español de Crédito (Banesto), del que su hermano Jaime era presidente.

Como Luis es algo estirado y tan irónico que puede resultar pedante, pero también inteligente y perspicaz, pronto advierte que el rey no llega a sentirse nunca a gusto con él, que no existe química entre ambos, lo que el duque de Badajoz lamenta profundamente, pues no es esto lo que esperaba cuando se casó con una infanta de España.

Pilar y Sofía no tienen nada que decirse, se consideran del mismo rango, pero una tiene el poder y la otra no, y es fácil entender que la reina no haga nada para que su cuñada, que tanto la ha hecho sufrir con su lealtad inquebrantable a su padre, se olvide de esta circunstancia. Según la periodista Françoise Laot, de *Point de Vue*, la más prestigiosa revista europea dedicada a la realeza, que la entrevistó y la trató a lo largo de todos aquellos años,[4] Sofía tiene auténtica autoridad y sentido del mando, y carece del encanto y la amabilidad de su marido.

Ya lo decía Juan, su suegro, acostumbrado a la afabilidad de su mujer, que con todo estaba de acuerdo:

—Mientras a María sólo le interesó la familia, Sofía sí tiene afición al cargo.

Entre los periodistas corre una consigna no escrita, como todo lo relacionado con la Familia Real: no se debe prestar demasiada atención a la familia de don Juan Carlos, y no se sabe si la sugerencia ha partido de El Pardo o de La Zarzuela. Este hecho se pone en evidencia, por ejemplo, cuando la revista *¡Hola!* saca dos números de casi novecientas páginas en total de reportajes retrospectivos para conmemorar su cincuenta aniversario.[5] Ni una sola de estas páginas, ni una fotografía, está dedicada a Pilar, Margot o sus hijos, cuando a Sofía, a Juan Carlos y a los tres príncipes se dedican sesenta y tres, y no digamos ya a Carolina de Mónaco o Lady Di. La revista *Semana*[6] también publica un número extraordinario para conmemorar su sesenta aniversario, de trescientas cincuenta páginas, un repaso a toda su historia. Solamente sale una imagen relacionada con las hermanas del rey, una pequeña foto de la boda de Simoneta.

Las noticias que atañen a Juan o María son absolutamente silenciadas por todos los medios de comunicación por lo menos hasta el año 1983, ocho después de la muerte de Franco. En esa fecha tomó posesión como director de *ABC* Luis María Anson, y, leal juanista hasta la médula, se propuso reivindicar la figura del padre del rey en su periódico, consiguiendo así por efecto de arrastre que el resto de la prensa se ocupase también de los condes de Barcelona. Un periodista en activo en aquellos años me cuenta que en la mayoría de los archivos fotográficos no había ninguna imagen de los padres o hermanas del rey, por lo que no es raro el lamento de Juan:

—Es como si Juanito fuera huérfano.

Margot y Carlos Zurita también salen en silencio del palacio de la Carrera de San Jerónimo, cogidos de la mano, como siempre, se despiden de Pilar y Luis y se suben a su coche. Carlos Zurita y Luis Gómez-Acebo no tienen mucho en común, no llegan nunca a hacerse amigos. Juan Carlos sí parece apreciar sinceramente a su discreto cuñado Carlos, el marido de su querida Margot, pero Sofía, dicen, hace lo posible para que esta relación no sea más estrecha.

Tampoco suelen frecuentar Zarzuela.

El matrimonio va a su casa de la calle Jorge Juan, cerca de la Castellana, donde viven con sus dos hijos, Alfonsito, llamado así en memoria del hermano muerto, y María, como su abuela. En la elegante portería común, hay dibujada una flor de lis en las vidrieras. Es una casa de vecinos, pero el piso es suntuoso y acogedor, presidido por un cuadro de María en traje de gala. No puede faltar un piano, muchísimos discos y multitud de recuerdos familiares, fotografías, una butaquita de brocado y miniaturas que estaban en la Vieille Fontaine, en casa de Gangan, de quien también son algunos tapetes de *petit point*. En la biblioteca, los libros elegantemente encuadernados en piel brillan tenuemente a la luz de las suntuosas arañas de cristal veneciano: la infanta los ha heredado de su tía bisabuela Isabel, La Chata, y Carlos los cuida con destreza, ya que no solamente es un gran amante de la literatura, sino que tiene un gran sentido artístico (y es un estupendo encuadernador aficionado).

La infanta tiene prisa por llegar, ya que debe alimentar a su hija recién nacida, María, que sólo tiene dos meses, y es de admirar la seguridad con que se dirige al cuarto de los niños, sorteando todos los obstáculos con absoluta precisión pese a su ceguera. Su truco es que nunca jamás se cambie nada, ni siquiera un centímetro; el servicio tiene orden de que los muebles estén siempre en el mismo sitio, aunque, para ello, en ocasiones, se deben realizar unas pequeñas marcas en el suelo.

Mientras su marido tiene una profesión concreta, por las mañanas da clases en la Escuela Nacional del Tórax y por la tarde pasa consulta junto a su padre, también cardiólogo, el escueto perfil biográfico que ofrece la prensa de la infanta habla de su colaboración en diversas obras benéficas, y señala con vaguedad «UNICEF, leprosos...». Margot suele comentar con tristeza que a ella nunca le han gustado los cargos honoríficos.

Margot, con ese lazo de unión especial que siempre ha tenido con su madre, piensa en lo triste que debe estar ahora Villa Giralda. Ahora sus padres ya no tienen la excusa del exilio impuesto por Franco, pero nadie les dice que vayan a vivir a Madrid, aunque Juanito, vagamente, les insinúa algo así:

—Cuando queráis, hay un avión en Getafe dispuesto a ir a buscaros.

Porque el Caudillo ha muerto, es cierto, y don Juan Carlos es rey, pero la situación de Juan sigue siendo la misma. Le aconsejan no llamar la atención para no añadir una preocupación más a la pesada carga de responsabilidades del nuevo rey, no dar motivos para que aúllen los lobos de siempre.

Juan es padre de rey, pero no puede dejar de pensar que su lucha, y por tanto su vida, ha sido un fracaso.

Con su desgarro habitual, decretaba lo mismo que decía su padre en sus últimos años de vida cuando veía que Franco no lo llamaba y que moriría en el exilio:

—La política es una mierda, y yo soy una víctima de la política, porque no he sido rey de España por culpa de la política.

Muchos de los que le rodeaban lo abandonan para entrar en la órbita de Juan Carlos, donde creen que tendrán más fortuna; aunque se equivocan, pues Sofía no está dispuesta a aceptar la misma camarilla que envolvió a su suegro en el exilio y se niega a que los españoles los relacionen con un pasado impopular y ya polvoriento.

Es el caso de Laureano López Rodó, visitante ocasional de Estoril, pero que tanto ha conspirado para que sea Juan Carlos el que ocupe el trono y no su padre. Él también cree merecer una recompensa por sus desvelos. Después de entrevistarse a solas con el rey, salió compungido de la audiencia. El secretario de Su Majestad se atrevió a preguntarle al rey:

—¿Qué le pasa a Laureano, Majestad?

—Ha venido a decirme que, aunque está soltero y no tiene hijos, aceptaría gustoso un título para cedérselo a uno de sus sobrinos.

—¿Y?

El rey contestó con cierto desdén:

—¡Imposible! Laureano tiene plomo franquista en las alas.

No le valieron a López Rodó ni sus méritos en Estoril ni en El Pardo.

Franco y el franquismo han muerto, pero Juan y María son los grandes perdedores de esta necrológica, aunque nunca hayan recibido ni un solo privilegio del Caudillo. La gran paradoja es que los reyes, sin embargo, que sí lo son gracias a Franco, representan el futuro. Claro que a Juan Carlos le gusta precisar:

—Sí, soy rey gracias a Franco y a las diecisiete generaciones de reyes que me han precedido.

El único gesto que le sería admitido al conde de Barcelona sería la abdicación de sus derechos históricos en la persona de su hijo, pero, por pundonor, y también, por qué no, como una especie de venganza, dice que lo hará cuando sea oportuno y la democracia esté afianzada.

Quizás le quedan todavía esperanzas de que, si su hijo sigue siendo franquista más allá de Franco, los demócratas del país recurran por fin a él, pero, si realmente lo piensa, es el único iluso. Hasta el incombustible Sainz Rodríguez se ha resignado:

—Hay que joderse. Don Juanito ha nacido con buena estrella...

Margot y Carlos deciden ir a pasar las Navidades a Villa Giralda con sus padres para servirles de apoyo en estos momentos tan delicados, ya que ahora apenas nadie va a visitarlos. María no puede dejar de emocionarse al ver a Alfonsito, el hijo mayor de su hija, bajando por la misma escalera por la que lo hacía su propio hijo Alfonsito, dos rostros casi exactos para el mismo nombre.

Los condes de Barcelona no empiezan a regularizar sus estancias en Madrid hasta bien entrado el año 1976, y sus visitas se producen de puntillas, sin ocupar ningún relieve en los medios de comunicación.

María tiene una habitación en la casa de Pilar y otra en la de Margot, incluso ocupa durante un tiempo un cuartito justo en la entrada del Palacio de La Zarzuela, al lado del vestíbulo. Allí veía todos los días cómo salía a montar su nieta Elena, impecablemente vestida de punta en blanco, con la institutriz delante, los escoltas detrás, el *jeep* con un «soldadito» con la metralleta desenfundada,[7] y todo con un aire apacible y civilizado que a María le parecía muy aburrido.

Elena regresaba sin que se le hubiera movido ni un pelo.

¡La nieta de María la Brava no podía ser una cursi montando!

Un día se hizo la encontradiza con ella (quizás temiendo que Sofía, la hija de «la prusiana», se interpusiese en sus planes) y le dijo:

—Eso que haces, Elena, es un ejercicio de bebés. ¿Tú quieres que yo te enseñe a montar de verdad?

—¡Pues claro, Ia!

María se puso su elegante traje de montar, que tenía desde hacía cuarenta años, con una falda larga de cuero que se había comprado durante su viaje de novios en Estados Unidos, y al salir de su habitación se pegó un buen susto, pues se encontró a Sofía de brazos cruzados mirándola de arriba abajo. Arqueando una ceja le preguntó:

—¿Vas a montar a la amazona? ¡Nuestros caballos ya no están acostumbrados!

Elena protestó también, algo desilusionada:

—¡Montar así es una antigualla!

María no replicó. Su caballo era muy noble, de Domecq, y grande como ella. Le pidió una escalerilla a un criado. Se subió y se puso a hablarle al oído al animal durante un rato, hasta que éste movió su enorme cabezota con un relincho, como si asintiera. María se sentó de lado, «a la amazona», como le habían enseñado de niña, y le dijo a su nieta:

—Sígueme. Pero no vamos a ir por la carretera, sino por el campo. Y cuando chasquee los dedos, ponte a correr a mi altura.

Fue una carrera magnífica, casi hasta El Pardo, y volvieron haciendo competición. María miraba a su nieta mientras azuzaba a su montura y Elena corría con su misma cadencia, la trenza golpeándole la espalda, contagiada ella también por la sensación de libertad y plenitud que María había sentido siempre a lomos de su caballo.

Elena la miraba también con las mejillas enrojecidas de excitación. Las dos gritaban, fusta en alto:

—Yiaaaaa yiaaaaaa.

Llegaron a Zarzuela sin aliento. A la puerta del palacio estaba esperando la reina, quizás enfadada con «las cosas» de su suegra, como cuando les cortó el pelo al cero a las infantas en la Costa Azul. Pero no pudo hacer comentarios porque Elena descabalgó entusiasmada, se quitó el casco y le dio un abrazo:

—Mami, ahora ya sé lo que es montar de verdad.

María sonrió modestamente y le hizo dar media vuelta al caballo para meterlo en la cuadra.

Como todo el mundo sabe, Elena se hizo amazona profesional. María comentaba con cierta pesadumbre de esta nieta, quizás la favorita porque veía en ella muchas cosas suyas:

—Tiene el mismo problema que yo, ¡es tan grandota! Se ríen de ella porque se cae mucho, pero ella contesta: ¡Sólo no se cae el que no monta!

Juan, sin embargo, prefiere alojarse en casa del conde de los Gaitanes, en La Moraleja, donde cuenta con habitaciones propias. La familia Ussía al completo, padres y diez hijos, se desvive por él, pero respetando su privacidad, de la que el conde de Barcelona, como buen hijo de inglesa, no puede prescindir. El padre, Luis, se convierte en su intendente, un administrador de lujo, ya que ha sido uno de los banqueros más importantes del país, y una de las hijas mayores, Rocío, en su mano derecha, y también la izquierda. Otro hijo, Alfonso, lo acompaña en muchas ocasiones a las comidas que le ofrecen en distintas casas de Madrid.

El rey posteriormente agradecerá estas constantes atenciones a su padre concediendo la Grandeza de España al título de conde de los Gaitanes, que hoy día ostenta Pedro de Ussía y Muñoz Seca.

Las reuniones de los condes de Barcelona con Sofía y Juanito son escasas. Juan Carlos está muy ocupado intentando desmontar pieza a pieza y sin que nadie lo advierta un sistema político que ha gobernado el país durante cuarenta años. Sofía entiende la familia en su sentido más restrictivo, ella, su marido y sus tres hijos, en cuya educación está totalmente volcada.

Es el mismo modelo que ha adoptado Letizia con su marido y sus hijas. La princesa de Asturias prefiere mantenerse alejada de sus suegros, aunque, según algunos entendidos en el tema dinástico, éste sería uno de los imperativos de las monarquías para pasar de un rey a otro sin traumas y sin revoluciones.

Últimamente en estos propósitos está siendo secundada por un influyente grupo de opinión, encargado de difundir rumores interesados sobre la salud del rey y de promocionar las gracias sin fin del heredero —«el mejor preparado de España», como si hubiera otro—, en una nueva Operación Príncipe que a los españoles de cierta edad nos hace recordar perfectamente aquella otra. Cuando se produzca el inevitable «hecho biológico», estos grupos quieren estar en la lína de salida y formar parte de la corte de los nuevos reyes, pero no estaría de más que recordaran la legendaria «ingratitud borbónica», que quizás no es más que la forma de defenderse de las presiones de unos grupos que, fingiendo defender a la monarquía, están en realidad defendiedo sus propios intereses.

Lo hizo también don Juan con su padre Alfonso XIII, que en los últimos años de vida se condolía:

—¡Estoy pasado de moda!

Es lo que los freudianos llaman «matar al padre», que en este caso además de padre es rey, para poder acceder a la realización plena y a la madurez.

Los consejeros de Juan Carlos, Torcuato Fernández Miranda por ejemplo, y también Adolfo Suárez, no quieren que Juan visite públicamente a su hijo, ya que temen que se pueda llegar a decir que el padre influye en las decisiones del rey.

Aunque más tarde don Juan «se pavoneará» contando que él aconsejó a su hijo que se deshiciera de Carlos Arias como presidente de Gobierno, lo cierto es que esta manifestación parece más bien un deseo algo infantil de acrecentar su importancia histórica.

Al parecer, y según diversas fuentes consultadas, Juan Carlos ya nunca hablaba de política con su padre, y mucho menos le pedía su opinión en temas relativos a su forma de ejercerla.

Don Juan alimentaría el resto de su vida una profunda aversión hacia Fernández Miranda y Adolfo Suárez, y llegó a tener una discusión muy violenta, a gritos, con su hijo para que no se le concediese a uno el Toisón de Oro, y al otro, el ducado de Suárez.

Pobre don Juan, ¡su hijo no le hizo caso ni siquiera en eso!

Del matrimonio, Juan es el que tiene el bajón más llamativo, queda desarbolado. Es como si lo hubiera mantenido en pie su lucha contra Franco y al morir éste se hubiera llevado con él gran parte de la energía que alimentaba su vida.

María, suelta por primera vez de la pesada losa de servir a la transmisión de la legitimidad dinástica —todas sus acciones, hasta las más nimias, se analizaban cuidadosamente para ver si convenían a la causa—, se siente resignadamente libre. Recupera la vivacidad de sus mejores tiempos, se dedica a sus hijas, sus nietos, a sus amigos de juventud y a los hijos de sus amigos, como por ejemplo Angelines, duquesa de Parcent, y Merche, marquesa de Perales del Río, hijas de su inolvidable Angelita Rocamora, que la visitan para hablar de los tiempos de Suiza:

—¡Cuando mis hijos os lo hacían pasar de todos los colores!

María de Rusia se convierte en una de sus jóvenes amigas, como uno de los hijos de Bela, José Zamoyski, y su mujer Antonia, y también el sofisticado Giovanni de Borbón Dos Sicilias.

Éste es hijo de un primo de María y se dedica al mundo de la moda, llegó a ser director artístico de la revista *Vogue*. Sus puntos de vista originales y modernos divierten a María, a quien le encanta hablar con gente más joven que ella, como Tessa de Baviera, la hija de su incondicional Marisol, que la llama o la va a ver casi todos los días. Se ha casado con el marqués de Castro y no es feliz, pero entretiene a María con su desgarro castizo y la pone al tanto de todo lo que acontece en la sociedad madrileña.

María le sugiere a su cuñada Crista, que se ha quedado sola ya que todos sus hijos se han casado, que coja una casa en Madrid, y la infanta compra un cómodo pisito en la calle Velázquez, adonde María suele ir a tomar el té. Crista tiene un perro que se llama *Locco* y es tan bueno que, si la criada le abre la puerta, él solo se va a dar la vuelta a la manzana y luego, muy formalito, vuelve a la casa.[8] Lo miran las dos cuñadas con la sonrisa en los labios y después Crista le vuelve a decir a María, como cuando eran jóvenes y paseaban por Rapallo:

—¡Cómo te pueden gustar las cacerías y los toros! ¡Nunca lo he entendido!

Crista falleció repentinamente de un ataque al corazón mientras celebraban el cumpleaños de María, el de 1996, en una cena en Villa Giralda. Once días antes, el 12 de diciembre, había presentado el libro de Ricardo Mateos *Los desconocidos infantes de España.* Como no se encontraba bien y la fecha coincidia con su ochenta y cinco cumpleaños, Ricardo temió que no acudiese. Pero las hijas lo tranquilizaron:

—Mamá nunca ha faltado a una promesa.

Esta infanta alguna vez se sinceró confesando:

—No creo haber atesorado muchos méritos en la vida, únicamente no haberle hecho daño a nadie a sabiendas, pero no sé si eso es suficiente…

María también se hace cargo de sus hermanas y las reúne en Madrid. Bela ingresa en una comunidad religiosa de Pozuelo de Alarcón, donde morirá en 1985, y Dola, la traviesa Dola con la que se subía a las carretas en Sevilla para huir del colegio e ir a Villamanrique, la heroica Dola que atravesó Europa en guerra y estuvo a punto de ser fusilada dos veces, termina sus días en un geriátrico de Majadahonda, en Madrid, en 1996. A pesar de que su segundo marido, Carlos Chías, vivía y tenía una buena relación con ella, Dola le contaba a su hermana cuando iba a verla:

—Estoy muy contenta, porque aquí me cuidan muy bien y son todos muy simpáticos.

A ambas, Dola y Bela, las entierran en El Escorial, en la Cripta Real, porque son infantas. María dice:

—Hombre, mejor estarían con «los papás» en Sevilla, pero aquí al menos están juntas.

Cuando los nietos le preguntan con algo de impertinencia que ella dónde «vivirá», contesta tranquilamente:

—Me parece que también en El Escorial, pero un poquito más lejos, en el Panteón de Reyes.

Otro de los hijos de Bela se ha tenido que poner a trabajar de conductor de camiones, ¡pues hasta para él María busca una recomendación! Incluso Esperanza la llama muchas veces desde Brasil para encargarle alguna gestión acerca de la finca de Villamanrique y también que se ocupe de los hijos que están estudiando en Madrid.

Lo primero que hace al levantarse es coger su agenda y ver las «devociones» del día. A quién tiene que llamar. A una le pregunta por su espalda, a la otra la consuela por la pérdida de su marido, a la de más allá le recomienda una escopeta o una silla de montar, o llama a Sevilla para preguntar por un zurcido de su traje de novia, que ha regalado a la Virgen de la Merced, de la Hermandad de la Pasión.

Incluso recibe a unos primos lejanos australianos que vienen de visita a Madrid y después no deja nunca de felicitarles la Navidad. Estos primos guardan celosamente todos los *christmas*, en los que María pone cada año un recuerdo personal y diferente, sin olvidarse del nombre de ninguno de ellos.

Cuando Esperanza la invita a la segunda boda de uno de sus hijos, le dice con humor:

—¡Ya no tengo tiempo de ir a la segunda boda de nadie!

Se convierte, como le encargó Nino y por ese sentido familiar de los Dos Sicilias, en la argamasa que los mantiene unidos a todos.

Ricardo Mateos, que tanto contacto ha tenido con esta familia, me lo repite con entusiasmo poniéndose la mano sobre el pecho:

—Es que los Dos Sicilias son gente de corazón.

Juan, deprimido y desanimado, empieza a tener achaques de salud, él, que era la imagen misma de la fortaleza más apabullante, «corpulento y musculoso, de tez yodada, un catador, risa bronca y rudo andar viril», como lo describe Fernández de la Mora. Primero es la vista, se le desprende la retina de un ojo y cuando está convaleciente de esta operación, que le realizó el doctor Muiños, se le desprende la retina del otro, dejándolo temporalmente ciego. A partir de ahí, Juan manifiesta auténtico terror a perder la vista, hasta el punto de que, en una ocasión en que se fue el fluido de luz en una fiesta que se daba en su honor en Barcelona en la discoteca Up&Down,[9] tuvo un ataque de pánico y empezó a gritar:

—¡Me he quedado ciego, me he quedado ciego!

Después es el oído, y también varices, de las que debe ser intervenido. Ésta es una dolencia que heredaría Juan Carlos, que también será operado varios años después.

Pero el viejo luchador no se resigna a pasar por el reinado de su hijo como una sombra fantasmal y les comunica a sus hijas y a su mujer que por fin ha decidido no abdicar, pues no puede abdicarse de un trono que nunca se ha tenido, pero sí renunciar a sus derechos dinásticos, con el eco correspondiente en toda la prensa. María le apoya y le anima, pero se disgusta cuando Sofía le propone hacerlo por carta, como si fuera un señor cualquiera despidiéndose de un familiar.

María, cuando su biógrafo intenta sonsacarla acerca de este episodio de su vida, contesta con gesto dolorido:

—¡De eso no voy a hablar!

Pero, al final, sí confesó:

—Aunque se hizo de una manera muy pobre, yo sentí una emoción intensa.

Juan, por su parte, monta en cólera hacia lo que él considera un desprecio más, otro clavo de su cruz. Es el acto final de su vida política y quiere que tenga la escenografía de una ópera wagneriana: propone hacer su renuncia delante del féretro de su padre, a bordo del barco de guerra que debe traerlo a España.

Al final, como pasaba en tiempos de Franco, se amolda a lo que le ofrecen y se resigna: un acto deslucido y frío, en un salón del Palacio de La Zarzuela, con traje de calle, sin ninguna ceremonia, el 14 de mayo de 1977, un mes antes de las elecciones generales que ganará Adolfo Suárez y la UCD y un año y medio antes de que los españoles votáramos una nueva Constitución que vendría a sustituir aquellos Principios Nacionales del Movimiento que parecían tan eternos e inmutables como las perlas de la Generalísima.

En el acto de renuncia, al que la infanta Cristina ni siquiera se molesta en acudir desde Londres, donde está haciendo un curso de idiomas, el príncipe Felipe va con jersey, aunque, eso sí, con sus primeros pantalones largos, la reina con un vestidito camisero más propio de una merienda con las amigas que de un acto de tanta trascendencia, y María con un traje desangelado amarillo que le cae muy mal y que ya se ha puesto en diversas ocasiones. Va muy maquillada, o quizás es que ha llorado, porque lleva el *rimmel* corrido, lo que le da la expresión trágica y abatida de una máscara griega.

El único que está realmente emocionado y que es consciente de la importancia histórica de ese momento es don Juan. Sofía luce la misma sonrisa impávida de todos los actos a los que concurre, sean de la naturaleza que sean, Juan Carlos se muestra algo incómodo, y las expresiones de Pilar y Margot son tristes, pero también con un punto de rabia cuando escuchan a su padre decir aquello de:

—... Creo llegado el momento de entregar el legado histórico que heredé... Ofrezco a mi Patria la renuncia de los derechos históricos de la monarquía española, sus títulos, privilegios y la jefatura de la familia y la Casa Real de España que recibí de mi padre, deseando conservar para mí tan sólo el título de conde de Barcelona...

Al terminar de decir estas palabras, Juan se cuadra por primera vez ante su hijo, da un taconazo e inclina la cabeza. Luego se dan un abrazo mal encajado sin mirarse.

Es un acto sin sonrisas y que se explica tan mal que la gente no sabe muy bien qué significa y al que apenas se le presta atención. Aunque sí se comenta, a la vista de las pocas fotos que se distribuyeron de la ceremonia, el bajón físico que han dado los padres del rey: en un año parecen haberse echado veinte encima.

Don Juan no llegó a decir lo de su padre después de hacer testamento:

—Coño, después de esto sólo me queda morirme.

Pero seguro que lo pensó, y María también.

De todas formas, y fiel a las costumbres de su estirpe, doña María se prepara para entregar a Sofía[10] el símbolo de las reinas de España: la perla Peregrina. Con gran solemnidad deposita en sus manos la bolsita de terciopelo en la que está guardada la alhaja, con unas palabras parecidas a éstas:

—Sofía, ahora te corresponde a ti llevarla y cuidarla para legarla a tus descendientes.

La reina mira dentro de la bolsa y la acepta dando las gracias.

Sonríe.

Pasan los meses, los años, y un buen día, María, curioseando en sus cajones, ve la Peregrina ahí, sola, tirada en el fondo, entre unos pañuelos, y entonces se da cuenta de su despiste. Se apresura a llamar a su nuera y le pregunta:

—Pero, Sofía. ¿Qué había en la bolsa que te di?

—Sí, me pareció extraña tanta solemnidad, había una cadenita de oro.

Después de la patética ceremonia de renuncia, el abismo entre la familia del rey y doña Sofía se acrecienta. Es cierto que cuando la reina cumple cuarenta años Juan Carlos le monta una fiesta sorpresa en casa de Pilar, pero la verdad es que la mayoría de los invitados son parientes alemanes y griegos de Sofía, y Margot y Pilar se encuentran un poco desplazadas. Nunca se ha comentado en voz alta ni se ha publicado claramente en ningún sitio, pero la falta de fluidez en las relaciones entre las hermanas del rey y doña Sofía es un secreto a voces, hasta el punto de que la reina, años después, se ve obligada a justificarse en la biografía que le dictó a Pilar Urbano, diciendo secamente que no es verdad que se lleve mal con sus cuñadas como se rumorea.

Es la única referencia a Pilar y Margarita en un libro de casi trescientas páginas.

Curiosamente, tampoco la actual princesa de Asturias, Letizia Ortiz, tiene una buena relación con sus cuñadas Cristina y Elena, como tantas veces se ha señalado. Es asombroso el paralelismo de ambos grupos familiares, separados tan sólo por una generación.

Lo cierto es que el reconocimiento internacional del que disfrutan nuestros reyes, su prestigio interior y el creciente amor de su pueblo, que se siente identificado con esta pareja sencilla, austera y sin corte, no se refleja en su familia, que vive totalmente alejada de los centros de poder. A diferencia del resto de las monarquía europeas, en las que los hermanos, padres y hasta primos de los monarcas tienen un papel protagonista en todos los actos relacionados con la Corona, recordemos a la reina de Inglaterra saludando desde el balcón del palacio de Buckhingham rodeada de todos sus parientes, incluso los príncipes de Kent, primos segundos suyos, y las monarquías nórdicas y holandesa con las hermanas de los reyes presidiendo junto a ellos ceremonias importantes, como la concesión de los Premios Nobel; aquí, en España, la familia de don Juan Carlos está totalmente marginada. En ocasiones, para poner en evidencia esta sorprendente circunstancia, cuando vienen de visita mandatarios extranjeros, son éstos los que invitan a los padres y las hermanas del rey por relaciones de amistad o parentesco.

Si bien se achaca en ocasiones esta actitud a las sugerencias, primero de Franco, y después de Adolfo Suárez o Torcuato Fernández Miranda, el mentor de la Transición, que aconsejan al rey alejarse de todo lo que suene a Borbón, de infausto recuerdo para los españoles, voces autorizadas me han confirmado que la reina doña Sofía nunca estuvo interesada en fomentar la unidad familiar con sus parientes políticos o la proximidad de sus cuñadas y de sus suegros.

En 1979 empiezan los problemas para las hermanas del rey. Luis Gómez-Acebo, que como sus cuñados se ha convertido en un asiduo del esquí, se rompe una pierna en Suiza, y la lesión es tan importante que no se cura jamás. Tiene dolores constantes, el hueso está astillado y debe sufrir varias operaciones; ya nunca volverá a ser el mismo. La familia, que depende de sus ingresos, tiene que apretarse el cinturón, y, para ahorrar, deciden trasladarse a un piso en la colonia Puerta de Hierro, lujoso, sí, pero sin tantos gastos como el chalé de Somosaguas.

Pilar emplea todas sus energías en animar a su marido y sacar adelante a sus cinco hijos, además de su trabajo, no remunerado, en Nuevo Futuro.

Precisamente ese mismo año, Margot, que todavía no ostenta ningún título nobiliario aparte del de infanta de España, es agraciada con uno sorprendente: un pariente muy lejano al que no conoce le deja en herencia el ducado de Hernani. Es Manfredo de Borbón y Bernaldo de Quirós, biznieto del infante portugués Gabriel de Borbón y Braganza, que en tiempos remotos había coqueteado con Esperanza, la hermana de María. Manfredo no tiene descendientes directos, aparte de un sobrino de su mujer, Francisco Javier Méndez de Vigo.

Lo que parece un acto de generosidad por parte de Manfredo, algo asombroso, sí, ya que no conocía a la infanta, se convierte con los años en una complicación legal que da lugar a innumerables pleitos y graves acusaciones de falsificación, robo y estafa, y el nombre de la Familia Real se ve arrastrado por primera vez por los juzgados. Porque el sobrino de Manfredo afirma que el testamento de su tío ha sido falsificado, no para hacerse con el título, sino para quedarse con la fabulosa colección de arte que poseía, a la que se conocía como «el segundo Prado»: seiscientos ochenta y un cuadros de primeros maestros, como Tiziano, Carpaccio, Rembrandt y Goya, de valor incalculable, que hoy están colgados en museos de todo el mundo, a los que han sido vendidos no se sabe por quién, o bien en paradero desconocido.

Hoy día este pleito aún perdura por los tribunales españoles, ya que ha sido objeto de varios recursos.

La infanta no ha utilizado nunca el título de duquesa de Hernani. Quizás para que no se le aplicara este tratamiento, le pidió al fin a su hermano el título que les había ofrecido don Juan con motivo de su boda: el ducado de Soria, que fue sancionado en el *BOE* en 1981, aunque tal distinción nobiliaria, como el de Badajoz, no es hereditaria y a la muerte de la infanta volverá a la Corona. A diferencia de su cuñado Luis Gómez-Acebo, al que le encantan los títulos y se siente orgulloso de utilizarlos, Carlos Zurita reconoce que prefiere que le llamen doctor a duque de Soria.

Un doctor que tiene mucho trabajo dentro de la familia. Un día en que don Juan está comiendo en casa de Pilar, ésta advierte que su voz, normalmente afónica debido al tabaco, es casi inaudible. Se queja también de un dolor de garganta que no desaparece nunca. Sus hijas le piden, como a Alfonso XIII las suyas:

—Papá, no fumes.

Don Juan no llega a articular la respuesta de su padre:

—Bah, para las ganas que tengo yo de vivir, qué más da que fume o que no fume.

Pero su actitud de desánimo es la misma. Se consulta rápidamente a Carlos Zurita, quien determina las pruebas pertinentes en el hospital de la Marina. La biopsia es clara y definitiva: cáncer de garganta, y tan agresivo que hay que operar de inmediato. Naturalmente, le obligan a dejar de fumar. También lo hace María, fumadora empedernida, que promete no volver a coger un cigarrillo para que todo vaya bien. Hasta Amalín deja de fumar, aunque sólo delante de la señora.

María se hunde. La posibilidad de que Juan se vaya antes que ella, que nunca se le ha ocurrido, la aterra. Pero pronto se recupera, y ella, valerosa como siempre, se dedica a animar a sus hijas:

—No os preocupéis, papá es un luchador.

Pero lo malo es eso. ¡Que Juan no tiene ganas de luchar! Un militar que estuvo cerca de él en aquella época me cuenta:

—Es como si ya hubiera doblado el petate... Ya no le interesaba seguir viviendo... Ni siquiera dejó de fumar...

Únicamente le comenta al escritor Alfonso Ussía, hijo del conde de los Gaitanes:

—¡Estoy muy jodido!

El conde de Barcelona tiene predilección por este hijo de su intendente. Lo conoció en Hossegor, en Las Landas francesas, donde Juan estaba pasando unos días de descanso, cuando el hoy periodista y escritor tenía tan sólo seis años. Juan estrechó con toda seriedad la mano del niño y le preguntó:

—¿Cómo te llamas?

—Alfonso.

Juan tardó en contestar, y, cuando lo hizo, tenía la voz estrangulada por la emoción y los ojos brillantes:

—Yo también tenía un hijo que se llamaba Alfonso...

Se decide que la operación se realice en el Memorial Hospital de Nueva York. Pero Juan sabe que puede ser un viaje sin retorno y, antes de irse, quiere cumplir la promesa que le hizo a su padre en su lecho de muerte: que descanse para siempre en España.

Don Juan viaja a Roma y asiste a la exhumación de los restos de su padre. El ataúd tiene una ventanita a través de cuyo cristal se ve el rostro del que fue Alfonso XIII. La visión impresiona a Juan, hasta el punto de que ya no puede olvidarla nunca: a su padre se le ha vuelto el bigote totalmente blanco y sus ojos abiertos parecen mirarle fijamente. Los ropajes están hechos jirones.

Alfonso XIII regresa a España por Cartagena, en un buque de guerra comandado por su hijo, al que Juan Carlos había nombrado almirante honorario dos años antes. El 19 de enero de 1980 es enterrado en El Escorial, y para que quepa en el nicho tienen que partirle las piernas.

Jesús Aguirre, que tenía gran sentido estético, me comentó que el momento cumbre de aquella austera puesta en escena fue cuando un don Juan muy disminuido físicamente, pues se encontraba mal y tenía fiebre muy alta, se inclinó delante de su hijo para pedirle permiso para entregar el cadáver de Alfonso XIII a los monjes agustinos que regían el convento:

—De los dos, era el que tenía más aspecto de rey.

Juan y María viajaron al día siguiente a Nueva York, acompañados por Carlos Zurita y la infanta Pilar. Juan se inscribió en el hospital con el nombre de Juan López, el mismo con el que había entrado en España durante la Guerra Civil cuarenta y cuatro años antes. María era mistress López para el personal del hospital y Pilar miss López. La operación, que duró siete horas, se realizó sin problemas, aunque fueron advertidos de que el riesgo de recaída era grande y que seguramente don Juan no viviría más allá de unos meses.

La convalecencia la pasaron en el hotel Mayfar, en un apartamento provisto de una pequeña cocina. Con el tratamiento, se le dormían los pies y las manos, y su mujer le hacía masajes. Como sólo podía comer purés y papillas, María aprovechó las lecciones que había tomado en París para cocinarle las cosas que le gustaban, y lo hacía tan bien que hasta Pilar quería compartir la comida de su padre.

Como, a pesar del pesimismo de los médicos, tenían la certeza de que Juan iba a curarse —en realidad vivió once años más—, fueron unos días felices, quizás los últimos de sus vidas.

María llamaba a su marido:

—Almirante.

Compraba ella misma las verduras que necesitaba, las mezclaba con las proteínas y vitaminas que precisaba, y a veces, mimoso y súbitamente enternecido, su marido le pedía que le diera la comida en la boca.

Cuando volvía después de estar un rato fuera, Juan la recibía siempre con un:

—¡Cómo has tardado!

Pilar tuvo que regresar a Madrid para ocuparse de sus hijos y de su marido, también enfermo, y los reyes de España fueron de incógnito a ver a su padre un par de veces. La relación entre padre e hijo casi se normalizó, aunque dentro de un ambiente algo forzado, ya que había muchos temas que no podían tocarse, sobre todo los relacionados con la política. Pero la presencia de María, su conversación tan simpática, siempre sacando punta a las situaciones más complicadas o dramáticas, explicando sus aventuras en las tiendas de comestibles de la zona y su torpeza a la hora de usar la *Túrmix:* «A veces la enchufo y me olvido de poner la tapa», consiguieron el milagro de hacer que los cuatro se lo pasaran muy bien y hasta llegaran a reírse a carcajadas.

Claro que también ayudaba el hecho de que a Juan se le había prohibido hablar.

Dos meses después regresaron a Estoril, a una desangelada Villa Giralda que para ellos ya era más prisión absurda que hogar, por mucho que Dilar y José intenten conservar el sabor de los viejos tiempos, o quizás precisamente por eso.

Además, el intento de golpe de Estado del 23-F lo vivieron allí solos; se enteraron a la salida del cine, y aunque el rey los llamó por teléfono para tranquilizarles, les hubiera gustado estar con sus hijos. Margot y Pilar, con sus maridos, sí fueron a La Zarzuela, aunque no estuvieron en el mismo despacho que su hermano sino en el salón, y no regresaron a sus casas hasta que el asunto no se resolvió. Al día siguiente, y para dar sensación de normalidad, enviaron a los niños al colegio como si no hubiera pasado nada.

Así, las infantas lo tuvieron muy fácil para convencer a sus padres de que debían instalarse en España. Lo consultaron con Juan Carlos y Sofía y éstos estuvieron de acuerdo.

Lo primero de todo era resolver el tema económico. A Juan se le habían devuelto las posesiones que había heredado de su padre Alfonso XIII. Y se apresuró a liquidarlas de una forma algo irregular, según diversos autores, que opinan que las propiedades debían pertenecer en realidad a Patrimonio Nacional, ya que habían sido obsequiadas al rey Alfonso XIII como rey y no como persona particular, y eran por tanto de todos los españoles. El primero en venderse fue el palacio de Miramar, donde Juanito y Alfonsito habían estudiado de pequeños y que había sido de la reina Cristina. Estaba lleno de objetos, muebles de época y más de cuatrocientos cuadros, que fueron repartidos entre toda la familia. Había veinte servicios de manteles de hilo hechos a mano para cuarenta personas.

Después el palacio de la Magdalena en Santander y las veintisiete hectáreas de la península en la que se encuentra. Esta venta fue algo más complicada, ya que en el palacio estaba instalada la Universidad Menéndez y Pelayo y el Ayuntamiento se vio obligado a hacerse con él, endeudándose con el Banco de Santander para poder pagar los ciento cincuenta millones de pesetas que costó, cantidad bastante moderada. La tercera propiedad que vendió Juan fue la isla de la Cortegada, en la ría de Arosa, frente a La Coruña. Había sido expropiada a sus habitantes para ser regalada al rey Alfonso XIII, que sólo había pasado unas horas en el lugar. Juan la ofreció a miembros de su propio consejo por otra cantidad también muy baja: sesenta millones de pesetas. La casa de Estoril, Villa

Giralda, tardó más en ponerla a la venta, creyendo quizás, erróneamente, que algún monárquico se haría con ella como recuerdo. Pero las acciones de Juan estaban bajo mínimos en la bolsa monárquica, nadie se interesó por la propiedad y, al fin, con algo de amargura, no tuvo más remedio que adjudicársela en el año 1990 a un judío alemán, empresario y abogado de patentes, Klaus Saalfeld. La cantidad que éste pagó por la villa fue muy modesta: setenta millones de pesetas.

Aún hace pocos años un conocido mío fue a visitarla y el dueño lo dejó entrar hasta la habitación de Alfonsito. Todavía, al lado de la puerta, estaba el orificio de la bala asesina.

No se sabe qué se hizo con las otras propiedades de Juan, si es que existían, ya que se decía que la herencia de don Alfonso también incluía diversas viviendas urbanas en Madrid, sobre todo en la Red de San Luis, y fincas rústicas en varios lugares de España, como Aranjuez, Segovia y La Granja. Lo que sí es cierto es que, a su muerte, Juan únicamente dejó en herencia a sus tres hijos la casa en la que vivía en Madrid, un apartamento en Estoril, medio edificio de oficinas en la Gran Vía madrileña y dos millones de pesetas.

Aunque José Apezarena da en su excelente libro sobre el príncipe Felipe un dato para mí asombroso: don Juan dejó en herencia a su nieto, el príncipe de Asturias, la cantidad de 400 millones de pesetas, que le habían sido legadas por su madre doña Victoria.

Se desconoce también lo que pasó con la valiosa casa de La Palmera que María heredó de Luisa. Los historiadores afirman, sin más, que se vendió, pero no sabemos por qué precio ni en qué circunstancias.

Con el producto de aquellas ventas, los condes de Barcelona compraron una casa en la calle Lanzahita, en la urbanización Puerta de Hierro, que tampoco había de ser su residencia definitiva. María fue decorándola con los objetos que la habían acompañado toda su vida, desde las esculturas hechas por su hermano Carlos hasta el tapiz de Sotomayor y el retrato de la reina Victoria Eugenia hecho por Laszlo en el que posa con las perlas rusas y que hoy está en el Palacio Real. En todas partes, fotos de los nietos, una de su pequeño Alfonsito con sus ojos trasparentes, y de Pilar y Margot; extrañamente, ninguna de Juan Carlos. A la pregunta del periodista curioso, se contesta que las fotos del rey están en los dormitorios.

Cuando tiene que dar una mala noticia, el timbre del teléfono parece que suena de otra manera.

Otra vez Luis Gómez-Acebo.

Cansancio, fiebre, pérdida de peso… no acaba de recuperarse de sus males. Carlos Zurita advierte una hinchazón en los ganglios de la garganta de su cuñado que le alarma. Le obliga a hacerse una biopsia. El diagnóstico es claro:

—Luis tiene cáncer linfático, mamá.

Sólo tiene cuarenta y nueve años.

Empieza en esos momentos una lucha terrible, que yugula a la familia y que condiciona hasta la más pequeña parcela de su intimidad. Como dijo la infanta cuando todo terminó:

—Han sido siete años espantosos, siempre con la espada de Damocles del cáncer encima.

Después de someterse a diversos tratamientos en España, se opta por seguir el protocolo del New York Hospital, donde el duque de Badajoz recibe quimioterapia durante nueve meses. La sangría económica que esto representa en su patrimonio es importante, y vuelven a España casi con sus recursos agotados. Además, sabe que no está curado y que, probablemente, nunca lo estará. Pero ahora se trata de vivir, él y su familia.

Don Juan le presenta a unos nuevos amigos suyos que pueden serle útiles: son los barones Thyssen, Tita y Heini, fabulosamente ricos y con una extraordinaria colección de cuadros, expuesta en Villa Favorita, en Lugano. La ambiciosa baronesa se había acercado al conde de Barcelona con la intención de que le sirviese de puente frente a los reyes.

Don Juan está encantado con ellos, son amables, cariñosos, y al viejo conquistador le siguen gustando las mujeres guapas. Una amiga de aquellos años me cuenta:

—Don Juan se recreaba la vista con las mujeres, siempre le decía piropos a todas, desde a la camarera que nos servía hasta a la dama más encopetada. No sé en la época de Estoril qué ocurría, pero te puedo decir que cuando vinieron a vivir a España y su hijo ya era rey, nunca se excedió con ninguna.

Carmen Cervera, a la que todos llaman Tita, ex miss España, ex mujer de Lex Baxter y Espartaco Santoni, ex actriz, además de ser una mujer guapísima, ha conseguido un premio gordo: se ha casado con el barón Thyssen, uno de los hombres más ricos del mundo. Su boda en Daylesford, a la que asistió la autora de este libro, fue la apoteosis de la riqueza, la ostentación y una improvisación tan evidente que a pesar de que había cuatro kilómetros de camino bordeado por dos filas de criados vestidos a la Federica con antorchas y la baronesa llevaba el brillante más grande del mundo, el Estrella de la Paz, el banquete se celebró en unas carpas muy sencillas, con mesas de caballete y la comida cayéndose al suelo sin que nadie la recogiese.

Queriendo obtener un acercamiento a los reyes en particular y promoción social en nuestro país en general, consigue que la fabulosa colección de su marido venga a parar a España. Luis Gómez-Acebo es uno de los intermediarios, lo que le proporciona una comisión millonaria y lo convierte en un experto en arte, hasta el punto de que es nombrado presidente de la asociación Amigos del Museo del Prado. Le queda tiempo suficiente para profundizar en sus investigaciones históricas y para escribir un libro muy estimable, *A la sombra de un destino,* sobre la vida de Alonso de Borja, el fundador de la dinastía de los Borgia.

Pero Luis no consigue introducir a los barones en La Zarzuela. El obstáculo para la relación de Tita con los reyes no viene de parte de Juan Carlos, que tiene una mente muy amplia a la hora de escoger sus amistades, le gustan mucho la mujeres guapas, como a su padre, y además reconoce la generosidad del legado pictórico de los barones, sino de Sofía ¡era imposible que la reina de España, cuyas únicas amigas son su prima Tatiana Radziwill y su hermana Irene, se sintiera a gusto con una antigua reina del destape!

Y que a nadie se le ocurra decir la inconveniencia de que ambas podrían tratarse «de reina a reina».

Lo mismo opinaba María, por supuesto, que no llegó a conocer a Tita más que en algún saludo protocolario. Además, ahora no está para hacer demasiada vida social, ya que, corriendo, como siempre, porque, como le dicen sus hermanas: «¡Tú no te das cuenta de que te has hecho mayor!», resbala en una alfombra del Palacio de La Zarzuela y se rompe una pierna, en 1984.

Una vez recuperada, baja un día atolondradamente las escaleras y vuelve a caerse. Está dos años haciendo durísimos ejercicios de rehabilitación, hasta el último momento tiene la esperanza de recuperarse, pero no para caminar sino para:

—¡Montar a caballo!

Y también para ponerse de pie cuando suene la *Marcha Real.*

Finalmente, aquella luchadora indomable tiene que resignarse a pasar el resto de su vida en una silla de ruedas. La larga inmovilidad en una cama afecta a sus vértebras cervicales y le da esa postura forzada, con la cabeza inclinada hacia un lado, que desgraciadamente es su imagen más conocida.

Así, con su silla de ruedas, asiste María a la celebración de sus bodas de oro, el 12 de octubre de 1985, que sus hijos les organizan en el desangelado palacio de El Pardo, que tan malos recuerdos tiene para ellos.

En la foto de familia tomada ese día, doña María lleva un traje de gasa, perlas y largos pendientes, y se ha teñido el pelo de rubio, que le sienta muy bien. Está en la silla de ruedas, pero la inclinación de la cabeza es todavía mínima, apenas se nota. Coquetonamente, asoma un pie para que se le vea el zapato salón de color negro. Pilar está espectacular, con un traje de un solo hombro, y Margot lleva un vestido de brocado de una suntuosidad medieval. Me sorprenden en esta foto varios detalles: lo anticuadas que iban las infantas Elena y Cristina en esa época; son chicas jóvenes y llevan collares de perlas, terciopelo negro, lazos y faldas abollonadas; lo delgado que está el rey —y sus patillas a lo Curro Jiménez— y la semisonrisa de circunstancias de la pareja agasajada. Ninguno de los dos parece muy contento con esta fiesta.

En un momento dado, María se encuentra a otra señora que también va en silla de ruedas y tiene con ella una larga conversación, aunque no se conocían. Cuando los nietos le preguntan de qué hablaban, María les aclara algo avergonzada que le preguntaba trucos para manejarse mejor con la silla y se justifica:

—¡Es que yo soy más novata!

No sería el único encuentro pintoresco de María y Juan en sus bodas de oro. Invitado por Luis Gómez-Acebo, aparece Leandro Ruiz Moragas, el hijo de Alfonso XIII y la actriz Carmen Ruiz Moragas, medio hermano, por tanto, del conde de Barcelona. Hay una foto saludando a María, que parece que no sabe quién es, o al menos lo mira con bastante indiferencia. Según cuenta Leandro, en cuanto María se retiró, estuvo departiendo con don Juan, «tan cariñoso conmigo como siempre porque tiene esa campechanía que nos es tan propia a los Borbones».

Al cabo de pocos años, a Leandro le reconocieron el derecho a llevar el apellido Borbón. Ahora, eso sí, a pesar de la campechanía, de la herencia, ni un duro.

En muy difícil situación económica, Leandro está esperando en estos momentos que se proceda a la partición de una finca cerca de Madrid que había resultado pertenecer, sin que nadie lo supiese, a su padre. Se averiguó esta circunstancia al desempolvar los títulos de propiedad a petición de una sociedad interesada en instalar allí un casino. Como tal herencia también correspondería a personas poco gratas a la Familia Real, como la hija natural norteamericana de Gonzalo de Borbón y una de sus ex mujeres, no hay ningún interés en agilizar unos trámites, que languidecen desde hace años en algún negociado.

Tampoco gusta a los reyes que Leandro se autoadjudique el título de infante, que imprime también en sus tarjetas, ya que no tiene derecho a ello.

En realidad, el haberse enfrentado a la Familia Real para que se le reconciera el derecho a llevar, únicamente a efectos civiles, el apellido Borbón, sólo le ha servido al pobre Leandro para escribir algún libro hablando de los recuerdos que tiene de su padre el rey, que murió cuando él era apenas un bebé, y para salir en algunos programas de televisión, en fin, como dicen los clásicos, ¡la calderilla de la fama!

Atada a una silla de ruedas, la movilidad de María queda muy restringida, aunque poco a poco se acostumbra a vivir con este *handicap*, e incluso hace personalmente la mudanza a una nueva casa, otra Villa Giralda, en la parte alta de la urbanización Puerta de Hierro, que será su residencia definitiva. Como ya no tiene a Angelita Rocamora, que se ocupaba de todos estos temas, porque ha muerto, única razón que podía apartarla del cuidado de su reina, María está como una recién desposada que pone casa por primera vez.

Según nos cuenta González de Vega, su actividad en esta mudanza fue frenética, recibió propuestas, discutió condiciones y emplazamiento, consiguió un buen precio dado el estado de abandono en que se hallaba la nueva propiedad y a que no estaba en la zona noble de la urbanización. Y después miró planos, habló con los constructores, proyectó el jardín, en el que plantó, cómo no, jazmines y claveles sevillanos, limoneros y mandarinos y rosas blancas... Cada día iba a ver la obra en su «Mimí móvil», como habían bautizado sus nietos el coche que le había regalado el rey adaptado a la silla de ruedas, y conocía hasta el nombre de los electricistas uno a uno. Convertida «casi» en una señora particular, liberada de sus obligaciones protocolarias, se entretiene con cuestiones domésticas que tan poco le interesaban cuando creía que iba a ser reina.

Desde la ventana de la casa, a través del espeso follaje de las encinas y los robles que no quiere podar, se ve un poblado chabolista, y María dice que no le importa. No es racista:

—A mí me encantan los gitanos.

Es de figurarse que esta vez no pretendió que regularizasen su situación acordándose de la mala experiencia de Portugal y los gritos que proferían aquellas mujeres:

—*Carallo*, ¿para qué vinieron? ¿Por qué nos hicieron casarnos?

Pero Juan está inquieto, le parece que anclarse definitivamente será su muerte, él no está a gusto «en secano», tan lejos del mar, y además, se siente rodeado de ingratitud y, lo que es peor, relegado al olvido.

¿Qué esperan que haga? ¿Jugar a la petanca, cuidar a sus nietos, hacer el crucigrama del *ABC*, leer las esquelas, embobarse delante del televisor con una manta de cuadros sobre las rodillas? Él mismo explica con amargura que no tiene estatus, que no lo invitan a los actos oficiales porque no saben dónde ponerle. Su único título es el de almirante, y le correspondería un asiento de menor categoría que el de subsecretario de Estado.

—¡No saben dónde meterme!

La gente desconoce cómo dirigirse a él, que fue Majestad en Estoril durante treinta años, y le aplican tratamientos estrafalarios, desde un simple Señor Borbón hasta un ridículo Su Honorable Señoría. Don Juan se refugia en la mar, como siempre, pero ni esta afición consigue compartir con su hijo y su nuera, a los que sólo suele ver en el transcurso de una cena, a principios del mes de agosto, semiclandestina. En Mallorca cada uno tiene su grupo de amigos, el del rey está compuesto por una nueva nobleza, la del dinero, los Conde, Abelló, Cortina, Alcocer, De la Rosa, Tchokotua —casi todos han acabado inmersos en algún proceso judicial— y también por los parientes de su mujer, sobre todo Constantino, Ana María y sus cinco hijos, Alexia, Pablo, Nicolás, Teodora y Filipos, y su prima Tatiana Radziwill, con su marido el doctor Fruchaud y sus hijos Fabiola y Alexis. «Los griegos», como los llaman en familia, se alojan en Marivent.

A bordo del *Giralda*, cuando don Juan bordea las costas de Ibiza, siempre está una bronceada Tessa de Baviera, que ya se ha separado del marqués de Castro, con su atractivo novio el empresario catalán Beto Iriarte, y en ocasiones la incombustible Cuqui Fierro o el relaciones públicas Carlos Martorell.

Y es que don Juan mantiene su pequeño grupo de fieles. Para ver a uno de ellos, el marqués del Mérito, fondea en Cala Fornells, en Calvià. Delante de sus amigos se queja precisamente de las peligrosas relaciones de su hijo:

—¿Por qué no puede tener amigos como vosotros?

Algún 24 de junio, santo del padre y del hijo, el conde de Barcelona lo pasa a solas con Luis María Anson en un restaurante mallorquín,[11] mientras Juan Carlos celebra una multitudinaria recepción en el Palacio Real de Madrid en la que no falta ni Isabel Preysler. Don Juan no puede dejar de acordarse del día de su santo en Estoril, de las recepciones para cuatrocientas personas que gritaban enfebrecidas:

—¡Viva el rey!

Entonces a él esto le parecía un aperitivo de lo que vendría después, y resulta que eran el postre, con pastel y guinda incluidos.

De todas formas, don Juan procura no coincidir con sus hijos. Desde el barco, del que no bajaba casi nunca, divisaba Marivent y lanzaba un lacónico:

—Mira quién está.

Refiriéndose implícitamente a la presencia fija de «los griegos».[12]

Después se va a recorrer el Mediterráneo. Tiene el alma vagabunda del desterrado, y para él es un tiempo de infamia, en el que casi todos sus adeptos lo han abandonado.

Se asombraban unos antiguos visitantes de Estoril, ya desertores del «juanismo», de que un matrimonio sencillo, sin alharacas de títulos ni millones, hubiera pasado una tarde de domingo con los condes de Barcelona. Arrugando la nariz, preguntaban:

—¿Y cómo estaban «ésos»?

Contestando el informador, rápidamente:

—Porque «vosotros» ya no estabais.

Lo cierto es que, según diversos testimonios, don Juan y doña María apenas compartirían la casa de Puerta de Hierro. Aquellos años crepusculares dejaron muy claro, al menos para mí, en lo que se habían convertido sus vidas: dos soledades moviéndose en espirales concéntricas que nunca llegaban a encontrarse.

Para huir y evadirse, Juan emprende un viaje tras otro, acude hasta Nueva York a un recital de Julio Iglesias y luego va a cenar con él al restaurante Costa Vasca, donde hace bajar el aire acondicionado porque le molesta la garganta. Viaja hasta Australia, Grecia, Portugal, vuelve a Nueva York, donde el Spanish Institute le ofrece un homenaje, y cena otra vez en el Costa Vasca, ahora con Bertín Osborne, visita Barcelona, donde asiste a un concierto del pianista Felipe Campuzano con su incondicional Rocío Ussía, su amiga más leal, y la dueña del *catering* de comidas Semon, María Vidal, o recorre el Mediterráneo catalán con el barco de su oftalmólogo, el doctor Muiños.

Recuerdo una anécdota que da cuenta del estado de ánimo de don Juan respecto a su precaria posición en esa época. El barco de Muiños, el *Kelismar*, atracó en el pequeño puerto de Sitges, agosto de 1981, y únicamente nos encontrábamos allí esta periodista, entonces de veintitantos años, y el fotógrafo, trabajando ambos para una modesta revista que ya no existe. Juan asomó la cabeza por la escotilla y pude ver un hombre inmenso, de nariz afilada, al que la edad no había restado ni un ápice de su rotunda masculinidad. Iba con un polo de rayas de manga corta que dejaba ver sus brazos tatuados con dragones de color azul, y pantalones bermudas. Descalzo. Al vernos y advertir que llevábamos cámaras y un magnetofón, a pesar de nuestra juventud y nuestra poca importancia, volvió a meterse en el barco y salió al cabo de cinco minutos vestido correctamente con traje, camisa blanca y corbata oscura.

Me sonrió como si me conociese de toda la vida, y me dio un apretón de manos fuerte y cálido —yo, rebelde jacobina, me había hecho el propósito de no inclinarme ante nadie que no fuera mi madre o Dios—, que hoy, veintinueve años después, todavía no he olvidado. Le pregunté por su salud y pude oír su legendaria voz bronca, hablando a trompicones, mientras sonreía como queriendo quitar dramatismo a sus palabras:

—Soy como una casa vieja con goteras... Haces una reparación, echas un remiendo, pero la casa sigue siendo vieja... Ahora, eso sí, sigues en pie hasta que El De Arriba quiera...

Me miró fijamente. Me estremecí:

—Tú tienes la suerte de ser joven, aprovecha —advertí en su tono una nostalgia insoportable—, porque cuando llegues a mi edad...

Hizo un gesto con la mano en espiral por encima de su cabeza, a la italiana, que por un momento puso una nota de tristeza en aquel ambiente veraniego, con turistas en bañador y la música alegre de los obenques repicando.

Había tan pocas entrevistas con el padre del rey, que este pequeño diálogo se reprodujo en varios medios, aunque discretamente (y, por supuesto, por esas cicaterías propias de esta profesión, sin citar la fuente). Mi director, Héctor Chimirri, tuvo la audacia de ponerlo en portada y al cabo de pocos días recibió un tarjetón encabezado únicamente por un «Juan de Borbón, conde de Barcelona» dándole las gracias.

Cuando ya cerraba mi magnetofón y me estaba despidiendo de don Juan, se abalanzó de repente sobre él un hombre grueso, mayor, con aspecto enfermizo, y el conde de Barcelona, con cortesía, correspondió al abrazo.

De pronto el hombre se hincó de rodillas delante del padre del rey y le cogió la mano. Se trataba del periodista Miguel Utrillo, hijo del gran pintor, un bohemio genialoide, uno de aquellos periodistas de posguerra que se morían de hambre y de inteligencia. Utrillo se había especializado en narrar vueltas ciclistas de forma literaria, vivía en Sitges y no se le permitía trabajar en su profesión ya que carecía del preceptivo carné. Todo esto se lo iba explicando Utrillo a don Juan entre grandes y exagerados sollozos:

—Por favor, don Juan, haga algo, hable con quien sea para que me den el carné de periodista; si no puedo trabajar me moriré de hambre.

Don Juan, apuradísimo, intentaba que el hombre se pusiera en pie y, mientras, iba diciéndole con su voz de ronquido intermitente:

—Por Dios, si yo no soy nadie, no tengo ningún poder, al contrario, te perjudicaría si intentara ayudarte, créeme, qué más quisiera yo, no tengo contacto con nadie, me mantienen aislado... No soy nadie. Nadie.

Yo fingía no oírlo mientras guardaba los trastos propios de mi oficio, pero esas palabras «yo no soy nadie», viniendo de un hombre que había sido llamado rey durante cuarenta años, me han servido como antídoto contra el envanecimiento y me han hecho mejor persona.

A través del tiempo y desde este lugar en el que escribo, Sitges todavía, gracias, muchas gracias.

En el mes de agosto, y siguiendo la tradición familiar, don Juan suele acudir a Marruecos y luego a Marbella, donde su barco, el *Giralda*, destaca por su modestia al lado de los enormes yates de los jeques árabes. El coche que utiliza para sus desplazamientos hasta el club Aloha, donde juega al golf, está en consonancia con el barco, es un Ford Escort de color rojo. Derecho como un huso, bronceado, con esos tatuajes en los antebrazos que sorprenden a quien los ve por primera vez, don Juan nos saluda a los periodistas y no pone pegas a que le hagamos fotos.

En el distendido ambiente marinero está lejos de ritos y protocolos.

Yo lo he visto varias veces comiendo en Antonio o tomando una copa en el Menchu de Puerto Banús rodeado de Pitita Ridruejo, Gunilla von Bismarck, la duquesa de Sevilla, el simpatiquísimo Julito Ayesa, Tomás Terry, deportistas como Manolo Santana, artistas de cine como Lola Flores o Marujita Díaz, aventureros y bohemios de lujo. Al lado suelen sentarle a la más guapa, Carmen Ordóñez o Mila, entonces Santana, y sus enormes carcajadas y su tono de voz, característico de los que han sido operados de laringe y de cuerdas vocales, es audible en aquellas altas madrugadas llenas de whisky y olor a viznaga. Es un grupo ruidoso, ya que don Juan está algo duro de oído y todos tienen que hablar por encima del tono normal para que los entienda. No es raro que Lola Flores se arranque con una canción, coreada por los demás, y que se cuenten chistes subidos de tono, pero todo al final tiene un aire melancólico, de oropel, en el que don Juan parece desperdiciar el poco de gloria que pudiera haber conseguido.

Al final, dicen los que le acompañaban que sus ojos se llenaban de melancolía, siempre por el hijo muerto.

Muchas noches, es doña Pilar, que divide sus veraneos entre Sotogrande y Mallorca, la que se acerca para cenar con su padre, pero en esas ocasiones las señoras guapas desaparecen y el ambiente es mucho más circunspecto.

También suelen acudir a estas cenas Tita y su marido. Los barones llenan a don Juan de atenciones y obsequios, y la verdad es que el conde de Barcelona tampoco tiene mucho donde escoger. Él, que se había visto rodeado en Estoril de decenas de nobles haciendo turnos de guardia a la manera cortesana, debía contentarse con un ayudante militar y otro civil que le resolvían las cuestiones cotidianas, de las que él no tenía ni idea. Jesús Velasco era su fiel «hombre para todo».

Nunca usaba dinero. Una vez preguntó:

—¿Cuánto se deja de propina? ¿Cinco pesetas?

Siempre que la autora de este libro lo vio con su grupo marbellí, era el barón Thyssen quien pagaba la cuenta.

María no va nunca con él. Ella debería sentirse más satisfecha que su marido, ya que no le gusta figurar, y de eso se trata precisamente en la nueva monarquía de su hijo: que sus padres «no figuren». Pero su perspicacia, adiestrada en el largo exilio, detecta con abatimiento las pequeñas bajezas que les infringen. Y también sufre.

Pero no se queja nunca y, para no causar problemas a su hijo, finge no advertir las numerosas incorrecciones, que pueden resumirse en una: el ostracismo más absoluto. Prefiere pasar por tonta, hasta el punto de que algún visitante esporádico de Villa Giralda en aquellos años me dice con cierto aire de superioridad:

—Doña María era muy inocentona y siempre estaba en la luna de Valencia.

Lo puedo decir en tres palabras: lo dudo mucho.

Aunque, eso sí, trata de adaptarse a los nuevos tiempos. Como por su falta de movilidad no puede viajar, en lugar de quejarse le coge gusto a la casa. Sustituye el deprimente estilo «remordimiento» que imperaba en sus otros hogares, que respondía más bien al gusto de las damas que la acompañaban, y esta vez la decora ella personalmente —con algún consejo de Giovanni Borbón Dos Sicilias—, y aun ahora, cuando vemos las fotos de aquellas habitaciones, nos llaman la atención por su modernidad: tonos claros, sofás con estampados distintos alternando cuadros con flores, parqué de madera de color pálido, visillos blancos, paredes crema, sin alfombras para que la silla ruede sin dificultad y también porque ¡cogen tanto polvo!

Y también los objetos que le han acompañado toda la vida, desde su busto esculpido por Carlitos sobre mármol de Carrara, hasta el Winterhalter de Eugenia de Montijo y las miniaturas que habían hecho ella y sus hermanas en París. Así como un retrato ecuestre de su hermano de tamaño natural realizado a partir de una fotografía de Kaulak.

Además, muchas fotos con marco de plata, las piedras duras heredadas de la tía Ena, incluido el barquito de jade que le llevaron ellos en su viaje de novios, y sus trofeos taurinos.

En un sitio especial, la espada que lució su padre, Nino, el día de su boda. Es el único recuerdo que le pudo dejar el empobrecido infante.

Sus acompañantes de entonces me explican:

—Doña María sólo se ponía contenta cuando podía contar un sucedido empezando con la frase «cuando yo era joven…».

Porque, en realidad, como su marido y aunque ella sea incapaz de reconocerlo, está también muy sola. Tiene a sus fieles Amalín, Chipi Aguirre, la marquesa viuda de Cáceres y sus viejas amigas Laura Murga y la marquesa de Tablantes, Carmen Bernaldo de Quirós, que habían ido con ella a las Irlandesas, además de la sombra vigilante del conde de los Gaitanes, José Acedo y José María Medina. Hablando de aquellos años, el periodista Antonio Burgos se lamentaba de que, aparte de los anteriormente citados, la triste realidad era que doña María «se tuvo que tragar las lágrimas en soledad… con sólo unos cuantos leales en los momentos más duros… Doña María estaba muy sola en el Madrid del reinado de su Augusto Hijo».

José es el conductor del Mimímovil y Dilar es ahora su doncella particular, lo que había sido la inolvidable Petra Rambaud en su juventud. No se mueve de su lado tampoco «la cuadrilla», como ella los llama, son los escoltas encargados de protegerla, pues pocos años antes se había descubierto un plan de ETA para secuestrar a los padres del rey.

El plan no se llevó nunca a cabo, lo que debió fastidiar a más de uno, y no me estoy refiriendo exactamente a ningún miembro del grupo terrorista.

Como suele pasar a menudo (le había ocurrido a la reina Victoria, por ejemplo), María, que no había sido muy expansiva con sus hijos cuando eran pequeños, se convierte en una abuela entrañable para sus diez nietos, los hijos de Juanito la llaman Ia, Mimí los de Margot y Pilar.

Reanuda sus viejas aficiones: los toros; cada vez que torea Curro Romero, allí está ella con sus ramitos de romero, pero al parecer el torero es bastante desigual y muchas veces María tiene que irse desilusionada del ruedo (el toro, además de desilusionado, se va muerto).

En la corrida de la Prensa que se celebra en Madrid, María no falta en el palco real. En una ocasión se indultó al toro *Velador* por su nobleza. Se le quiso obligar a ir a toriles, pero el animal paseaba tranquilamente por el ruedo sin querer retirarse. Se le dijo a la condesa de Barcelona:

—Si a Su Alteza le parece bien, vamos a matarlo, porque no hay manera de que se termine la corrida.

Pero María dio con el puño de una mano en la palma de la otra y replicó con indignación:

—¡De ninguna manera! Se le ha perdonado la vida y sería una canallada quitársela, y si tenemos que estar ochenta horas aquí, nos estamos.

Al final se echaron unos perros al ruedo, que consiguieron llevarse entre carreras a *Velador*. Eran las once de la noche.

Incluso acude al campo de fútbol. A un periodista le contó en una ocasión que era del Betis, y la han hecho socia de honor del club sevillano y la invitan cada vez que van a jugar a Madrid.

Claro que si el Betis juega en Sevilla, tampoco se pierde el partido, así tiene una excusa para ir a su querida ciudad. Trasportan la silla, con ella «a bordo», como comenta con gracejo, frente al Jesús de Pasión, en el Salvador, donde están enterrados sus padres y su hermano Carlitos, ¡ahí sí que se la ve sufrir, no poder arrodillarse delante de su Cristo!

—Bueno, eso y no ponerme de pie cuando escucho la *Marcha Real* —admite aquella mujer que no se quejaba nunca.

Nunca pide para ella. Reza «por el bien de España», aunque añade con esa sonrisa traviesa que le quita de golpe cuarenta años de encima:

—¡Pero una *mijita* más por mi Sevilla!

Sus amigos le regalan macetas con jazmines para que los ponga en su nueva Villa Giralda, y es lo que más agradece del mundo.

En el mes de diciembre siempre visita el Rastrillo de su hija Pilar. Le hace gracia ver a toda una infanta de España con delantal sirviendo tapas en un puesto de comidas, se acuerda de cuando iba con sus cuñadas y sus hermanas al hospital de la Cruz Roja vestidas también con uniforme y en pie de igualdad con las otras enfermeras. «Doña María de Borbón visitando el Rastrillo» es casi el único testimonio gráfico que queda de la doña María de aquellos años en los que a muchos les hubiera gustado que fuera invisible o transparente, a lo que ella objetaba con su indesmayable sentido del humor:

—Con la silla es un poco difícil.

Esta visita al Rastrillo es uno de los pocos actos semipúblicos de doña María que se realizan sin ningún tipo de protocolo. Esta circunstancia es aprovechada por Leandro de Borbón, ávido de fotografiarse junto a algún miembro de la Familia Real. El bastardo se abalanza sobre la silla de su cuñada para lamentarse de que no se le hace caso. María le contesta cándidamente:

—Pero si todos te queremos mucho, Leandro…

Va a menudo al cine, donde llega sin avisar, y también al teatro; después le gusta ir a saludar a los artistas, alguno de ellos habían ido a actuar delante suyo en Estoril. Se emocionó viendo *Buenas noches, madre*, interpretada por Concha Velasco y Mari Carrillo, y después les comentó en el camerino:

—Es que en algunas cosas me he acordado de mi madre y en otras de mis hijas.

Se reencuentra con Ángel Cristo y rememoran ambos sus aventuras con la leona que estuvo a punto de devorarla. Doña María traquiliza al domador, que, después de tantos años, todavía no se ha quitado el susto del cuerpo:

—No te preocupes, yo no tuve miedo; a mí los animales nunca me han hecho daño.

Emancipada de la tiranía de ser reina consorte, un cargo fantasmal que a todo obligaba sin ninguna compensación, se siente quizás más sola pero también más libre, paradójicamente, ahora que está sujeta a una silla de ruedas.

Juan la llama por teléfono:

—María, estoy en Isquia.

Y si no es Isquia, es Marbella, Mallorca, Nueva York, Estocolmo, incluso Australia. María contestaba con su calma perfecta de siempre y su tono ilusionado:

—¿Sí? ¿Es bonito? —Y regresaba a su viejo sueño—. Tenemos que volver a hacer el viaje de novios.

Se oía un carraspeo al otro lado del teléfono y María se apresuraba a preguntar:

—¿Te lo pasas bien, almirante?

Y este almirante suena en su boca con irónica ternura.

Con feroz persistencia, la enfermedad va minando lentamente el organismo de Luis Gómez-Acebo ante la mirada de impotencia de su familia.

Su hijo pequeño le pregunta antes de ir al colegio:

—Papá, ¿cómo está hoy tu cáncer?

Sobrevive, sin embargo, al primo hermano de su mujer, Alfonso de Borbón Dampierre, que tanto había conspirado para ocupar el trono en lugar de don Juan Carlos y que muere en accidente de esquí en Estados Unidos. Asiste a su funeral, en las Descalzas Reales, en febrero de 1989.

También va doña María, totalmente enlutada. En la entrada, un grupo de ociosos que creen que están enterrando a un rey del rock se pone a aplaudir (hay quien ve en este grupo a la actriz Marujita Díaz, que tuvo una relación efímera con el desgraciado duque). María, con un gesto de majestad supremo y echando lumbre por los ojos, los hace callar.

Luis todavía llega a ser el padrino, el 12 de septiembre de 1990, de la boda de su hija Simoneta, el primer nieto de María que se casa. El novio es José Miguel Fernández Sastrón, un chico educado, inteligente, preparado, nieto de Pepín Fernández, el fundador de Galerías Preciados, pero sin una gota de sangre azul.

Contraen matrimonio en la catedral de Palma de Mallorca, ante mil invitados. Simoneta lleva un traje de Dior de escote cerrado y polisón y la diadema de perlas y brillantes de la reina Cristina con la que se había casado su madre veintitrés años antes en Portugal.

Como suele suceder y como hemos ido viendo a lo largo de este libro, las celebraciones de la Familia Real española están siempre envueltas en problemas protocolarios que deslucen cualquier ceremonia, y así ocurre también en la boda de la hija de Pilar. En este caso, el origen son unas fotografías en las que se ve a Simoneta, en las semanas previas al enlace, en la puerta del Palacio de Oriente con un lujoso traje de noche y rodeada por una escolta de alabarderos de la Guardia Real, un cuerpo que sólo está al servicio de las reales personas, no estando autorizado ningún español más a utilizarlo.

Otra vez se molesta La Zarzuela y, para dejar bien clara su posición al respecto, don Juan Carlos decide «castigar» a su sobrina en el que tenía que ser su día más feliz. La pareja real resuelve asistir a la ceremonia religiosa de la boda, y después irse de inmediato, sin quedarse al banquete. Es de suponer la lógica desilusión de Simoneta y el disgusto de su madre, máxime sabiendo la gravedad del estado de su marido y que seguramente ésta sería la última ocasión en que estaría toda la familia junta.

Tampoco gustó a La Zarzuela la presencia estelar de los barones Thyssen en la catedral, ella luciendo numerosas y aparatosas condecoraciones de dudosa procedencia.

Juan, muy marcial con su uniforme de almirante y todavía más estricto que su hijo en estos temas, también estaba molesto con las meteduras de pata que él atribuía a su yerno. María presentó un semblante entristecido, aunque en su caso no tenía nada que ver con las incorrecciones protocolarias: Amalín, su fiel Amalín, estaba muy enferma, de hecho moriría dos meses después. No hacía más que decir:

—Mi sueño era estar hasta la muerte con Su Majestad, pero yo quería decir hasta «su» muerte para no dejarla sola.

Y María no sabía si reír o llorar.

En su funeral, en la iglesia del Monte Carmelo de Madrid, todos reconocieron el afecto, la abnegación y la absoluta generosidad de Amalín durante tantos años al lado de María, prestándole su apoyo sobre todo en los tiempos difíciles, después de la muerte de Alfonsito. Don Juan, también emocionado, dispuso dejarle una manda a su hijo Fernando de Ibarra en su testamento.

En enero de 1991 el duque de Badajoz sufre una hemorragia digestiva. Casi a la vez el alcalde Rodríguez Sahagún nombra a doña María de Borbón hija predilecta de Madrid, ochenta y un años después de que abriera las inigualables aguamarinas de sus ojos en el palacio de Villamejor, muy cerca del Ayuntamiento donde se le concede esta distinción en un acto que según algunos fue demasiado sencillo.

María reconoce que, a pesar de su amor por Sevilla:

—Soy más «gata» que la Cibeles.

Pilar, que sabe lo feliz que hacen a su madre todos los homenajes, abandona un momento a su marido. A las pocas semanas, el 3 de marzo de 1991, muere Luis abrazado a un libro de san Juan de la Cruz.

Cuando todo pasa, la infanta dice con desaliento:

—No volvería a vivir mi vida, ha sido muy duro.

Seguramente su madre suscribiría este deseo.

Luis tenía cincuenta y seis años y no llegó a conocer a su primer nieto, al que ponen de nombre Luis en su memoria, que nace el 23 de septiembre de ese mismo año.

Es también el primer bisnieto de María la Brava.

Cuando Luisito Fernández Gómez-Acebo está a punto de cumplir su primer año, sus bisabuelos, Juan y María, se citan, como unos novios, en Sevilla.

Ha sido a petición de María. Pienso que quizás quiere revivir los momentos buenos que ha pasado con su marido: su vuelta al mundo en viaje de novios, sus primeros años en Estoril y sus semanas de Nueva York. A eso suele reducirse la felicidad de las personas, tan sólo un puñado de días para llevarnos con nosotros en el viaje definitivo.

Quieren visitar juntos la Exposición Universal que, con los Juegos Olímpicos que se celebran en Barcelona, son los dos ejes de la vida española en aquel año, 1992, tan lleno de esperanza y posibilidades para el país. En Barcelona precisamente está la infanta Pilar, que, dada su antigua dedicación a los caballos, fomentada por María, ocupa con todos los merecimientos un cargo en la Federación Hípica española.

Yo cubría el acontecimiento para Televisión Española y la vi a menudo, con sus zapatos cómodos, sus blusones anchos y el distintivo colgado del cuello, batallando con sus cinco hijos. En todo el tiempo que duraron los juegos apenas compartió mesa y mantel con los reyes, de quienes sí fueron inseparables la inevitable familia del ex rey Constantino de Grecia.

Mientras, María estrenaba el AVE desde Madrid a Sevilla. Estaba muy emocionada porque ella había asistido ya a la inauguración de la Exposición Universal que se había celebrado hacía nada más y nada menos que ¡sesenta y tres años! Con su amiga Mimí Medinaceli, que también había estado, se acordaba entre risas del tren liliput y de los sombreros *cloche* que llevaban que les impedían mirar otra cosa que los pies de la gente. ¡Pero que eran muy cómodos porque no hacía falta peinarse!

Juan llegó a Sevilla desde Cartagena el 28 de agosto, a bordo de su *Giralda*, en compañía de Alfonso Ussía, quien explicó después que el conde de Barcelona, durante esta travesía, la última que haría por mar, no hacía más que contemplar el Mediterráneo musitando:

—Qué hermoso, qué inmensamente hermoso.

Como si estuviera despidiéndose para siempre de lo que había sido para él refugio y amparo durante toda su vida. Los últimos meses habían sido duros: el día de su setenta y nueve cumpleaños, el 20 de junio, su nieto Felipe, el heredero de la Corona, no había estado a su lado, y no le ha dado ninguna justificación. Se sospecha que pudo estar con su novia Isabel Sartorius y no lo dice porque sabe que esta relación no complace ni a don Juan ni al rey.

La muchacha no tiene mal *pedigree* —pertenece por parte de padre a una familia aristocrática—, pero no gustan demasiado ni el perfil de su quebradiza madre, ni que sea mayor que el príncipe, ni quc haya tenido varios novios. ¿Y si a alguno de éstos le da por salir en las revistas contando su relación?, se preguntan los periodistas, alarmados.

Don Juan dice que la futura reina de España no debe tener pasado.

Pero lo peor fue que Juanito tampoco lo visitó en el que sería su último aniversario, pero por motivos que por desgracia para él se harían públicos. El rey se había ausentado de España, sin el preceptivo aviso al Gobierno, para un asunto particular. Éste, según se supo después, era acompañar a su amiga Marta Gayá en un tratamiento médico que estaba siguiendo en Suiza.[13]

Las revistas *Point de Vue* (francesa, dedicada a las Casas Reales) y *Oggi* (italiana, de información general) publicaron sendos reportajes sobre el tema: la amistad del rey de España con una bella decoradora divorciada de cuarenta y siete años. En los primeros tiempos de compartir el ocio del jefe del Estado, Marta había sufrido el rechazo de la sociedad mallorquina, aunque pronto fue evidente que disfrutaba de la protección del monarca y su situación se normalizó. Incluso alguna vez había salido a navegar con la sobrina del rey, Simoneta, lo que no había hecho más que acrecentar la brecha que dividía a la Familia Real en dos: por un lado doña Sofía, por el otro, todos los demás.

Marta no limitaba sus devociones tan sólo a Mallorca. En invierno miembros de seguridad de la Casa Real la recogían en el aeropuerto de Barcelona y la acompañaban a Baqueira, donde tenía a su disposición un monitor de esquí y una habitación en un lujoso hotel que no utilizaba nunca.

Algunos periodistas —Marcos Torío, de *El Mundo*— afirman que aún en la actualidad, 2010, cada vez que Marta va a Madrid, la va a buscar un coche de la Casa Real. Torío concluye con una pincelada romántica: «Por muchos años que hayan pasado. Como si fuera el primer verano».

El escándalo que se armó en los periódicos en el verano de 1992 fue el primero en que se vieron involucrados miembros de la Familia Real. ¡Se les trató casi como si fueran personas «normales»!

Pero estamos en agosto, en Sevilla, y con un calor de cuarenta y cinco grados. Doña María y don Juan comen juntos un par de veces, ella incluso, a pesar de la temperatura asfixiante, pide «calentitos» para merendar, pues como dice:

—A mí el calor nunca me ha importado.

Se les hace una fotografía en la que María está en su silla de ruedas y Juan en un butacón, cogidos de las manos, como reyes en tronos que nunca han llegado a ocupar. Después él remonta con su querido *Giralda* el Guadalquivir, porque quiere pasar unos días en la cercana finca de Mario Conde, Los Carrizos. Éste, en aquellos días, es el máximo exponente de la *beautiful people*, el rey de los banqueros y los millonarios, el hombre más admirado del país. También, como los Thyssen, intenta acercarse al rey a través de su padre, al que llega a coger auténtico cariño. Don Juan cada vez está más solo, más apático e indiferente a todo; ya no le divierten ni Marbella, ni los chistes de Marujita Díaz, ni las coplas de Lola Flores, aunque la belleza de las mujeres le seguirá emocionando hasta el último suspiro. En sus momentos de hondo desaliento se sincera con sus amigos:

—Me siento profundamente cansado… Es cansancio del alma… llego a ver como una liberación el día que suelte todas mis ataduras…

Y se aferra al cariño de Mario Conde como antes se aferraba al de los Thyssen. Dice quererlo como a un hijo —siempre buscando a Alfonsito— y que sólo se divierte cuando está con él.

Frente a Los Carrizos sirven un aperitivo en la cubierta del barco, tortilla de patatas, boquerones, chanquetes recién fritos, quisquillas y albóndigas caseras. Distraídamente, don Juan coge una y, de repente, siente como un punzón de hielo en la garganta. Se ahoga, intenta toser, se congestiona, le golpean la espalda, le cruzan los brazos por detrás, y finalmente expulsa el trozo de carne. Presa de un terrible agotamiento se tumba en el camarote, pero el dolor en la garganta no cede, es como una herida abierta. El mal terrible está de nuevo allí, agarrado a su garganta, y esta vez no va a soltarse.

Rocío Ussía y Manuel Velasco lo llevan urgentemente a la clínica de Navarra, donde lo atiende el doctor Tapia. Todos saben que su estado es irreversible y que aguantará lo que aguante su viejo corazón.

Él también lo sabe, pero recuerda un último y penoso deber, le falta la postrera estación de su calvario: traer al hijo que le arrebató la muerte. Vuelve a pronunciar el nombre de su adorado Alfonsito para pedir a don Juan Carlos que traigan su cuerpo a descansar a un país que no le vio nacer ni morir, pero que es el suyo. Aunque antes tiene que vencer la resistencia de doña María, que no quiere mover a su niño, que está en Cascais, en un cementerio modesto, pero frente al mar que tanto amaba.

Pero los infantes de España deben ser enterrados en El Escorial. Don Juan va de Pamplona a Madrid desobedeciendo a sus médicos. El féretro de su hijo, de palosanto con incrustaciones en plata, es velado toda la noche por un destacamento de la Guardia Real.

A su alrededor se agrupa lo que queda de su familia, rota irreparablemente el día del disparo fatal. Pilar, que fue la única que lo oyó y que no ha podido olvidarlo nunca, está con sus hijos Simoneta y Bruno; Margot, que recuerda a su compañero inseparable, que le enseñaba el nombre de las flores, solloza en silencio, nadie ha venido a llenar el vacío que dejó. Juanito no ha podido superar nunca totalmente aquella tarde lluviosa en Estoril. María, que todas las noches sueña con la voz de su hijo:

—¡El *afiladog*, el *afiladog*!

Aún tiene presencia de ánimo para decirle a su marido, tronchado de dolor:

—Juan, ya estamos todos juntos en nuestra patria.

A don Juan sólo le queda contar los días que le faltan para reunirse otra vez con su hijo, para navegar los dos por el cielo.

Regresa de nuevo a la Clínica Universitaria de Pamplona, donde cuenta con la inestimable ayuda de Rocío Ussía, sus muletas, su apoyo, que no se separará de él en ningún momento.

Lo visita Mario Conde con frecuencia, atendiendo a las súplicas del rey:[14]

—Vete a verlo cuando puedas, porque no para de preguntar por ti, no quiere ver ni al príncipe, ni a la reina ni a las infantas; sabe que se está muriendo y no deja de repetir que venga Mario.

Lo visita también el príncipe Felipe, que acaba de romper su tormentosa relación con Isabel Sartorius, según algunos porque ya no está enamorado de aquella muchacha tan complicada, según otros por consejo de su abuelo, quien, al parecer, le hace prometer que se casará con una persona de sangre real.

La pregunta de su abuelo es:

—¿Crees que vas a tener todas las ventajas de ser príncipe de Asturias y ninguno de sus inconvenientes?

Algunos señalan a un conocido periodista como mensajero de este recado para su nieto y que éste le ha asegurado que cumplirá el deseo de su abuelo y[15] se casará con una princesa.

¿Felipe ha roto su promesa al casarse con Letizia Ortiz?

Seguramente deberán pasar muchos años para que podamos juzgarlo desde una perspectiva histórica.

Como dicen incluso algunos garantes de la legitimidad dinástica, los tiempos han cambiado, el concepto de persona adecuada también, y quizás don Juan no hubiera estado tan descontento con la elección de su nieto como nos imaginamos.

A pesar de las dificultades que tiene para desplazarse, doña María va a ver a su marido cada semana. Juan sale a recibirla al pasillo y después la despide caballerosamente en el ascensor, aunque caminar dos pasos le deja sin aliento. Sus hijos se turnan para que esté constantemente acompañado, y don Juan Carlos al final se queda permanentemente en Pamplona.

Cada mañana María lo llama y le explica lo que ha hecho o el tiempo de Madrid:

—Hoy fresquito, los árboles han perdido todas las hojas, pero en casa la calefacción funciona muy bien.

Juan no contesta, pues apenas puede hablar, pero todos se dan cuenta de cuándo es María la que llama porque se le ilumina el semblante y asiente con la cabeza como si su mujer pudiera verlo.

Años después se demostraría que el teléfono estaba siendo intervenido inexplicablemente por el Cesid (Centro Superior de Información de la Defensa), comandado entonces por Manglano. Copias de esas cintas recorrieron las redacciones, y muchos periodistas recuerdan las cotidianas conversaciones de María, y las expresiones de cariño de don Juan Carlos a sus hijos desde la habitación de su padre, llamando «Felipón» al príncipe y riñendo a Elena porque no había ido al médico a tratarse de una lesión que se había hecho montando a caballo.[16]

Los meses pasan y el viejo corazón sigue aguantando. Don Juan pasea por la clínica, y juega al mus y a la brisca con sus médicos, sobre todo con el doctor García Tapia, que sonreía cuando aquél bromeaba con las enfermeras, sobre todo si eran guapas, ¡pero es que para don Juan todas eran guapas!

En noviembre va a visitarlo Leandro de Borbón, su hermano por parte de padre. No consigue entrevistarse con él, y Leandro cree advertir detrás de este veto la mano de «su secretaria y enfermera particular Rocío Ussía».[17]

Todavía tiene fuerzas don Juan para dejar la clínica dos días en Navidad e ir a pasarlos con su familia, todavía tiene fuerzas para enfundarse en su traje de almirante y posar para una foto frente a un cuadro de su hijo, un testimonio dramático de cómo se va yendo un hombre.

Vuelve a Pamplona. Por fin de año van sus hijos a verlo y toman las uvas con las campanadas de la televisión. El día primero de año también «sube» doña María, que sabe que no habrá ya más Navidades para su marido.

En el vestíbulo de la sexta planta de la clínica, que ha sido desalojada, se preparan dos ambientes, una zona como salón donde toman el aperitivo, y la otra como comedor, para doce personas. Cenan ensalada real y pavo trufado, que llevan desde el *catering* Semon, de Barcelona. María, la propietaria, su amiga de las noches barcelonesas, también les envía su incomparable salmón ahumado.

Uno de los nietos le dice a don Juan:

—Abuelo, ¡qué bien te cuidan! ¡Cuando me ponga enfermo vendré a esta clínica!

Y hasta doña Sofía hace un esfuerzo para mostrarse contenta:

—¡Si estamos como en casa!

El vino, rioja y cava, lo han llevado los propios reyes desde Madrid. Brindan, sonríen, incluso se cuentan chistes y anécdotas de la época de Estoril, como cuando tiraban del hilito de la caña de pescar de Margot para hacerle creer que había picado algún pez.

La que se ríe con las carcajadas más fuertes es la propia Margot, que comenta muy en su línea:

—Qué cabroncetes erais.

Por la noche, cuando llegan al hotel Blanca de Navarra, donde están alojados, todos pueden relajarse y ponerse a llorar tranquilamente.

A finales de enero Navarra decide concederle a don Juan la Medalla de Oro, su distintivo más alto. La entrega se realiza en el salón del trono del Palacio Foral. Cuando doña María, en su silla de ruedas, y don Juan, apoyado en su bastón, entran, suena la *Marcha Real*. Él permanece en pie como un viejo e impresionante árbol, y ella prueba a levantarse de la silla en un intento agónico que pone un nudo en todas las gargantas.

Es el último acto público del conde de Barcelona, que ya no puede hablar, pero que ha escrito palabra a palabra el discurso que quiere pronunciar esa tarde, el adiós a la vida y, sobre todo, a su mujer.

Se lo da a su nieto, el príncipe Felipe, para que lo lea. Él vigila, siempre alerta, con sus ojos desnudos en su rostro macilento y consumido ya con la huella de la muerte.

Mira intensamente a su mujer. Y María lo mira a él, mientras Felipe lee con voz que se quiebra en ocasiones.

El papel tiembla en sus manos: «Querida María, tenemos la esperanza de poder decir que nuestras esperanzas y deseos no estaban desencaminados y que hemos administrado prudentemente el legado de la legitimidad histórica, que es un definitivo patrimonio de España y los españoles. Así hemos tenido la dicha, como súbditos, y la alegría, como padres, de ver encarnado en nuestro hijo, para el bien de España, la institución a la que hemos dedicado nuestras vidas. Por eso podemos decir con orgullo: Señor, deber cumplido».

Cuando Felipe pronuncia esta última frase, don Juan se vuelve hacia su hijo, da un taconazo y hace una pequeña inclinación de cabeza, como el gladiador que abandona la lucha por cansancio y no por derrota.

Con la medalla al cuello, don Juan se acerca trabajosamente a su mujer, se la enseña, y después le coge la mano y, con la cortesía elegante de otros tiempos, se inclina y se la besa.

El invierno termina y, al principio de la primavera, el doctor Zurita llama uno a uno a los miembros de la familia, a las personas de su confianza, a los pocos consejeros que le quedan, a sus servidores, para decirles que se acaba, que ya pueden ir a despedirse.

Aunque todos se entristecen, para Rocío Ussía es un mazazo que, no por esperado, resulta menos doloroso. Según dicen los que la conocen, nunca ha llegado a recuperarse de la muerte de quien, exceptuando a su padre, ha sido la persona más importante de su vida.

Don Juan confiesa, comulga y recibe la extremaunción. Entra en coma.

En el momento de expirar, el 1 de abril de 1993, a las tres de la tarde, están al lado de su cama sus tres hijos, su nuera Sofía, el doctor Carlos Zurita, que ha abandonado sus ocupaciones para cuidar de su suegro, y el jefe de su Casa, el duque de Alburquerque.

Cuando murió Alfonso XIII, la reina doña Victoria se arrodilló delante de su hijo Juan y le besó la mano, rindiendo honores al heredero.

¿Lo hicieron en esta ocasión doña Pilar o doña Margarita?

No lo sabemos. La muerte de Alfonso XIII se consideró un hecho histórico y conocemos minuto a minuto su agonía. A don Juan se le considera un señor particular y los detalles quedan para la intimidad de la familia.

Juan Carlos llama a su madre.

El sonido del teléfono se lo dice todo.

También la voz profunda de los poetas:

Que avionetas de luto nos rodeen
y escriban en el cielo que él ha muerto.
Poned crepón al cuello blanco de las palomas
y guantes negros a los policías,
porque él era mi norte mi sur mi este y mi oeste
...¡Ya nada podrá acabar bien nunca!

Lo entierran en el Panteón de los Reyes, en El Escorial, rindiéndole los honores que cicateramente le habían regateado toda su vida. Será por fin Juan III, en una fría losa de mármol, sueltas ya todas sus ataduras. Don Juan Carlos cuenta entre risas y lágrimas:

—Llegué a temer que me dijera de incinerarlo y echar sus cenizas al mar, porque los entierros en tierra le parecían tristes, y yo le decía, pero, papá, ¡que tampoco a los muertos se los lleva a los toros!

Doña María conduce su silla de ruedas frente al féretro del que fue su compañero durante cincuenta y ocho años y, sintiéndose impotente al no poder ponerse de rodillas, se cubre la cara con las manos y se echa a llorar, porque su marido ya puede descansar de su lucha titánica y estéril. Y tal vez ella también.

Hay lágrimas en todos los rostros mientras suena el *Oficio de Difuntos* de Tomás Luis de Victoria.

La reina, habitualmente impasible, coge a su marido por el hombro, que solloza ya rotas las amarras de la autodisciplina y la contención, y llora con él y quizás por él.

A continuación, el rey lo arregla todo para ir en familia a pasar una semana a La Mareta, la casa que Patrimonio Nacional tiene en Lanzarote.

Contrariamente a lo que imaginaban, se lo pasan bien, y gracias a don Juan Carlos, porque la capacidad de sobreponerse a las desgracias y de animar a la gente con perfecta naturalidad es su mayor patrimonio. Allí el rey vuelve a ser Juanito, el niño enredador y lleno de todas las seducciones que fue en su infancia, a veces incluso levanta a su madre de la silla y da vueltas con ella por toda la habitación. Se esfuerza en que todos rían y, como pasa siempre en las familias que han sufrido una situación tan dramática como una muerte después de una larga y penosa enfermedad, el alivio sirve como anestesia del dolor, y se repite mucho la frase:

—Está tranquilo porque está descansando en el cielo.

Es horrible, pero por la noche uno se va a la cama y sonríe de contento.

Ahora que Juan se ha muerto y ya no constituye un peligro, las alabanzas y las adhesiones hacia su persona, desconocida para la mayoría de los españoles, se suceden de forma torrencial, hasta el punto de que Antonio Burgos exclama con sarcasmo que si hubiera sido cierto lo que se ha oído de ciertos monárquicos «de fortuna», España hubiera estado completamente vacía entre 1939 y 1977, pues todos hubieran estado en Estoril. Manuel Vicent habla en una entrevista del entierro de «ese señor» que fue un personaje marginal toda su vida, al que han acudido los que más le han vilipendiado, «chusma que está bajo orden de búsqueda y captura», y Alfonso Ussía no puede dejar de rematar con un lamento: que ahora que don Juan ya no está, sobran elogios a destiempo y justificaciones no demandadas por parte de muchos nobles que no supieron estar con él en los tiempos difíciles.

Rafael Borrás, por su parte, quizás una de las personas que mejor conocen los entresijos de la historia de España, fue una de las pocas voces disonantes al escribir en su extraordinario libro *El rey de los rojos* que, en realidad, el auténtico valedor de la democracia fue don Juan y no su hijo, que no hizo más que vivir sometido a las indicaciones de Franco, a quien intentó halagar por todos los medios.

Anson, sin embargo, opina que el enfrentamiento entre don Juan y Franco fue simplemente una lucha encarnizada por el poder en la que ambos contendientes se vieron obligados a desenvainar todas sus armas.

Un año después se le dedica a don Juan de Borbón su primer homenaje público, pero ¡en Portugal! Mário Soares, el presidente socialista, decide ponerle el nombre de avenida do Conde de Barcelona a una calle nueva de Estoril, muy cerca del club de golf.

A María la Brava se le incendia dentro un bosque entero, porque que seas mayor y estés en una silla de ruedas no quiere decir que te conviertas en una persona angelical. Se indigna y hasta suelta palabrotas, porque:

—¡Yo también he vivido y he querido a Portugal más que nadie!

Alguien más lo sabe y lo recuerda, manos anónimas escriben con nocturnidad y alevosía[18] debajo de la placa de la avenida do Conde de Barcelona: «Y de la condesa».

Cuatro años después se inaugura un busto de don Juan, también en Monte Estoril. El rey decide enviar en representación suya a su hermana Margot. Éste será el primer acto presidido por la duquesa de Soria en memoria de su padre. Doña Margarita es, de los tres hermanos, la que sigue más vinculada a Portugal, tiene casa allí y sus hijos, Alfonso y María, pasaron sus veraneos de infancia en la costa portuguesa y hablan portugués, aunque no tan bien como ella. Cuando llega la hora de inaugurar el monumento, la infanta pregunta con cierto nerviosismo a sus amigos:

—¿Qué será mejor, decir el discurso en español o en portugués?

A lo que ellos responden que en portugués, naturalmente. La infanta saca las cuartillas escritas en Braille de su bolso y, pasando las manos por encima, lee su discurso en perfecto portugués.

El acto fue sencillo y emocionante, lo que no evita que el busto sea muy feo, con un moderno pie de metacrilato que parece un plato sopero, a diferencia de la espléndida escultura que, por suscripción popular convocada por *ABC*, le erigió Víctor Ochoa en la plaza de Madrid.

Después del homenaje, la infanta, siguiendo su inveterada costumbre, se va al mercado gitano de Cacabelos a comprar ropa interior para toda su familia, incluido el rey.

Las dos hermanas de don Juan Carlos afrontan la muerte de su padre de distinta manera, aunque con idéntico dolor, claro está. Pero Margot tiene a su marido que se desvive por ella; Carlos Zurita admira sinceramente a su mujer, se extasía ante su carácter y manifiesta:

—Mi mujer lleva en sí misma la alegría de vivir. Es totalmente dichosa, no necesita nada más que lo que tiene. Ella me ha hecho mejor.

La infanta ha sabido llenar su propio tiempo con ocupaciones que la colman de satisfacción. En 1989 se crea la Fundación Cultural Duques de Soria, auspiciada por la Junta de Castilla y León, con sede central en el magnífico convento de la Merced de Soria. El fin de la fundación es difundir la cultura española mediante diversas iniciativas de tipo académico, y la infanta se entrega a este trabajo con el mismo entusiasmo que pone en todas sus cosas, lo que la lleva a ser nombrada doctora *honoris causa* de la Universidad Miguel Hernández, a ella, que tantos esfuerzos había tenido que hacer para terminar el bachillerato. Porque no vivía ya su abuelo, si no le hubiera dicho lo mismo que al estudioso Gonzalín:

—¡No se veía una cosa así en la familia desde Alfonso X el Sabio!

La posición de la infanta Pilar es más dramática, ya que no sólo ha muerto su padre, sino también su marido. La enfermedad de Luis les ha costado casi todo su patrimonio, y, además, está endeudada: su marido avaló un crédito bancario a un amigo, por valor de siete millones de pesetas, para que abriera un restaurante en Palma, aquél quebró y Pilar tiene que hacer frente al pago.

Desesperada, Pilar acude, quizás por primera vez, a su hermano el rey,[19] que llama a Mario Conde, en aquel momento en la presidencia del banco, y le dice:

—Oye, a ver si se puede solucionar eso, es que mi hermana no tiene un duro.

Conde le contesta que «eso» está arreglado, naturalmente. Le da a la infanta un cargo en la Fundación Banesto, un despachito que nunca utilizará, y el sueldo que le pagan sirve para cubrir el principal y los intereses en el tiempo que dura el crédito.

También se comenta en diversas publicaciones que Conde ha pagado las facturas de don Juan en la clínica de Navarra, información que él no desmiente. Sin embargo, Alfonso Ussía da cuenta públicamente, y céntimo a céntimo, de que las facturas fueron pagadas con fondos del propio conde de Barcelona.

María la Brava sobrevive siete años a su marido. Según me cuenta una persona que la trató bastante en esa época, fueron unos años agridulces, pero serenos.

¿Me atrevo a decirlo? Quizás incluso pudo descansar al fin de la «tragedia griega», en palabras de López Rodó, que habían representado los cincuenta años de descarnados enfrentamientos, no entre su marido y Franco, sino entre su marido y su hijo.

Esta vida apacible se ve tan sólo quebrantada por los ultrajes que pudiera sufrir la memoria de don Juan. Cuando le iban con alguna cicatería, alguna afrenta en el protocolo, un olvido malintencionado y manifiesto, a doña María los ojos le viraban de azul a verde, pues no había perdido su capacidad de indignación, y soltaba un iracundo:

—¡Esos...!

Se le sugería quizás que descolgara el teléfono para que don Juan Carlos reparara la injuria, castigara a los que habían ofendido. Entonces se quedaba callada, y después, de repente, decía:

—¿Has visto cómo ha florecido el jazmín que me enviaste?

Y el interlocutor comprendía que la conversación sobre el tema se había terminado, y ya sólo cabía hablar de jardinería o del tiempo.

Las infantas Elena y Cristina se hacen mayores y se casan con personas ajenas a los círculos reales, lo que hubiera horrorizado a Nino, por ejemplo, cuyas cuatro hijas se habían casado con príncipes. Pero aunque no podemos saber la reacción de doña María acerca de estas bodas desiguales de sus nietas, se la ve sonriendo sin demasiada alegría en todas las fotos de los grupos familiares, ya con tantas ausencias. En realidad, las únicas de su generación que la sobrevivirán serán su hermana Esperanza, su cuñada Beatriz Torlonia y su ex cuñada Emanuela Dampierre, que todavía vive en el momento de redactar estas líneas. Pero, como me cuenta su nuera Carmen Martínez-Bordiú cuando le pregunto por ella:

—Con un pie aquí y el otro en el cielo.

A doña María le emociona que Elena se case en Sevilla, el 18 de marzo de 1995, muy guapa, vestida por Petro Valverde, y que, en un coche de caballos del duque de Montpensier, su propio abuelo, lleve su ramo de novia a la iglesia de El Salvador, donde están enterrados Nino, Luisa y Carlitos, los tres juntos para siempre:

—Todo el mundo se acordaba de Juan —comenta doña María con sencillez—, yo me lo imagino navegando por el cielo asomado a la borda mirándonos a todos.

Ella va, junto a Menchu Tablantes, en un landó tirado por caballos blancos, vestida de rojo, con mantilla y hasta un clavel en el pelo. Son, en palabras de Burgos, los únicos quince minutos de gloria de su vida en España. Oye con emoción como de alguna garganta de muchos años surge un:

—Viva la infantita.

También le gusta ver cómo Barcelona entera se echa a la calle para aplaudir a Cristina, el 4 de octubre de 1997, que causa sensación con un vestido diseñado por el gran Lorenzo Caprile que rompe moldes. Según se dice, hay un antes y un después en la cuestión de los trajes de novia a partir de la boda de la infanta Cristina. Ninguna de sus dos nietas lleva tiaras que hayan pertenecido a la familia: la de Elena viene de los Marichalar —se publica que, una vez divorciados, Jaime la ha reclamado— y la de Cristina es «la floral» que Franco regaló a doña Sofía y que recientemente se ha visto sobre la cabeza de doña Letizia en la boda de la princesa Victoria de Suecia que tanto revuelo ha armado.

Doña María en la boda en Barcelona lleva un traje chaqueta azul fuerte que su suegra le hubiera criticado por llamativo —aunque apenas sale en alguna foto— y sus perlas, en el dedo el anillo de pedida de don Juan, con un rubí en cabujón, que no se quita nunca y que está tan rayado que lo ha intentado llevar a que se lo puliesen, pero ha tenido que desistir, porque el joyero le ha dicho:

—La montura está tan desgastada que más vale no tocarlo.

En realidad, doña María no tendría derecho a enfadarse por la elección de sus nietas, ya que sus propias hijas, Pilar y Margot, han hecho bodas desiguales, aunque en el fondo daba igual, porque sus hijas y sus nietas no iban a ser reinas. Pero, después de casi un año de convivir con ella redactando este libro, puedo imaginarme su expresión cuando fueron a comunicarle que Cristina, con la misma fama de lista en la familia que Gonzalín, se casaba con un muchacho vasco de familia plebeya:

—Jugador de balonmano.

Aunque sobran los comentarios, no puedo dejar de transcribir el calificativo del fallecido historiador Juan Balansó, visitante habitual de Villa Giralda: «¿Iñaki? ¿Marichalar? ¡Bisutería fina!».

Pero el que preocupa verdaderamente a doña María es Felipe, el príncipe de Asturias. Su responsabilidad es mayor, y para él tienen que ser todos los cuidados y las atenciones. También las exigencias.

Ya no sale con Isabel Sartorius, que tantos disgustos le había causado a don Juan. Pero, como decía por un motivo similar su malogrado hermano Carlitos, ha ido a caer de Guatemala en Guatepeor porque se ha hecho novio de la desinhibida modelo noruega Eva Sanum, que ha desfilado hasta en ropa interior.

A doña María le preguntan con mala intención:

—¿Se figura la Señora a la futura reina de España colgada en las cabinas de todos los camioneros de España?

—O del mundo —añade otra dama con una visión menos localista del problema.

Doña María se estremece. Y empieza enseguida a hablar del jazmín y del tiempo que hace en Madrid, madre mía, no acaba de llegar el calor, pero en el fondo está horrorizada. No puede entender por qué Felipe no es más responsable. Tanto ella como don Juan siempre supieron con quién debían casarse, y no digamos Juanito, que sí, se divirtió con olghinas y gabrielas, pero tuvo muy claro a la hora de escoger esposa que ésta tenía que ser de sangre real.

A doña María le parece que Felipe tiene buen fondo, es muy cariñoso, pero ¡es que la madre lo tiene muy consentido! Del padre ya ni hablamos, se dice que una vez en que le quiso reprochar a su hijo su agitada vida amorosa, éste le contestó:

—Yo al fin y al cabo soy soltero, ¡a lo que no hay derecho es a lo que haces tú!

La prensa empieza a descararse, porque si Felipe, con su comportamiento, olvida que es heredero de la Corona, ellos tampoco tienen por qué recordarlo. Los periodistas definen a su nieto, que ya tiene treinta y dos años, ocho más de los que tenía su padre y once más que su abuelo cuando se casaron, como «un niño mimado que en su vida ha dado un palo al agua» (José Luis de Vilallonga), «ni Manuel Azaña ha hecho tanto como la señorita Eva Sanum por la causa de la república» (Antonio Burgos), «no se entiende cómo unos príncipes tan bien preparados eligen novias tan poco preparadas» (Juan Balansó), y el periódico *ABC*, ya controlado por el grupo Correo, sentencia fríamente que: «ni siquiera la legítima búsqueda de la propia felicidad puede prevalecer sobre el cumplimento del deber».

Aquí no tengo más remedio que hacer un inciso. En cuestiones de censura, a mi entender hemos ido hacia atrás: es inimaginable que hoy día se atreviera algún periodista a realizar estos comentarios acerca de un miembro de la Familia Real. Su actitud le sería reprochada incluso desde dentro de su misma profesión.

Únicamente Manuel Vicent hace una crítica positiva del príncipe de Asturias, pero que de poco sirve viniendo de un republicano: «Aunque recriado en una endogamia de amigos pijos, al menos a este príncipe no lo vemos rodeado de flamencos riéndole las gracias a mozos de espadas y picadores... tampoco se le conoce una afición desmedida a llenar de plomo la barriga de los ciervos... ha ensayado una imagen de príncipe ecologista que le sienta muy bien».

Bueno, bueno, doña María no sabe nada de ecologismos, pero sí que el primer deber de los príncipes reales (según Karl Marx, el «único» deber) es casarse bien y no con señoritas de anuncio de corsetería. Cree que el último servicio que puede rendir a la monarquía es hablar con él para explicarle las ideas de su abuelo al respecto:

—Tienes que casarte con una princesa.

Está a punto de terminar el siglo XX. Es una fecha crucial para la humanidad, pero también puede serlo para su familia. El siglo XX empezó con un Borbón en el trono de España, y termina con otro Borbón, nieto del anterior.

Si las cosas se hacen bien, puede ocurrir lo mismo en el siglo XXI. Empezar con don Juan Carlos y terminar con un hijo de don Felipe.

Y María puede ayudar a que las cosas se hagan bien. Ella lo dijo cuando se casó y le preguntaron sus proyectos de futuro:

—Estar al lado de Juan y ayudarlo en sus planes.

Ahora ella es la voz de Juan más allá de la tumba.

Pero tiene que hacerse fuera de Madrid. En Madrid apenas se ven, todos tienen ocupaciones y nadie tiene tiempo de ir a verla. Cuántas veces Juanito la ha llamado para comunicarle:

—Mami, hoy voy a confesarme contigo.

Las mismas casi que ha llamado a última hora para decirle:

—Mami, perdona, no puedo ir, se me ha complicado el día.

En otras ocasiones son los nietos los que van a ir a comer, y ella espera, ilusionada, con la mesa puesta, perfectamente arreglada, pero entonces es Felipe el que llama, con la voz tan parecida a la de su padre y su abuelo:

—Ia, que papá me ha pedido que lo sustituya en un acto, ¡lo siento!

Ella sonríe siempre, y trata de calmar a sus damas cuando se enfadan porque saben la ilusión que estas visitas le hacen y con el mimo que las prepara, ¡pero si hasta ha encargado los mismos santiaguiños que comían en Portugal!

—Ni con los hijos ni con los nietos puede ni debe uno enfadarse.

En Madrid hablar es imposible. Entonces recuerda: La Mareta, en las islas Canarias, donde se consolaron de la muerte de Juan. Donde están juntos porque no conocen a nadie y no hacen vida social. Donde el viento los mantiene recluidos en casa. Donde Felipe, a menos que se tire al mar, no podrá escapar de su abuela.

Quizás también puede cumplir otra misión. Reunir a sus tres hijos a su alrededor, Pilar, Juanito, Margot, limar sus asperezas, que se apoyen, que se ayuden, que vuelvan a ser los hermanos inseparables de la infancia, como ella lo ha sido siempre de sus hermanas. No puede olvidar la recomendación de Nino en su testamento: «Que en la familia reine siempre la mayor armonía y que las diferencias de criterio sean resueltas de manera cordial».

Antes de irse definitivamente, antes del mutis final, tenía que intentarlo. Ella se siente el último eslabón con el pasado; cuando ella falte, sus tres hijos ya no tendrán a quién escuchar, ni a quién obedecer.

El rey accedió. Sofía también, porque a ella tampoco le gustaba Eva Sanum y le parecía una buena solución que su suegra hablase con el chico. La entrada en el siglo XXI era una fecha emblemática, y, además, le apetecía mucho pasar una semana entera con su marido. Él, como Felipe, si no se tiraba al mar no tendría más remedio que «aguantarla».

De la segunda parte de las intenciones de María (la unión de los tres hermanos) la reina no fue enterada.

Llegaron a Lanzarote el día 29 de diciembre. Les hacen una última fotografía en el aeropuerto, el rey empuja la silla de su madre, cuya cabeza se inclina dolorosamente sobre su hombro. Al fondo se ve a los nietos, entre ellos Felipe, que carga con una bolsa y que tiene un aire un tanto aburrido. La casa tan blanca y la claridad inmisericorde les hicieron ponerse a todos gafas oscuras, excepto a María, que hubiera podido decir, como Eugenia de Montijo:

—A mí la luz de España nunca me ha hecho daño.

Para poder mover su silla libremente por La Mareta se habían realizado pequeñas reformas, pero para subir por las escaleras necesitaba a «la cuadrilla» para trasportarla en volandas. María «por los aires» despertaba la hilaridad de sus nietos y ponía una nota de buen humor en el ambiente de la casa.

Ella era la primera en reírse.

Fueron pasando los días, perezosamente. Doña María miraba el mar del mismo azul que los cromos y se acordaba de las alegres travesías con su marido y los hijos cuando eran pequeños:

—¿Te acuerdas, Juanito, del moro de la medina de Tánger?

De pronto recordaba:

—El espía que teníamos se llamaba João Costa, se hizo muy amigo de Guite.

Margot se emocionaba cuando oía el apelativo de su infancia que sólo su madre le había dado.

También preguntaba vagamente:

—¿Existirán en Roma todavía los jardines de la Villa Borghese?

Reclamaba a Pilar:

—Cuando volvamos a Madrid tenemos que pedir que nos traigan todos los días una bandeja de lionesas de La Suiza.

Y cuando uno de los nietos se echaba a reír e iba a preguntar:

—¿La Suiza? ¿Qué es eso?

Pilar lo hacía callar y se limitaba a murmurar:

—Claro, claro.

María caía en ensoñaciones que hacían susurrar a los nietos:

—Mimí está dormida.

Pero no estaba dormida. Recordaba su infancia, cuando se escapaba con Dola del colegio e iban al mercado de abastos a comer manzanas, en Sevilla, cuando montaba a caballo por la playa de Chipiona. Se rebullía y pensaba nebulosamente:

—Tengo que hablar con Felipe, con Pilar, con Juanito…

Los días se estiraban, pasaban, como habían pasado los años, tan veloces…

El día 2 de enero, ya del 2000, comieron papas *arrugás* con mojo picón, que a María le encantaban. Todos estaban morenos, las sonrisas parecían más amplias que en Madrid, los dientes más blancos, los ojos más azules… Sacaron el té y el café, los licores, había pastas inglesas, helados y bombones de chocolate, algunos se pusieron a fumar. Juanito, antes de encender su cigarrillo, se giraba hacia su madre y le preguntaba:

—Mami, ¿me permites?

Felipe remoloneaba cerca del teléfono, esperaba una llamada o quizás quería hacerla él mismo en aquellos años sin apenas teléfonos móviles.

Su abuela intentó mirarlo con severidad, pero enseguida se entibió en el ambiente balsámico de la sobremesa. Tampoco era tan grave… Nada era tan grave.

Quizás lo de la noruega era una tontería y no tenía ninguna intención de casarse… mejor que conociera a muchas chicas antes del compromiso definitivo, porque así podría serle fiel a su mujer.

Fiel. ¿Existen los maridos fieles?

No si se apellidan Borbón.

Mejor no recordarlo. Su cuñada Crista siempre le decía: María, para ser feliz hay que tener mala memoria.

Hacía calor. Su dama, la marquesa de Tablantes, empujó la silla hasta su habitación, cerró los postigos frente al viento implacable, la ayudó a acostarse.

Cuando estaba en la puerta, doña María aún le dijo:

—Adiós, Menchu, y gracias por todo.

Seguramente su amiga de la infancia le contestó:

—Soy yo la que tengo que dar las gracias a la Señora.

Quizás María le dijo algo más, no lo sabemos, porque Menchu Tablantes siempre se ha negado a contar las últimas palabras que escuchó.

¿Cuáles serían?

Virgen de la Amargura, ayúdame.

Pasitos de niños en el techo. ¡María es un chicazo! No lo hago por él, lo hago por mí. Vivan las infantitas.

Jesús de Pasión, ayúdame.

El *Solrac*, la maravilla de la técnica. El relincho agudo de *Vive le roi*. Los ladridos escandalosos de *Rusty*.

¡Un martinito!

¡Se va para *Baganquilla*!

Y su voz. Su voz llena de mimos de Nueva York, María, dame la comida en la boca. María. María. ¡Cuánto tardas!

Se levanta María de la cama:

—Ya voy, Juan, espérame.

—Cuánto tardas.

—No te muevas, ya voy.

Camina.

María la Brava murió mientras dormía.

Murió mientras dormía.

Salió afuera caminando sobre sus pies desnudos, pisando conchas y caracolas. Se montó de un salto sobre su caballo, joven amazona, y se alejó por las praderas celestiales, galopando hasta el deslumbrante horizonte.

Notas bibliográficas

Capítulo 1

1. González de Vega, Javier, *Yo, María de Borbón*, El País-Aguilar, Madrid, 1995.

2. Aranguren, Begoña y Dampierre, Emanuela, *Memorias,* La Esfera de los Libros, Madrid, 2003.

3. Corresponden a Fernando Gracia, González de Vega y Bonmatí de Codecido.

4. Balansó, Juan, *Trío de Príncipes*, Plaza y Janés, Barcelona, 1995.

5. Sainz Rodríguez, Pedro, *Testimonios y recuerdos*, Planeta, Barcelona, 1978.

6. De la Cierva, Ricardo, «Franco, don Juan, los reyes sin corona», Revista *Época*, todo 1992.

7. Balansó, Juan, *op. cit.*

8. Vilallonga, José Luis, *La cruda y tierna verdad*, Plaza y Janés, Barcelona, 2000.

9. Sainz Rodríguez, Pedro, *Un reinado en la sombra*, Planeta, Barcelona, 1981.

Capítulo 2

1. Sierra, Ramón, *Don Juan de Borbón*, Afrodisio Aguado, Madrid, 1965.

2. Condesa de Barcelona, recogido por Javier González de Vega, «Vida y recuerdos», *¡Hola!*, n. 2421, 3 de enero de 1991.

3. Balansó, Juan, *Los diamantes de la Corona*, Plaza y Janés, Barcelona, 1998.

4. Mateos, Ricardo, *Los desconocidos infantes de España*, Thassalia, Barcelona, 1997.

5. Recogido en *Ena* de Pilar Eyre, La Esfera de los Libros, Madrid, 2009.

6. González de Vega, Javier, *Yo, María de Borbón*, El País-Aguilar, Madrid, 1995.

7. Sagrera, Ana de, *Ena y Bee. En defensa de una amistad*, Velecio Editores, Madrid, 2006.

8. Gracia, Fernando, *La madre del Rey*, Temas de Hoy, Madrid, 1994.

9. Sierra, Ramón, *op. cit.*

10. Almagro San Martín, Melchor, *Ocaso y fin de un reinado*, Afrodisio Aguado, Madrid, 1947.

11. Osorio, Alfonso y Cardona, Gabriel, *Alfonso XIII*, Plaza y Janés, Barcelona, 2003.

12. Gómez Santos, Marino, *La reina Victoria de cerca,* Afrodisio Aguado, Madrid, 1964.

13. González de Vega, Javier, *op. cit*

14. Carretero, José María, *Don Juan de España*, colección El Caballero Audaz al servicio del pueblo, Editorial ECA, Madrid, 1934.

Capítulo 3

1. Condesa de Barcelona, recogido por Javier González de Vega, en «Vida y recuerdos», *¡Hola!*, n. 2421, 3 de enero de 1991.

2. Gómez Santos, Marino, *La reina Victoria de cerca*, Afrodisio Aguado, Madrid, 1964.

3. Borrás, Rafael, *El rey de los rojos*, Los Libros de Abril, Barcelona, 1996.

4. Condesa de Barcelona, *op. cit.*

5. Fuente, Ismael, *La Duquesa*, Temas de Hoy, Madrid, 1990.

6. González de Vega, Javier, *Yo, María de Borbón*, El País-Aguilar, Madrid, 1995.

7. Carretero, José María, *Don Juan de España*, colección El Caballero Audaz al servicio del pueblo, Editorial ECA, Madrid, 1934.

8. Cortés Cavanillas, Julián, *Alfonso XIII en el destierro*, Librería San Martín, Madrid, 1943.

8. Sagrera, Ana de, *Ena y Bee. En defensa de una amistad*, Velecio Editores, Madrid, 2006.

10. Varela, Benigno, *En defensa del Príncipe de Asturias,* edición propia, Madrid, octubre de 1933.

11. *ABC*, 10 de mayo de 1919.

12. Gómez Santos, Marino, *op. cit.*

13. *El Mundo. Magazine*, 21 de mayo de 2006.

14. González de Vega, Javier, *op. cit.*

15. Elogios debidos a la pluma de El Caballero Audaz en su libro sobre don Juan.

16. Citado en *Ena* de Pilar Eyre, La Esfera de los Libros, Madrid, 2009.

17. Almagro San Martín, Melchor, *Ocaso y fin de un reinado*, Afrodisio Aguado, Madrid, 1947.

18. González de Vega, Javier, *op. cit.*

Capítulo 4

1. Carretero, José María, *Don Juan de España*, colección El Caballero Audaz al servicio del pueblo, Editorial ECA, Madrid, 1934.

2. Balansó, Juan, *Trío de príncipes*, Plaza y Janés, Barcelona, 1995.

3. Almagro San Martín, Melchor, *Ocaso y fin de un reinado*, Afrodisio Aguado, Madrid, 1947.

4. Gracia, Fernando, *La madre del Rey*, Temas de Hoy, Madrid, 1994.

5. González de Vega, Javier, *Yo, María de Borbón*, El País-Aguilar, Madrid, 1995.

6. Sagrera, Ana de, *Ena y Bee. En defensa de una amistad*, Velecio Editores, Madrid, 2006.

7. Borrás, Rafael, *El rey de los rojos*, Los Libros de Abril, Barcelona, 1996.

8. Bonmatí de Codecido, Francisco, *El Príncipe don Juan de España,* Librería San Martín, Valladolid, 1938.

9. González de Vega, Javier, *op. cit.*

10. Balansó, Juan, *op. cit.*

11. Ibídem.

12. Almagro San Martín, Melchor, *op. cit.*

13. Balansó, Juan, *op. cit.*

Capítulo 5

1. Carretero, José María, *Don Juan de España*, colección El Caballero Audaz al servicio del pueblo, Editorial ECA, Madrid, 1934.

2. Bonmatí de Codecido, Francisco, *El Príncipe don Juan de España*, Librería San Martín, Valladolid, 1938.

3. González de Vega, Javier, *Yo, María de Borbón*, El País-Aguilar, Madrid, 1995.

4. Almagro San Martín, Melchor, *Ocaso y fin de un reinado*, Afrodisio Aguado, Madrid, 1947.

5. Balansó, Juan, *Los Borbones incómodos*, Debolsillo, Barcelona, 2004.

6. González de Vega, Javier, *op. cit.*
7. Ibídem.
8. Sagrera, Ana de, *Ena y Bee. En defensa de una amistad*, Velecio editores, Madrid, 2006.
9. Bonmatí de Codecido, Francisco, *op. cit.*
10. Ibídem.
11. Borbón, Leandro de, *El bastardo real*, La Esfera de los Libros, Madrid, 2002.
12. Luca de Tena, Juan Ignacio, *Mis amigos muertos*, Planeta, Barcelona, 1971.

Capítulo 6

1. Sierra, Ramón, *Don Juan de Borbón*, Afrodisio Aguado, Madrid, 1965.
2. *ABC*, 14 de octubre de 1937.
3. Alcalá, César, *Checas de Barcelona*, Belacqua, Barcelona, 2005.
4. Foxá, Agustín de, «Brigada del amanecer», *El almendro y la espada*, Mayfe, Madrid, 1940.
5. González de Vega, Javier, *Yo, María de Borbón*, El País-Aguilar, Madrid, 1995.
6. Scott-Ellis, Pip, *Diario de la guerra de España*, Plaza y Janés, Barcelona, 1996.
7. Bonmatí de Codecido, Francisco, *Don Juan de España*, Librería San Martín, Valladolid, 1938.
8. Almagro San Martín, Melchor, *Ocaso y fin de un reinado*, Afrodisio Aguado, Madrid, 1947.
9. Mateos, Ricardo, *Los desconocidos infantes de España*, Thassalia, Barcelona, 1997.
10. Se trataba de Bonmatí de Codecido.
11. Noel, Gerard, *Ena: Spain's English Queen*, Constable, Londres, 1999.

12. Aranguren, Begoña, y Dampierre, Emanuela, *Memorias*, La Esfera de los Libros, Madrid, 2003.

13. Salmador, Víctor, «El rey cuenta su vida», *Tiempo*, 1986.

14. Scott-Ellis, Pip, *op. cit.*

15. Laot, Françoise, *Juan Carlos y Sofía*, Espasa Calpe, Madrid, 1987.

16. Almagro San Martín, Melchor, *op. cit.*

17. Salmador, Víctor, *op. cit.*

Capítulo 7

1. González de Vega, Javier, *Yo, María de Borbón*, El País-Aguilar, 1996.

2. Ibídem.

3. González Ruano, César, *Mi medio siglo se confiesa a medias*, Fundación Cultural Mapfre, Madrid, 1951.

4. Aranguren, Begoña, y Dampierre, Emanuela, *Memorias*, La Esfera de los Libros, Madrid, 2003.

5. Ramírez de Haro, Íñigo, *El caso Medina Sidonia*, La Esfera de los Libros, Madrid, 2008.

6. Laot, Françoise, *Juan Carlos y Sofía*, Espasa Calpe, Madrid, 1987.

7. Ansaldo, Juan Antonio, *Para qué... de Alfonso XIII a Juan III*, Editorial Ekin, Buenos Aires, 1951.

8. Investigación que realicé a propósito de mi libro *Secretos y mentiras de la Familia Real* publicado en esta misma editorial en 2007.

9. Esta rivalidad está explicada con detalle en mi libro *Dos Borbones en la corte de Franco*, La Esfera de los Libros, Madrid, 2005.

10. Salmador, Víctor, «Secretos de un rey sin trono», *Tiempo*, 1993.

11. Calvo Serer, Rafael, *Franco frente al rey*, edición propia, París, 1972.

12. Palacios, Jesús, «Los informes secretos de Franco», *Tiempo*, 1990.
13. Magazine anual de la revista *¡Hola!*, 1994.
14. *ABC*, 24 de diciembre de 1944.
15. Anson, Luis María, *Don Juan*, Plaza y Janés, Barcelona, 1994.

Capítulo 8

1. Vázquez Azpiri, Héctor, *De Alfonso XIII a Príncipe de España*, Nauta, Madrid, 1973.
2. Gurriarán, Juan Antonio, *El rey en Estoril*, Planeta, Barcelona, 2000.
3. Preston, Paul, «Juan Carlos, el rey de un pueblo», *ABC*, 2003.
4. En la revista alemana *Welt am Sonntag*, 1978.
5. Gurriarán, Juan Antonio, *op. cit*
6. Sierra, Ramón, *Don Juan de Borbón*, Afrodisio Aguado, Madrid, 1965.
7. Vilallonga, José Luis, *La cruda y tierna verdad*, Plaza y Janés, Barcelona, 2000.
8. Gurriarán, Juan Antonio, *op. cit.*
9. Regolo, Luciano, *Il re signore*, Simonelli Editore, Milán, 1998.
10. Gurriarán, Juan Antonio, *op. cit.*
11. Vilallonga, José Luis, *op. cit.*
12. González de Vega, Javier, *Yo, María de Borbón*, El País-Aguilar, Madrid, 1996.
13. *ABC*, 13 de mayo de 1946.
14. González de Vega, Javier, *op. cit.*
15. Sainz Rodríguez, Pedro, *Un reinado en la sombra*, Planeta, Barcelona, 1981.
16. González de Vega, Javier, *op. cit.*

17. Anson, Luis María, *Don Juan*, Plaza y Janés, Madrid, 1994.
18. Vilallonga, José Luis, *op. cit.*
19. González de Vega, Javier, *op. cit.*
20. Gil Robles, José María, *La monarquía por la que yo luché*, Planeta, Barcelona, 1976.
21. Pemán, José María, *Mis encuentros con Franco*, Dopesa, Barcelona, 1976.
22. Balansó, Juan, *Los Borbones incómodos*, Debolsillo, Barcelona, 2004.
23. González de Vega, Javier, *op. cit.*
24. Rojas Quintana, Felipe, «José María Gil Robles», tesis doctoral citada por Rafael Borrás en *El rey de los rojos*.
25. Gurriarán, Juan Antonio, *op. cit.*
26. Vilallonga, José Luis, *op. cit.*
27. Mateos, Ricardo, *Los infantes de Andalucía*, Velecio Editores, Madrid, 2005.
28. *El Mundo*, 7 de abril de 2002.
29. Urbano, Pilar, *La Reina*, Plaza y Janés, Barcelona, 1996.
30. Mateos, Ricardo, *op. cit.*
31. Franco Salgado Araujo, Francisco, *Mis conversaciones privadas con Franco*, Planeta, Barcelona, 1976.
32. Burns, Tom, *Conversaciones con el Rey*, Plaza y Janés, Barcelona, 1995.

Capítulo 9

1. Anson, Luis María, *Don Juan*, Plaza y Janés, Barcelona, 1994.
2. Gurriarán, Juan Antonio, *El rey en Estoril*, Planeta, Barcelona, 2000.
3. Anson, Luis María, *op. cit.*
4. Laot, Françoise, *Juan Carlos y Sofía*, Espasa Calpe, Madrid, 1987.

5. Gurriarán, Juan Antonio, *op. cit.*

6. Sainz Rodríguez, Pedro, *Testimonios y recuerdos*, Planeta, Barcelona, 1978.

7. Condesa de Barcelona, «Vida y recuerdos», revista *¡Hola!*, n. 2421, 3 de enero de 1991.

8. Laot, Françoise, *op. cit.*

Capítulo 10

1. Un gran fragmento de este material forma parte de mi libro *Secretos y mentiras de la Familia Real*, La Esfera de los Libros, Madrid, 2007.

2. Anson, Luis María, *Don Juan*, Plaza y Janés, Barcelona, 1994.

3. Gurriarán, Juan Antonio, *El rey en Estoril*, Planeta, Barcelona, 2000.

4. La información que aporto proviene de fuentes fiables que mi editorial conoce.

5. Sagrera, Ana de, *Ena y Bee. En defensa de una amistad*, Velecio editores, Madrid, 2006.

6. Robilant, Olginha de, *Reina de corazones*, Grijalbo, Barcelona, 1991.

7. Revista *Oggi*, 13 de septiembre de 1989.

8. Aportación a la autora de distintas fuentes que prefieren permanecer en el anonimato.

9. Vilallonga, José Luis, *La cruda y tierna verdad*, Plaza y Janés, Barcelona, 2000.

10. González de Vega, Javier, *Yo, María de Borbón*, El País-Aguilar, Madrid, 1996.

11. Gurriarán, Juan Antonio, *op. cit.*

12. Balansó, Juan, *La familia real y la familia irreal*, Planeta, Barcelona, 1992.

13. Sainz Rodríguez, Pedro, *Testimonios y recuerdos*, Planeta, Barcelona, 1978.

14. Franco Salgado Araújo, Francisco, *Mis conversaciones privadas con Franco*, Planeta, Barcelona, 1976.

15. Aranguren, Begoña, y Dampierre, Emanuela, *Memorias*, La Esfera de los Libros, Madrid, 2003.

16. Jaudel, Françoise, *Los reyes de hoy*, Javier Vergara editor, Barcelona, 1986.

17. Robilant, Olginha, *op. cit.*

18. Sagrera, Ana de, op. cit.

19. Jaudel, Françoise, *op. cit.*

20. *ABC*, 30 de mayo de 1963.

21. Urbano, Pilar, *La Reina*, Plaza y Janés, Barcelona, 1996.

22. Revista *Lecturas*, 12 de mayo de 1967.

23. González de Vega, Javier, *Yo, María de Borbón*, El País-Aguilar, Madrid, 1995.

24. Borbón Dampierre, Alfonso de, *Memorias*, Ediciones B, Barcelona, 1989.

25. Apezarena, José, *El Príncipe*, Plaza y Janés, Barcelona, 2003.

26. Laot, Françoise, *op. cit.*

Capítulo 11

1. Gracia, Fernando, *La madre del Rey*, Temas de Hoy, Madrid, 1994.

2. Citado en Borrás, Rafael, *El rey de los rojos*, Los Libros de Abril, Barcelona, 1996.

3. Apezarena, José, *El Príncipe*, Plaza y Janés, Barcelona, 2003.

4. Laot, Françoise, *Juan Carlos y Sofía*, Espasa Calpe, Madrid, 1987.

5. Revista *¡Hola!,* número especial 50 aniversario, 1994.

6. Revista *Semana*, número especial 60 aniversario, 2000.

7. González de Vega, Javier, *Yo, María de Borbón*, El País-Aguilar, Madrid, 1995.

8. «Homenaje a la Infanta Cristina», por Enrique González Fernández, revista *Cuenta y Razón*, n. 101. 1997.

9. La autora en *Interviú*, 16 de mayo de 1984.

10. González de Vega, Javier, *op. cit.*

11. Anson, Luis María, *Don Juan*, Plaza y Janés, Barcelona, 1994.

12. Torío, Marcos, *Veranos en Mallorca*, La Esfera de los Libros, Madrid, 2010.

13. García Abad, José, *La soledad del Rey*, La Esfera de los Libros, Madrid, 2004.

14. Cacho, Jesús, *Un intruso en el laberinto de los escogidos*, Temas de Hoy, Madrid, 1994.

15. Pérez Mateos, José Antonio, *Cambio 16*, 18-5-98.

16. Díaz Herrera, José, y Durán, Isabel, *El saqueo de España*, Temas de Hoy, Madrid, 1996.

17. *El Mundo*, mayo de 2002.

18. Gurriarán, José Antonio, *El Rey en Estoril*, Planeta, Barcelona, 2000.

19. Cacho, Jesús, *op. cit.*

APÉNDICE

GENEALOGÍAS

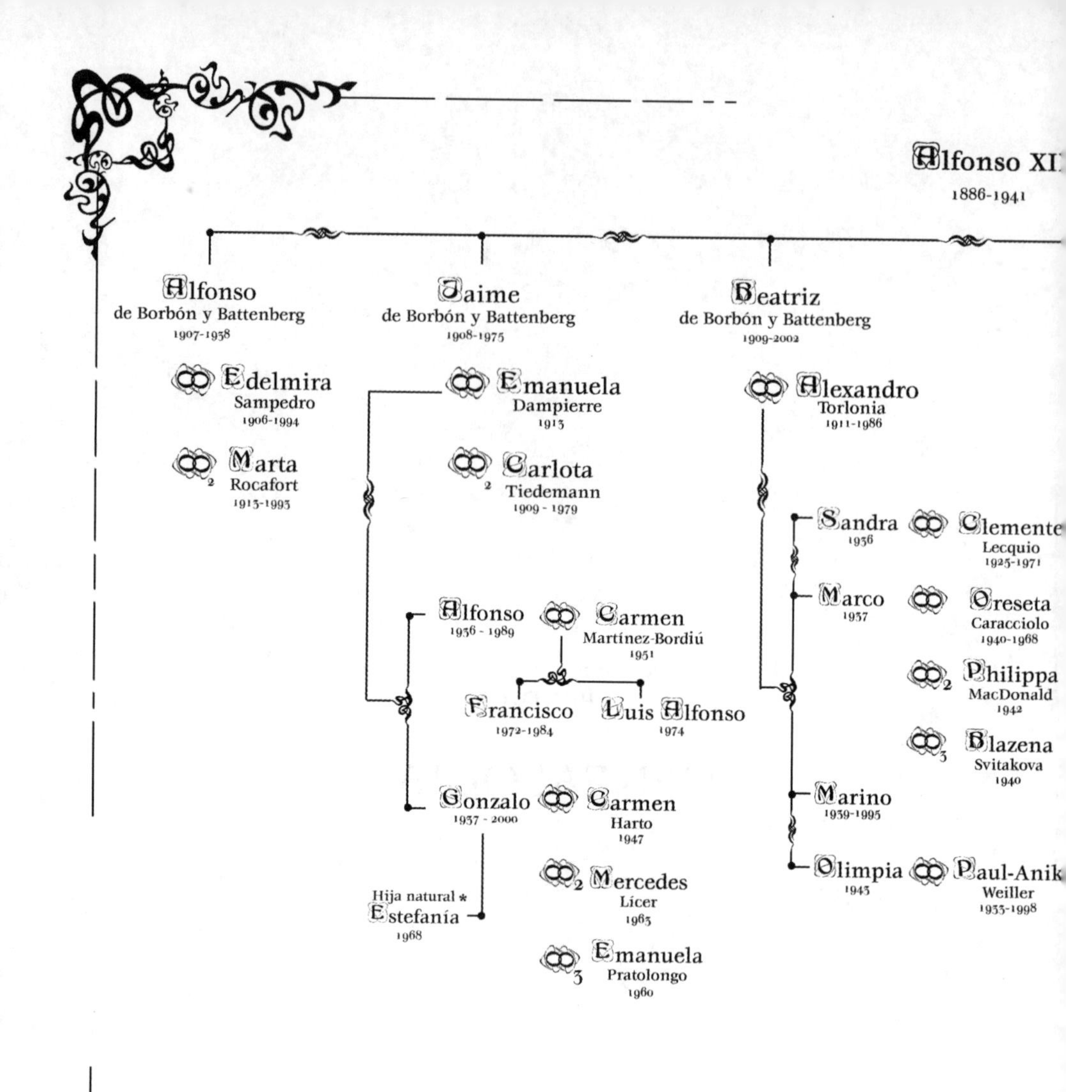

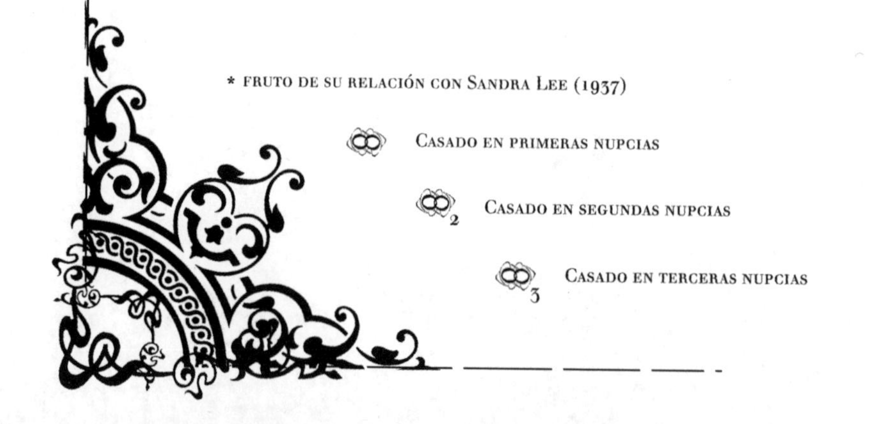

* Fruto de su relación con Sandra Lee (1937)

Casado en primeras nupcias

2 Casado en segundas nupcias

3 Casado en terceras nupcias

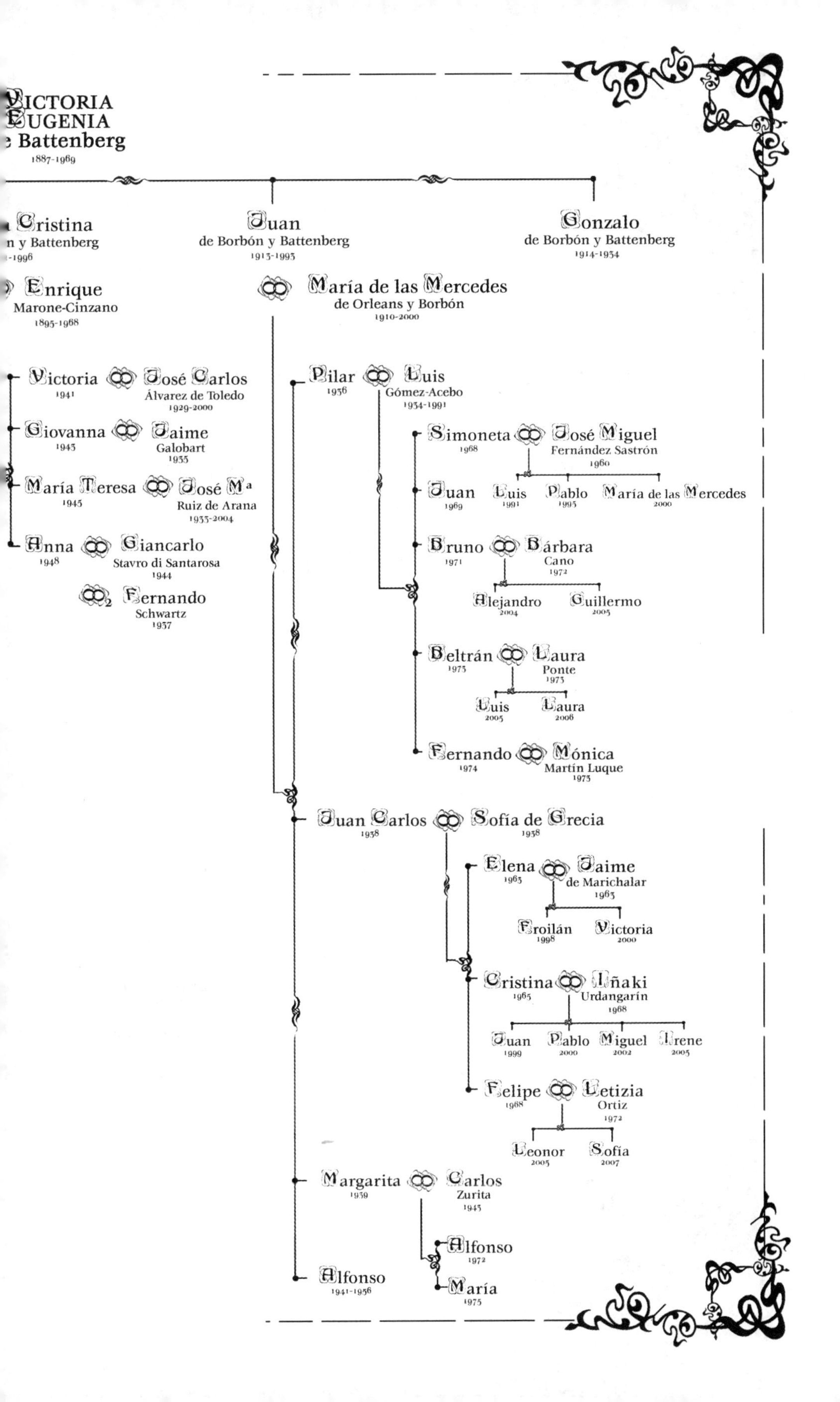

VICTORIA EUGENIA
e Battenberg
1887-1969
Cristina
n y Battenberg
-1996
Enrique
Marone-Cinzano
1895-1968
Juan
de Borbón y Battenberg
1913-1993
María de las Mercedes
de Orleans y Borbón
1910-2000
Gonzalo
de Borbón y Battenberg
1914-1934
Victoria
1941
José Carlos
Álvarez de Toledo
1929-2000
Giovanna
1943
Jaime
Galobart
1935
María Teresa
1945
José Mª
Ruiz de Arana
1935-2004
Anna
1948
Giancarlo
Stavro di Santarosa
1944
2
Fernando
Schwartz
1937
Pilar
1936
Luis
Gómez-Acebo
1934-1991
Simoneta
1968
José Miguel
Fernández Sastrón
1960
Juan
1969
Luis
1991
Pablo
1993
María de las Mercedes
2000
Bruno
1971
Bárbara
Cano
1972
Alejandro
2004
Guillermo
2005
Beltrán
1973
Laura
Ponte
1973
Luis
2005
Laura
2006
Fernando
1974
Mónica
Martín Luque
1973
Juan Carlos
1938
Sofía de Grecia
1938
Elena
1963
Jaime
de Marichalar
1963
Froilán
1998
Victoria
2000
Cristina
1965
Iñaki
Urdangarín
1968
Juan
1999
Pablo
2000
Miguel
2002
Irene
2005
Felipe
1968
Letizia
Ortiz
1972
Leonor
2005
Sofía
2007
Margarita
1939
Carlos
Zurita
1943
Alfonso
1972
María
1975
Alfonso
1941-1956

Primer matrimonio del padre de doña María

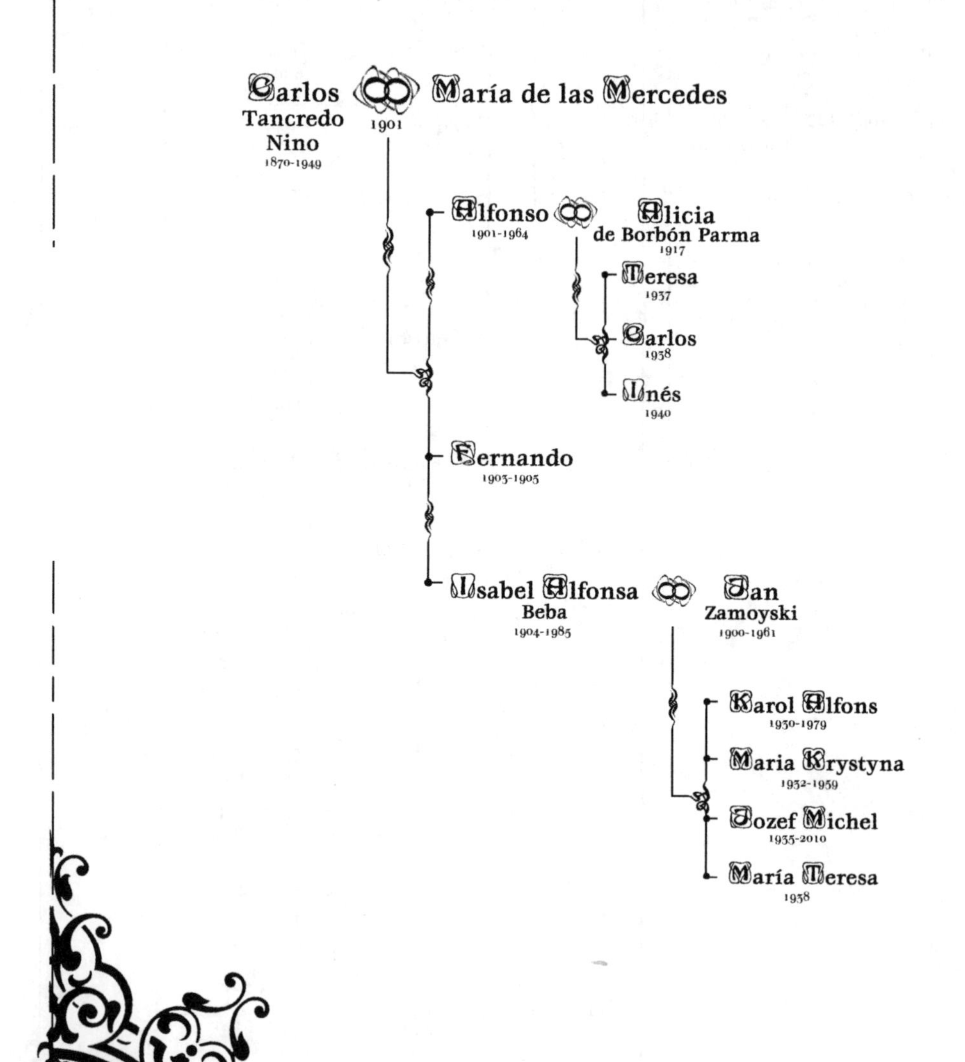

Segundo matrimonio del padre de doña María

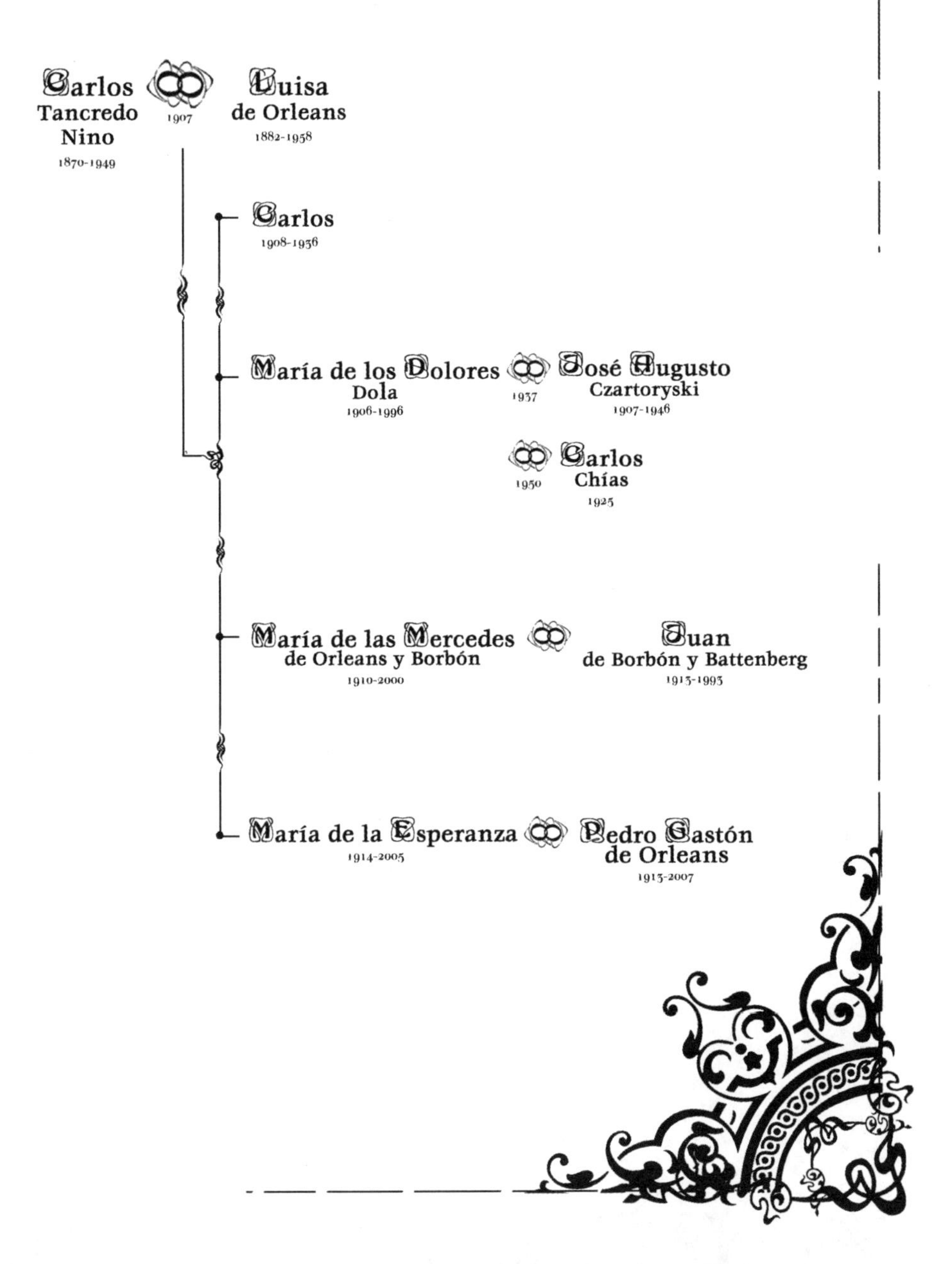